Bloemen op zolder

2474

Van dezelfde auteur:

M’n lieve Audrina

Dollanganger-serie:
Bloemen op zolder
Bloemen in de wind
Als er doornen zijn
Schaduwen in de tuin

Casteel-saga:
Hemel zonder engelen
De duistere engel
De gevallen engel
Een engel voor het paradijs

Dawn-saga:
Het geheim

Virginia Andrews

Bloemen op zolder

Zwarte beertjes

Oorspronkelijke titel
Flowers at the Attic

Vertaling
Parma van Loon

Eerder verschenen bij De Kern, Baarn

ISBN 90 449 2474 5
NUGI 331

Achtste druk, januari 1997

Voor Bill en Gene
die zich herinneren wanneer...

Boek een

Zal ook het leem tot zijn vormer zeggen: Wat maakt gij?

Jesaja 45:9

PROLOOG

Hoop hoort geel gekleurd te zijn, als de zon die we zo zelden zagen. En als ik begin te citeren uit de oude dagboeken die ik zo lang bewaard heb, komt er plotseling een titel bij me op: *Open het raam en koester je in de zon.* Toch wil ik ons verhaal eigenlijk niet zo noemen. Want ik vergelijk ons meer met bloemen op zolder. Papieren bloemen. Vrolijk gekleurd bij hun ontstaan en steeds valer en doffer wordend in die lange, grimmige, troosteloze, nachtmerrieachtige dagen toen we gevangenen waren van de hoop en opgesloten waren door hebzucht. Maar nooit zouden we een van onze papieren bloesems geel kleuren.

Charles Dickens begon zijn romans vaak met de geboorte van de hoofdpersoon, en omdat hij tot de lievelingsschrijvers behoort van mij en van Chris, zou ik zijn stijl graag imiteren – als ik dat kon. Maar hij was een genie, met een groot talent, die moeiteloos kon schrijven, terwijl ik ieder woord neerschrijf met tranen, verbittering en wrok, vermengd met schaamte en schuldgevoel. Ik dacht dat ik me nooit zou schamen of me schuldig zou voelen; dat alleen anderen daarmee moesten rondlopen.

Jaren zijn voorbijgegaan, en ik ben nu ouder en verstandiger en berustender. De woede die me eens verteerde is bedaard, zodat ik hoop naar waarheid en met minder haat en vooroordeel te kunnen schrijven dan een paar jaar geleden het geval zou zijn geweest.

Dus, evenals Charles Dickens, zal ik mij in dit werk van 'fictie' verschuilen achter een valse naam, en op gefingeerde plaatsen wonen, en ik zal God bidden dat het degenen die het aangaat pijn zal doen als zij lezen wat ik te zeggen heb. God in zijn oneindige goedheid zal er ongetwijfeld voor zorgen dat een of andere begrijpende uitgever mijn woorden zal drukken en zal helpen het mes te scherpen dat ik hoop te hanteren.

VAARWEL, PAPPA

Ach ja, toen ik nog heel jong was, in de vijftiger jaren, geloofde ik dat het hele leven één lange, volmaakte zomer zou worden. Zo begon het ook. Er valt weinig te zeggen over onze prille jeugd, behalve dat die erg gelukkig was, waarvoor ik eeuwig dankbaar hoor te zijn. We waren niet rijk en we waren niet arm. Ik zou niet kunnen zeggen waaraan het ons had kunnen ontbreken, evenmin als ik kan zeggen dat we veel luxe hadden, zonder hetgeen dat wij hadden te vergelijken met hetgeen anderen hadden, en niemand in onze buurt had meer of minder dan wij. Met andere woorden, we waren normale doorsnee kinderen.

Onze vader was de public relationsman voor een grote computerfabriek in Gladstone, Pennsylvania: bevolking 12.602. Hij had veel succes, want zijn baas at vaak bij ons en schepte op over het werk dat pappa zo goed scheen te doen. 'Het is dat all-American, gezonde, knappe gezicht en die charme van hem waar ze niet tegen bestand zijn. Goeie God, Chris, welk normaal mens kan een man als jij weerstaan?'

Ik was het volkomen met hem eens. Onze vader was volmaakt. Hij was een meter vijfentachtig, woog 180 pond, en hij had dik, asblond haar, dat net genoeg golfde om het onweerstaanbaar te maken; hemelsblauwe, lachende ogen schitterden van pret en levenslust. Zijn neus was recht en niet te lang of te smal en niet te dik. Hij speelde tennis en golf als een professional en zwom zo vaak dat hij het hele jaar door bruin verbrand was. Hij was altijd onderweg met het vliegtuig naar Californië, naar Florida, Arizona of Hawaii, of zelfs naar het buitenland voor zaken, terwijl wij bij moeder thuis bleven.

Als hij vrijdagmiddag binnenkwam – elke vrijdagmiddag (hij zei dat hij het niet kon verdragen langer dan vijf dagen van ons gescheiden te zijn) – scheen de zon, zelfs als het regende of sneeuwde, zodra wij zijn hartelijke, vrolijke lach hoorden.

Zijn stem schalde door het huis zodra hij zijn koffer en aktentas neerzette: 'Heet me welkom met een zoen als je van me houdt!'

Mijn broer en ik verborgen ons altijd ergens bij de voordeur en na zijn schallende begroeting kwamen we achter een stoel of bank te voorschijn en wierpen ons in zijn wijd geopende armen, die ons optilden en omklemden, waarop hij ons spontaan en stevig zoende. Vrijdag – dat was de beste dag van de hele week, want dan kwam pappa thuis. In zijn zakken had hij kleine geschenkjes voor ons; in zijn koffer had hij de grotere cadeaus die hij uitdeelde nadat hij moeder had begroet, die zich op de achtergrond hield en geduldig wachtte tot hij ons had omhelsd.

En als we de kleine geschenkjes gekregen hadden, trokken Christopher en ik ons terug en keken naar mamma die langzaam naar voren kwam, met een tedere glimlach die een schittering bracht in de ogen van vader. Hij nam haar in zijn armen en staarde naar haar gezicht alsof hij haar minstens een jaar niet had gezien.

Vrijdag bracht mamma de halve dag door in de schoonheidssalon, waar ze haar haar liet doen en haar nagels lakken, om daarna thuis een langdurig bad te nemen in geurig water. Ik zat in haar kleedkamer en wachtte tot ze in een doorzichtig négligé uit de badkamer kwam. Ze ging voor haar toilettafel zitten en maakte zich zorgvuldig op. Ik wilde zo graag van haar leren, observeerde haar terwijl ze zich van een gewone aantrekkelijke vrouw veranderde in een verrukkelijk mooi, onaards wezen. En het grappigst van alles was dat vader dacht dat ze *niet* was opgemaakt! Hij geloofde dat ze van nature zo'n opvallende schoonheid was.

Liefde was een begrip waarmee kwistig werd omgesprongen in ons huis. 'Hou je van me? – Want ik hou ontzettend veel van jou; heb je me gemist? – Ben je blij dat ik thuis ben? – Heb je aan me gedacht toen ik weg was? Elke nacht? Heb je liggen woelen en draaien en gewenst dat ik naast je lag, je dicht tegen me aanhield? Want als je dat niet hebt gedaan, Corrine, wil ik liever sterven.'

Mamma wist precies hoe ze op die vragen moest antwoorden – met haar ogen, met een zacht gefluister en met kussen.

Op een dag kwamen Christopher en ik hollend thuis uit school. De koude winterse wind joeg ons door de voordeur. 'Doe je laarzen uit in de hal,' riep mamma uit de zitkamer, waar ik haar voor de kachel kon zien zitten, bezig een klein wit truitje te breien, dat net groot genoeg was voor een pop. Ik dacht dat het een kerstcadeautje was voor mij, voor een van mijn poppen.

'En doe je schoenen uit voor je binnenkomt,' ging ze verder.

We lieten onze laarzen en dikke jassen en mutsen achter in de hal en renden toen op kousevoeten de zitkamer binnen, waar een dik wit tapijt lag. De pastelkleurige kamer, die speciaal ontworpen was om de blonde schoonheid van mijn moeder te doen uitkomen, was meestal verboden terrein voor ons. Dit was de kamer waar we op bezoek kwamen, de kamer van onze moeder, en we voelden ons nooit helemaal op ons gemak op de abrikooskleurige brokaten bank of de velours fauteuils. We hielden meer van pappa's kamer, met zijn donkere houten wanden en stevige, geruite bank, waar we konden rollebollen en stoeien, zonder bang te hoeven zijn dat we iets beschadigden.

'Het is ijskoud buiten, mamma!' zei ik ademloos. Ik liet me aan haar voeten vallen en strekte mijn benen uit naar het vuur. 'Maar de fietstocht naar huis was prachtig. Aan alle bomen en struiken hangen fonkelende diamanten ijspegels en kristallen. Het is een sprookjesland buiten, mamma. Ik zou nooit in het zuiden willen wonen, waar het nooit sneeuwt!'

Christopher sprak niet over het weer en de kille schoonheid buiten. Hij was twee jaar en vijf maanden ouder dan ik en veel verstandiger, en hij staarde nu met een bezorgd gezicht naar mamma.

Ik keek ook naar haar en vroeg me af waarom hij zo bezorgd keek. Ze breide snel en ervaren, en raadpleegde van tijd tot tijd het patroon.

'Mamma, voel je je goed?' vroeg hij.

'Ja natuurlijk,' antwoordde ze glimlachend.

'Je ziet er zo moe uit.'

Ze legde het kleine truitje opzij. 'Ik ben vandaag bij de dokter geweest,' zei ze, en boog zich naar voren om Christophers koude, roze wang te strelen.

'Mamma!' riep hij verschrikt uit. 'Ben je ziek?'

Ze grinnikte zachtjes, woelde met haar lange, slanke vingers door zijn verwarde blonde krullen. 'Christopher Dollanganger, dat weet je wel beter. Ik heb wel gezien hoe achterdochtig je naar me keek.' Ze pakte zijn hand en één van mijn handen vast, en legde ze allebei op haar uitpuilende middel.

'Voel je wat?' vroeg ze, weer met die geheimzinnige, tevreden glimlach op haar gezicht.

Snel trok Christopher zijn hand weg, terwijl zijn gezicht vuurrood werd. Maar ik liet mijn hand daar rusten, nieuwsgierig, in afwachting.

'Wat voel *jij*, Cathy?'

Onder mijn hand, onder haar kleren, gebeurde iets vreemds. Kleine zachte bewegingen deden haar buik trillen. Ik keek op en staarde haar aan, en zelfs nu nog kan ik me herinneren hoe lieflijk ze er uitzag, als een madonna van Raphaël.

'Mamma, je lunch beweegt, of anders rommelt je maag.' Ze lachte, haar blauwe ogen straalden en ze zei dat ik nog eens moest raden.

Haar stem klonk lief en ernstig toen ze ons het nieuws vertelde. 'Lieverds, ik verwacht begin mei een baby. En toen ik mijn dokter vandaag bezocht zei hij dat hij *twee* hartslagen hoorde. Dus dat betekent dat ik een tweeling krijg... of, God verhoede het, een drieling. Zelfs je vader weet het nog niet, dus zeg niets tegen hem voordat ik zelf de kans heb gehad het hem te vertellen.'

Verbijsterd keek ik naar Christopher om te zien hoe hij dit opnam. Hij leek verward en verlegen. Ik keek weer naar haar mooie gezicht, dat door de vlammen verlicht werd. Toen sprong ik overeind en holde naar mijn kamer.

Ik liet me voorover op bed vallen en brulde het uit, ik liet me helemaal gaan! Babies – twee of nog meer! *Ik* was de baby! Ik wilde niet dat een paar jammerende, huilende babies mijn plaats kwamen innemen! Ik snikte en sloeg met mijn vuisten op de kussens, ik wilde iets of iemand pijn doen. Toen ging ik rechtop zitten en dacht erover om weg te lopen.

Er werd zachtjes geklopt op de deur, die ik op slot had gedaan. 'Cathy,' zei mijn moeder, 'mag ik binnenkomen en er met je over praten?'

'Ga weg!' gilde ik. 'Ik haat je babies nu al!'

Ja, ik wist wel wat me te wachten stond, het middelste kind, het kind waar ouders niets om geven. Ik zou vergeten worden; er zouden geen cadeautjes meer komen op vrijdag. Pappa zou alleen nog maar aan mamma denken, aan Christopher, en aan die afschuwelijke babies die mij van mijn plaats zouden verdringen.

Mijn vader kwam 's avonds naar mij toe, vlak nadat hij was thuisgekomen. Ik had de deur van het slot gedaan, voor het geval hij zou komen. Ik gluurde stiekem omhoog, om zijn gezicht te zien, want ik hield erg veel van hem. Hij keek triest. Hij had een grote doos bij zich, die in zilverpapier was verpakt, met een grote rozet van roze satijn.

'Hoe gaat het met mijn Cathy?' vroeg hij zachtjes. 'Je bent niet naar me toegekomen om me goedendag te zeggen toen ik thuiskwam. Je hebt me niet begroet, je hebt me zelfs niet bekeken. Cathy, het doet me verdriet als je me niet komt omhelzen en me een zoen geeft.'

Ik zei niets, maar ging op mijn rug liggen en keek hem woedend aan. Wist hij dan niet dat ik zijn leven lang zijn lievelingetje hoorde te zijn? Waarom moesten mamma en hij nog meer kinderen laten komen? Waren twee niet genoeg?

Hij zuchtte en ging op de rand van mijn bed zitten. 'Zal ik je eens wat vertellen? Dit is de eerste keer in je leven dat je ooit zo kwaad naar me gekeken hebt. Dit is de eerste vrijdag dat je niet naar me toe bent gekomen. Je gelooft het misschien niet, maar ik begin pas te leven als ik vrijdags thuiskom.'

Ik pruilde en weigerde me te laten vermurwen. Hij had me niet nodig. Hij had zijn zoon en hopen schreeuwende babies op komst. Ik zou in de menigte vergeten worden.

'En zal ik je nog eens wat vertellen,' begon hij, terwijl hij me aandachtig opnam. 'Ik heb altijd geloofd, heel dom misschien, dat als ik vrijdags thuiskwam zonder ook maar één cadeautje mee te nemen voor jou of je broer... jullie toch zouden komen aanhollen, en me om mijn hals vallen. Ik dacht dat je van *mij* hield en niet van mijn cadeautjes. Ik heb, blijkbaar ten onrechte, geloofd dat ik een goede vader ben geweest en dat ik je liefde heb weten te winnen, en dat je zou weten dat je altijd een grote plaats in mijn hart zou innemen, zelfs al hadden je moeder en ik wel tien kinderen.' Hij zweeg even, zuchtte, en zijn blauwe ogen werden somber. 'Ik dacht dat mijn Cathy wel zou weten dat ze altijd mijn eigen kleine meisje zou blijven, omdat zij mijn eerste was.'

Ik wierp hem een boze, verontwaardigde blik toe. Toen zei ik gesmoord: 'Maar als mamma nog een meisje krijgt, zeg je hetzelfde tegen haar!'

'O ja?'

'Ja,' snikte ik. Ik had zo'n verdriet dat ik het wel kon uitschreeuwen, zo jaloers was ik nu al. 'Je zult misschien zelfs *meer* van haar houden dan van mij, omdat ze kleiner en leuker zal zijn.'

'Ik zal misschien evenveel van haar houden, maar niet meer.' Hij strekte zijn armen naar me uit en ik kon me niet langer verweren. Ik kroop in zijn armen en klampte me wanhopig aan hem vast. 'Sssh,' zei hij sussend, toen ik wild begon te huilen. 'Niet huilen, niet jaloers zijn. We zullen heus niet minder van je houden. En, Cathy, echte babies zijn veel leuker dan poppen. Je moeder zal meer te doen hebben dan ze aankan, dus zal ze jou nodig hebben om haar te helpen. Als ik niet thuis ben, zal ik me veel geruster voelen als ik weet dat je moeder een lieve dochter heeft die haar uiterste best zal doen het leven voor ons allemaal te vergemakkelijken.' Zijn warme lippen raakten mijn betraande wang. 'Kom, maak nu je pakje open en zeg hoe je het vindt.'

Eerst zoende ik hem een paar keer en omarmde hem, om de ongeruste blik in zijn ogen weg te nemen. In het pakje zat een zilveren muziekdoos die in Engeland gemaakt was. De muziek speelde en de in het roze geklede ballerina draaide langzaam rond voor een spiegel. 'Het is ook een juwelenkistje,' legde pappa uit, en hij schoof een klein gouden ringetje aan mijn vinger met een rode steen die hij een granaat noemde. 'Zodra ik die doos zag wist ik dat ik die voor jou moest meebrengen. En met deze ring zweer ik je dat mijn Cathy me altijd íets liever zal zijn dan alle andere dochters – zolang ze dat maar tegen niemand anders zegt dan tegen zichzelf.'

Op een zonnige dinsdag in mei was pappa thuis. Twee weken lang had hij thuis rondgehangen, wachtend tot de babies zouden komen. Mamma was geïrriteerd en onrustig, en mevrouw Bertha Simpson stond in onze keuken, bereidde maaltijden en keek meesmuilend naar Christopher en mij. Ze was onze betrouwbaarste babysitter. Ze woonde naast ons en beweerde dat pappa en mamma meer op broer en zus leken dan op man en vrouw. Ze was een grimmige, knorrige vrouw, die zelden iets aardigs over iemand zei. En ze kookte kool. Ik haatte kool.

Rond etenstijd kwam pappa de eetkamer binnengehold om mijn broer en mij te vertellen dat hij mamma naar het ziekenhuis ging brengen. 'Maak je geen zorgen. Alles komt in orde. Wees aardig tegen mevrouw Simpson en maak je huiswerk en over een paar uur weet je misschien of je broertjes of zusjes hebt... of een van elk.'

Hij kwam de volgende ochtend pas terug. Hij was ongeschoren, moe, en zijn pak was gekreukt, maar hij grijnsde opgewekt naar ons. 'Raad eens! Jongens of meisjes?'

'Jongens!' zei Christopher, die twee broertjes wilde die hij kon leren balspelen. Ik wilde ook jongens... geen meisje om mij uit pappa's gunst te verdringen.

'Een jongen *en* een meisje,' zei pappa trots. 'De leukste babies die je ooit hebt gezien. Kom, trek je jas aan, dan rijd ik jullie erheen en kunnen jullie het zelf zien.'

Gemelijk volgde ik hem, wilde eigenlijk niet eens kijken, zelfs niet toen pappa me oppakte en omhoog tilde zodat ik door het raam in de zaal kon kijken, naar twee kleine babies die een verpleegster in haar armen hield. Ze waren zo klein! Hun hoofdjes waren net kleine appeltjes, en hun rode vuistjes maaiden door de lucht. Eentje schreeuwde of hij met een speld werd geprikt.

'Ah!' zuchtte pappa, terwijl hij me op de wang zoende en me dicht tegen zich aan drukte. 'God is goed voor me geweest, door me nog een zoon en een dochter te sturen, die even volmaakt zijn als mijn eerste stel.'

Ik dacht dat ik ze allebei zou haten, vooral die schreeuwlelijk die Carrie heette, en die tien keer zo hard huilde en brulde als de kalmere Cory. Het was bijna onmogelijk een hele nacht te slapen met die twee aan de andere kant van de gang. En toch, toen ze groter werden en begonnen te lachen, en hun ogen begonnen te stralen als ik binnenkwam en ze optilde, maakte het groen in mijn ogen plaats voor iets warms en moederlijks. En voor ik wist wat er gebeurde fietste ik zo hard ik kon naar huis om *die twee* te zien; met *die twee* te spelen; hun luiers te verschonen en de fles vast te houden en ze een boertje te laten doen op mijn schouder. Ze waren leuker dan poppen.

Ik ontdekte al gauw dat het hart van ouders groot genoeg is voor meer dan twee kinderen, en ik begon van ze te houden – zelfs van Carrie, die even mooi was als ik, misschien nog wel mooier. Ze groeiden als onkruid, zei pappa, hoewel mamma vaak ongerust naar ze keek, want ze zei dat ze niet zo hard groeiden als Christopher en ik hadden gedaan. Ze vroeg het aan de dokter, die haar geruststelde en zei dat een tweeling vaak kleiner was dan één kind.

'Zie je,' zei Christopher, 'dokters weten alles.' Pappa keek lachend op van de krant die hij aan het lezen was. 'Daar spreekt mijn zoon de dokter – maar niemand weet alles, Chris.'

Pappa was de enige die mijn oudste broertje Chris noemde.

We hadden een gekke achternaam, die verduveld moeilijk te spellen was. Dollanganger. Omdat we allemaal blond waren, asblond haar hadden en een blanke huid (behalve pappa, die altijd even bruin was) gaf Jim Johnston, pappa's beste vriend, ons de bijnaam, 'de porseleinen poppetjes'. Hij zei dat we leken op de beeldjes van Saksisch porselein die in zoveel huizen op kasten en schoorstenen stonden. Het duurde niet lang of iedereen in de buurt noemde ons de porseleinen poppetjes; het was in ieder geval gemakkelijker uit te spreken dan Dollanganger.

Toen de tweeling vier jaar was, Christopher veertien en ik net twaalf was geworden, kwam er een heel speciale vrijdag. Het was pappa's zesendertigste verjaardag en we gaven een surprise party voor hem. Mamma zag eruit als een sprookjesprinses met haar pas gewassen en geföhnde haar. Haar nagels waren gelakt, ze droeg een lange, turquoise jurk, en haar lange geknoopte parelketting zwaaide heen en weer als ze van de ene kant van de kamer naar de andere liep en de tafel dekte in de eetkamer, die extra mooi moest zijn voor pappa's verjaardag. De vele cadeaus lagen opgestapeld op het buffet. Het zou een klein intiem feest worden, alleen voor de familie en onze beste vrienden.

'Cathy,' zei mamma, terwijl ze me even opnam, 'zou jij de tweeling nog een keer voor me in bad willen doen? Ik heb ze allebei al vóór hun middagslaapje in bad gedaan, maar zodra ze wakker waren gingen ze naar de zandbak, en nu moeten ze weer gewassen.'

Ik vond het niet erg. Mamma zag er veel te mooi uit om twee vuile, vier jaar oude kinderen in bad te laten spatten en haar haar, haar nagels en haar mooie jurk te laten bederven.

'En als je klaar bent, moeten jij en Christopher ook gauw even in bad, en trek die leuke, nieuwe roze jurk aan, Cathy, en krul je haar. En, Christopher, geen spijkerbroek alsjeblieft. Doe een overhemd en een das aan, en dat lichtblauwe sportjasje met die mooie crèmekleurige broek.'

'O, mamma, ik heb er zo'n hekel aan om er zo opgedirkt bij te zitten,' klaagde hij, met zijn voeten over de grond schuifelend.

'Doe wat ik zeg, Christopher, het is voor je vader. Je weet hoeveel hij voor je doet; het minste wat je terug kunt doen is te zorgen dat hij trots op je kan zijn.'

Mopperend liep hij weg, het aan mij overlatend de tweeling uit de achtertuin te halen, die het onmiddellijk op een brullen zette. 'Eén bad per dag is genoeg,' schreeuwde Carrie. 'We zijn al schoon! Schei uit! We houen niet van zeep! We houen niet van haar wassen! Hou op, Cathy, anders zeggen we het tegen mamma!'

'Hu!' zei ik. 'Wie denk je dat me hier naar toe heeft gestuurd om twee kleine smerige monstertjes te wassen? Hemel, hoe komen jullie *zo* smerig in zo'n korte tijd?'

Zodra ze in het warme water zaten en de gele eendjes en rubber bootjes ronddreven en ze mij helemaal nat konden spatten, lieten ze zich gewillig wassen, waarna ik ze hun beste kleren aantrok. Want per slot gingen ze naar een feest – en het was vrijdag, en pappa kwam thuis.

Eerst trok ik Cory een leuk wit pakje aan met een korte broek. Gek genoeg hield hij zich meestal schoner dan zijn tweelingzusje. Maar hoe ik ook mijn best deed, ik kon die koppige haarlok van hem niet in bedwang houden. Hij krulde naar rechts, als een grappig klein varkensstaartje, en – wil je het geloven? – Carrie wilde haar haar op dezelfde manier hebben!

Toen ik ze allebei had aangekleed en ze er uitzagen als levende poppen, bracht ik de tweeling bij Christopher met de dringende waarschuwing ze goed in het oog te houden. Nu was het mijn beurt om me aan te kleden.

De tweeling jammerde en klaagde terwijl ik haastig een bad nam, mijn haar waste en er dikke krulspelden in draaide.

Ik stak mijn hoofd om de deur van de badkamer en zag dat Christopher zijn best deed de tweeling zoet te houden door uit *Moeder de Gans* voor te lezen.

'Hé,' zei Christopher, toen ik naar buiten kwam in mijn roze jurk en met mijn gekrulde haren, 'je ziet er helemaal niet gek uit.'

'Niet gek? Is dat alles wat je te zeggen hebt?'

'Het beste wat ik voor een zus kan doen.' Hij keek op zijn horloge, sloeg het sprookjesboek dicht, pakte de tweeling bij de mollige handjes en riep: 'Pappa kan elk ogenblik komen – schiet op, Cathy!'

Het werd vijf uur, en we wachtten en wachtten, maar de groene Cadillac van pappa verscheen niet op de oprijlaan. De gasten zaten in de kamer en probeerden een opgewekt gesprek gaande te houden, terwijl mamma opstond en zenuwachtig begon rond te lopen. Meestal kwam pappa om vier uur, en soms zelfs nog vroeger.

Zeven uur, en we zaten nog steeds te wachten.

Het verrukkelijke maal dat mamma met zoveel zorg had klaargemaakt stond te verpieteren in de oven. Om zeven uur ging de tweeling meestal naar bed; ze hadden honger, slaap en waren lastig. Ze vroegen om de seconde: 'Wanneer komt pappa?'

Hun witte kleren waren aanzienlijk minder maagdelijk. Carries golvende haar begon wild te krullen en zag eruit of ze in de storm had gelopen. Cory's neus begon te lopen en hij veegde hem herhaaldelijk af met de rug van zijn hand, tot ik haastig met een doos Kleenex kwam aangelopen om zijn neus te snuiten.

'Wel, Corrine,' schertste Jim Johnston, 'ik denk dat Chris een andere super-vrouw heeft gevonden.'

Zijn vrouw keek hem woedend aan bij die tactloze opmerking.

Mijn maag begon te knorren; ik was even ongerust als mamma. Ze bleef ijsberen, en liep telkens naar het grote raam om naar buiten te kijken.

'O!' riep ik uit, toen ik een auto op de oprijlaan zag, 'misschien is dat pappa!'

Maar de auto die voor onze deur stilhield was wit, niet groen. En bovenop bevond zich een van die ronddraaiende rode lichten. Aan de zijkant van de witte auto bevond zich een embleem met het woord RIJKSPOLITIE.

Mamma onderdrukte een kreet toen twee politieagenten in blauwe uniformen naar de voordeur liepen en aanbelden.

Haar hart leek stil te staan. Haar hand bewoog zich aarzelend naar haar keel; haar ogen werden heel donker. Ik kreeg een angstig gevoel bij het zien van haar reactie.

Jim Johnston ging open doen en liet de twee agenten binnen, die onrustig om zich heen keken; ze merkten waarschijnlijk dat wij bij elkaar waren om een verjaardag te vieren. Ze hoefden maar in de eetkamer te kijken, naar de feestelijke tafel, de ballons aan de kristallen kroon, en de geschenken op het buffet.

'Mevrouw Christopher Garland Dollanganger?' informeerde de oudste van de beide agenten terwijl hij van de een naar de ander keek. Moeder gaf een nauwelijks merkbaar knikje. Ik ging dichter bij haar staan, evenals Christopher. De tweeling zat op de grond met autootjes te spelen en toonde weinig belangstelling voor de onverwachte komst van de politie.

De vriendelijk kijkende geüniformeerde man met het rode gezicht liep naar mamma toe. 'Mevrouw Dollanganger,' begon hij met een toonloze stem die me onmiddellijk in paniek bracht, 'het spijt ons verschrikkelijk, maar er is een ongeluk gebeurd op de Greenfield Highway.'

'O...' fluisterde mamma, terwijl ze Christopher en mij tegen zich aandrukte. Ik voelde haar rillen, net als ik zelf. Ik was gehypnotiseerd door die koperen knopen; ik zag niets anders meer.

'Uw man was erbij betrokken, mevrouw Dollanganger.' Een lange, diepe zucht ontsnapte mamma. Ze zwaaide en zou gevallen zijn als Chris en ik haar niet hadden gesteund.

'We hebben andere automobilisten ondervraagd die getuige zijn geweest van het ongeluk, en het was niet de schuld van uw man, mevrouw Dollanganger,' vervolgde de stem zonder enige moeite. 'Volgens ooggetuigeverklaringen kwam er een automobilist in een blauwe Ford zwaaiend links uit een zijweg, blijkbaar dronken, en reed recht op de auto van uw man af. Maar het schijnt dat uw man het ongeluk zag aankomen, want hij is naar links uitgeweken om een frontale botsing te vermijden. Helaas was er een stuk machinerie van een andere auto of vrachtwagen gevallen, wat hem belette de manoeuvre te voltooien, die zijn leven zou hebben gered. Nu is de wagen van uw man een paar keer over de kop geslagen, en hij zou het nog hebben overleefd, maar een aankomende vrachtwagen, die niet tijdig kon stoppen, is op zijn wagen ingereden, en toen is de Cadillac nog een keer over de kop gegaan... en... en in brand gevlogen.'

Nooit was het zo snel stil geworden in een kamer vol mensen. Zelfs de tweeling keek op van hun onschuldig spel en staarde naar de beide agenten.

'Mijn man?' fluisterde mamma. Haar stem was zo zacht dat hij nauwelijks hoorbaar was. 'Hij is toch niet... toch niet... dood...?'

'Mevrouw,' zei de agent met het rode gezicht plechtig, 'het doet me verschrikkelijk verdriet u zulk slecht nieuws te moeten brengen op wat blijkbaar een bijzondere dag is.' Hij stotterde en keek verlegen om zich heen. 'Het spijt me vreselijk, mevrouw... iedereen heeft zijn uiterste best gedaan hem eruit te halen... maar, mevrouw... hij was... hij was op slag dood volgens de arts.'

Iemand die op de bank zat gaf een gil.

Mamma gilde niet. Haar ogen waren star en zonder uitdrukking. De wanhoop wiste de stralende kleur van haar gezicht; het leek op een dodenmasker. Ik staarde naar haar, probeerde haar met mijn ogen te vertellen dat dit allemaal niet waar kon zijn. Niet pappa! Niet mijn pappa! Hij kon niet dood zijn... het kón niet! De dood was voor oude mensen, zieke mensen... niet voor iemand die zo geliefd was en zo jong en niet gemist kon worden.

Maar daar stond mijn moeder met haar grauwe gezicht, haar sombere ogen, haar wringende handen, en elke seconde dat ik naar haar keek zonken haar ogen dieper weg.

Ik begon te huilen.

'Mevrouw, we hebben een paar dingen die bij de eerste botsing uit de auto zijn gevlogen. We hebben gered wat we konden.'

'Ga weg!' schreeuwde ik tegen de agent. 'Verdwijn! Het is mijn pappa niet! Ik weet zeker van niet! Hij is langs een winkel gegaan om ijs te kopen. Hij kan elk ogenblik binnenkomen. Ga weg!' Ik holde naar voren en trommelde met mijn vuisten op de borst van de agent. Hij probeerde me af te weren, en Christopher kwam erbij en trok me achteruit.

'Alstublieft,' zei de agent, 'wil iemand dit kind alstublieft helpen?'

Mijn moeder sloeg haar armen om mijn schouders en trok me dicht tegen zich aan. Iedereen mompelde en fluisterde geschokt en ontdaan, en het eten in de oven begon aangebrand te ruiken.

Ik wachtte tot er iemand zou komen en mijn hand zou vastpakken en zeggen dat God nooit het leven nam van een man als mijn vader, maar er kwam niemand. Alleen Christopher kwam naar me toe en sloeg zijn arm om mijn middel, en zo stonden we gedrieën bijeen – mamma, Christopher en ik.

Eindelijk kreeg Christopher zijn spraakvermogen terug en met merkwaardig hese stem zei hij: 'Weet u heel zeker dat het onze vader was? Als de groene Cadillac in brand is gevlogen moet de man die er in zat ernstig verbrand zijn, dus het kan iemand anders zijn geweest dan pappa.'

Een heftige, schorre snik kwam uit mamma's keel, al bleven haar ogen droog. Zij geloofde het! Zij geloofde dat die twee mannen de waarheid spraken!

De mooi aangeklede gasten die waren gekomen om een verjaardag te vieren, verdrongen zich om ons heen en zeiden de troostende dingen die mensen zeggen als ze niet weten wat ze moeten zeggen.

'Het spijt ons zo, Corrine, wat een afschuwelijke schok... het is vreselijk...'

'Wat ontzettend wat er met Chris is gebeurd.'

'Onze dagen zijn geteld... zo is het, vanaf de dag van onze geboorte zijn onze dagen geteld.'

Langzaam, heel langzaam, als water in cement, begon het tot ons door te dringen. Pappa was dood. We zouden hem nooit meer levend terugzien. Alleen nog in een kist, die in de grond zou verdwijnen, en waarop een marmeren steen zou worden geplaatst met zijn naam en geboortedatum en sterfdatum. Dezelfde dag, maar met een ander jaartal.

Ik keek om me heen, om te zien wat er met de tweeling gebeurde, die nooit mocht voelen wat ik voelde. Een vriendelijke gast had ze naar de keuken gebracht en maakte wat te eten voor ze klaar voor ze naar bed werden gebracht. Mijn blik ontmoette die van Christopher. Hij leefde in dezelfde nachtmerrie als ik, zijn jonge gezicht was bleek en geschokt; in zijn ogen lag een sombere schaduw.

Een van de agenten was naar zijn auto gegaan en kwam terug met een bundel met allerlei voorwerpen, die hij voorzichtig uitspreidde op de koffietafel. Ik stond er verstard bij, keek naar de uitstalling van alles wat pappa in zijn zakken had: een hagedisleren portefeuille die mamma hem met kerstmis had gegeven; zijn leren notitieboekje en agenda; zijn horloge; zijn trouwring. Alles was zwart en verkoold door de rook en het vuur.

Het laatste kwamen de zachte pastelkleurige dieren voor Cory en Carrie, die, volgens de agent met het rode gezicht, verspreid op de weg hadden gelegen. Een pluizige blauwe olifant met roze fluwelen oren, en een paarse pony met een rood zadel en gouden teugels – o, die moest voor Carrie zijn geweest. Toen het ergste van alles – pappa's kleren, die uit zijn koffer waren gevallen toen het slot van de bagageruimte was opengesprongen.

Ik kende die pakken, die hemden, dassen, sokken. Daar was de das die ik hem op zijn verjaardag had gegeven.

'Iemand zal het lichaam moeten identificeren,' zei de agent.

Nu wist ik het heel zeker. Het was echt waar, vader zou nooit meer thuiskomen met cadeaus voor ons allemaal – zelfs niet op zijn eigen verjaardag.

Ik holde de kamer uit! Weg van al die uitgestalde dingen die me verdriet deden en meer pijn dan ik ooit had gehad. Ik holde het huis uit, de achtertuin in, waar ik met mijn vuisten op een oude esdoorn sloeg. Ik bleef met mijn vuisten trommelen tot ze pijn deden en het bloed te voorschijn kwam uit de vele kleine wondjes; toen liet ik me languit op het gras vallen en huilde – huilde tien zeeën vol tranen, voor mijn pappa die nog in leven hoorde te zijn. Ik huilde voor ons, die moesten voortleven zonder hem. En voor de tweeling, die zelfs de kans niet hadden gehad om te ontdekken hoe geweldig hij was – of geweest was. En toen mijn tranen waren uitgeput, en mijn ogen gezwollen en rood, en pijn deden van het voortdurend wrijven, hoorde ik zachte voetstappen naderen – mijn moeder.

Ze ging op het gras naast me zitten en nam mijn hand in de hare. Een smalle maansikkel en miljoenen sterren stonden aan de hemel en de lucht was bezwangerd van de verse geur van het voorjaar. 'Cathy,' zei ze tenslotte, toen de stilte zo lang voortduurde dat het leek of er geen eind aan zou komen, 'je vader is boven in de hemel en kijkt op je neer, en je weet dat hij zou willen dat je dapper bent.'

'Hij is niet dood, mamma!' ontkende ik heftig.

'Je bent al zo lang in de tuin; het is waarschijnlijk niet tot je doorgedrongen dat het al tien uur is. Iemand moet het lichaam van je vader identificeren. Jim Johnston had aangeboden het te doen om het mij te besparen, maar ik moest het zelf zien. Want ik kon het ook niet geloven. Net zo min als jij. Je vader *is* dood, Cathy. Christopher ligt in bed te huilen, en de tweeling slaapt. Die beseft nog niet wat "dood" betekent.'

Ze sloeg haar arm om me heen en drukte mijn hoofd tegen haar schouders.

'Kom,' zei ze, terwijl ze opstond en me overeind trok, met haar arm om mijn middel, 'je bent hier al veel te lang. Ik dacht dat je in huis was met de anderen, en de anderen dachten dat je in je kamer was, of bij mij. Het is niet goed om alleen te zijn als er iemand gestorven is. Het is beter om met anderen samen te zijn en je verdriet te delen. Je moet het niet in jezelf opkroppen.'

Ze zei het met droge ogen, zonder een traan te laten, maar ergens in haar hart huilde ze, gilde ze. Ik hoorde het aan haar stem, zag het aan de in-trieste blik in haar ogen.

Na de dood van mijn vader leefden we in een nachtmerrie. Ik keek verwijtend naar mamma en dacht dat zij ons erop had moeten voorbereiden dat iets dergelijks kon gebeuren. We hadden nooit huisdieren mogen hebben die plotseling konden doodgaan en ons hadden kunnen leren dat je iemand onverwacht door de dood kon verliezen. Iemand had ons moeten waarschuwen dat ook jonge, knappe, onmisbare mensen kunnen sterven.

Hoe zeg je dat tegen een moeder die eruit ziet of ze door het noodlot verpletterd is? Hoe kon je eerlijk praten met iemand die niet wilde praten, en eten, of haar haar borstelen, of de mooie kleren aantrekken die in haar kast hingen? En ze wilde niet voor ons zorgen. Het was maar goed dat behulpzame vrouwen uit de buurt ons kwamen verzorgen en eten brengen dat ze in hun eigen keuken hadden klaargemaakt. Ons huis was tot barstens toe gevuld met bloemen, door de buren bereide maaltijden, hammen, warme broodjes, cakes en taarten.

Ze kwamen in horden, al die mensen die van onze vader hadden gehouden, hem hadden bewonderd en gerespecteerd. Het verbaasde me dat hij zo bekend was. Maar ik vond het verschrikkelijk als iemand vroeg hoe hij was gestorven, en zei dat het zo erg was dat iemand zo jong stierf, terwijl er zoveel nutteloze, ongezonde mensen bleven leven die een last waren voor de maatschappij.

Het voorjaar ging over in de zomer. En alle verdriet, al probeer je het nog zo te koesteren, verliest zijn scherpe kantjes, en de mens die zo reëel, zo geliefd was, vervaagt langzamerhand tot een schaduwachtige herinnering.

Maar mamma keek op een dag zo triest dat ze vergeten leek te zijn hoe ze moest lachen. 'Mamma,' zei ik opgewekt, in een poging haar op te vrolijken, 'we doen net of pappa nog leeft en op reis is, en straks komt hij binnen en roept hij, net als vroeger: "Heet me welkom met een zoen als je van me houdt." En dan voelen we ons allemaal beter, of hij werkelijk nog leeft, ergens waar we hem niet kunnen zien, maar elk moment kunnen verwachten.'

'Nee, Cathy,' viel mamma uit, 'je moet de waarheid onder ogen zien. Je mag niet proberen jezelf te troosten door te doen alsof. Hoor je me? Je vader is dood en zijn ziel is naar de hemel gegaan, en op jouw leeftijd hoor je te begrijpen dat niemand ooit terugkomt uit de hemel. Wij zullen ons best moeten doen zo goed mogelijk zonder hem te leven – en niet door te trachten aan de realiteit te ontsnappen en die niet te willen aanvaarden.'

Ze stond op uit haar stoel en haalde een en ander uit de koelkast voor het ontbijt.

'Mamma...' begon ik weer, voorzichtig mijn woorden kiezend om haar niet weer kwaad te maken, 'denk je dat we het zonder hem kunnen redden?'

'Ik zal doen wat ik kan om ervoor te zorgen dat we het overleven,' zei ze toonloos.

'Moet je nu ook gaan werken, net als mevrouw Johnston?'

'Misschien wel, misschien niet. Het leven stelt je voor allerlei onverwachte verrassingen, Cathy, en sommige zijn erg onplezierig, zoals je gemerkt hebt. Maar vergeet nooit dat je zo gelukkig bent geweest twaalf jaar lang een vader te hebben gehad die jou iets heel bijzonders vond.'

'Omdat ik op jou lijk,' zei ik, met nog steeds een beetje van de vroegere afgunst, omdat ik altijd op de tweede plaats kwam, na haar.

Ze keek even naar me terwijl ze verder zocht in de overvolle koelkast. 'Ik zal je iets vertellen, Cathy, dat ik je nooit eerder heb verteld. Je lijkt uiterlijk erg op mij toen ik zo oud was, maar helemaal niet wat karakter betreft. Je bent veel agressiever en vastberadener. Je vader zei altijd dat je op zijn moeder leek, en hij hield van zijn moeder.'

'Iedereen houdt toch van zijn moeder?'

'Nee,' zei ze met een merkwaardige uitdrukking op haar gezicht, 'er zijn moeders van wie je gewoon niet kúnt houden, omdat ze niet willen dat je van ze houdt.'

Ze haalde spek en eieren uit de koelkast, draaide zich om en omhelsde me. 'Lieve Cathy, er was een heel nauwe band tussen jou en je vader, en ik denk dat je hem daarom meer mist dan Christopher of de tweeling.'

Ik snikte het uit. 'Ik haat God omdat Hij hem van ons heeft afgenomen! Hij had moeten blijven leven tot hij oud was! Nu is hij er niet meer als ik balletdanseres en Christopher dokter wordt. Niets is meer belangrijk nu hij niet meer leeft.'

'Soms,' begon ze met gesmoorde stem, 'is de dood minder erg dan je denkt. Je vader zal nooit oud worden of invalide. Hij zal altijd jong blijven; zo zul je je hem herinneren – jong, knap en sterk. Huil niet meer, Cathy, want, zoals je vader altijd zei, voor alles is een reden en voor elk probleem is een oplossing, en ik doe heel erg mijn best om de juiste oplossing te vinden.'

Vier kinderen die ronddwaalden tussen de scherven van hun verdriet en verlies. We speelden in de achtertuin en zochten troost in de zon, volkomen onbewust van het feit dat ons leven spoedig zo drastisch zou veranderen dat de woorden 'achtertuin' en 'tuin' synoniem zouden worden met de hemel – en even ver weg.

Op een middag kort na pappa's begrafenis waren Christopher en ik met de tweeling in de achtertuin. Ze zaten in de zandbak met schepjes en emmertjes. Steeds weer schepten ze het zand van het ene emmertje in het andere, terwijl ze tegen elkaar brabbelden in een vreemd taaltje dat alleen zij begrepen. Cory en Carrie waren geen ééneiïge tweeling, maar ze vormden een hechte eenheid en waren volmaakt tevreden met elkaar. Ze bouwden een muur om zich heen, ze waren de kasteelbewoners, de hoeders van een kluis vol geheimen. Ze hadden elkaar en dat was voldoende.

De tijd voor het avondeten brak aan en verstreek. We waren bang dat nu zelfs de maaltijden zouden worden afgeschaft, dus zonder dat we door moeder werden geroepen, pakten we de tweeling bij hun mollige knuistjes en sleepten ze mee naar huis. Moeder zat achter pappa's bureau. Ze was bezig een brief te schrijven die blijkbaar heel moeilijk was, te oordelen naar de talloze weggegooide proppen papier. Ze schreef met gefronste wenkbrauwen, hield om de haverklap op en staarde voor zich uit.

'Mamma,' zei ik, 'het is bijna zes uur. De tweeling krijgt honger.'

'Direct, direct,' zei ze achteloos. 'Ik schrijf aan je grootouders die in Virginia wonen. De buren hebben eten genoeg gebracht voor een week – zet maar één van de schotels in de oven, Cathy.'

Het was de eerste maaltijd die ik zelf min of meer klaarmaakte. Ik dekte de tafel, zette de pan op het vuur en schonk de melk in, tot mamma kwam om te helpen.

Het leek wel of mamma elke dag na pappa's dood brieven moest schrijven of ergens naar toe moest, en wij achterbleven bij de buurvrouw. 's Avonds zat mamma achter pappa's bureau, met een groen kasboek voor zich en stapels rekeningen. Niets leek meer goed, niets. Mijn broer en ik deden nu vaak de tweeling in bad, trokken hun pyjama's aan en brachten ze naar bed. Daarna ging Christopher naar zijn kamer om te studeren, terwijl ik terugging naar mamma om te proberen haar wat op te vrolijken.

Een paar weken later kwam er een brief, in antwoord op de vele brieven die moeder aan haar ouders had geschreven. Mamma begon al te huilen nog voordat ze de dikke, crèmekleurige enveloppe had geopend. Onhandig hanteerde ze de briefopener en hield met trillende hand de drie velletjes vast. Ze las de brief drie keer over, terwijl de tranen langzaam over haar wangen drupten en haar make-up deden uitlopen in lange, glimmende strepen.

Ze had ons binnengeroepen uit de achtertuin zodra ze de post uit de brievenbus naast de voordeur had gehaald, en nu zaten we met ons vieren op de bank in de zitkamer. Terwijl ik naar haar keek veranderde haar zachte porseleinen gezicht in iets kils, iets hards en resoluuts. Een koude rilling liep over mijn rug. Misschien kwam het omdat ze zo lang naar ons staarde – te lang. Toen keek ze naar de velletjes papier in haar bevende handen, en daarna naar de ramen, alsof ze daar de oplossing kon vinden van het probleem.

Mamma gedroeg zich zo vreemd. Het maakte ons allemaal onrustig en opvallend stil, want we waren al genoeg onder de indruk in ons vaderloze huis zonder een crèmekleurige brief van drie velletjes, die moeders tong verlamde en een harde blik veroorzaakte in haar ogen. Waarom keek ze ons zo vreemd aan?

Eindelijk schraapte ze haar keel en begon te spreken, maar op kille toon, heel anders dan haar gebruikelijke, zachte, lieve stem. 'Je grootmoeder heeft eindelijk antwoord gegeven op mijn brieven,' zei ze met een ijzige klank in haar stem, 'al die brieven die ik haar heb geschreven... nou ja... ze heeft ja gezegd. We mogen bij haar wonen.'

Goed nieuws! Precies de mededeling waarop we gewacht hadden – we hoorden eigenlijk blij te zijn. Maar mamma verviel weer in een somber zwijgen en ze bleef doodstil naar ons zitten staren. Wat scheelde haar? Wist ze niet dat we van haar waren en niet vier kinderen van een vreemde, die op een rijtje zaten als vogels op een waslijn?

'Christopher, Cathy, jullie zijn veertien en twaalf. Oud genoeg om het te begrijpen, oud genoeg om mee te werken, en je moeder te helpen in een wanhopige situatie.' Ze zweeg, bracht een bevende hand naar haar hals en betastte haar ketting. Toen zuchtte ze diep. Ze leek op het punt in tranen uit te barsten. En ik had medelijden, zo'n medelijden met die arme mamma, zonder man.

'Mamma,' zei ik, 'is alles in orde?'

'Natuurlijk, lieverd, natuurlijk.' Ze forceerde een glimlach. 'Je vader, God hebbe zijn ziel, verwachtte heel oud te zullen worden en een groot fortuin te vergaren. Hij kwam uit een familie die wist hoe ze geld moesten maken, dus ik twijfel er niet aan of het zou hem gelukt zijn, als hij de tijd had gehad. Maar zesendertig is zo jong om te sterven. Een mens denkt altijd dat hem niets ergs zal overkomen, dat het alleen anderen gebeurt. We zijn niet voorbereid op ongelukken en we geloven nooit dat we jong zullen sterven. Je vader en ik dachten samen oud te zullen worden, en we hoopten onze kleinkinderen nog te zien, vóór we allebei op dezelfde dag zouden sterven. Dan zou geen van ons beiden achterblijven om te treuren om degene die het eerst was heengegaan!'

Weer zuchtte ze. 'Ik moet bekennen dat we ver boven onze middelen leefden, en een lening sloten op de toekomst. We gaven het geld uit nog voor we het hadden. Je mag het hem niet kwalijk nemen; het was mijn schuld. Hij wist wat het was om arm te zijn. Ik niet. Jullie weten hoe vaak hij op me mopperde. Toen we dit huis kochten, zei hij dat we maar drie slaapkamers nodig hadden, maar ik wilde er vier. Zelfs vier leek me nog niet genoeg. Kijk maar om je heen. Het huis is belast met een dertigjarige hypotheek. Niets is echt van ons: de meubels niet, de auto's niet, de keukeninrichting en de badkamer niet – er is helemaal niets dat volledig betaald is.'

Keken we angstig? Bezorgd? Ze zweeg en haar gezicht werd vuurrood en haar ogen dwaalden af naar de mooie kamer die haar schoonheid zo goed deed uitkomen. Haar smalle wenkbrauwen trokken samen in een angstige frons. 'Je vader probeerde wel te matigen, maar hij wilde al die dingen zelf eigenlijk ook. Hij gaf me mijn zin omdat hij van me hield, en ik geloof dat ik hem tenslotte wist te overtuigen dat luxe een noodzaak was. Hij gaf toe, want we hadden allebei de gewoonte om elkaar veel te veel toe te geven. Het was een van de dingen die we met elkaar gemeen hadden.'

Er verscheen een weemoedige, mijmerende uitdrukking op haar gezicht, en toen ging ze weer verder op die zelfde vreemde toon. 'Nu worden al onze mooie dingen weggehaald. Dat doen ze als je niet genoeg geld hebt om af te betalen wat je gekocht hebt. Neem die bank bijvoorbeeld. Drie jaar geleden kostte die achthonderd dollar. En we hebben hem op honderd dollar na afbetaald, maar toch halen ze hem terug. We zijn alles kwijt wat we op die dingen hebben afbetaald, en toch is dat volkomen wettig. Niet alleen verliezen we de meubels en het huis, maar ook de auto's – alles, behalve onze kleren en jullie speelgoed. Ik mag mijn trouwring houden, en mijn diamanten verlovingsring heb ik verstopt

– dus zeg alsjeblieft nooit als er iemand mocht komen controleren dat ik een verlovingsring heb.'

Wie 'ze' waren vroeg niemand van ons. Het kwam niet bij me op om het te vragen. Toen niet. En later leek het er niet meer toe te doen.

Christopher keek me recht in de ogen. Ik wilde het zo graag begrijpen, ik voelde me wegzinken, verdrinken in de volwassen wereld van dood en schulden. Mijn broer strekte zijn arm uit en drukte mijn hand met een gebaar van ongewone broederlijke genegenheid. Leek ik misschien een glazen ruit, als ik zo gemakkelijk te doorgronden was, dat zelfs hij, mijn aartskwelgeest, probeerde me te troosten? Ik probeerde te glimlachen, om hem te bewijzen hoe volwassen ik was, en om te verdoezelen hoe beverig en zwak ik was geworden, omdat 'zij' alles kwamen weghalen. Ik wilde niet dat een ander meisje sliep in mijn mooie zuurstok-roze kamer, in mijn bed, en speelde met de dingen waarvan ik hield – mijn miniatuurtjes in de letterkast, en mijn zilveren muziekdoos met de roze ballerina – zouden ze die ook weghalen?

Mamma keek oplettend naar de blikken van verstandhouding tussen mijn broer en mij. Ze sprak weer en iets van haar vroegere liefheid klonk door in haar stem. 'Kijk niet zo wanhopig. Het is niet zo erg als ik het heb laten voorkomen. Je moet het me maar vergeven dat ik zo gedachteloos was om te vergeten hoe jong jullie nog zijn. Ik heb jullie het slechte nieuws eerst verteld, en het goede voor het laatst bewaard. Luister maar goed! Jullie geloven het misschien niet – maar mijn ouders zijn rijk! Niet gewoon rijk, of heel rijk, maar heel, heel, héél erg rijk! Smerig, ongelooflijk, zondig rijk! Ze wonen in een prachtig groot huis in Virginia – een huis zoals je nog nooit in je leven gezien hebt. Ik kan het weten, want ik ben er geboren en opgegroeid. Vergeleken bij dat huis lijkt dit wel een schuur. Heb ik je niet verteld dat we bij hen gaan wonen – bij mijn vader en moeder?

Ze bood ons die strohalm aan met een zwakke en nerveuze glimlach die de twijfel niet kon wegnemen die haar houding en mededelingen bij me hadden gewekt. De manier waarop ze schuldbewust haar ogen afwendde als ik haar blik probeerde te vangen beviel me niet. Ik dacht dat ze iets verzweeg.

Maar ze was mijn moeder.

En pappa was er niet meer.

Ik nam Carrie op schoot, drukte haar warme lichaampje tegen het mijne. Ik streek de vochtige goudblonde krullen naar achteren die over haar ronde voorhoofdje vielen. Haar ogen vielen dicht en haar volle roze lipjes staken naar voren. Ik keek naar Cory, die tegen Christopher geleund lag. 'De tweeling is moe, mamma. Ze moeten eten.'

'Straks is er nog tijd genoeg om te eten,' snauwde ze ongeduldig. 'We moeten plannen maken en koffers pakken, want vanavond moeten we met de trein. De tweeling kan eten terwijl wij pakken. Jullie kleren moeten in twee koffers. Jullie moeten uitzoeken welke je mee wilt nemen, en wat klein speelgoed dat je niet wilt achterlaten. Cathy, zoek jij de kleren en het speelgoed bij elkaar voor de tweeling – niet te veel. We kunnen niet meer dan vier koffers meenemen en ik heb er twee nodig voor mijn eigen dingen.'

O, hemel! Het was dus toch waar! We moesten weg, alles in de steek laten! Al mijn spulletjes moesten in twee koffers die ik met mijn broers en zusje moest delen. Met mijn grote lappenpop zou één van de koffers al half gevuld zijn! Maar hoe kon ik mijn lievelingspop achterlaten, die pappa me had gegeven toen ik drie jaar was? Ik begon te snikken.

We staarden naar mamma, angstig en ongerust. We maakten haar nerveus, want ze sprong op en begon door de kamer te ijsberen.

'Zoals ik al zei, mijn ouders zijn ontstellend rijk.' Ze nam Christopher en mij onderzoekend op en wendde zich toen snel af om haar gezicht te verbergen.

'Mamma,' zei Christopher, 'is er iets mis?'

Het verbaasde me dat hij zoiets kon vragen, want het was maar al te duidelijk dat *alles* mis was.

Ze liep op en neer, haar lange goed gevormde benen waren zichtbaar door het openvallende dunne zwarte negligé. Zelfs in haar verdriet, in haar zwarte kleding, was ze mooi – ondanks haar sombere, bezorgde ogen. Ze was zo mooi, en ik hield van haar – o, wat hield ik van haar!

Wat hielden we toen allemáál veel van haar.

Vlak voor de bank draaide moeder zich met een ruk om, waardoor het zwarte chiffon van haar negligé als een rok van een danseres uitwaaierde en haar mooie benen tot aan de heupen te zien kwamen.

'Lieverds,' begon ze, 'wat kan er nu mis zijn als we in zo'n mooi huis als dat van mijn ouders gaan wonen? Ik ben er geboren; ik heb er altijd gewoond, behalve in de jaren dat ik op kostschool was. Het is een groot, mooi huis, en ze bouwen er steeds weer nieuwe kamers bij, hoewel ze toch werkelijk al genoeg kamers hebben.'

Ze glimlachte, maar het leek een valse glimlach. 'Maar er is één ding dat ik je moet vertellen voor je mijn vader – jullie grootvader – ontmoet.' Weer stotterde ze, en weer glimlachte ze met die vreemde, vage glimlach. 'Jaren geleden, toen ik achttien was, heb ik iets ernstigs gedaan, wat je grootvader niet goedkeurde, en mijn moeder ook afkeurde, maar zij laat me toch nooit wat na, dus zij telt niet mee. Maar daarom heeft mijn vader me uit zijn testament geschrapt, en ben ik onterfd. Je vader noemde dat "in ongenade gevallen". Je vader zei altijd dat het er niets toe deed.'

In ongenade gevallen? Wat betekende dat? Ik kon me niet voorstellen dat mijn moeder zoiets slechts zou hebben gedaan dat haar eigen vader zich tegen haar keerde en haar ontnam waar ze recht op had.

'Ja, mamma, ik weet precies wat je bedoelt,' liet Christopher zich horen. 'Je hebt iets gedaan, dat je vader niet goed vond, en dus heeft hij zijn notaris opdracht gegeven je uit zijn testament te schrappen, in plaats van er nog eens over na te denken. En nu erf je niets van hem als hij naar de andere wereld verhuist.' Hij grijnsde, tevreden over zichzelf, omdat hij meer wist dan ik. Hij had altijd een antwoord klaar, zodra hij thuis was zat hij met zijn neus in een boek. Buiten, in de open lucht, was hij even wild en gemeen als alle andere kinderen in het blok. Maar binnen was mijn broer een boekenwurm, als hij tenminste niet naar de televisie keek!

Natuurlijk had hij gelijk.

'Precies, Christopher. Ik krijg helemaal niets van je grootvader als hij komt te overlijden, en jullie dus ook niet. Daarom was ik gedwongen zoveel brieven te schrijven toen mijn moeder niet antwoordde.' Weer die vreemde glimlach, nu vermengd met een bittere ironie. 'Maar omdat ik de enige overgebleven erfgename ben, hoop ik zijn gunst te kunnen terugwinnen. Vroeger had ik twee oudere broers, maar die zijn alletwee bij een ongeluk om het leven gekomen, en nu ben ik het enige kind dat nog over is.' Ze had het rusteloze ijsberen gestaakt. Ze legde haar hand even voor haar mond; toen schudde ze haar hoofd en zei met schelle stem: 'En ik moet jullie nog wat vertellen. Je echte achternaam is niet Dollanganger – maar Foxworth. En Foxworth is een heel belangrijke naam in Virginia.'

'Mamma,' riep ik geschokt uit. 'Is het wettig je naam te veranderen en een valse naam op je geboortebewijs te hebben?'

Haar stem klonk ongeduldig. 'Cathy, een naam kan wettig worden veranderd. En de naam Dollanganger hoort ons min of meer toe. Je vader heeft die naam geleend van één van zijn voorouders. Hij vond het een amusante naam, een grap, en hij heeft aan zijn doel beantwoord.'

'Welk doel?' vroeg ik. Waarom zou pappa zijn naam laten veranderen van Foxworth, een naam die zo gemakkelijk te spellen is, in zo'n lange, moeilijke naam als Dollanganger?'

'Cathy, ik ben moe,' zei mamma en ging op een stoel zitten. 'Ik heb nog zoveel te doen, er zijn zoveel officiële dingen te regelen. Je zult gauw genoeg alles weten, ik leg het je wel uit. Ik zweer je dat ik volkomen eerlijk zal zijn; maar laat me nu alsjeblieft even op adem komen.'

O, wat een dag was het. Eerst kregen we te horen dat die geheimzinnige 'zij' al onze spulletjes kwamen weghalen, en dat zelfs ons huis ons werd afgenomen. En daarna hoorden we dat zelfs onze achternaam eigenlijk niet eens van ons was.

De tweeling lag half te slapen op onze schoot. Zij waren nog te jong om het te kunnen begrijpen. Zelfs ik – en ik was toch al twaalf jaar – begreep niet waarom mamma niet blij was dat ze weer naar huis ging, naar haar ouders die ze in vijftien jaar niet had gezien. Geheime grootouders die we dood hadden gewaand tot na de begrafenis van onze vader. En we hadden vandaag pas gehoord dat twee ooms van ons bij een ongeluk om het leven waren gekomen. Het begon tot ons door te dringen dat onze ouders al een heel leven achter de rug hadden voordat zij kinderen kregen, en dat wij eigenlijk helemaal niet zo belangrijk waren.

'Mamma,' begon Christopher langzaam, 'dat mooie grote huis in Virginia klinkt wel heel aardig, maar we hebben het hier naar onze zin. Onze vrienden wonen hier, iedereen kent ons en vindt ons aardig. Ik wil niet verhuizen. Kun je niet naar pappa's advocaat gaan en hem vragen of er niet een manier te vinden is om hier te blijven, en ons huis en onze meubels te houden?'

'Ja, mamma, alsjeblieft, laten we hier blijven,' viel ik hem bij.

Snel stond mamma op uit haar stoel en liep met grote passen door de kamer. Ze ging op haar knieën voor ons liggen, haar ogen op één hoogte met de onze. 'Luister goed naar me,' zei ze, terwijl ze de handen van mijn broer en mij pakte en tegen haar borst drukte. 'Ik heb er dag en nacht over gepiekerd hoe we hier zouden kunnen blijven, maar er is geen enkele manier, omdat we geen geld hebben om elke maand de rekeningen te betalen, en ik niets heb geleerd om vier kinderen te kunnen onderhouden. Kijk me eens aan,' zei ze. Ze breidde haar armen uit, een kwetsbare, mooie, hulpeloze vrouw. 'Weet je wat ik ben? Ik ben een fraai, nutteloos ornament, ik heb altijd gedacht dat ik wel een man zou hebben om voor me te zorgen. Ik kan niets. Ik kan niet eens typen. Ik kan niet rekenen. Ik kan wél mooi borduren, maar daar verdien je niets mee. Zonder geld kan een mens niet leven. Het is niet de liefde die de wereld draaiende houdt, maar geld. En mijn vader heeft meer geld dan hij kan uitgeven. En maar één erfgenaam – mij! Vroeger hield hij meer van mij dan van zijn zoons, dus moet het mogelijk zijn zijn liefde terug te winnen. Dan zal hij zijn notaris een nieuw testament laten opmaken en zal ik alles erven! Hij is zesenzestig en hij heeft een hartkwaal. Mijn moeder schreef op een apart velletje, dat mijn vader niet heeft gelezen, dat hij hoogstens nog twee of drie maanden te leven heeft. Dat geeft me voldoende tijd om ervoor te zorgen dat hij weer evenveel van me gaat houden als vroeger – en als hij sterft zal zijn hele vermogen van mij zijn! Van mij! *Van ons!* Dan zullen we voorgoed verlost zijn van alle financiële zorgen. Vrij om te gaan waar we willen. Vrij om te doen wat we willen. Vrij om te reizen, om te kopen wat ons hartje begeert – álles wat ons hartje begeert! Ik praat niet over een of twee miljoen, maar over vele, vele miljoenen – misschien zelfs wel biljoenen! Mensen die zoveel geld hebben weten zelf niet hoeveel ze bezitten, want alles is belegd in de meest verschillende dingen. Ze bezitten banken, luchtvaartmaatschappijen, hotels, warenhuizen, scheepvaartlijnen. Je hebt geen idee hoe groot het imperium van je grootvader is, zelfs nu nog, nu zijn einde nadert. Hij is een genie in het geld verdienen. Alles wat hij aanraakt verandert in goud!'

Haar blauwe ogen straalden. De zon scheen door de ramen naar binnen en wierp diamanten lichtflitsen op haar haar. Ze leek nu al schat- en schatrijk. Mamma, mamma, waarom kregen we dat allemaal pas te horen nadat vader was gestorven?

'Christopher, Cathy, luister, gebruik je fantasie! Beseffen jullie wel wat je met zoveel geld kunt doen? De hele wereld is van jou! Je hebt macht, invloed, respect. Vertrouw me. Ik zal vaders liefde gauw genoeg teruggewonnen hebben. Als hij me ziet zal hij op hetzelfde moment beseffen dat die vijftien jaar verspilde tijd is geweest. Hij is oud en ziek, hij woont op de benedenverdieping, in een klein kamertje achter de bibliotheek, er zijn verpleegsters in huis die dag en nacht voor hem zorgen, en personeel dat hem op zijn wenken bedient. Maar alleen je eigen vlees en bloed is echt belangrijk, en ik ben alles wat hij nog heeft, ik ben de enige. Zelfs de verpleegsters hoeven geen trappen te lopen, want ze hebben een eigen badkamer. Op een avond zal ik hem voorbereiden op de kennismaking met zijn vier kleinkinderen, en dan breng ik jullie naar beneden, naar zijn kamer, en hij zal in de wolken zijn als hij jullie ziet: vier mooie kinderen, die in elk opzicht volmaakt zijn – hij moet wel van jullie houden, van jullie allemaal. Geloof me maar, het komt heus voor elkaar, het gebeurt precies zoals ik het zeg. Ik beloof je plechtig dat ik alles zal doen wat mijn vader van me verlangt. Ik zweer je bij mijn leven, bij alles wat me heilig en lief is – de kinderen, die zijn ontstaan uit mijn liefde voor je vader – dat ik spoedig de erfgename zal zijn van een onvoorstelbaar vermogen, en via mij zullen al je dromen bewaarheid worden.'

Ik luisterde met open mond naar haar hartstochtelijke toespraak. Ik wist niet hoe ik het had en keek even naar Christopher die ongelovig naar mamma staarde. De tweeling sliep bijna. Die had niets gehoord.

We zouden gaan wonen in een huis dat zo groot en zo mooi was als een paleis.

In dat enorme paleis, waar je op je wenken bediend werd door het personeel, zouden we worden voorgesteld aan koning Midas, die spoedig zou sterven en dan zou al zijn geld van ons zijn en de wereld aan onze voeten liggen. We zouden in een sprookjeswereld leven! Ik zou een leven hebben als een prinses!

Waarom voelde ik me dan niet gelukkig?

'Cathy,' zei Christopher, terwijl hij me met een stralende glimlach aankeek, 'dan kun je toch nog ballerina worden. Je kunt geen talent kopen met geld en je wordt er ook geen goede arts door. Maar vóór we serieus gaan werken, zullen we eerst een hele hoop plezier maken.'

Ik kon de zilveren muziekdoos met de roze ballerina niet meenemen. De muziekdoos was duur en stond op de lijst van waardevolle dingen waarop 'zij' beslag zouden leggen.

Ik kon de letterkast niet van de muur halen of de miniatuurtjes verbergen. Ik kon bijna niets meenemen van alles wat pappa me had gegeven, behalve het ringetje aan mijn vinger, met het kleine halfedelsteentje in de vorm van een hartje.

En, zoals Christopher zei, als we eenmaal rijk waren, zou het leven één groot feest worden. Want rijke mensen leefden lang en gelukkig, en telden hun geld en maakten plezier.

Plezier, vrolijkheid, spelletjes, een immense rijkdom, een huis zo groot als een paleis, met bedienden die boven een enorme garage woonden waarin minstens negen of tien dure auto's stonden. Wie had ooit gedacht dat mijn moeder uit zo'n rijke familie kwam? Waarom had ze zo vaak ruzie gemaakt met pappa over al dat geld dat ze uitgaf? Ze had immers al veel eerder naar huis kunnen schrijven, zich vernederen en om geld vragen?

Langzaam liep ik door de gang naar mijn kamer en bleef voor de muziekdoos staan. De roze ballerina stond in arabesque-positie als het deksel werd opengeklapt en kon zichzelf zien in de spiegel. Ik hoorde de tingelende muziek, *'Dance, ballerina, dance...'*

Ik zou hem kunnen stelen als ik een plaats had om hem te verstoppen.

Vaarwel, roze-en-witte kamer met de zuurstok-roze muren. Vaarwel, klein wit bedje met de gestippelde hemel, waarin ik ziek had gelegen met mazelen, bof en waterpokken.

Nog eens vaarwel, pappa, want als ik weg ben kan ik je niet meer op de rand van mijn bed zien zitten met mijn hand in de jouwe, en zal ik je niet meer met een glas water uit de badkamer zien komen. *Ik wil niet weg, pappa. Ik blijf veel liever hier, zodat ik de herinnering aan jou kan vasthouden.*

'Cathy,' – mamma stond in de deuropening – 'sta niet te huilen. Een kamer is maar een kamer. Je zult nog heel wat meer kamers leren kennen voor je doodgaat, dus schiet op, pak jouw spulletjes in en die van de tweeling, dan pak ik mijn eigen koffers.'

Voor ik stierf zou ik in nog wel duizend kamers wonen, fluisterde een stemmetje in mijn oor... en ik geloofde het.

DE WEG NAAR RIJKDOM

Terwijl mamma bezig was te pakken, smeten Christopher en ik onze kleren in twee koffers, samen met wat stukjes speelgoed en een spel. In de schemering reden we met een taxi naar het station. We waren er heel stilletjes vandoor gegaan, zonder zelfs maar afscheid te nemen van onze vrienden, en dat vonden we heel verdrietig. Ik begreep niet waarom dat nodig was, maar mamma stond erop. We lieten onze fietsen achter in de garage, samen met alle andere dingen die te groot waren om mee te nemen.

De trein daverde in de donkere sterrennacht in de richting van een afgelegen landgoed in de bergen van Virginia. We reden langs slaperige dorpen en steden, en verspreid liggende boerderijen, waarvan alleen de verlichte vierkanten het bestaan ervan bewezen. Mijn broer en ik weigerden om te gaan slapen, om maar niets te missen. En, o, wat hadden we veel om over te praten! Vooral over dat mooie, grote huis, waar we in pracht en praal zouden leven, en zouden eten van gouden borden, en bediend worden door een butler in livrei. En ik zou natuurlijk mijn eigen kamermeisje hebben, dat mijn kleren zou klaarleggen, mijn bad zou laten vollopen, mijn haar borstelen en precies zou doen wat ik zei. Maar ik zou niet al te streng voor haar zijn. Ik zou lief en begrijpend zijn, een meesteres die geliefd was bij haar personeel – behalve als ze iets brak waar ik erg op gesteld was! Dan zou je de poppen aan het dansen hebben – ik zou een driftbui krijgen en met een paar dingen gooien die ik toch niet mooi vond.

Terugkijkend op die nachtelijke treinrit, besef ik dat ik in die nacht begon op te groeien, begon te filosoferen. Voor alles wat je kreeg, moest je iets verliezen – dus kon ik maar beter zo gauw mogelijk daaraan wennen en er het beste van maken.

Terwijl mijn broer en ik plannen maakten hoe we ons geld zouden uitgeven als we het eenmaal hadden, kwam de gezette, kalende conducteur onze coupé binnen. Hij nam onze moeder bewonderend van onder tot boven op en zei toen zachtjes: 'Mevrouw Patterson, over een kwartiertje zijn we bij uw station.'

Waarom noemde hij haar 'Mevrouw Patterson' vroeg ik me af. Ik keek vragend naar Christopher, die al even verbaasd keek.

Mamma werd met een schok wakker, ze was kennelijk geschrokken en verward, en sperde haar ogen open. Haar blik gleed van de conducteur, die dicht over haar heen gebogen stond, naar Christopher en mij, en toen vol wanhoop naar de tweeling. Toen kwamen de tranen en ze tastte in haar tas en haalde er een zakdoekje uit, waarmee ze met een sierlijk gebaar haar ogen bette. Toen volgde een zo diepe, zo verdrietige zucht dat mijn hart angstig begon te bonzen.

'Ja, dank u,' zei ze tegen de conducteur, die haar nog steeds goedkeurend en bewonderend opnam. 'Maakt u zich niet bezorgd, we zijn klaar.'

'Mevrouw,' zei hij ongerust op zijn horloge kijkend, 'het is drie uur 's morgens. Wordt u afgehaald?' Hij keek bezorgd naar Christopher en mij, en toen naar de slapende tweeling.

'Alles is in orde,' verzekerde mamma hem.

'Het is erg donker buiten, mevrouw.'

'De weg naar huis kan ik slapend vinden.'

De vaderlijke conducteur was nog niet tevreden. 'Mevrouw,' zei hij, 'het is een uur rijden naar Charlottesville. U en de kinderen worden midden in de woestenij afgezet. Er is geen huis in de buurt.'

Om verder uithoren te voorkomen, antwoordde mamma op haar meest arrogante toontje: 'We *worden* afgehaald.' Grappig hoe ze van de ene seconde op de andere zo hooghartig kon zijn en onmiddellijk daarna weer gewoon doen.

We stapten uit bij het station, midden in de woestenij. Er was niemand om ons af te halen.

Het was pikdonker toen we uitstapten, en, zoals de conducteur al had gewaarschuwd, er was geen huis te bekennen. We waren alleen in de nacht, ver van alle beschaving, en zwaaiden ten afscheid naar de conducteur, die op de treeplank van de trein stond en zich met één hand vasthield, en met de andere wuifde. Het was hem duidelijk aan te zien dat hij het niet prettig vond 'mevrouw Patterson' en haar vier slaperige kinderen alleen achter te laten, wachtend tot er een auto zou komen. Ik keek om me heen en zag niets anders dan een roestig zinken dak, dat gesteund werd door vier houten palen, en een wankele groene bank. Dit was dus onze bestemming. We gingen niet op de bank zitten, maar bleven staan en keken de trein na tot die in de duisternis was verdwenen. We hoorden een langgerekt droevig gefluit, alsof hij ons het beste wilde wensen.

We waren omringd door akkers en weiden. In het dichte bos achter het 'station' hoorde ik een griezelig geluid. Ik sprong overeind en draaide me met een ruk om. Ik wist niet wat het was. Christopher begon te lachen. 'Dat was maar een uil! Dacht je dat het een spook was?'

'Nu geen nonsens!' zei mamma streng. 'En je hoeft niet te fluisteren. Er is hier niemand. Dit is boerenland, voornamelijk melkkoeien. Kijk maar om je heen. Naar al die akkers waar tarwe en haver verbouwd wordt, en ook wat gerst. De boeren uit deze omtrek leveren alle verse produkten voor de rijke mensen die op de heuvel wonen.'

Er waren veel heuvels, die er uitzagen als bobbelige lappendekens, die door rijen bomen in vakken werden verdeeld. Schildwachten in de nacht, noemde ik ze, maar mamma vertelde dat de rechte rijen bomen als windvangers dienst deden en de zware sneeuwval tegenhielden. Precies de juiste opmerking om Christopher tot enthousiasme te brengen. Hij was dol op wintersport en had niet verwacht dat er in een zuidelijke staat als Virginia zoveel sneeuw zou vallen.

'O, ja, en óf het hier sneeuwt!' zei mamma. 'Reken maar! Dit is het voorgebergte van de Blue Mountains, en het kan hier ontzettend koud zijn, even koud als in Gladstone. Maar 's zomers is het hier overdag warmer. 's Nachts is het altijd koel genoeg voor ten minste één deken. Als de zon scheen zou je kunnen zien hoe mooi het landschap is, even mooi als waar ook ter wereld. Maar we moeten opschieten. We hebben nog een lange wandeling voor de boeg, en we moeten er zijn vóór het licht wordt, voordat de bedienden opstaan.'

Wat vreemd! 'Waarom?' vroeg ik. 'En waarom noemde die conducteur je mevrouw Patterson?'

'Cathy, ik heb nu geen tijd om het je uit te leggen. We moeten opschieten.' Ze bukte zich, pakte twee koffers op en zei dat we haar moesten volgen. Christopher en ik moesten de tweeling dragen, die te slaperig was om te lopen of het zelfs maar te proberen.

'Mamma!' riep ik uit, toen we een paar stappen hadden gedaan. 'De conducteur heeft vergeten jouw twee koffers uit de trein te zetten!'

'Nee, dat is in orde, Cathy,' zei ze ademloos, alsof ze al haar krachten nodig had voor de twee koffers die ze droeg. 'Ik heb de conducteur gevraagd mijn koffers mee te nemen naar Charlottesville en ze daar in een kluis te bewaren tot ik ze morgen kom halen.'

'Waarom?' vroeg Christopher met benepen stem.

'Nou, om te beginnen kan ik moeilijk *vier* koffers dragen, hè? En verder wil ik eerst met mijn vader praten voor hij hoort dat ik vier kinderen heb. En het zou ook niet zo'n beste indruk maken als ik na vijftien jaar plotseling midden in de nacht kom opdagen, vind je wel?'

Het klonk redelijk, want we hadden onze handen vol, omdat de tweeling hardnekkig weigerde te lopen. We gingen op weg, achter moeder aan, over oneffen grond, over nauwelijks zichtbare paden tussen rotsen en bomen en struikgewas dat zich vasthaakte aan onze kleren. Het leek of er geen eind kwam aan onze trektocht. Christopher en ik werden moe en geprikkeld, en de tweeling werd steeds zwaarder, en onze armen begonnen pijn te doen. Het avontuur begon zijn aantrekkelijkheid te verliezen. We klaagden, mopperden, sjokten voort, wilden gaan zitten en uitrusten. We wilden terug naar Gladstone, naar ons eigen bed, onze eigen dingen – liever dan naar dat grote oude huis met bedienden en grootouders die we niet kenden.

'Maak de tweeling wakker!' snauwde mamma, die ongeduldig begon te worden bij ons gemopper en geklaag. 'Zet ze op hun eigen benen en dwing ze om te lopen, of ze willen of niet.' Toen mopperde ze iets in de bontkraag van haar jas dat ik nauwelijks verstond: 'God weet hoe lang ze nog buiten kunnen lopen.'

Een angstige rilling liep over mijn rug. Ik keek even naar mijn oudste broer om te zien of hij het had gehoord, terwijl hij op hetzelfde moment zijn hoofd omdraaide en naar me lachte. Ik lachte terug.

Morgen, als mamma op een fatsoenlijk tijdstip aankwam, in een taxi, zou ze naar onze zieke grootvader gaan en tegen hem lachen en met hem praten en dan zou hij zich gewonnen geven. Eén blik op haar lieve gezicht, één woord met die zachte mooie stem van haar, en hij zou zijn armen uitstrekken en haar vergeven wat ze had gedaan. Te oordelen naar hetgeen ze ons verteld had was haar vader een chagrijnige, *oude* man, want zesenzestig leek ons inderdaad stokoud. En een man die aan de rand van de dood stond kon het zich niet permitteren een wrok te blijven koesteren tegen het enige kind dat was overgebleven, zijn dochter van wie hij eens zoveel had gehouden. Hij moest haar vergeven, zodat hij in vrede in zijn graf kon dalen, in het rustige besef dat hij juist had gehandeld. En dan, als ze hem eenmaal in haar ban had, zou ze ons komen halen en wij zouden er op ons paasbest uitzien en heel lief zijn, en dan zou hij al gauw zien dat we niet lelijk waren, of slecht, en natuurlijk zou niemand, werkelijk niemand die een beetje hart in zijn lijf had, de tweeling kunnen weerstaan. Zelfs in de winkel bleven de mensen bij de tweeling stilstaan en maakten moeder een compliment dat ze zulke mooie kinderen had. En wacht maar tot grootvader hoorde hoe knap Christopher was! Hij had de beste cijfers van de klas! En hij hoefde er niet eens zo hard voor te blokken als ik. Alles ging hem zo gemakkelijk af. Hij hoefde een pagina maar één of twee keer over te lezen en dan stond de hele inhoud onuitwisbaar in zijn hersens geprent. Ik benijdde hem daarom.

Ik had ook wel een gave, al was die minder spectaculair dan die van Christopher. Het was mijn gewoonte om naar de schaduwzijde te zoeken van alles wat schitterde en blonk. We wisten maar heel weinig van die onbekende grootvader, maar als ik de stukjes aan elkaar paste, kreeg ik sterk de indruk dat hij niet het soort man was dat gauw iets vergaf – anders had hij nooit zijn eens zo geliefde dochter vijftien jaar lang kunnen negeren. Maar zou hij zo spijkerhard zijn dat hij mamma's charme kon weerstaan? Ik betwijfelde het. Ik had haar gezien en gehoord als ze bij pappa vleide om geld, en pappa gaf altijd toe en ze kreeg altijd haar zin. Een zoen, een omhelzing, een liefkozing en pappa lachte en gaf toe, ja, op de een of andere manier zouden ze al die dure dingen die ze kocht wel kunnen betalen.

'Cathy,' zei Christopher, 'kijk niet zo bezorgd. Als God niet van plan was de mensen oud en ziek te laten worden en te laten sterven, zou hij ze niet steeds opnieuw babies laten krijgen.'

Ik voelde dat Christopher naar me keek, alsof hij mijn gedachten las, en ik bloosde. Hij grijnsde opgewekt. Hij was de eeuwige, vrolijke optimist, nooit somber, weifelend of humeurig, zoals ik zo vaak was.

We volgden mamma's raad op en maakten de tweeling wakker. We zetten ze op de grond en zeiden dat ze moesten proberen te lopen, of ze moe waren of niet. We sjorden ze voort, terwijl ze jammerden en klaagden, opstandig snuften en snikten. 'Ik wil er niet heen,' snikte een huilerige Carrie. Cory brulde alleen maar.

'Ik wil niet in het bos lopen als het donker is,' gilde Carrie, terwijl ze haar handje probeerde los te rukken. 'Ik ga naar huis! Laat me los, Cathy, laat me los!'

Cory brulde nog harder.

Ik wilde Carrie weer oppakken en dragen, maar mijn armen deden te veel pijn. Toen liet Christopher Cory's hand los en holde vooruit om mamma te helpen met de twee zware koffers. En dus liep ik met twee onwillige, tegenstribbelende kinderen aan de hand. De lucht was koel en prikkelend. Hoewel mamma dit heuvelland noemde leken de schaduwachtige, hoge vormen in de verte meer op bergen. Ik staarde naar de lucht, die leek op een omgekeerde kom van marineblauw fluweel, bezaaid met gekristalliseerde sneeuwvlokken in plaats van sterren – of waren het ijzige tranen die ik in de toekomst zou schreien? Waarom leken ze vol medelijden op me neer te zien, gaven ze me zo'n nietig, onbeduidend gevoel? Hij was te groot, die besloten lucht, te mooi, en hij gaf me een vreemd voorgevoel. Toch wist ik dat ik onder andere omstandigheden van dit landschap zou kunnen houden.

Tenslotte kwamen we bij een groepje grote, mooie huizen, die op een steile helling waren gebouwd. Steels naderden we het grootste en indrukwekkendste huis op de heuvel. Mamma zei fluisterend dat het huis van haar voorouders Foxworth Hall heette, en dat het meer dan tweehonderd jaar oud was!

'Is er een meer in de buurt waar we kunnen schaatsen en zwemmen?' vroeg Christopher. Hij keek ernstig naar de heuvel. 'Het is geen goed skigebied, te veel bomen en rotsen.'

'Ja,' zei mamma, 'er is een klein meer, ongeveer een halve kilometer verderop.' En ze wees in een richting waar we een meer zouden kunnen vinden.

We liepen om het enorme huis heen, bijna op onze tenen. Bij de achterdeur liet een oude vrouw ons binnen. Ze moest op ons gewacht hebben en ons hebben zien aankomen, want ze deed zo snel open dat we niet eens hoefden te kloppen. Als dieven in de nacht slopen we naar binnen. Ze sprak geen woord om ons welkom te heten. Zou het iemand van het personeel zijn, vroeg ik me af.

Zodra we in het donkere huis waren joeg ze ons een steile, smalle achtertrap op, zonder ons de tijd te gunnen om even te blijven staan en een kijkje te nemen in de schitterende kamers, waarvan we in het voorbijgaan een glimp opvingen. Ze ging ons voor door een groot aantal gangen, langs talloze gesloten deuren, tot we bij een kamer kwamen aan het eind van een gang, waar ze een deur opengooide en een gebaar maakte dat we naar binnen konden. We voelden ons opgelucht dat onze lange nachtelijke reis voorbij was en we ons in een grote slaapkamer bevonden, waar één enkele lamp brandde. Voor twee hoge ramen hingen zware gordijnen. De oude vrouw in de grijze jurk draaide zich om en nam ons aandachtig op, na de zware deur naar de gang te hebben gesloten.

Ik schrok op toen ze sprak. 'Je hebt gelijk, Corrine. Je kinderen zijn mooi.'

Het compliment had ons hart moeten verwarmen – maar ik verkilde. Haar stem was koud en liefdeloos, alsof we geen oren hadden om te horen en geen hersens om haar afkeuring te doorgronden, ondanks haar vleiende woorden. En mijn oordeel was juist. Haar volgende woorden bewezen dat.

'Maar weet je zeker dat ze intelligent zijn? Dat ze geen ziekte onder de leden hebben, die met het blote oog niet te zien is?'

'Natuurlijk weet ik dat zeker!' riep moeder beledigd uit. Ook ik voelde me gekrenkt. 'Mijn kinderen zijn volmaakt, dat kun je duidelijk zien, fysiek en geestelijk!' Ze keek woedend naar de oude vrouw in het grijs, voor ze neerhurkte en Carrie begon uit te kleden, die stond te slapen op haar benen. Ik knielde voor Cory neer en knoopte zijn blauwe jasje los, terwijl Christopher een koffer op één van de grote bedden legde. Hij maakte hem open en haalde er twee gele pyjama's uit met voetjes eraan.

Terwijl ik Cory uitkleedde en hem zijn gele pyjama aantrok, nam ik heimelijk, de lange, forse vrouw op, die naar ik aannam, onze grootmoeder was. Ik zocht naar rimpels en uitgezakte kaken, en besefte toen dat ze niet zo oud was als ik eerst had gedacht. Ze had staalblauw haar dat zo strak in een knot naar achteren was getrokken, dat haar ogen iets werden uitgerekt, wat haar een katachtige uitdrukking gaf. Je kon zelfs zien hoe elke haarlok de huid omhoog trok in kleine weerspannige heuveltjes – en terwijl ik stond te kijken zag ik één haarlok losraken uit zijn verankering!

Ze had een adelaarsneus, brede schouders en een mond zo dun als een mes-snede. Aan de hals van haar hooggesloten grijze jurk droeg ze een diamanten broche. Niets aan haar was zacht of soepel; zelfs haar borsten leken twee cementen heuvels. Je zou met haar geen gekheid kunnen maken en spelletjes doen zoals met onze vader en moeder.

Ik mocht haar niet. Ik wilde naar huis. Mijn lippen begonnen te trillen. Ik wou dat pappa nog leefde. Hoe kon zo'n vrouw een dochter hebben die zo mooi en lief was als onze moeder? Van wie had onze moeder haar schoonheid, haar vrolijkheid geërfd? Ik huiverde en probeerde de tranen terug te dwingen die in mijn ogen sprongen. Mamma had ons voorbereid op een liefdeloze, ongeïnteresseerde, meedogenloze grootvader – maar de grootmoeder, die onze komst geregeld had, kwam als een wrede, onverwachte verrassing. Ik bedwong mijn tranen, bang dat Christopher ze zou zien en me er later mee zou plagen. Maar ik voelde me gerustgesteld toen ik naar mamma keek die met een glimlach Cory in een van de grote bedden legde en daarna Carrie naast hem. Wat zagen ze er schattig uit, zoals ze daar naast elkaar lagen, als grote poppen met roze wangetjes. Mamma boog zich over de tweeling heen en zoende hen op de blozende wangen. Haar hand streek met een teder gebaar de krullen van hun voorhoofd, waarna ze de dekens hoog onder hun kin instopte. 'Welterusten, schatjes van me,' fluisterde ze met haar lieve stem die we zo goed kenden.

De tweeling hoorde het niet. Ze waren al in diepe slaap.

Maar grootmoeder, die als een vastgewortelde boom op haar plaats stond, was duidelijk ontevreden toen ze eerst naar de tweeling keek en daarna naar Christopher en mij, die dicht tegen elkaar aan waren gekropen. We waren moe en ondersteunden elkaar. In haar kille grijze ogen lag een strenge, afkeurende blik. Er lag een dreigende uitdrukking op haar gezicht, die mamma scheen te begrijpen, al was het mij volslagen onduidelijk. Mamma's gezicht werd vuurrood toen grootmoeder zei: 'Je twee oudste kinderen kunnen niet samen in één bed slapen!'

'Het zijn nog maar kinderen,' viel mamma met ongewone felheid uit. 'Moeder, je bent geen steek veranderd, hè? Je bent nog steeds even smerig achterdochtig. Christopher en Cathy zijn onschuldige kinderen!'

'Onschuldig?' snauwde ze terug, met een blik die zo scherp en vals was dat hij door ons hart leek te snijden. 'Dat dachten je vader en ik ook altijd van jou en je halfoom.'

Ik keek met grote ogen van de een naar de ander, en toen naar mijn broer. Het leek of de jaren van hem waren afgevallen; hij stond erbij als een kwetsbaar, hulpeloos kind van een jaar of zes. Hij begreep er niet veel meer van dan ik.

Het bloed trok weg uit het gezicht van mijn moeder. 'Als je er zo over denkt, geef ze dan aparte kamers en aparte bedden! God weet dat er genoeg zijn in dit huis!'

'Dat is onmogelijk,' zei grootmoeder met haar kille stem. 'Dit is de enige slaapkamer met een eigen aangrenzende badkamer, en de enige plaats waar mijn man ze niet boven zijn hoofd kan horen lopen of het toilet horen doortrekken. Als ze gescheiden zijn en over de bovenste etage verspreid, hoort hij hun gepraat, of het lawaai, en anders horen de bedienden het wel. Ik heb er lang over nagedacht. Dit is de enige veilige kamer.'

Veilige kamer? Moesten we allemaal in één kamer slapen? In een groot, mooi huis met twintig, dertig, veertig kamers, moesten wij in één kamer blijven? Maar bij nader inzien wílde ik helemaal niet alleen zijn in dit reusachtige huis.

'Leg die twee meisjes in het ene bed en de twee jongens in het andere,' beval grootmoeder.

Mamma tilde Cory op en legde hem in het andere bed, waarmee ze gedachteloos de indeling aangaf waaraan we ons vanaf dat moment zouden houden. De jongens in het bed aan de kant van de badkamer, en Carrie en ik in het bed bij het raam.

De oude vrouw richtte haar harde blik op mij en Christopher. 'Opgelet!' begon ze als een drilsergeant. 'Jullie zijn de oudsten en jullie moeten ervoor zorgen dat de kleintjes rustig blijven, jullie beiden zijn verantwoordelijk als ze één van de regels die ik zal vaststellen overtreden. Vergeet nooit: als je grootvader te gauw merkt dat jullie hier zijn, gooit hij jullie allemaal eruit zonder een rooie cent – *nadat* hij jullie streng gestraft heeft omdat jullie bestaan! En jullie houden deze kamer schoon, netjes en opgeruimd, en ook de badkamer, net of hier niemand woont. En jullie houden je kalm; geen gegil of geschreeuw, geen gerén en geen gestamp. Als je moeder en ik vanavond deze kamer verlaten doe ik de deur achter me op slot. Want ik wil niet dat jullie van de ene kamer naar de andere dwalen en in de andere delen van het huis komen. Tot de dag waarop je grootvader sterft, blijven jullie hier, maar jullie bestaan eigenlijk niet!'

O, mijn God! Ik keek naar mamma. Dit kon toch niet waar zijn! Ze loog! Ze zei gemene dingen om ons bang te maken. Ik drukte me dichter tegen Christopher aan, ik had het koud en rilde. Grootmoeder keek kwaad en ik trok me haastig terug. Mamma stond met haar rug naar ons toe en met gebogen hoofd; haar schouders hingen omlaag en schokten, alsof ze huilde.

Een plotselinge paniek maakte zich van me meester en ik zou het uitgegild hebben als mamma zich niet had omgedraaid, op bed was gaan zitten en haar armen had uitgestrekt naar Christopher en mij. We holden naar haar toe en zochten dankbaar beschutting in haar armen die ons dicht tegen haar aan trokken. Haar handen streelden ons haar en onze rug, en streken onze verwarde haren glad. 'Het is niet erg,' fluisterde ze. 'Heb vertrouwen in me. Jullie hoeven maar één nacht hier te blijven, en dan zal mijn vader je in zijn huis welkom heten. Jullie zullen het als je eigen huis kunnen beschouwen – alle kamers, de tuinen –'

Ze keek plotseling woedend naar haar moeder, die er streng en ongenaakbaar bij stond. 'Moeder, heb toch medelijden met mijn kinderen. Ze zijn ook jouw vlees en bloed, vergeet dat niet. Het zijn lieve kinderen, maar het zijn ook normale kinderen, en ze hebben ruimte nodig om te spelen en te hollen en lawaai te maken. Dacht je soms dat ze met elkaar fluisteren? Je hoeft de deur van deze kamer niet op slot te doen; het is voldoende als je de deur aan het eind van de gang op slot doet.

Waarom geef je ze niet alle kamers in deze noordelijke vleugel? Ik weet dat je je nooit hebt geïnteresseerd voor dit oude deel van het huis.'

Grootmoeder schudde heftig het hoofd. 'Corrine, ik ben degene die hier de beslissingen neemt – niet jij! Denk je dat ik de deur naar deze vleugel zo maar op slot kan doen, zonder dat het personeel nieuwsgierig wordt? Alles moet blijven zoals het was. Ze weten waarom deze kamer altijd op slot is – omdat hier de trap naar de zolder is, en ik niet wil dat ze rondsnuffelen op plaatsen waar ze niets te maken hebben. 's Morgens heel vroeg zal ik de kinderen eten en melk brengen – voordat de kokkin en de dienstmeisjes in de keuken komen. Er komt nooit iemand in deze noordelijke vleugel, behalve op de laatste vrijdag van elke maand, als hier wordt schoongemaakt. Op die dagen zullen de kinderen zich op zolder moeten verbergen tot de meisjes klaar zijn. En voordat ze hier binnenkomen zal ik zelf alles controleren om te zien of er geen teken van hun aanwezigheid is achtergebleven.'

Mamma bracht nog meer bezwaren naar voren. 'Dat kán niet! Ze zullen zichzelf verraden, dat kan niet anders. Moeder, doe de deur aan het eind van de gang op slot!'

Knarsetandend zei grootmoeder: 'Corrine, geef me tijd; op den duur kan ik wel een reden verzinnen waarom het personeel niet in deze vleugel mag komen, zelfs niet om schoon te maken. Maar ik moet voorzichtig te werk gaan en geen achterdocht wekken. Ze mogen me niet; ze zouden met allerlei verhalen naar je vader gaan, in de hoop op een beloning. Snap je het niet, Corrine? Het afsluiten van deze vleugel kan niet samenvallen met jouw terugkomst.'

Moeder knikte en gaf toe. Zij en grootmoeder maakten verder plannen, terwijl Christopher en ik steeds slaperiger werden. Het leek een eindeloze dag. Ik wilde niets liever dan naast Carrie onder de dekens in bed kruipen, zodat ik weg kon zinken in de vergetelheid, waar geen problemen bestonden.

Eindelijk, juist toen ik begon te denken dat ze nooit iets zou merken, zag moeder hoe moe Christopher en ik waren, en mochten we ons in de badkamer uitkleden en naar bed gaan.

Mamma kwam naast me staan. Ze zag er moe en bezorgd uit, met donkere schaduwen onder haar ogen, en ze drukte haar warme lippen op mijn voorhoofd. Ik zag tranen glinsteren in de hoeken van haar ogen en haar mascara deed die tranen in donkere strepen uitlopen. Waarom huilde ze nu weer?

'Ga slapen,' zei ze hees. 'Wees niet bang. Vergeet wat je gehoord hebt. Zodra mijn vader me vergeven heeft, zal hij zijn kleinkinderen welkom heten – de enige kleinkinderen die hij tijdens zijn leven waarschijnlijk zal kunnen zien.'

'Mamma,' – ik fronste angstig mijn wenkbrauwen, 'waaróm huil je telkens?'

Met een schokkende beweging veegde ze haar tranen weg. Ze probeerde te glimlachen. 'Cathy, ik vrees dat er meer dan een dag voor nodig zal zijn om mijn vader weer gunstig te kunnen stemmen. Het zal wel twee dagen kunnen duren, of langer.'

'Nog langer?'

'Misschien, misschien zelfs wel een week, maar langer niet, en misschien veel korter. Ik weet het niet precies... maar het zal niet lang duren. Daar kun je op rekenen.' Met zachte hand streek ze mijn haar naar achteren. 'Lieve, lieve Cathy, je vader hield zoveel van je, en ik ook.' Ze liep naar Chris, gaf hem een zoen op zijn voorhoofd en streelde over zijn haar, maar ik kon niet horen wat ze hem in zijn oor fluisterde.

Bij de deur draaide ze zich om en zei: 'Slaap lekker, ik kom jullie morgen zo gauw mogelijk opzoeken. Jullie kennen mijn plannen. Ik ga te voet terug naar het station, waar ik de trein neem naar Charlottesville om mijn koffers te halen. Morgenochtend kom ik terug met een taxi, en dan kom ik jullie zo gauw mogelijk opzoeken.'

Grootmoeder duwde mamma meedogenloos door de open deur, maar mamma draaide zich om en keek over haar schouder. Er lag een smekende blik in haar ogen, terwijl ze zei: 'Wees lief, alsjeblieft. Gedraag je netjes. Maak geen lawaai. Gehoorzaam je grootmoeder, doe wat ze zegt en geef haar nooit enige reden om jullie te straffen. Alsjeblieft, alsjeblieft, zorg daarvoor; en laat de tweeling gehoorzaam zijn, en zorg dat ze niet huilen en me te veel missen. Doe of het een spelletje is, een grap. Doe je best ze bezig te houden tot ik terugkom met speelgoed en spelletjes. Morgen kom ik terug; elke seconde dat ik niet bij jullie ben zal ik aan jullie denken en voor jullie bidden en van jullie houden.'

We beloofden dat we ons keurig zouden gedragen, zo stil als muisjes zouden zijn, als engeltjes gehoorzamen en precies zouden doen wat ons gezegd werd. We zouden ons best doen voor de tweeling en ik zou alles, letterlijk alles doen om de angstige blik uit hun ogen te weren.

'Goedenacht, mamma,' zeiden Christopher en ik, terwijl ze aarzelend in de gang stond, met de grote, wrede handen van grootmoeder op haar schouders. 'Maak je niet bezorgd over ons. Alles gaat goed. We weten wat we voor de tweeling moeten doen en we zullen onszelf wel bezighouden. We zijn geen kleine kinderen meer.' Dit kwam allemaal uit de mond van mijn broer.

'Ik zie jullie morgenochtend,' zei grootmoeder voordat ze mamma de gang induwde en de deur op slot deed.

Het was angstig om opgesloten te zijn, kinderen alleen. Als er eens brand kwam? Altijd zou ik bang zijn voor brand, piekeren hoe ik zou kunnen ontsnappen. Als we hier waren opgesloten, zou niemand ons horen als we om hulp riepen. Wie zou ons *kunnen* horen in deze afgelegen, verboden kamer op de tweede verdieping, waar maar één keer in de maand iemand kwam, op de laatste vrijdag?

God zij dank dat dit maar een tijdelijke regeling was – het was maar voor één nacht. Morgen zou mamma zich verzoenen met de stervende grootvader.

We waren alleen. Opgesloten. Alle lichten waren uit. Rondom ons, onder ons leek dit enorme huis een monster dat ons in zijn scherpgetande bek gevangen hield. Als we ons bewogen, fluisterden, zwaar ademhaalden, zouden we worden opgeslokt en verteerd.

Ik verlangde naar slaap terwijl ik in bed lag, niet naar die lange, lange stilte die eindeloos voortduurde. Voor het eerst in mijn leven zonk ik niet onmiddellijk weg in dromenland zodra mijn hoofd het kussen raakte. Christopher verbrak de stilte en fluisterend bespraken we de situatie.

'Het zal wel meevallen,' zei hij zachtjes, zijn ogen vochtig en glanzend in het donker. 'Die grootmoeder – ze kán niet zo gemeen zijn als ze lijkt.'

'Wil je soms zeggen dat je haar een lief, oud dametje vindt?'

Hij grinnikte. 'O jawel, zo lief als een boa constrictor.'

'Ze is ontzettend groot. Hoe lang denk je dat ze is?'

'Moeilijk te zeggen. Eén meter tachtig misschien, en tweehonderd pond.'

'Meer dan twee meter! Vijfhonderd pond!'

'Cathy, je moet één ding leren – overdrijf niet altijd zo! Maak van een mug geen olifant. Je moet de situatie nuchter onder ogen zien en beseffen dat dit gewoon een kamer is in een groot huis, niets angstaanjagends. We moeten hier één nacht slapen, voordat mamma terugkomt.'

'Christopher, heb je gehoord wat grootmoeder zei over die halfoom? Begreep jij wat ze bedoelde?'

'Nee, maar mamma zal alles wel uitleggen. Ga nu slapen en bid maar. Meer kunnen we niet doen.'

Ik stapte meteen uit bed, liet me op mijn knieën vallen en vouwde mijn handen onder mijn kin. Ik kneep mijn ogen stijf dicht en bad, bad God dat hij mamma zou helpen zo charmant, ontwapenend en onweerstaanbaar mogelijk te zijn. 'En God, alstublieft, laat grootvader niet zo akelig en gemeen zijn als zijn vrouw.'

Toen, vermoeid en overmand door de vele emoties, kroop ik weer onder de dekens, drukte Carrie stevig tegen me aan en viel in slaap.

GROOTMOEDERS HUIS

Het begon licht te worden achter de zware, dichtgetrokken gordijnen die we niet mochten openschuiven. Christopher ging als eerste overeind zitten, geeuwde, rekte zich uit en grinnikte naar me. 'Hi, warhoofd,' begroette hij me. Zijn haar was even verward als het mijne, nog veel erger zelfs. Ik weet niet waarom God hem en Cory zulk mooi krullend haar had gegeven, terwijl Carrie en ik alleen maar een paar golven in ons haar hadden. En omdat hij een jongen was, deed hij zijn uiterste best die krullen eruit te borstelen, terwijl ik wilde dat ze van zijn hoofd naar het mijne konden overspringen.

Ik ging zitten en keek om me heen in de kamer, die ongeveer vijf bij vijf meter was. Groot, maar met twee tweepersoonsbedden, een massieve ladenkast, een groot dressoir, twee grote fauteuils, een toilettafel tussen de twee ramen aan de voorkant, met een klein stoeltje ervoor, plus een mahoniehouten tafel met vier stoelen, leek het een kleine kamer. Propvol. Tussen de twee grote bedden stond nog een tafel met een lamp. Alles bij elkaar waren er vier lampen in de kamer. Onder al die zware donkere meubelen lag een vaal rood oosters tapijt met goudkleurige franje. Het was vroeger waarschijnlijk een mooi kleed geweest, maar nu was het oud en versleten. Het behang was crèmekleurig met witte vlokken. De spreien waren van goudkleurig doorgestikt satijn. Aan de muur hingen drie adembenemende schilderijen. Groteske demonen achtervolgden naakte mensen in ondergrondse rood geschilderde spelonken. Andere jammerende mensen werden verslonden door bovenaardse monsters. Met trappelende benen bungelden ze uit de kwijlende bekken met lange glimmende puntige tanden.

'Dat is de hel zoals sommigen die zien,' vertelde mijn alleswetende broer. 'Tien tegen één dat onze engelachtige grootmoeder die schilderijen zelf heeft opgehangen, opdat we weten wat ons te wachten staat als we het wagen om ongehoorzaam te zijn. Ik geloof dat ze van Goya zijn,' zei hij.

Mijn broer wist alles. Behalve arts wilde hij ook kunstenaar worden. Hij was opvallend goed in tekenen, in schilderen met waterverf en olieverf, enzovoort. Hij was in bijna alles goed, behalve in het opruimen van zijn rommel en het voor zichzelf zorgen.

Juist toen ik aanstalten maakte om op te staan en een bad te nemen, sprong Christopher zijn bed uit en was me vóór. Waarom moesten Carrie en ik ook zover van de badkamer af liggen? Ongeduldig zat ik op de rand van het bed, zwaaiend met mijn benen, en wachtend tot hij naar buiten zou komen.

Met een paar onrustige bewegingen werden Carrie en Cory tegelijkertijd wakker. Ze kwamen geeuwend, als spiegelbeelden, overeind en wreven in hun ogen. Toen keken ze slaperig om zich heen. Carrie verklaarde vol overtuiging: 'Ik vind het hier niet prettig!'

Dat verbaasde me niets. Carrie was eigenzinnig geboren. Nog voordat ze kon praten, en ze praatte al toen ze negen maanden was, wist ze wat ze wilde en niet wilde. Voor Carrie bestond er geen tussenweg – het was het ene uiterste of het andere. Ze had een schattig stemmetje als ze het naar haar zin had, net een lief klein vogeltje, dat 's morgens luid zit te sjilpen. De moeilijkheid was dat ze de hele dag doorsjilpte, behalve als ze sliep. Carrie praatte tegen poppen, theekopjes, teddyberen en andere speelgoeddieren. Ze babbelde met alles wat bleef staan of zitten en niets terug zei. Na een tijdje hoorde ik haar onophoudelijke gebabbel zelfs niet meer; ik sloot mijn oren ervoor en liet haar maar doorratelen.

Cory was heel anders. Terwijl Carrie aan één stuk door babbelde, zat hij aandachtig te luisteren. Ik herinner me dat mevrouw Simpson eens had gezegd dat Cory 'een stil water was met een diepe grond'. Ik weet nog steeds niet wat ze daarmee bedoelde, behalve dat stille mensen een waas van geheimzinnigheid uitstralen en je je afvraagt hoe ze nu eigenlijk precies zijn achter dat kalme uiterlijk.

'Cathy,' sjilpte mijn kleine zusje, 'hoorde je dat ik zei dat ik het hier niet prettig vind?'

Bij die woorden krabbelde Cory uit bed en sprong in het onze. Hij nam zijn tweelingzusje in zijn armen en drukte haar stevig tegen zich aan, met grote, angstige ogen. Plechtig vroeg hij: 'Hoe zijn we hier gekomen?'

'Gisteravond, met de trein. Herinner je je dat niet meer?'

'Nee.'

'En we zijn in het maanlicht door het bos gewandeld. Heel mooi.'

'Waar is de zon? Is het nog nacht?'

De zon verschool zich achter de gordijnen. Maar als ik dat tegen Cory zou zeggen, zou hij vast en zeker de gordijnen willen opentrekken en naar buiten kijken. En als hij naar buiten keek, zou hij naar buiten willen. Ik wist niet wat ik moest zeggen. In de gang frutselde iemand aan het slot en dat bespaarde me het antwoord. Onze grootmoeder bracht een groot blad binnen, beladen met voedsel, waarover een groot wit servet lag. Snel en zakelijk verklaarde ze dat ze niet de hele dag met zware dienbladen de trap op en af kon hollen. Niet meer dan één keer per dag. Als ze te vaak kwam zou het personeel het merken.

'Ik denk dat ik voortaan een picknickmand zal nemen,' zei ze, terwijl ze het blad op het tafeltje zette. Ze keek naar mij, alsof ik de taak had voor de maaltijden te zorgen. 'Dit eten moet over de hele dag worden verdeeld. Het spek, de eieren, de toast en de pap zijn voor het ontbijt. De boterhammen en de hete soep in de thermosfles zijn voor de lunch. De kip, aardappelsla en sperziebonen voor het avondeten. Het fruit is voor het dessert. En als jullie aan het eind van de dag rustig en lief zijn geweest, breng ik misschien ijs en koekjes of cake. Geen snoep. Ik wil niet dat jullie gaten in je tanden krijgen. Vóór je grootvader dood is kun je niet naar de tandarts.'

Christopher kwam geheel gekleed uit de badkamer, en staarde net als ik verbijsterd naar die grootmoeder die zo nuchter en zonder enige aandoening sprak over de dood van haar man. Het leek of ze het had over een goudvis in China die binnenkort zou doodgaan in een viskom.

'En poets je tanden na elke maaltijd,' ging ze verder, 'en zorg dat je haar goed geborsteld is, en je lichaam schoon, dat je altijd netjes gekleed bent. Ik haat kinderen met vuile gezichten en handen en loopneuzen.'

Nog terwijl ze het zei kreeg Cory een vieze neus. Stiekem veegde ik hem af met een zakdoek. Arme Cory, hij had last van hooikoorts, en grootmoeder haatte kinderen met loopneuzen...

'En gedraag je behoorlijk in de badkamer,' ging ze verder met een doordringende blik op mij en Christopher, die onbeschaamd tegen de deur van de badkamer leunde. 'Meisjes en jongens mogen nooit samen de badkamer gebruiken.'

Ik voelde een hete blos naar mijn wangen stijgen! Wat dacht ze wel van ons?

En daarna hoorden we voor de eerste keer iets dat we steeds opnieuw zouden horen, als een naald die blijft steken in een gekraste plaat: 'En denk eraan, kinderen, God ziet alles! God ziet wat voor slechts jullie doen achter mijn rug! En God zal jullie straffen als ík het niet doe!'

Uit de zak van haar jurk haalde ze een vel papier. 'Hier, op dit stuk papier, heb ik de regels opgeschreven waaraan jullie je te houden hebben zolang je in mijn huis bent.' Ze legde de lijst op tafel en zei dat we die moesten lezen en uit ons hoofd leren. Toen draaide ze zich om en ging weg... nee, ze liep naar de kast die we nog niet geïnspecteerd hadden. 'Kinderen, achter deze deur, aan het eind van de kast, is een kleine deur die toegang geeft tot de zoldertrap. Op zolder is voldoende ruimte voor jullie om te spelen en een redelijke hoeveelheid lawaai te maken. Maar jullie mogen er pas na tien uur naar toe. Vóór tien uur zijn de dienstmeisjes op de tweede etage, en die zouden je kunnen horen. Denk er vooral aan dat ze je beneden kunnen horen als je te luidruchtig bent. Na tien uur mag het personeel niet meer op de tweede verdieping komen. Eén van de meisjes heeft gestolen. Tot de dief op heterdaad betrapt is ben ik er altijd bij als ze de slaapkamers doen. In dit huis hebben we onze eigen regels en delen we zelf de verdiende straf uit. Zoals ik gisteren al zei moeten jullie de laatste vrijdag van elke maand heel vroeg naar de zolder, waar je stil blijft zitten, zonder te praten, zonder je te bewegen – begrepen?'

Ze keek ons om de beurt aan en zette haar woorden kracht bij met een gemene, harde blik. Christopher en ik knikten. De tweeling staarde haar gefascineerd, bijna eerbiedig aan. Uit haar verdere woorden bleek dat ze op die vrijdag onze kamer en badkamer zou controleren, om te zien of we geen levensteken hadden achtergelaten.

Toen ze dat gezegd had, ging ze weg en sloot ons weer op. Opgelucht haalden we adem. Grimmig besloot ik er een spelletje van te maken.

'Christopher, jou benoem ik tot vader.'

Hij lachte en zei sarcastisch: 'Wat anders? Als man en hoofd van het gezin wens ik van nu af aan op mijn wenken te worden bediend – als een koning. Vrouw, je bent mijn mindere en mijn slavin, dek de tafel, verdeel het voedsel, maak alles gereed voor je heer en meester.'

'Herhaal eens wat je zei, broer.'

'Voortaan ben ik niet langer je broer, maar je heer en meester; je moet alles doen wat ik zeg.'

'En als ik niet doe wat je zegt – wat doe je dan, heer en meester?'

'De toon van je stem bevalt me niet. Spreek eerbiedig als je het woord tot mij richt.'

'Ho-la-la, en ho-ho-ho! De dag waarop ik eerbiedig tegen jou spreek, Christopher, is de dag waarop je mijn eerbied zult hebben *verdiend* – de dag waarop jij drieëneenhalve meter lang bent, en de maan overdag schijnt en de sneeuwstorm ons een eenhoorn toezendt die wordt bereden door een galante ridder in een wit glanzend harnas, met een groene drakekop op de punt van zijn lans!' Tevreden over zijn boze gezicht, nam ik Carrie bij de hand en bracht haar hooghartig naar de badkamer, waar we ons op ons gemak wasten en aankleedden en ons haar borstelden, en de arme Cory negeerden, die maar bleef roepen dat hij zo nodig moest.

'Alsjeblieft, Cathy. Laat me binnenkomen! Ik zal niet kijken!'

Tenslotte begint ook een badkamer te vervelen, en we kwamen weer naar buiten. En ik kon mijn ogen niet geloven. Christopher had Cory helemaal aangekleed! En wat nog schokkender was – Cory hoefde niet meer naar de badkamer!

'Waarom niet?' vroeg ik. 'Waag het niet me te vertellen dat je weer naar bed bent gegaan en in bed hebt geplast!'

Zwijgend wees Cory naar een grote blauwe vaas zonder bloemen.

Christopher leunde tegen de ladenkast, zijn armen gevouwen, uiterst tevreden over zichzelf. 'Dat zal je leren een man in nood te negeren! Wij mannen zijn anders dan die zittende vrouwen. Alles komt van pas als de nood aan de man is!'

Vóór iemand met het ontbijt mocht beginnen moest ik eerst de blauwe vaas leeggooien en uitspoelen. Het zou eigenlijk niet zo'n gek idee zijn de vaas naast Cory's bed te zetten, voor het geval dat...

Bij de ramen gingen we aan de kleine bridgetafel zitten. De tweeling zat op dubbelgeslagen kussens, zodat ze konden zien wat ze aten. Alle vier de lampen waren aan, maar het was deprimerend in de schemering.

'Kijk eens wat vrolijker, sombere piet,' zei mijn onberekenbare oudste broer. 'Ik maak maar gekheid. Je hoeft mijn slavin niet te zijn. Maar ik moet altijd zo lachen als je ogen vuur gaan schieten, als je kwaad wordt. Maar ik geef toe dat jullie vrouwen een gezegende welsprekendheid hebben, zoals wij mannen het volmaakte instrument bezitten voor een geïmproviseerd toilet.' En om te bewijzen dat hij geen commanderende bruut was, hielp hij me met het inschenken van de melk, waarbij hij net als ik tot de ontdekking kwam dat het optillen van een thermosfles van bijna vier liter, en die zonder morsen uitschenken geen kleinigheid was.

Carrie wierp één blik op de gebakken eieren met spek en jammerde: '*Wij-ij* houden niet van eieren met spek! Wij houden van *koude* PAP! Wij-ij houden niet van warm, vet eten. Wij-ij HOUDEN VAN *koude* PAP!' gilde ze. '*Koude* PAP MET KRENTEN!'

'Nou moet je eens goed naar me luisteren,' zei hun nieuwe mini-vader, 'je eet wat je wordt voorgezet, zonder te klagen, zonder te gillen, te huilen of te schreeuwen! Is dat duidelijk? En het is geen warm eten, het is koud eten. Het vet kun je er afschrapen. Dat is trouwens toch gestold.'

In een oogwenk werkte Christopher zijn koude, vette hap naar binnen, met de koude toast zonder boter. Om de een of andere merkwaardige reden, die ik nooit zal begrijpen, at de tweeling zonder één verdere klacht hun ontbijt op. Ik had het onrustige, akelige gevoel dat ons geluk met de tweeling geen stand kon houden. Misschien waren ze nu onder de indruk van hun krachtdadig optredende broer, maar pas op voor later!

Toen we gegeten hadden stapelde ik de borden netjes op het blad. En toen herinnerde ik me pas dat we vergeten waren te bidden. Haastig gingen we weer om de tafel zitten en bogen onze hoofden en vouwden onze handen.

'Here, vergeef ons dat we hebben gegeten zonder uw zegen te vragen. Laat grootmoeder het alstublieft niet weten. We beloven u dat we het volgende keer goed zullen doen. Amen.' Toen we klaar waren gaf ik Christopher de lijst met alles wat wel en niet mocht, die zorgvuldig in hoofdletters was getypt, alsof we te dom waren om gewoon schrift te lezen.

En opdat de tweeling, die gisteravond te slaperig was om de situatie door te hebben, goed zou weten wat er aan de hand was, begon mijn broer zo luid mogelijk de lijst van regels voor te lezen die niet overtreden mochten worden, op straffe van...!

Eerst tuitte hij zijn lippen in een goede imitatie van de weerzinwekkende mond van grootmoeder, en ik had nooit geweten hoe grimmig die mooi gevormde mond van hem kon zijn; hij wist al haar strengheid na te bootsen:

'Eén:' – las hij met kille stem – 'jullie moeten *altijd* volledig gekleed zijn.' En, tjonge, wat klonk dat *'altijd'* onmogelijk!

'Twee: jullie mogen Gods naam nooit ijdel gebruiken, en jullie moeten *altijd* vóór elke maaltijd bidden. En als ik er niet bij ben om er op toe te zien dat jullie je daaraan houden, zal Hij daarboven jullie horen en zien.

'Drie: jullie mogen *nooit* de gordijnen openen, zelfs niet om even naar buiten te kijken.

'Vier: jullie mogen *nooit* tegen mij spreken, tenzij ik eerst tegen jullie spreek.

'Vijf: jullie moeten de kamer keurig netjes houden en zorgen dat de bedden *altijd* zijn opgemaakt.

'Zes: jullie mogen *nooit* luieren. Jullie moeten vijf uur per dag studeren, en de rest van je tijd gebruiken om je talenten te ontwikkelen. *Als* jullie aanleg of talent hebben, moeten jullie die ontwikkelen, anders moeten jullie de Bijbel lezen; en als je niet kunt lezen, moeten jullie stil zitten en naar de Bijbel staren en trachten door de zuiverheid van je gedachten de zin van 's Heren wegen te doorgronden.

'Zeven: jullie moeten elke dag na het ontbijt en elke avond voor het naar bed gaan je tanden poetsen.

'Acht: als ik jullie ooit erop betrap dat jongens en meisjes samen de badkamer gebruiken, dan zal ik jullie genadeloos afranselen.'

Het leek of mijn hart stilstond. Mijn hemel, wat voor soort grootmoeder was dat?

'Negen: jullie moeten *altijd* zedig en bescheiden zijn – in houding, in spraak en in gedachten.

'Tien: jullie mogen *niet* met je geslachtsdelen spelen of die betasten; noch ze in de spiegel bekijken; noch eraan denken, zelfs niet bij het wassen van deze lichaamsdelen.'

Niet in het minst uit het veld geslagen, met een humoristische glans in zijn ogen, las Christopher verder, nog steeds grootmoeder imiterend.

'Elf: jullie mogen *geen* slechte, zondige of wellustige gedachten koesteren. Jullie moeten je gedachten rein en zuiver houden. Jullie mogen niet denken aan slechte dingen die moreel een kwade invloed kunnen hebben op jullie.

'Twaalf: jullie mogen niet naar het andere geslacht kijken, tenzij het absoluut noodzakelijk is.

'Dertien: degenen, die kunnen lezen, en ik hoop dat althans twee van jullie dat kunnen, moeten om de beurt elke dag minstens één bladzijde uit de Bijbel voorlezen, zodat de beide jongste kinderen kunnen profiteren van Gods woord.

'Veertien: jullie moeten elke dag een bad nemen, de rand in het bad schoonmaken, en de badkamer even smetteloos houden als jullie hem hebben aangetroffen.

'Vijftien: jullie allemaal, ook de tweeling, moeten elke dag minstens één uitspraak uit de Bijbel uit je hoofd leren. En als ik het vraag moeten jullie die citaten voor me opzeggen; ik zal bijhouden welke gedeelten jullie hebben gelezen en geleerd.

'Zestien: jullie moeten al het voedsel opeten dat ik jullie breng, en niets verspillen of weggooien of verstoppen. Het is zondig goed voedsel te verspillen in een wereld waar zovelen honger lijden.

'Zeventien: jullie mogen niet in jullie nachtgoed rondlopen, al is het maar om van het bed naar de badkamer te gaan of omgekeerd. Jullie moeten *altijd* iets over je nachtgoed en ondergoed dragen, als jullie om de een of andere reden plotseling de badkamer moeten verlaten zonder volledig gekleed te zijn, eventueel om een ander kind in geval van nood toegang te verschaffen. Ik eis dat iedereen die onder dit dak leeft zedig en bescheiden en discreet is – in alle opzichten.

'Achttien: jullie moeten in de houding staan als ik binnenkom, met jullie armen recht langs je zij; jullie mogen niet je vuisten ballen om zwijgend je opstandigheid te tonen; jullie mogen mij niet in de ogen kijken; evenmin mogen jullie mij enig teken van genegenheid tonen, noch trachten mijn vriendschap, begrip, liefde of medelijden te winnen. Dat is onmogelijk. Noch jullie grootvader noch ikzelf kunnen ons permitteren genegenheid te voelen voor iets onheilzaams.'

Au! Dat kwam hard aan! Zelf Christopher zweeg, en er gleed even een wanhopige uitdrukking over zijn gezicht, die hij snel verving door een grijns toen hij mijn blik opving. Hij stak zijn hand uit en kietelde Carrie, zodat ze begon te giechelen, toen draaide hij Cory's neus om, zodat die ook begon te giechelen.

'Christopher,' riep ik geschrokken uit. 'Als je haar hoort bestaat er geen greintje hoop dat mamma haar vader zal kunnen overhalen! En ons zal hij helemaal niet willen zien! Waarom toch? Wat hebben we gedaan? Wij waren nog niet eens op de wereld toen moeder in ongenade is gevallen omdat ze zoiets verschrikkelijks deed dat haar vader haar onterfde. Toen waren wij nog niet geboren! Waarom haten ze ons?'

'Blijf kalm,' zei Chris, terwijl hij zijn ogen langs de lange lijst liet glijden. 'Je moet het niet zo ernstig opvatten. Dat mens is niet goed snik, ze is kierewiet. Iemand die zo slim is als onze grootvader kan nooit zulke idiote ideeën hebben als zijn vrouw – hoe zou hij anders miljoenen dollars kunnen verdienen?'

'Misschien heeft hij het geld niet verdiend, maar geërfd.'

'Ja, mamma heeft ons verteld dat hij wat geërfd heeft, maar dat heeft hij verhonderdvoudigd, dus hij moet toch wel *enige* intelligentie bezitten. Maar hij schijnt met de grootste gek getrouwd te zijn die er op twee benen rondloopt.' Hij grinnikte en las verder.

'Negentien: als ik de kamer binnenkom om jullie voedsel en melk te brengen, mogen jullie niet naar me kijken, of tegen me spreken, of oneerbiedig over mij of je grootvader denken, want God kan jullie gedachten lezen. Mijn echtgenoot is een vastberaden man, en niemand is hem ooit te na gekomen. Hij heeft een leger artsen en verpleegsters en technici, die in al zijn behoeften voorzien, en machines die de functies van zijn organen kunnen overnemen als die mochten falen, dus denk niet dat iets dat zo zwak gemotiveerd is als zijn hart een man van staal in de steek zal laten.'

Wauw! Een man van staal als tegenhanger van deze vrouw. Zijn ogen moesten ook wel grijs zijn. Kille, harde, staalgrijze ogen – want, zoals onze eigen vader en moeder hadden bewezen – gelijken trekken elkaar aan.

'Twintig:' las Christopher – 'jullie mogen niet springen, gillen, schreeuwen of luid praten, zodat het personeel beneden jullie zou kunnen horen. En jullie moeten gymschoenen dragen en nooit schoenen met harde leren zolen.

'Eenentwintig: jullie mogen geen toiletpapier en zeep verspillen en jullie moeten zelf de rommel opruimen als het toilet verstopt raakt en overstroomt. En als het toilet verstopt raakt, blijft het zo tot de dag van jullie vertrek, en moeten jullie de po's gebruiken die op zolder staan, en die jullie moeder zal moeten leeggooien.

'Tweeëntwintig: jongens en meisjes moeten hun eigen kleren wassen in het bad. Jullie moeder zal zorgen voor de lakens en handdoeken die jullie vuil maken. De gestikte matrasovertrekken worden eens per week verschoond, en als een kind het overtrek bevuilt, zal ik jullie moeder opdracht geven een zeil te brengen en het kind dat niet zindelijk is een flinke afstraffing te geven.'

Ik zuchtte en sloeg mijn arm om Cory heen, die zachtjes kreunde en zich aan mij vastklampte toen hij dat hoorde. 'Ssst! Wees maar niet bang. Ze zal nooit merken wat je doet. Wij beschermen je wel. We vinden wel een manier om het te verdoezelen, als je iets verkeerd mocht doen.'

Chris las: 'Conclusie, en dit is geen verbod, maar een waarschuwing.' Ze heeft geschreven: 'Jullie kunnen veilig aannemen dat ik deze lijst van tijd tot tijd zal aanvullen, naar gelang het nodig mocht zijn, want ik let scherp op en niets ontgaat me. Denk niet dat je me kunt bedriegen, voor de gek houden of grapjes maken op mijn kosten, want in dat geval zal jullie straf zo ernstig zijn dat je huid en je trots voor de rest van je leven de littekens zullen blijven dragen; je trots zal voorgoed gebroken worden. En denk eraan dat in mijn aanwezigheid nooit de naam van jullie vader wordt genoemd, of erop wordt gezinspeeld, en zelf wil ik niet kijken naar het kind dat het meest op hem lijkt.'

Het was voorbij. Ik keek even vragend naar Christopher. Leidde hij, net als ik, uit die laatste alinea af dat onze vader om een of andere reden de oorzaak was dat mijn moeder onterfd was en gehaat werd door haar ouders?

En leidde hij uit dit alles ook af dat we hier heel, heel lang opgesloten zouden blijven?

O God, o God, o God! Ik hield het hier zelfs geen week uit!

We waren geen duivels, maar we waren beslist ook geen engelen! En we hadden elkaar nodig, we moesten elkaar kunnen aanraken, elkaar zien.

'Cathy,' zei mijn broer kalm, met een wrange glimlach, terwijl de tweeling van Chris naar mij keek om onze paniek, onze vrolijkheid of onze protesten af te meten, 'zijn we zo lelijk en onaantrekkelijk dat een oude vrouw, die om een onbekende reden onze moeder en onze vader haat, voorgoed onze vijand kan blijven? Ze houdt de boel voor de gek, ze bedriegt ons. Ze meent er niets van.' Hij maakte een gebaar naar de lijst, die hij tot een vliegtuigje vouwde en in de richting van het buffet gooide. Het was maar een armzalig zweeftoestel.

'Moeten we geloof hechten aan een oude vrouw, die krankzinnig is en opgeborgen hoorde te worden – of de vrouw die van ons houdt, die we kennen en vertrouwen? Onze moeder zal voor ons zorgen. Ze weet wat ze doet, daar kun je van op aan.'

Ja, natuurlijk had hij gelijk. Mamma was degene die we moesten geloven en vertrouwen, niet die strenge, oude, waanzinnige vrouw met haar idiote ideeën en haar priemende ogen en smalle, scheve mond.

In minder dan geen tijd zou grootvader bezwijken voor mamma's schoonheid en charme, en dan zouden we stralend en gelukkig de trap afdalen in onze mooiste kleren. En als hij ons zag zou hij weten dat we niet lelijk of dom waren, maar normale kinderen, die hij een beetje aardig en misschien zelfs wel erg aardig kon vinden. En misschien, wie weet, misschien zou hij eens zelfs wel van zijn kleinkinderen gaan houden.

DE ZOLDER

Tien uur 's morgens.

Wat we over hadden van ons dagelijks voedselrantsoen borgen we op de koelste plaats op die we konden vinden in de kamer, onder de ladenkast. De meisjes die de bedden hadden opgemaakt en de kamers hadden opgeruimd op de bovenste etage in de andere vleugel van het huis, zouden nu wel naar lagere regionen zijn afgedaald, en zouden vierentwintig uur lang niet meer op deze verdieping komen.

We hadden natuurlijk al schoon genoeg van de kamer en wilden dolgraag de uiterste grenzen van ons beperkte domein inspecteren. Christopher en ik namen de tweeling bij de hand en liepen zachtjes naar de kast waarin de koffers stonden met onze kleren. We zouden nog even wachten met uitpakken. Als we ruimere, mooiere kamers hadden zou het personeel onze koffers uitpakken, zoals in de film, terwijl wij buiten speelden. We zouden allang weg zijn uit deze kamer als de meisjes hem op de laatste vrijdag van de maand kwamen schoonmaken. Dan waren we weer vrij.

Met mijn oudste broer voorop, die de hand van mijn jongste broertje vasthield, om te voorkomen dat hij zou struikelen of vallen, en ik er vlak achteraan met Carrie, liepen we de donkere, smalle, steile trap op. De trap was zo smal dat onze schouders de muren bijna raakten.

En toen waren we er!

We hadden wel vaker een zolder gezien, wie niet? Maar nog nooit zo'n zolder als deze!

We bleven als aan de grond genageld staan en staarden met ongelovige ogen om ons heen. De immense, donkere, vuile, stoffige zolder strekte zich kilometers ver uit! De verste muur lag zo ver weg dat hij helemaal wazig leek. De lucht was niet zuiver, maar muf; er hing een vieze stank van verval, van oude rottende dingen, van dode onbegraven dingen, en omdat er wolken stof hingen leek alles te bewegen, te flikkeren, vooral in de donkerste, somberste hoeken.

Er waren vier kleine dakramen aan de voorkant en vier aan de achterkant. Aan de zijkanten bevonden zich, voor zover we konden zien, geen ramen – en er waren delen van de zolder waar we niets konden zien, tenzij we naar voren durfden te lopen en de verstikkende hitte van de zolder trotseren.

Stap voor stap liepen we heel langzaam naar voren.

De vloer bestond uit brede houten planken, zacht en rot. Terwijl we behoedzaam en angstig naar voren slopen, stoven honderden kleine schepseltjes naar alle kanten uit elkaar. Er was genoeg meubilair opgeslagen op de zolder om verscheidene huizen mee te kunnen inrichten. Donkere, massieve meubelen, po's, kannen in grote waskommen, in groten getale. En een rond houten ding dat er uitzag als een tobbe met ijzeren banden. Het idee om zo'n badkuip te bewaren!

Alle ook maar een beetje waardevolle dingen waren afgedekt met lakens die grauw zagen van het opgezamelde stof. Er liep een rilling over mijn rug, want ik zag al die dingen als griezelige spoken, die fluisterden en fluisterden... En ik wilde niet horen wat ze te zeggen hadden.

Tientallen oude leren hutkoffers met zware koperen sloten en hoeken stonden naast elkaar langs een van de muren; alle koffers waren bedekt met stickers. Ze hadden zeker een paar keer of nog vaker een wereldreis gemaakt. Grote hutkoffers, net doodkisten.

Reusachtige kasten stonden in een zwijgende rij langs de muur aan de andere kant; bij nadere inspectie bleek dat ze vol oude kleren hingen. We zagen zowel Union als Confederate uniformen, wat Christopher en mij aanleiding gaf tot wilde gissingen, terwijl de tweeling zich dicht tegen ons aandrukte en met grote angstige ogen om zich heen keek.

'Denk je dat onze voorouders zo besluiteloos waren in de Burgeroorlog dat ze niet wisten aan welke kant ze stonden, Christopher?'

'De oorlog tussen de Staten klinkt beter,' antwoordde hij.

'Spionnen, denk je?'

Geheimen, overal geheimen! Broer tegen broer, dacht ik – het zou leuk zijn om daar achter te kunnen komen! Konden we maar een paar dagboeken vinden!

'Moet je eens zien,' zei Christopher, en haalde een mannenkostuum van lichte crèmekleurige wol te voorschijn, met bruin fluwelen revers, die met donkerbruin satijn waren afgezet. Hij sloeg het kostuum uit. Weerzinwekkende, gevleugelde insekten vlogen alle kanten op, ondanks de doordringende stank van mottenballen.

Ik gaf een gil, en Carrie ook.

'Doe toch niet zo kinderachtig,' zei Christopher onverstoorbaar. 'Dat waren motten, onschuldige motten. Het zijn de larven die knagen en gaten maken.'

Het kon me niets schelen! Insekten waren insekten – klein of volwassen. Ik begreep toch niet waarom dat verdraaide pak hem zo interesseerde. Waarom moesten we die gulp onderzoeken om te zien of de mannen in die dagen knopen of ritssluitingen droegen? 'Jeetje,' zei hij eindelijk toch beduusd, 'wat lastig om al die knopen telkens los te moeten maken.'

Zo dacht *hij* erover.

Maar ik vond dat de mensen vroeger pas goed wisten hoe ze zich moesten kleden! Het leek me enig om rond te lopen in een met stroken en ruches versierd hemd over een wijde pantalon, tientallen onderrokken over een hoepelrok van ijzerdraad, versierd met ruches, kant, borduurwerk, met wapperende fluwelen of satijnen linten, en satijnen schoentjes en boven al dat verblindende moois een kanten parasol om mijn goudblonde krullen en mijn blanke, gladde huid tegen de zon te beschermen. En een waaier om me met een elegant gebaar koelte toe te wuiven, terwijl ik met mijn ogen de mannen behekste. O, wat zou ik mooi zijn!

Carrie, die tot nu toe onder de indruk was geweest van de immense zolder, gaf plotseling een gil, die me met een schok terugbracht uit mijn plezierige, denkbeeldige wereld in het hier en nu, waar ik liever niet was.

'Het is hier zo warm, Cathy!'
'Ik weet het, lieverd.'
'Ik vind het hier afschuwelijk, Cathy!'
Ik keek even naar Cory. Zijn gezichtje stond bedrukt, en hij keek angstig om zich heen. Ik pakte hem en Carrie bij de hand en draaide de fascinerende oude kleren de rug toe. We slenterden weg om verder te snuffelen in de dingen die de zolder ons te bieden had. En dat was niet gering. Stapels boeken, in donker leer gebonden, grootboeken, kantoorbureaus, twee piano's, radio's, grammofoons, kartonnen dozen met de afgedankte spelletjes van lang verdwenen generaties. Mannequins in alle vormen en maten, vogelkooien op standaards, harken, schoppen, ingelijste foto's van uitzonderlijk bleke en ziekelijke mensen, waarschijnlijk gestorven bloedverwanten van ons. Sommigen hadden licht haar, sommigen donker; allemaal hadden ze ogen die scherp waren, wreed, hard, verbitterd, triest, weemoedig, verlangend, hopeloos, leeg, maar niet één, ik zweer je, niet één met een blijde, gelukkige blik. Sommigen glimlachten. De meesten niet. Ik voelde me vooral aangetrokken tot een knap meisje van een jaar of achttien, met een vage, raadselachtige glimlach, die me deed denken aan Mona Lisa, alleen was zij mooier. Haar boezem stak indrukwekkend naar voren onder een lijfje met ruches, en Christopher wees naar een van de mannequins en zei met nadruk: 'De hare!'
Ik keek. 'Dat,' ging hij verder met een bewonderende blik, 'is wat je noemt een zandloperfiguur. Zie je die wespentaille, die uitdijende heupen, die vooruitstekende boezem? Zie dat je zo'n figuur krijgt, Cathy, dan is je fortuin gemaakt.'
'Nou,' zei ik minachtend, 'je weet er geen bal van. Dat is niet de natuurlijke vorm van een vrouw. Ze draagt een corset, dat in de taille zo is ingesnoerd dat haar vlees van boven en van onderen uitpuilt. En dat is precies waarom de vrouwen toen zo vaak flauw vielen en om vlugzout riepen.'
'Hoe kon iemand nou flauwvallen en toch nog om vlugzout roepen?' vroeg hij sarcastisch. 'Bovendien kun je er van boven niet uitpersen wat er niet is.' Hij keek nog eens naar het meisje met het mooie figuur. 'Weet je, ze lijkt een beetje op mamma. Met een ander kapsel en andere kleren – kon het mamma zijn.'
Ha! Onze moeder zou wel verstandiger zijn dan zo'n dichtgeregen pantser te dragen en daaronder te lijden. 'Maar dit meisje is alleen maar knap,' besloot Chris. 'Onze moeder is mooi.'
De stilte in de enorme ruimte was zo drukkend dat ik mijn hart kon horen kloppen. Toch zou het leuk zijn om alle hutkoffers te onderzoeken; de inhoud van alle dozen te inspecteren; al die rottende stinkende, oude kleren aan te passen en te fantaseren. Maar het was zo warm! Zo benauwd! Zo bedompt! Nu al leek het of mijn longen verstopt waren met vuil en stof en vunzige lucht. En niet alleen dat, maar in de hoeken aan de balken hingen de spinnewebben, en kruipende en schuifelende dingen bewogen over de grond en op de muren. Hoewel ik er niet één zag, moest ik toch denken aan ratten en muizen. We hadden eens een film

gezien op de TV waarin een man gek werd en zich ophing aan een balk op zolder. En in een andere film stopte een man zijn vrouw in een oude hutkoffer met koperen hoeken en sloten, net als deze, en toen sloeg hij het deksel dicht en liet haar achter om dood te gaan. Ik keek nog eens naar de hutkoffers en vroeg me af wat voor geheimen die bevatten die vóór het personeel verborgen moesten blijven.

De merkwaardige manier waarop mijn broer naar mij en mijn reacties keek was verontrustend. Ik draaide me met een ruk om; ik wilde mijn gevoelens verheimelijken – maar hij zag het. Hij kwam naar me toe, pakte mijn hand vast en zei, bijna net als pappa: 'Cathy, alles komt in orde. Er moet een eenvoudige verklaring zijn voor alles dat ons zo gecompliceerd en geheimzinnig lijkt.'

Langzaam keerde ik me naar hem toe, verbaasd dat hij me kwam troosten en niet plagen. 'Waarom denk je dat grootmoeder ons haat? En grootvader? Wat hebben *wij* gedaan?'

Hij haalde zijn schouders op, hij wist het evenmin als ik. Nog steeds hand in hand keken we rond op de zolder. Zelfs met onze onervaren ogen konden we zien waar nieuwe delen aan het oude huis waren toegevoegd. Dikke, vierkante, verticale balken verdeelden de zolder in vakken. Ik dacht dat als we overal rondliepen we tenslotte wel bij een plek zouden komen waar frisse lucht zou zijn en waar we gemakkelijk konden ademhalen.

De tweeling begon te kuchen en te niezen. Ze keken ons met hun blauwe ogen verontwaardigd aan omdat ze ergens moesten blijven waar ze niet wilden zijn.

'Hoor eens,' zei Christopher toen de tweeling ernstig begon te klagen, 'we kunnen de ramen een paar centimeter open zetten, genoeg om wat frisse lucht binnen te laten. Niemand zal zo'n kleine opening beneden opmerken.' Toen liet hij mijn hand los en holde vooruit, springend over koffers, dozen, meubels, zich aanstellend, terwijl ik versteend bleef staan, met de handjes van de doodsbenauwde tweeling in de mijne.

'Kom eens kijken wat ik gevonden heb!' riep Christopher, die niet meer te zien was. Zijn stem klonk opgewonden. 'Kom eens kijken wat ik ontdekt heb!'

We holden naar hem toe, in het verlangen om iets opwindends, iets geweldigs, iets leuks te zien – maar alles wat hij te bieden had was een kamer – een echte kamer met muren van pleisterkalk. Ze waren niet geschilderd, maar de kamer had een echt plafond, niet alleen maar balken. Het was een leslokaal met vijf schoolbanken die tegenover een bureau stonden. Aan drie van de muren hingen schoolborden boven lage boekenkasten, die vol stonden met vergeelde, stoffige boeken die Christopher, met zijn eeuwige dorst naar kennis, onmiddellijk moest inspecteren. Hij kroop over de vloer en las de titels van de boeken hardop voor. Boeken waren voldoende om zijn aandacht onmiddellijk af te leiden en hem in extase te brengen; dan had hij tenminste een middel om naar een andere wereld te ontsnappen.

Ik bekeek de kleine lessenaars waarin namen en data waren gekerfd, zoals Jonathan, 11 jaar, 1864! En Adelaïde, 9 jaar, 1879! Wat was dit huis oud! Ze waren tot stof vergaan in hun graf, maar ze hadden hun namen achtergelaten om ons te laten weten dat zij vroeger ook naar boven waren gestuurd. Waarom zouden ouders hun kinderen naar zolder sturen om te leren? Zij hadden die kinderen zelf gewild – in tegenstelling tot ons, die door onze grootouders veracht werden. Misschien hadden voor *hen* de ramen wijd open gestaan. En hadden voor hen de bedienden kolen en hout naar boven gedragen om de twee kachels te stoken die in de hoek stonden.

Een oud hobbelpaard dat één amberkleurig oog miste stond onvast te wiebelen, en zijn gevlochten gele staart was triest om te zien. Maar dat wit-met-zwart gevlekte paard was voldoende om Cory een enthousiaste kreet te ontlokken. Hij klom in het afschilferende rode zadel en schreeuwde: 'Hop, paardje!' En de pony, die al zo lang niet bereden was, galoppeerde voort, piepend, rammelend, protesterend met elk roestig gewricht.

'Ik wil ook rijden!' brulde Carrie. 'Waar is *mijn* paard?'

Snel tilde ik Carrie achter Cory; ze sloeg haar armen stevig om zijn middel, lachend, met haar hielen schoppend om het haveloze paard tot steeds groter spoed aan te sporen. Het verbaasde me dat het niet uit elkaar viel.

Nu had ik de kans naar de oude boeken te kijken waarover Christopher zo enthousiast was. Achteloos stak ik mijn hand in de kast en haalde er een boek uit, zonder op de titel te letten. Ik bladerde het door en legioenen duizendpotige platte insekten renden alle richtingen uit! Ik liet het boek vallen – en staarde naar de losse pagina's die over de grond verspreid lagen. Ik haatte insekten, spinnen en wormen. En wat uit die pagina's zwermde leek een combinatie van alles te zijn.

Die meisjesachtige reactie bezorgde Christopher een hysterische lachbui. Toen hij eindelijk bedaard was noemde hij mijn angst voor insekten overdreven. De tweeling hield de teugels in van hun hobbelpaard en keek me verbaasd aan. Ik moest me snel beheersen. Net doen of moeders nooit gilden bij het zien van een paar insekten.

'Cathy, je bent twaalf, en het wordt tijd dat je eens volwassen wordt. Niemand gilt als hij een paar boekenwurmen ziet. Insekten horen bij het leven. Wij mensen zijn de meesters, de opperheersers. Dit is helemaal niet zo'n slecht kamertje. Een hoop ruimte, veel ramen, volop boeken en zelfs wat speelgoed voor de tweeling.'

Ja. Er stond een roestige rode kruiwagen met een gebroken handvat en een ontbrekend wiel – geweldig. En ook een gebroken groene autoped. Reusachtig. Maar Christopher keek verheugd om zich heen, omdat hij een kamer had gevonden waar mensen hun kinderen verborgen hielden zodat zij ze niet konden zien of horen en zelfs niet aan hen hoefden te denken, en beschouwde het als een kamer met mogelijkheden.

Natuurlijk, iemand zou alle donkere geheimzinnige plaatsen kunnen schoonmaken, waar kruipende griezels huisden, en ze konden alles onder de insecticide spuiten, zodat er niet één klein sinister insekt overbleef, dat je kon doodtrappen. Maar hoe moest je grootmoeder doodtrappen of grootvader? Hoe moest je van een zolderkamer een paradijs maken waar bloemen bloeiden, niet zo'n gevangenis als beneden?

Ik holde naar de kleine ramen, klom op een kist en rekte me uit naar de hoge vensterbank. Ik verlangde er zo wanhopig naar de grond buiten te zien, te weten hoe ver we er van af waren, en hoeveel botten we zouden breken als we zouden springen. Ik verlangde wanhopig naar de bomen, het gras, de bloemen, het zonlicht, de vogels, het echte leven. Maar het enige wat ik zag was een zwart leien dak dat zich onder de ramen uitstrekte en het uitzicht op de grond benam. Achter de daken zag ik boomtoppen, achter de boomtoppen bergen die omgeven waren door een blauwe mist.

Christopher klom naast me en keek ook naar buiten. Zijn schouder, die de mijne raakte, trilde even erg als zijn stem toen hij zachtjes zei: 'We kunnen de lucht nog zien, en de zon, en 's nachts de maan en de sterren, en er vliegen vogels en vliegtuigen over. We kunnen ons ermee amuseren tot de dag waarop we hier niet meer hoeven te komen.'

Hij zweeg even, leek weer te denken aan de nacht toen we hier waren gekomen – was dat werkelijk pas gisternacht? 'Wedden dat als we een raam open laten staan er een uil naar binnen komt vliegen? Ik heb altijd een uil als huisdier willen hebben.'

'Waarom in 's hemelsnaam?'

'Uilen kunnen hun kop helemaal ronddraaien. Kun jij dat?'

'Dat wil ik helemaal niet.'

'Maar als je het zou willen, zou je het niet kunnen.'

'Nou, jij ook niet!' viel ik uit. Ik wilde dat hij de werkelijkheid onder ogen zou zien, zoals hij wilde dat *ik* dat deed. Geen vogel die zo verstandig was als een uil zou zelfs maar een uur met ons opgesloten willen zijn.

'Ik wil een poesje,' zei Carrie, die haar armpjes uitstrekte om te worden opgetild, zodat ze ook naar buiten kon kijken.

'Ik een hondje,' zei Cory, voordat hij uit het raam keek. Toen vergat hij snel zijn huisdieren, want hij begon te zingen. 'Buiten, buiten, Cory wil naar buiten. Cory wil in de tuin spelen. Cory wil schommelen!'

Carrie volgde onmiddellijk zijn voorbeeld. Zij wilde ook naar buiten, naar de tuin en de schommels, en met haar loeiende stem wist ze dat heel wat krachtdadiger over te brengen dan Cory.

Ze maakten Christopher en mij dol met hun verlangen om naar buiten te gaan, naar buiten, naar buiten!

'Waarom kunnen we niet naar buiten?' schreeuwde Carrie, die haar vuisten balde en daarmee op mijn borst trommelde. 'Wij-ij vinden het hier niet fijn! Waar is mamma? Waar is de zon? Waar zijn de bloemen naartoe? Waarom is het hier zo warm?'

'Hoor eens,' zei Christopher, die haar vuistjes beetpakte en mij daardoor een paar blauwe plekken bespaarde, 'we doen net of we hier buiten zijn. Je kunt hier even goed schommelen als in de tuin. Cathy, kom mee, dan gaan we een stuk touw zoeken.'

We vonden touw in een oude hutkoffer met allerlei rommel. Het was overduidelijk dat de Foxworths niets weggooiden – ze bewaarden hun afval op zolder. Misschien waren ze bang dat ze later arm zouden worden en plotseling nodig zouden hebben wat ze nu zo vrekkerig bewaarden.

IJverig begon Chris schommels te maken voor Cory en Carrie, want een tweeling moet je nooit en nooit maar één ding geven van iets – van wat dan ook. Als zitting gebruikte hij planken die hij loswrikte van de deksel van een hutkoffer. Hij vond schuurpapier, waarmee hij de planken gladschuurde zodat ze geen splinters hadden. Terwijl hij daarmee bezig was, ging ik op zoek en vond een oude ladder waaraan een paar sporten ontbraken, wat Christopher niet belette om zo lenig als een aap naar de balken hoog boven zijn hoofd te klimmen. Ik keek naar hem terwijl hij op een brede balk kroop – elke beweging die hij maakte bracht zijn leven in gevaar! Hij ging rechtop staan om te laten zien hoe goed hij zijn evenwicht kon bewaren. En plotseling wankelde hij! Hij herstelde zich snel door zijn armen uit te steken, maar mijn hart ging wild tekeer. Ik was doodsbang hem zulke risico's te zien nemen, louter uit bravour! Er was geen volwassene bij die hem kon bevelen naar beneden te komen. Als ik probeerde hem tot de orde te roepen zou hij alleen maar lachen en nog gekkere dingen doen. Dus hield ik mijn mond en deed mijn ogen dicht, en probeerde het visioen van me af te zetten dat hij zou vallen, naar beneden zou storten, zijn armen of benen, of erger nog, zijn rug of zijn nek breken. En hij hoefde zich helemaal niet zo aan te stellen. Ik wist wel dat hij dapper was. Hij had de knopen stevig vastgetrokken, dus waarom kwam hij niet naar beneden, zodat mijn hart weer rustig kon kloppen?

Christopher was uren bezig geweest met het maken van die schommels en riskeerde zijn leven om ze op te hangen. En toen hij weer beneden was en Carrie en Cory op de schommels heen en weer zwaaiden en de stoffige lucht in beroering brachten, konden we hen misschien drie minuten daarmee zoet houden.

Toen begon het. Carrie voorop. 'We willen hier weg! Ik hou niet van die schommels! Ik vind het hier naar! Het is hier na-ar!' Ze was nog niet uitgejammerd of Cory begon. 'Buiten, buiten, we willen naar buiten! Breng ons naar buiten! Buiten!' En Carrie deed natuurlijk meteen weer mee. Geduld – ik moest geduld hebben, een enorme zelfbeheersing aan den dag leggen, ik moest me gedragen als een volwassene en niet schreeuwen omdat ik zelf even graag naar buiten wilde als zij.

'Hou op met dat lawaai!' snauwde Christopher tegen de tweeling. 'We spelen een spelletje en alle spelletjes hebben regels. De voornaamste regel van dit spel is binnen blijven en zo stil mogelijk zijn. Schreeuwen en gillen is verboden.' Zijn stem verzachtte toen hij naar de betraande, vuile gezichtjes keek. 'We moeten doen of dit de tuin is, met een helderblauwe hemel en de bladeren van de bomen boven je hoofd, en een stralende zon. En als we straks naar beneden gaan, is dat vertrek ons huis met een heleboel kamers.'

Hij lachte opgewekt en ontwapenend. 'Als we zo rijk zijn als de Rockefellers hoeven we deze zolder en de slaapkamer nooit meer terug te zien.

Dan zullen we leven als prinsen en prinsessen.'

'Denk je dat de Foxworths evenveel geld hebben als de Rockefellers?' vroeg ik ongelovig. Wauw! Dan zouden we alles kunnen krijgen wat ons hartje begeerde. Maar toch was ik erg ongerust... die grootmoeder had iets – er was iets in de manier waarop ze ons behandelde, of we niet het recht hadden te leven. Ze had zulke afschuwelijke woorden gezegd: 'Jullie zijn hier, maar eigenlijk bestaan jullie niet.'

We zwierven over de zolder, inspecteerden halfslachtig een paar dingen, tot ik een maag hoorde knorren. Ik keek op mijn horloge. Twee uur. Mijn oudste broer staarde naar mij, terwijl ik naar de tweeling keek. Het moest een van hun magen zijn geweest, want hoewel ze niet veel aten, waren hun spijsverteringsorganen automatisch afgesteld op zeven uur voor het ontbijt, twaalf uur voor de lunch, vijf voor het diner en zeven voor bedtijd, en een hapje vooraf.

'Tijd voor de lunch,' zei ik opgewekt.

Achter elkaar liepen we de trap af, terug naar die akelige donkere kamer. Als we alleen maar de gordijnen konden openschuiven en wat licht en lucht binnenlaten. Als...

Het leek of ik het hardop gezegd had, want Christopher raadde mijn gedachten en zei dat deze kamer op het noorden lag, zodat, ook al waren de gordijnen open, de zon nooit naar binnen zou kunnen schijnen.

En, hemeltje, moest je die schoorsteenvegers eens zien in de spiegel! Net als de schoorsteenvegers uit *Mary Poppins*, een vergelijking die een glimlach bracht op het gezicht van de tweeling. Ze vonden het heerlijk om te worden vergeleken met de aardige mensen uit hun boeken.

Daar ons van jongs af aan was geleerd dat we nooit aan tafel mochten komen als we niet door een ringetje te halen waren, en dat God Zijn alziend oog op ons had gericht, zouden we ons aan de regels houden en Hem behagen. Maar God zou vast niet kwaad zijn als we Cory en Carrie samen in bad stopten, want ze kwamen immers uit dezelfde schoot?

Christopher nam Cory onder handen, terwijl ik Carries haar waste, haar daarna in bad stopte, aankleedde en haar zijige haar borstelde tot het glansde. Toen krulde ik haar haar rond mijn vingers tot het in pijpekrullen omlaag viel. Tot slot bond ik een groene satijnen strik in haar haar.

En het zou ook niemand kwaad doen als Christopher tegen me praatte terwijl ik een bad nam. We waren geen volwassenen – nog niet. Het was niet hetzelfde als de badkamer samen 'gebruiken'. Mamma en pappa hadden het nooit erg gevonden als we elkaar naakt zagen, maar terwijl ik mijn gezicht waste flitste de herinnering door me heen aan de strenge, onverbiddelijke uitdrukking op het gezicht van mijn grootmoeder. *Zij* zou het verkeerd vinden.

'We mogen dit niet meer doen,' zei ik tegen Christopher. 'Die grootmoeder zou ons kunnen betrappen, en zij zou het slecht vinden.' Hij knikte alsof hij het niet zo belangrijk vond. Maar de uitdrukking op mijn gezicht deed hem naar het bad lopen en zijn armen om me heen slaan. Hoe wist hij dat ik een schouder nodig had om op uit te huilen?

'Cathy,' zei hij sussend, mijn hoofd tegen zijn schouder drukkend, 'blijf aan de toekomst denken en aan alles wat van ons zal zijn als we eenmaal rijk zijn. Ik heb altijd vies rijk willen zijn, zodat ik een tijdje, een heel klein tijdje, de playboy kan uithangen. Pappa zei altijd dat iemand iets nuttigs en zinvols moet bijdragen aan de mensheid, en dat wil ik graag doen. Maar tot ik een serieus mens word wil ik best een beetje lol maken.'

'Je bedoelt alles doen wat een arm mens niet kan doen. Nou ja, als je dat zo graag wilt, mijn zegen heb je. Ik wil een paard. Ik heb mijn leven lang een pony willen hebben, maar we hebben nooit ergens gewoond waar voldoende ruimte was om een pony te houden, en nu ben ik te groot voor een pony. Dus zal het een paard moeten worden. En natuurlijk zal ik al die tijd heel hard werken, zodat ik beroemd word en de beste ballerina ter wereld. En je weet dat danseressen veel moeten eten, anders zijn ze vel over been, dus zal ik wel vier liter ijs per dag eten, en één dag eet ik alleen maar kaas – alle soorten kaas die er bestaan, op kaascrackers. En ik wil hopen en hopen nieuwe kleren: voor elke dag van het jaar andere kleren. Als ik ze één keer gedragen heb geef ik ze weg en dan eet ik kaas met crackers en eindig met ijs. En het vet werk ik weg met dansen.'

Hij streelde mijn natte rug, en toen ik mijn hoofd omdraaide en zijn profiel zag, merkte ik dat hij dromerig en weemoedig voor zich uitstaarde.

'Cathy, het zal best meevallen, die korte tijd dat we hier opgesloten moeten zitten. We zullen geen tijd hebben om somber te zijn, want we zullen het veel te druk hebben met het bedenken van manieren om ons geld uit te geven. Laten we mamma vragen of ze ons een schaakspel wil brengen. Ik heb altijd al willen leren schaken. En we kunnen lezen; lezen is bijna net zo goed als iets zelf doen. Mamma zal wel zorgen dat we ons niet vervelen; ze zal nieuwe spelletjes voor ons meebrengen en andere dingen waarmee we ons bezig kunnen houden. Deze week zal in een ommezien voorbijgaan.' Hij lachte stralend naar me. 'En noem me alsjeblieft geen Christopher meer. Ik kan niet meer worden verward met pappa, dus voortaan ben ik gewoon Chris, goed?'

'Goed, Chris,' zei ik. 'Maar grootmoeder – wat denk je dat ze zou doen als ze ons samen in de badkamer betrapte?'

'Ons de huid volschelden – en God mag weten wat nog meer.'

Maar toen ik uit het bad stapte en me afdroogde, had ik hem willen zeggen om niet te kijken. Maar hij keek helemaal niet. We kenden elkaars lichamen goed, want we hadden elkaar al naakt gezien sinds ik me kon heugen. En ik vond mijn lichaam mooier.

Toen we allemaal schone kleren aan hadden en lekker roken, gingen we aan tafel om onze boterhammen met ham te eten, met lauwwarme groentesoep uit de kleine thermosfles en nog meer melk. De lunch was maar een trieste bedoening.

Chris bleef tersluiks op zijn horloge kijken. Het zou heel, heel lang kunnen duren voordat moeder kwam. De tweeling liep rusteloos rond toen de lunch voorbij was. Ze waren humeurig en gaven uitdrukking aan hun misnoegen door tegen alles te schoppen wat binnen hun bereik kwam en van tijd tot tijd keken ze woedend naar mij en Chris. Chris ging naar de zolder, naar het leslokaal, om een paar boeken te halen, en ik volgde hem.

'Nee!' schreeuwde Carrie. 'Ga niet naar de zolder. Ik vind het daar naar! Ik vind het hier ook naar! Ik vind alles naar! Ik wil niet dat jij mijn mamma bent, Cathy! Waar is mijn echte mamma? Waar is ze? Zeg dat ze terugkomt en laten we naar buiten gaan, naar de zandbak!' Ze rende naar de deur en draaide de knop om, schreeuwend als een dier in doodsnood toen de deur niet open ging. Woest sloeg ze met haar kleine vuisten op het harde eikehout en schreeuwde dat mamma haar moest komen halen, dat ze weg wilde uit die donkere kamer!

Ik holde naar haar toe en nam haar in mijn armen terwijl ze schopte en gilde. Het was of ik een wilde kat probeerde vast te houden. Chris pakte Cory beet, die zijn tweelingzusje wilde beschermen. Het enige wat ons overbleef was de tweeling op een van de grote bedden neer te zetten, hun sprookjesboeken te pakken en ze voor te stellen een middagslaapje te doen. Met betraande en boze gezichtjes keek de tweeling naar ons op.

'Is het dan al nacht?' jengelde Carrie, die hees was van haar vruchteloze geschreeuw om vrijheid en een moeder die niet kwam. 'Ik verlang naar mamma. Waarom komt ze niet?'

'*Piet Konijn*,' zei ik, en pakte Cory's lievelingsboek met de kleurige illustraties op elke pagina; dat alleen al maakte dat *Piet Konijn* een goed boek was. Slechte boeken hadden geen plaatjes. Carrie was dol op de *Drie Kleine Biggetjes*, maar Chris zou moeten lezen zoals pappa altijd had gedaan, met veel gesteun en gepuf, en met een heel zware stem voor de wolf. En ik wist niet zeker of hij dat wel zou doen.

'Laat Chris maar naar de zolder gaan om boeken te halen, dan lees ik jullie voor uit *Piet Konijn*. We zullen zien of Piet vanavond de tuin van de boer binnensluipt en zijn maagje vol eet met wortels en kool. En als jullie in slaap vallen terwijl ik lees eindigt het verhaal in jullie dromen.'

Vijf minuten later sliep de tweeling. Cory drukte zijn boek stevig tegen zijn borst, zodat *Piet Konijn* gemakkelijk kon overgaan in zijn dromen. Er ging een zacht, vertederd gevoel door me heen, ik had innig medelijden met die kleine kinderen die zo hard een volwassen moeder nodig hadden, in plaats van een moeder van twaalf. Ik voelde me niet veel volwassener dan toen ik tien was. Als de vrouwelijkheid voor de deur stond, dan was die toch nog niet dicht genoeg bij om me een volwassen gevoel te geven. God zij dank dat we hier niet lang opgesloten zouden zitten, want wat moest ik beginnen als ze ziek werden? Wat zou er gebeuren als ze een ongeluk kregen, zouden vallen, iets breken? Als ik hard op de gesloten deur trommelde, zou die verachtelijke grootmoeder dan komen aangesneld? Er was geen telefoon in de kamer. Als ik om hulp riep, wie zou me dan horen in deze ver afgelegen verboden vleugel?

Terwijl ik zat te piekeren en te tobben was Chris boven op zolder in het leslokaal, waar hij een verzameling stoffige boeken vol insekten zocht om mee te nemen naar de slaapkamer, zodat we wat te lezen hadden. We hadden een dambord meegenomen, en ik wilde dammen – niet met mijn neus in een oud boek zitten.

'Hier,' zei hij, terwijl hij me een boek in de handen stopte. Hij zei dat hij alle insekten eruit geschud had, zodat ik niet meer hysterisch hoefde te worden. 'Laten we wachten met dammen tot de tweeling wakker is. Je weet hoe je te keer kan gaan als je verliest.'

Hij ging in een gemakkelijke stoel zitten en sloeg *Tom Sawyer* open. Ik ging op het enige lege bed liggen en begon te lezen over Koning Arthur en de Ridders van de Ronde Tafel. En ik kon het zelf nauwelijks geloven, maar die dag ging er een heel nieuwe, onbekende wereld voor me open: een mooie wereld van ridders en romantische liefde, waarin mooie vrouwen op een voetstuk werden gezet en uit de verte aanbeden. Op die dag begon mijn liefde voor de middeleeuwen, een liefde die ik nooit meer kwijt zou raken, want de meeste balletten waren immers gebaseerd op sprookjes? En vonden niet alle sprookjes hun oorsprong in de middeleeuwse folklore?

Ik was het soort kind dat altijd op zoek was naar feeën die dansen op het gras. Ik geloofde in heksen, tovenaars, monsters, reuzen en betoverde prinsen. Ik was het er niet mee eens dat alle magie uit de wereld werd gebannen door wetenschappelijke verklaringen. Ik wist toen nog niet dat ik verhuisd was naar een duister kasteel, waar een heks en een monster de scepter zwaaiden. Ik vermoedde niet dat sommige moderne tovenaars geen toverstaf maar geld gebruikten om iemand te beheksen...

Toen het daglicht vervaagde achter de zware, gesloten gordijnen gingen we aan het kleine tafeltje zitten voor ons maal van gebraden kip (koud), aardappelsla (warm) en sperziebonen (koud en vet). Chris en ik aten het meeste op, al was het nog zo koud en onsmakelijk. Maar de tweeling zat te kieskauwen en mopperde dat het niet lekker was. Ik vermoedde dat als Carrie wat minder gemopperd had, Cory meer zou hebben gegeten.

'Sinaasappels zien er niet raar uit,' zei Chris, terwijl hij mij een sinaasappel gaf om te schillen, 'en ze horen niet warm te zijn. Sinaasappels zijn vloeibare zonneschijn.' En daarmee had hij het juiste woord gevonden. Nu had de tweeling iets dat ze met graagte konden eten – vloeibare zonneschijn.

Het was nacht, maar het scheelde niet veel met de dag. We knipten de vier lampen aan en één klein roze nachtlampje dat moeder had meegebracht voor de tweeling, die bang was in het donker.

Na hun middagslaapje hadden we de tweeling weer schone kleren aangetrokken en hun haar geborsteld en hun gezicht gewassen, zodat ze er lief en aardig uitzagen. Ze gingen op de grond zitten met een grote legpuzzel. De puzzels waren al oud en ze wisten precies welke stukjes in elkaar pasten, en het was niet meer zozeer een puzzel als wel een wedstrijd wie het snelst de meeste stukjes aan elkaar kon passen. Maar het verveelde al gauw, dus gingen we met z'n allen op één van de bedden zitten en Chris en ik verzonnen verhalen voor de tweeling. Ook dat kon de tweeling echter niet lang boeien, al hadden Chris en ik wel door willen gaan omdat we een soort wedstrijdje hielden wie de meeste fantasie had. Toen haalden we de autootjes uit de koffer zodat de tweeling kon rondkruipen en autootjes van New York naar San Francisco duwen, onder de bedden en tussen de poten van de tafel doorkruipend – en het duurde dan ook niet lang of ze waren weer vuil. Toen we daar genoeg van hadden stelde Chris voor dat ze zouden gaan dammen, en de tweeling kon sinaasappelschillen vervoeren in hun vrachtauto's en ze afleveren in Florida, de vuilnisemmer die in de hoek stond.

'Jij mag de witte stenen,' zei Chris neerbuigend. 'Ik geloof niet dat zwart een verliezende kleur is.'

Ik keek hem nijdig aan. Het leek of er een eeuwigheid voorbij was gegaan tussen het ochtendgloren en de schemering, genoeg om me zo te veranderen dat ik nooit meer dezelfde zou zijn. 'Ik wil niet dammen,' zei ik hatelijk.

Ik liet me op bed vallen en gaf mijn gedachten de vrije loop, die steeds weer schommelden tussen een vage angst en achterdocht en een kwellende knagende twijfel. Ik vroeg me voortdurend af of mamma ons wel de hele waarheid had verteld. En terwijl we alle vier wachtten en wachtten en wachtten tot mamma kwam, was er geen ramp die ik in mijn fantasie niet voorzien had. Vooral brand. Spoken, monsters en andere geestverschijningen waren boven op zolder. Maar in deze afgesloten kamer was brand het grootste gevaar.

En de tijd ging zo tergend langzaam voorbij. Chris zat in zijn stoel te lezen en keek telkens tersluiks op zijn horloge. De tweeling kroop naar Florida, loste de sinaasappelschillen en wist toen niet meer waar ze daarna heen moesten. Er waren geen oceanen die ze konden oversteken, want ze hadden geen boten. Waarom hadden we geen boot meegenomen?

Ik keek even naar de schilderijen, die de hel en zijn martelingen uitbeeldden en verbaasde me over de sluwheid en wreedheid van onze grootmoeder. Ze dacht letterlijk aan alles. Het was niet eerlijk dat God een eeuwig waakzame blik gericht hield op vier kinderen, terwijl anderen in de buitenwereld veel erger dingen deden. In Gods plaats zou ik mijn tijd niet verbeuzelen met het in de gaten houden van vier vaderloze kinderen die in een kamer waren opgesloten. Ik zou naar iets veel leukers kijken. Bovendien was pappa daar boven – hij zou er wel voor zorgen dat God goed voor ons zorgde en een paar fouten door de vingers zag.

Ondanks pruilerige protesten legde Chris zijn boek neer en kwam met de spellendoos naar me toe, die genoeg materiaal bevatte voor veertig verschillende spelletjes.

'Wat scheelt jou?' vroeg hij, terwijl hij de witte en zwarte stenen op het bord begon te plaatsen. 'Waarom zit je zo stilletjes en angstig voor je uit te kijken? Ben je bang dat ik weer zal winnen?'

Spelletjes, ik dacht helemaal niet aan spelletjes. Ik vertelde hem dat ik bang was voor brand en dat ik erover had gedacht om de lakens in repen te scheuren en aan elkaar te knopen, zodat ze tot de grond zouden reiken, net als in al die oude films. Als er dan brand uitbrak, misschien vanavond al, zouden we op de grond kunnen komen na een raam te hebben ingeslagen, en wij zouden elk een van de tweeling op onze rug binden.

Ik had nog nooit zoveel respect gezien in zijn blauwe ogen, waarin een bewonderende blik verscheen. 'Wauw, dat is een fantastisch idee, Cathy! Enorm! Dat is precies wat we zullen doen als er brand komt – wat overigens niet zal gebeuren. Tjee, wat ben ik blij dat jij geen huilbaby wordt. Als je vooruit denkt en plannen maakt voor onverwachte gebeurtenissen, is dat een bewijs dat je volwassen begint te worden, en dat vind ik heel fijn.'

Nou, nou – na twaalf jaar mijn best te hebben gedaan had ik eindelijk zijn respect en goedkeuring veroverd en een doel bereikt dat ik voor onmogelijk had gehouden. Het was prettig te weten dat we zulke goede maatjes waren nu we met elkaar in één kamer waren opgesloten. We lachten naar elkaar en dat was een belofte dat we het tot het eind van de week zouden overleven. Onze kameraadschap schiep een zekere veiligheid, een klein beetje geluk, dat ons een houvast gaf, als handen die ineen worden geslagen.

En toen werd al ons optimisme de bodem ingeslagen. Moeder kwam de kamer binnen; ze liep heel stram en raar en er lag een vreemde uitdrukking op haar gezicht. We hadden zo naar haar komst verlangd, maar gek genoeg waren we niet zo blij als we verwacht hadden. Misschien kwam het door grootmoeder, die haar op de hielen volgde, met haar priemende, gemene grijze ogen, die ons enthousiasme snel bekoelden.

Ik sloeg mijn hand voor mijn mond. Er was iets verschrikkelijks gebeurd. Ik wist het! Ik wist het!

Chris en ik zaten op bed te dammen en keken elkaar nu en dan aan terwijl we de sprei verfrommelden.

Eén regel overtreden... nee, twee... kijken was verboden, en ook het frommelen.

En de tweeling had de stukjes van de legpuzzel overal in het rond gestrooid en autootjes en knikkers lagen verspreid op de grond, zodat de kamer niet bepaald netjes en opgeruimd was.

Drie regels overtreden.

En jongens en meisjes waren samen in de badkamer geweest.

En misschien hadden we nog wel een regel overtreden, want wát we ook deden, we hadden altijd het gevoel dat God en grootmoeder een geheime overeenkomst hadden gesloten.

DE TOORN GODS

Mamma kwam die avond stijf en stram onze kamer binnen, alsof elke beweging haar pijn deed. Haar lieve gezicht was bleek en pafferig; haar ogen waren rood en gezwollen. Op haar drieëndertigste was ze zo vernederd door iemand dat ze geen van ons recht in de ogen kon kijken. Ze maakte een verslagen, wanhopige, vernederde indruk en stond midden in de kamer als een kind dat wreed gestraft is. Gedachteloos rende de tweeling op haar af om haar te begroeten. Ze sloegen enthousiast hun armen om haar benen, lachend en huilend tegelijk, en zeiden met blijde stemmetjes: 'Mamma, mamma! Waar ben je geweest?'

Chris en ik liepen langzaam naar haar toe en omhelsden haar aarzelend. Je zou denken dat ze zeker tien zondagen achter elkaar was weggeweest en niet maar één woensdag, maar zij was onze hoop, onze werkelijkheid, onze reddingslijn naar de buitenwereld.

Zoenden we haar te uitbundig? Kreunde ze van pijn onder onze gretige, hongerige, krampachtige omhelzingen of omdat het haar verplichtingen oplegde? Terwijl de tranen langzaam over haar bleke wangen rolden, dacht ik dat ze alleen maar huilde uit medelijden met ons. We gingen zo dicht mogelijk bij haar zitten, op een van de grote bedden. Ze nam de tweeling op haar schoot zodat Chris en ik ons tegen haar aan konden vlijen. Ze keek naar ons en gaf ons een complimentje omdat we zo mooi schoon waren en glimlachte omdat ik een groen lint in Carries haar had gebonden dat paste bij de groene strepen van haar jurk. Ze sprak met hese stem, of ze kou had gevat. 'Zeg eens eerlijk, hoe was het vandaag?'

Cory's gezicht betrok, hij trok een pruilmondje waarmee hij zwijgend te kennen gaf dat het allemaal niet zo best was. Carrie uitte haar opgekropte woede. 'Cathy en Chris zijn gemeen!' schreeuwde ze en het was allesbehalve een lief gesjilp. 'We moeten de hele dag binnen blijven van ze! We willen niet binnen zitten! We houen niet van die grote vieze zolder, die zij zo leuk vinden! Mamma, het *is* er niet leuk!'

Bezorgd en triest probeerde mamma Carrie gerust te stellen. Ze zei tegen de tweeling dat de omstandigheden waren veranderd, en dat ze nu naar hun oudste broer en zus moesten luisteren, en dat ze die als hun ouders moesten beschouwen en gehoorzamen.

'Nee! Nee!' snerpte een rood-aangelopen woedende bundel. 'We vinden het hier afschuwelijk! We willen de tuin; het is hier donker. We willen Chris en Cathy niet, mamma, we willen *jou*! Neem ons mee naar huis! Neem ons mee! We willen hier weg!'

Carrie sloeg naar mamma, naar mij, naar Chris, en gilde dat ze naar huis verlangde, terwijl mamma erbij zat zonder zich te verdedigen, zonder het schijnbaar zelfs maar te horen, niet wetend hoe ze zich moest gedragen in een situatie waarin een vijfjarige de baas was. Hoe minder mamma reageerde, hoe harder Carrie schreeuwde. Ik legde mijn handen tegen mijn oren.

'Corrine!' beval grootmoeder. 'Leg dat kind onmiddellijk het zwijgen op!' Ik hoefde maar naar haar strakke kille gezicht te kijken, om precies te weten hoe zij Carrie zou aanpakken. Maar op mamma's andere knie zat een klein jongetje dat met wijd open ogen naar de grootmoeder staarde die zijn tweelingzusje bedreigde, dat van mamma's schoot was gesprongen en nu vlak voor haar grootmoeder stond. Carrie plantte haar kleine voetjes ver uit elkaar, gooide het hoofd in de nek, opende dat lieve kleine mondje van haar en *gáf* me een gil! Ze leek een operazangeres die haar krachten heeft gespaard voor de grote slotaria. Haar vorige geschreeuw leek daarbij vergeleken op het zwakke gemiauw van een jong poesje. Nu hadden we te maken met een tijgerin – een woedende!

Ik was diep onder de indruk en vol ontzag, maar tevens doodsbang voor wat er nu zou gaan gebeuren.

Grootmoeder pakte Carrie beet bij haar haar en tilde haar omhoog. Het was genoeg om Cory in een oogwenk van moeders schoot te laten springen. Lenig als een kat sprong hij op grootmoeder af! Sneller dan ik kon knipogen rende hij naar haar toe en beet in haar been! Inwendig kromp ik ineen, ik voelde dat ons nu allemaal wel het een en ander te wachten zou staan. Ze keek naar hem en schudde hem van zich af als een lastig schoothondje. Maar door die bliksemsnelle reactie van Cory moest ze Carries haar loslaten. Carrie viel op de grond, krabbelde snel overeind en deed een uitval met haar voet, waarbij ze grootmoeders been op een haar na miste.

Cory bleef niet achter. Hij hief zijn kleine voet met het witte schoentje op, mikte zorgvuldig en schopte toen zo hard hij kon tegen grootmoeders been.

Intussen was Carrie haastig naar de hoek gerend, waar ze op de grond hurkte en jammerde als een misthoorn op volle sterkte!

Het was inderdaad een schouwspel om te onthouden.

Cory had nog steeds geen woord gezegd en geen kik gegeven; hij was altijd stil en resoluut. Maar niemand mocht zijn tweelingzusje bedreigen of pijn doen – zelfs als die 'niemand' bijna één meter tachtig lang was en tegen de 200 pond woog! En Cory was heel klein voor zijn leeftijd.

Maar Cory mocht het dan niet prettig vinden wat er met Carrie gebeurde, grootmoeder vond het evenmin prettig wat er met *haar* gebeurde! Woedend keek ze naar zijn kleine, uitdagende, boze gezichtje dat naar haar omhoog geheven was. Ze wachtte tot hij ineen zou krimpen, tot de boze uitdrukking van zijn gezicht en de uitdagende blik uit zijn ogen verdwenen waren, maar hij bleef onwrikbaar voor haar staan en tartte haar. Haar smalle, kleurloze lippen verstrakten tot een dunne kromme potloodlijn.

Haar hand kwam omhoog – een enorme, zware hand, flonkerend van de diamanten ringen. Cory vertrok geen spier, zijn enige reactie op deze duidelijke bedreiging was een nog woedender grimas, terwijl hij zijn kleine handjes tot vuisten balde die hij omhoog hief als een bokser.

Hemeltjelief! Dacht hij heus dat hij haar aankon?

Ik hoorde dat mamma Cory riep; haar stem klonk zo gesmoord dat het niet meer dan een gefluister was.

Vastberaden gaf grootmoeder zo'n harde klap tegen het uitdagende babygezichtje dat Cory wankelde. Hij struikelde, viel achterover op de grond, maar was in een oogwenk weer overeind en draaide zich met een ruk om, teneinde opnieuw in de aanval te gaan tegen die reusachtige gehate berg vóór hem. Zijn plotselinge besluiteloosheid wekte mijn medelijden. Hij aarzelde, dacht nog eens na, en zijn gezonde verstand zegevierde over zijn woede. Hij ging naar de hoek van de kamer waar Carrie gehurkt op de grond zat, half kruipend en half hollend, en sloeg zijn armpjes om haar heen. Samen knielden ze op de grond, elkaar vasthoudend, wang tegen wang, terwijl ze het gezamenlijk op een gillen zetten!

Naast me mompelde Chris iets dat op een schietgebedje leek.

'Corrine, het zijn jouw kinderen – sluit ze op! Ogenblikkelijk!'

Maar als de tweeling eenmaal goed op gang was, waren ze bijna niet meer tot bedaren te brengen. Redeneren hielp niet. Ze luisterden alleen maar naar hun eigen angst, en als mechanisch speelgoed moesten ze vanzelf aflopen, tot ze uitgeput waren.

Toen pappa nog leefde wist hij wel hoe hij zo'n situatie moest oplossen. Hij nam ze allebei als een paar zakken meel onder zijn armen en droeg ze naar hun kamer, waar hij ze streng beval om stil te zijn, omdat ze anders alleen bleven tot ze hun mond hielden, zonder TV, zonder speelgoed. En zonder publiek dat getuige was van hun verzet en hun indrukwekkende gegil aanhoorde was de lol er al gauw af en hield het geschreeuw meestal na een paar minuten al op. Dan kwamen ze pruilend hun kamer uit, heel stil en gedwee, kropen op pappa's schoot en zeiden bedeesd: 'Het spijt ons.'

Maar pappa was dood. En er was geen afzonderlijke kamer waar ze tot bedaren konden komen. Deze ene kamer was ons hele huis, en de tweeling hield het opgesloten publiek pijnlijk in hun ban. Ze bleven gillen tot hun gezicht van roze rood werd, van rood vuurrood en vervolgens paars. Hun blauwe ogen werden glazig van inspanning. Het was een mooie voorstelling – maar een roekeloze!

Grootmoeder was blijkbaar even gehypnotiseerd geweest door het ongewone schouwspel. Maar de betovering werd plotseling verbroken en ze kwam tot leven. Doelbewust liep ze naar de hoek waar de tweeling bijeen zat. Ze bukte zich en pakte de twee gillende kinderen meedogenloos bij hun nekvel. Met gestrekte armen hield ze de kinderen voor zich uit, die schopten, schreeuwden, met hun armen maaiden en vergeefs probeerden hun kwelgeest te raken. Zo bracht grootmoeder ze naar mamma, waar zij ze als een stuk vuil op de grond liet vallen. Met een luide, ferme stem, die door hun gegil heendrong, zei ze toonloos: 'Ik zal jullie allebei afranselen tot het bloed eruit komt, als je niet onmiddellijk stopt met dat gegil!'

De onmenselijke klank in haar stem, en het kille, afgrijselijke dreigement, overtuigden de tweeling, evenals mij, dat ze meende wat ze zei. Verbijsterd en vol afschuw staarde de tweeling haar aan – en met open mond bedwongen ze hun gegil. Ze wisten wat bloed was, en dat het meestal gepaard ging met pijn. Ik vond het vreselijk de tweeling zo wreed behandeld te zien, alsof het haar niet kon schelen dat hun zwakke botten zouden worden gebroken of hun tere huid gekneusd. Ze torende hoog boven hen uit, boven ons allemaal. Toen keerde ze zich met een ruk om en viel uit tegen mamma: 'Corrine, een dergelijke walgelijke scène mag niet meer voorkomen! Het is duidelijk dat je kinderen verwend zijn en dringend een paar lessen in discipline en gehoorzaamheid nodig hebben. Geen kind dat in dit huis woont mag ongehoorzaam zijn of schreeuwen of een uitdagende houding aannemen. Hoor je me? Ze mogen alleen spreken als er tegen hen gesproken wordt. Ze moeten onmiddellijk gehoorzamen als ik iets zeg. Trek je bloese uit, dochter, en laat ze zien hoe ongehoorzaamheid in dit huis wordt gestraft!'

Mamma was tijdens haar toespraak opgestaan. Ze leek ineen te schrompelen op haar hooggehakte schoentjes en zag doodsbleek.

'Nee!' fluisterde ze, 'dat is niet nodig. Kijk maar, de tweeling is al stil... ze gehoorzamen.'

Het gezicht van de oude vrouw stond heel grimmig. 'Corrine, je bent toch niet zo onverstandig om ongehoorzaam te zijn? Als ik je iets zeg, dan doe je dat zonder tegen te spreken! En onmiddellijk! Kijk eens wat je hebt grootgebracht. Zwakke, verwende, onhandelbare kinderen, alle vier! Ze denken dat ze met schreeuwen kunnen krijgen wat ze willen hebben. Maar hun geschreeuw zal hun hier niet helpen. Ze moeten weten dat er geen genade bestaat voor iemand die ongehoorzaam is en de regels overtreedt. Dat hoor jij te weten, Corrine. Ben ik ooit genadig voor je geweest? Zelfs voordat je ons verraden hebt, heb ik me nooit laten weerhouden door je mooie gezichtje en je lieve maniertjes. O, ik weet nog wel dat je vader toen hij nog van je hield, zich tegen mij keerde om jou te verdedigen. Maar die tijd is voorbij. Je hebt hem bewezen dat je precies bent wat ik altijd heb gezegd wat je was – een bedrieglijk, leugenachtig stuk vuil!'

Ze keek met haar harde, priemende ogen naar Chris en mij. 'Ja, jij en je halfoom hebben een paar mooie kinderen gemaakt, dat geef ik onmiddellijk toe, al hadden ze nooit geboren mogen worden. Maar ze lijken me ook zwakke, waardeloze nietsnutten!' Haar gemene ogen gleden minachtend over onze moeder, alsof we alle slechte eigenschappen van haar hadden gekregen. Maar ze was nog niet klaar.

'Corrine, je kinderen hebben een lesje nodig. Als ze zien wat er met hun moeder gebeurd is, zullen ze begrijpen wat er met hen kan gebeuren.'

Mijn moeder richtte zich op, rechtte haar rug en keek dapper in de ogen van de grote, grove vrouw, die minstens tien centimeter boven haar uitstak en heel wat ponden zwaarder was.

'Als je wreed bent tegen mijn kinderen,' begon mamma met trillende stem, 'dan neem ik ze vanavond nog mee uit dit huis en zul je mij en je kleinkinderen nooit meer zien!' Ze zei het uitdagend, hief haar mooie gezicht omhoog en staarde vastberaden en woedend naar die logge vrouw die *haar* moeder was!

Een strakke, kille glimlach was het antwoord op haar uitdaging. Nee, het was geen glimlach, het was een spottende grijns. 'Neem ze maar mee – nu meteen! Ga weg, Corrine! Dacht je werkelijk dat het me wat kon schelen als ik nooit meer iets van jou of je kinderen zou horen of zien?'

Mamma's porseleinblauwe ogen leverden strijd met grootmoeders metalen stem, terwijl wij ademloos toekeken. Inwendig juichte ik. Mamma zou ons hier vandaan halen! We gingen weg! *Dag kamer! Dag, zolder! Dag, al die miljoenen die ik niet eens wil!*

Maar terwijl ik keek, terwijl ik wachtte tot mamma zich zou omdraaien en naar de kast gaan om onze koffers te pakken, zag ik in plaats daarvan iets nobels en moois in haar verschrompelen. Verslagen sloeg ze haar ogen neer en boog langzaam haar hoofd om haar gezicht te verbergen.

Geschokt en bevend zag ik hoe grootmoeders grijns veranderde in een wrede zegevierende lach. Mamma! Mamma! Mamma! schreeuwde ik inwendig. Laat je dat niet aandoen!

'En nu, Corrine, *trek je bloese uit.*'

Langzaam, met tegenzin, en met een doodsbleek gezicht, draaide mamma zich om, met haar rug naar ons toe. Er liep een rilling over haar rug. Stram hief ze haar armen op. Met de grootste moeite maakte ze elk knoopje van haar witte bloese los. Voorzichtig liet ze de bloese naar beneden zakken om haar rug te laten zien.

Ze droeg geen onderjurk of bustehouder onder haar bloese, en de reden was duidelijk. Ik hoorde hoe Chris zijn adem inhield. En Carrie en Cory hadden kennelijk ook gekeken, want hun klaaglijke geluidjes drongen tot me door. Nu wist ik waarom mamma, die meestal zo elegant was, zo stijf de kamer was binnengekomen en waarom haar ogen rood waren van het huilen.

Op haar rug liepen lange, felrode striemen, van haar hals tot de tailleband van haar blauwe rok. Een paar van die diepe striemen hadden korsten van gedroogd bloed. Er was nauwelijks een paar centimeter gave huid te bekennen tussen de afschuwelijke striemen van de zweep.

Ongevoelig, liefdeloos, zonder te letten op onze gevoelens of die van mamma, kwamen er nieuwe instructies uit de mond van onze grootmoeder: 'Kijk maar goed, kinderen. En denk eraan dat die striemen doorgaan tot aan je moeders voeten. Drieëndertig zweepslagen, één voor elk jaar van haar leven. En vijftien extra slagen voor elk jaar dat ze in zonde heeft geleefd met jullie vader. Je grootvader heeft die straf bevolen, maar *ik* heb de zweep gehanteerd. De misdaden van je moeder zijn tegen God gericht en de morele principes van onze maatschappij. Haar huwelijk was goddeloos, een heiligschennis! Een huwelijk dat een gruwel was in de ogen van de Heer. En alsof dat nog niet voldoende was, moesten ze ook nog kinderen krijgen – vier! Duivelsgebroed! Slecht vanaf het moment waarop ze verwekt zijn!'

Mijn ogen puilden uit bij het zien van die venijnige striemen op het blanke zachte vlees dat pappa met zoveel liefde had gekoesterd. Het duizelde me, ik voelde me onzeker, angstig en verdrietig, ik wist niet wie of wat ik was, of ik wel het recht had te leven op een aarde die God had gereserveerd voor de mensen die met Zijn zegen en toestemming waren geboren. We waren onze vader kwijt, ons huis, onze vrienden en onze bezittingen. Die avond geloofde ik niet langer dat God de volmaakte rechter was. Dus eigenlijk was ik God ook nog kwijt.

Ik wilde dat ik een zweep in mijn handen had om die oude vrouw te kunnen terugslaan, die ons op zo meedogenloze wijze zoveel had ontnomen. Ik staarde naar de ladder van bloederige strepen op mamma's rug, en nog nooit had ik iemand zo gehaat. Ik haatte haar niet alleen om hetgeen ze moeder had aangedaan, maar ook om de afschuwelijke woorden die uit die gemene mond kwamen.

Ze keek me aan, die verfoeilijke oude vrouw, alsof ze voelde wat er in mij omging. Ik staarde uitdagend terug, in de hoop dat ze kon zien dat ik elke bloedverwantschap met haar vanaf dat moment verloochende – niet alleen met haar, maar ook met die oude man beneden. Ik zou nooit meer medelijden met hem hebben.

Misschien waren mijn ogen van glas en onthulden ze al die wraakzuchtige gedachten die door mijn brein tolden, waaraan ik – dat zwoer ik plechtig – eens uiting zou geven. Misschien zag ze de wraakzucht in die witte wormen van mijn hersenen, want de volgende woorden waren uitsluitend tot mij gericht, al gebruikte ze het woord 'kinderen'.

'Dus, kinderen, jullie zien dat dit huis hard en meedogenloos kan zijn voor iedereen die ongehoorzaam is en onze regels overtreedt. We zullen jullie eten en drinken en onderdak geven, maar nooit vriendelijkheid, sympathie of liefde. Het is onmogelijk om geen afkeer te voelen voor iets dat zo onheilzaam is. Hou je aan mijn regels, dan zul je geen kennis hoeven te maken met mijn zweep, en dan zal het je ook nooit ontbreken aan de eerste levensbehoeften. Waag het om ongehoorzaam te zijn en je zult leren wat ik je kan aandoen en wat ik je kan ontnemen.' Ze staarde ons om de beurt aan.

Ja, ze wilde ons te gronde richten die avond, toen we nog jong, onschuldig en vol vertrouwen waren, toen we alleen nog maar de goede kant van het leven kenden. Ze wilde onze ziel verschrompelen, ons vernederen en verdorren, ons voorgoed onze trots ontnemen.

Maar ze kende ons niet.

Niemand zou er ooit in slagen mij zover te krijgen dat ik mijn vader of moeder haatte! Niemand zou de macht van leven en dood over me hebben – niet zolang ik leefde en kon terugvechten!

Ik keek even naar Chris. Ook hij staarde haar aan. Zijn blik ging van boven naar beneden, alsof hij overwoog wat hij bij haar kon aanrichten als hij haar zou aanvallen. Maar hij was pas veertien. Hij zou eerst een man moeten worden voor hij haar zou kunnen overwinnen. Maar zijn handen balden zich tot vuisten, al dwong hij zich zijn armen recht langs zijn lichaam te houden. Van inspanning kneep hij zijn lippen samen tot een lijn die even dun en hard was als die van zijn grootmoeder. Zijn ogen waren kil, kil als blauw ijs.

Van ons allemaal hield hij het meest van moeder. Hij had haar op een voetstuk geplaatst en beschouwde haar als de liefste, aardigste, mooiste, meest begrijpende vrouw ter wereld. Hij had me al eens verteld dat hij later een vrouw wilde trouwen die op mamma leek. Nu kon hij alleen nog maar woedend kijken. Hij was te jong om iets te kunnen doen.

Onze grootmoeder wierp ons een laatste, verachtelijke blik toe. Toen stopte ze de sleutel van de deur in mamma's hand en verliet de kamer.

Eén vraag torende boven alle andere uit: 'Waarom? *Waarom* waren wij naar *dit* huis gebracht? Dit was geen veilige haven, geen toevluchtsoord, geen schuilplaats. Mamma moest geweten hebben hoe het zou zijn en toch had ze ons midden in de nacht hier naartoe gebracht. Waarom?

MAMMA'S VERHAAL

Na grootmoeders vertrek wisten we niet wat we moesten doen of zeggen, we voelden ons ongelukkig en ellendig. Mijn hart klopte wild toen ik zag hoe mamma haar bloese omhoog trok, dichtknoopte en in haar rok stopte, waarna ze zich omdraaide en beverig naar ons lachte als om ons gerust te stellen. Ik verachtte mezelf omdat ik me vastklampte aan de strohalm van zo'n glimlach. Chris sloeg zijn ogen neer; hij liet zijn emoties alleen maar blijken door nerveus met zijn schoen het ingewikkelde patroon te volgen van het oosterse tapijt.

'Hoor eens,' zei mamma met geforceerde vrolijkheid, 'het was maar een karwats van wilgehout en het deed echt niet zo'n pijn. Mijn trots heeft meer geleden dan mijn lichaam. Het is vernederend om als een slavin of een dier te worden gestraft, en dan nog wel door de eigen ouders. Maar wees maar niet bang dat het nog een keer gebeurt. Het was alleen maar deze ene keer. Ik zou die geseling nog wel honderd keer willen verdragen als ik daardoor die vijftien jaar van geluk met je vader en met jullie nog eens zou kunnen beleven...'

Ze ging op een van de bedden zitten en stak haar armen uit, zodat we ons tegen haar aan konden nestelen en ons door haar laten troosten, al zorgde ik ervoor haar niet weer te omhelzen en nog meer pijn te doen. Ze nam de tweeling op schoot en gaf een klopje op het bed om ons te beduiden dat we dicht naast haar moesten komen zitten. Toen begon ze te praten. Het spreken viel haar moeilijk, zoals ons het luisteren.

'Hoor goed wat ik zeg, zodat je je leven lang elk woord herinnert.' Ze zweeg even, aarzelde, en keek naar de witgevlekte muren of die doorzichtig waren en ze daar doorheen alle kamers van dit gigantische huis kon zien. 'Dit is een vreemd huis, en de mensen die er wonen zijn nog vreemder – niet de bedienden, maar mijn ouders. Ik had je moeten waarschuwen dat je grootouders fanatiek religieus zijn. In God geloven is goed en juist. Maar je geloof versterken met woorden die je uit het Oude Testament haalt en die je interpreteert zoals het in je kraam te pas komt, is huichelachtig, en dat is precies wat mijn ouders doen. Mijn vader is stervende, ja, maar elke zondag gaat hij naar de kerk, in zijn rolstoel als hij zich goed genoeg voelt, of op een draagbaar als hij te zwak is, en hij schenkt zijn tiende penning – een tiende van zijn inkomen, wat een boel geld is. Dus is hij natuurlijk van harte welkom. Hij heeft de bouw van de kerk bekostigd, heeft alle glas-in-lood ramen gekocht, hij heeft de dominee in zijn macht en controleert zijn preken, want hij plaveit zijn weg naar de hemel met goud, en als Petrus kan worden omgekocht krijgt mijn vader zeker toegang. In die kerk wordt hij behandeld als God zelf of als een levende heilige. En als hij dan thuiskomt, voelt hij zich volkomen gerechtvaardigd om te doen wat hem goeddunkt, omdat hij zijn plicht heeft gedaan en zijn entreegeld heeft betaald en daarom niet bang hoeft te zijn voor het eeuwige vuur van de hel.

Toen ik opgroeide, samen met mijn twee broers, werden we letterlijk gedwongen om naar de kerk te gaan. Zelfs als we ziek genoeg waren om in bed te liggen moesten we gaan. De godsdienst werd ons met de paplepel ingegeven en met geweld opgedrongen. Wees goed, wees goed, wees goed – dat was het enige dat we altijd weer hoorden. De gewone, normale pretjes van andere mensen waren voor ons zondig. Mijn broers en ik mochten niet gaan zwemmen, want dat betekende dat we een badpak moesten dragen en het grootste deel van ons lichaam bloot was. We mochten niet kaarten, of andere spelletjes doen, die ook maar enigszins een gok-element bevatten. We mochten niet dansen, want dat betekende dat je lichaam dicht tegen iemand van het andere geslacht werd gedrukt. Ons werd bevolen onze gedachten te beheersen en ze niet te laten uitgaan naar wellustige, zondige onderwerpen, want de gedachte was even slecht als de daad. O, ik zou eeuwig kunnen doorgaan over alles wat ons verboden werd – het leek of alles wat leuk en opwindend was, in hun ogen zondig was. En de jeugd komt in opstand als ze te streng wordt gehouden en daarom wilden we alles doen wat verboden was. Onze ouders die probeerden engelen of heiligen te maken van hun drie kinderen, slaagden er alleen maar in ons slechter te maken dan anders het geval zou zijn geweest.'

Ik sperde mijn ogen open. Ik luisterde gefascineerd, zoals wij allemaal, zelfs de tweeling.

'En toen,' ging mamma verder, 'kwam er op een dag een mooie jongen hier wonen. Zijn vader was mijn grootvader, die was gestorven toen deze jongen pas drie jaar was. Zijn moeder heette Alicia, en was pas zestien toen ze met mijn grootvader trouwde, die toen vijfenvijftig was. Dus toen ze een zoontje kreeg, was het logisch geweest als ze was blijven leven om hem te zien opgroeien. Maar helaas stierf Alicia op heel jeugdige leeftijd. Mijn grootvader heette Garland Christopher Foxworth, en toen hij stierf was de helft van zijn nalatenschap voor zijn jongste zoon, die toen drie jaar was. Maar Malcolm, mijn vader, wist de nalatenschap van zijn vader in handen te krijgen door zichzelf tot beheerder te laten benoemen, want een driejarig kind had natuurlijk geen stem in het kapittel, en Alicia evenmin. Toen mijn vader de hele erfenis had, schopte hij Alicia en haar kind het huis uit. Ze vluchtten naar Richmond, naar Alicia's ouders, waar ze bleven wonen tot Alicia hertrouwde. Ze beleefde nog een paar gelukkige jaren met een jongen van wie ze sinds haar jeugd had gehouden en toen stierf ook hij. Tweemaal getrouwd, tweemaal weduwe, alleen achtergebleven met een zoontje. En haar ouders waren inmiddels ook gestorven. En toen ontdekte ze op een dag een bobbeltje in haar borst en een paar jaar later stierf ze aan kanker. Toen kwam haar zoon, Garland Christopher Foxworth de Vierde, hier wonen. We noemden hem altijd Chris.' Ze aarzelde, sloeg haar armen steviger om Chris en mij heen. 'Weet je over wie ik het heb? Heb je geraden wie die jongen was?'

Ik huiverde. De geheimzinnige halfoom. En ik fluisterde: 'Pappa... je bedoelt pappa.'

'Ja,' zei ze met een diepe zucht.

Ik boog me voorover om naar mijn oudste broer te kijken. Hij zat doodstil, en er lag een merkwaardige uitdrukking op zijn gezicht. Zijn ogen waren glazig.

Mamma ging verder: 'Je vader was mijn halfoom, maar hij was maar drie jaar ouder dan ik. Ik herinner me nog dat ik hem voor het eerst zag. Ik wist dat hij zou komen, die jonge halfoom die ik nooit had gezien en over wie ik maar weinig had gehoord. Ik wilde een goede indruk maken en nam uitvoerig de tijd om mijn haar te krullen en in bad te gaan, en ik trok mijn mooiste en meest flatteuze jurk aan. Ik was veertien – een leeftijd waarop een meisje haar macht over de mannen begint te voelen. En ik wist dat de meeste jongens en mannen me mooi vonden, en ik denk dat ik rijp was voor de liefde.

Je vader was zeventien. Het was laat in het voorjaar, en hij stond midden in de hal met twee koffers naast zijn afgetrapte schoenen – zijn kleren zagen er sjofel uit, en hij was eruit gegroeid. Mijn vader en moeder stonden bij hem, maar hij draaide rond, staarde om zich heen, verblind door alle luxe en rijkdom. Ik had er zelf nooit erg op gelet. Ik vond al die luxe vanzelfsprekend, en tot ik trouwde en ik een leven zonder rijkdom leerde kennen, drong het nauwelijks tot me door dat ik in een uitzonderlijk huis was grootgebracht.

Mijn vader is een "verzamelaar". Hij koopt alles wat als een uniek kunstwerk wordt beschouwd – niet omdat hij van kunst houdt maar omdat hij graag dingen wil bezitten. Als het mogelijk was zou hij *alles* willen bezitten, vooral mooie dingen. Ik had altijd het idee dat ik deel uitmaakte van zijn verzameling *objets d'art*... hij was van plan mij voor zichzelf te houden, niet om er plezier van te hebben, maar om anderen te beletten plezier te hebben, van iets dat van hem was.'

Mijn moeder ging verder, haar gezicht zag rood, haar ogen staarden in de ruimte, haar gedachten waren weer bij die dag toen een jonge halfoom in haar leven kwam en dat totaal veranderde.

'Je vader was zo onschuldig, zo vol vertrouwen, zo lief en kwetsbaar. Hij had alleen maar eerlijke genegenheid gekend en oprechte liefde en armoede. Hij kwam uit een bungalow met vier kamers in dit enorme huis, en hij sperde zijn ogen open van verbazing. Hij dacht dat hem een groot geluk ten deel was gevallen, dat hij de hemel op aarde had gevonden. Hij keek vol dankbaarheid naar mijn vader en moeder.

Poe! Het doet nog pijn als ik daaraan denk, aan die dankbaarheid. Want de helft van alles wat hij om zich heen zag kwam hem rechtens toe, terwijl mijn ouders hem goed lieten voelen dat hij maar een arm familielid was.

Ik zag hem in de hal, in het zonlicht dat door de ramen naar binnen viel, en bleef halverwege de trap staan. Om zijn goudblonde haar was een aureool van zilverkleurig licht. Hij was zo mooi, niet alleen maar knap, maar mooi – er is een verschil, weet je. Echte schoonheid straalt van binnen uit, en die had hij.

Ik bewoog me even en maakte een zacht geluid; hij hief zijn hoofd op en zijn blauwe ogen begonnen te stralen – o, ik herinner me die plotselinge glans in zijn ogen nog zo goed – maar toen we aan elkaar werden voorgesteld doofde die glans. Ik was zijn halfnichtje, verboden terrein, en hij was teleurgesteld, net als ik. Want op die dag, toen ik op de trap stond en hij beneden in de hal, ontvlamde er iets tussen ons dat groter en groter werd tot we het niet langer konden negeren.

Ik zal jullie niet in verlegenheid brengen met het verhaal van onze romance,' zei ze verlegen, toen ik ging verzitten en Chris zijn gezicht afwendde. 'Het is voldoende als ik zeg dat het liefde op het eerste gezicht was, want zo gebeurt het soms. Misschien was hij ook rijp voor de liefde, net als ik, of misschien kwam het omdat we allebei iemand nodig hadden die ons warmte en liefde kon geven. Mijn oudste broers waren al dood, verongelukt; ik had maar een paar vrienden, want niemand was "goed genoeg" voor de dochter van Malcolm Foxworth. Ik was zijn mooiste bezit; als een man mij ooit van hem af zou nemen zou het voor een heel, heel hoge prijs zijn. Dus ontmoetten je vader en ik elkaar stiekem in de tuin, waar we uren en uren zaten te praten, en soms duwde hij me in de schommel en ik duwde hem, en soms stonden we samen op de schommel en brachten we hem met onze benen in beweging, en we keken elkaar aan terwijl we steeds hoger gingen. Hij vertelde me al zijn geheimen en ik vertelde hem al de mijne. En toen moest het eruit, we moesten bekennen dat we zielsveel van elkaar hielden, en of het goed of slecht was, we moesten met elkaar trouwen. En we moesten ontsnappen uit dit huis en aan de heerschappij van mijn ouders, voordat ze de kans kregen ons in duplicaten van henzelf te veranderen – want dat was hun opzet, weet je, je vader te veranderen, hem te laten boeten voor het kwaad dat zijn moeder had gedaan door met een veel oudere man te trouwen. In materieel opzicht gaven ze hem alles, dat moet ik toegeven. Ze behandelden hem als hun eigen zoon, want hij moest de beide zoons vervangen die ze verloren hadden. Ze stuurden hem naar Yale, waar hij een briljant student was. Jij hebt zijn intelligentie, Christopher. Hij behaalde zijn graad in drie jaar – maar hij kon zijn titel nooit gebruiken, want op zijn diploma stond zijn wettige naam, en we moesten voor de wereld verbergen wie we waren. Het was moeilijk voor ons in die eerste jaren van ons huwelijk, omdat hij zijn universitaire opleiding moest verloochenen.'

Ze zweeg. Ze keek peinzend naar Chris en toen naar mij. Ze liefkoosde de tweeling en gaf hun een zoen op hun bol. Toen keek ze met een bezorgde frons op haar gezicht naar Chris en mij. 'Cathy, Christopher, ik verwacht dat jullie het zullen begrijpen. De tweeling is nog te jong. Je *probeert* toch te begrijpen hoe het gegaan is?'

Ja, ja, knikten Chris en ik.

Ze sprak mijn taal, de taal van muziek en ballet, romantiek en liefde, mooie mensen in mooie huizen. Sprookjes kunnen werkelijkheid worden.

Liefde op het eerste gezicht. O, dat zou mij ook gebeuren, ik wist dat het zou gebeuren, en hij zou even mooi zijn als mijn vader, een echte schoonheid uitstralen en mijn hart beroeren. Je moest liefhebben, anders verschrompelde je en stierf.

'Luister goed nu,' ging ze zachtjes verder, wat nog een groter effect gaf aan haar woorden. 'Ik ben hier om te proberen mijn vader weer van me te laten houden en me te vergeven dat ik met zijn halfbroer ben getrouwd. Want toen ik achttien was, zijn je vader en ik weggelopen en getrouwd, en twee weken later kwamen we terug en vertelden het aan mijn ouders. Mijn vader kreeg bijna een zenuwtoeval. Hij was razend, hij tierde en schold en stuurde ons allebei het huis uit en we mochten nooit meer terugkomen, nooit! En daarom werd ik onterfd, en je vader ook – want ik geloof dat mijn vader van plan was geweest hem iets na te laten, niet veel, maar iets. Het grootste deel zou voor mij zijn, want mijn moeder heeft geld van zichzelf. Volgens haar was het geld dat zij van haar ouders had geërfd de voornaamste reden waarom mijn vader met haar trouwde, al was ze, toen ze jong was, wat je noemt een *knappe* vrouw, geen schoonheid, maar ze had een vorstelijke houding en krachtige, nobele trekken.'

Nee, dacht ik bitter... die oude vrouw was lelijk geboren!

'Ik ben hier om te proberen mijn vader weer van me te laten houden en me te vergeven dat ik met zijn halfbroer ben getrouwd. En om dat te bereiken moet ik de rol spelen van de plichtsgetrouwe, nederige, gekastijde dochter. En soms, als je een rol begint te spelen, neem je dat karakter aan, zodat ik je nu alles wil vertellen wat jullie moeten weten nu ik nog geheel mijzelf ben. Daarom vertel ik je dit allemaal en ben ik zo eerlijk mogelijk. Ik moet bekennen dat ik geen sterke wil heb en weinig initiatief. Ik was alleen maar sterk toen je vader achter me stond, en die is er nu niet meer. En op de benedenverdieping, in een kleine kamer achter een enorme bibliotheek, leeft een man zoals je nog nooit hebt meegemaakt. Je hebt mijn moeder ontmoet en je weet ongeveer hoe zij is, maar mijn vader ken je niet. En ik wil niet dat jullie hem ontmoeten voordat hij mij heeft vergeven en het feit accepteert dat ik vier kinderen heb van zijn veel jongere halfbroer. Dat zal erg moeilijk voor hem zijn. Maar ik geloof niet dat het *te* moeilijk zal zijn om me te vergeven, omdat je vader dood is en het moeilijk is een wrok te blijven koesteren tegen iemand die dood en begraven is.'

Ik weet niet waarom ik plotseling bang werd.

'Als ik wil dat mijn vader me weer opneemt in zijn testament zal ik gedwongen zijn alles te doen wat hij wil.'

'Wat zou hij van je kunnen verlangen behalve gehoorzaamheid en eerbied?' vroeg Chris heel somber, heel volwassen, alsof hij begreep waar het allemaal om draaide.

Mamma keek hem lang en vol medelijden aan, en hief haar hand op om hem over zijn jongensachtige wang te strelen. Hij was een jongere uitgave van de man die ze nog zo kort geleden had begraven. Geen wonder dat de tranen haar in de ogen sprongen.

'Ik weet niet wat hij zal verlangen, lieveling, maar wat ik moet doen zal ik doen. Hij *moet* me weer in zijn testament opnemen. Maar laten we daar nu niet aan denken. Ik zag jullie gezicht toen ik het jullie vertelde. Ik wil niet dat jullie denken dat het waar is wat mijn moeder zei. Wat je vader en ik hebben gedaan was *niet* immoreel. We zijn keurig getrouwd, in de kerk, net als elk ander jong stel dat van elkaar houdt. Er was niets "goddeloos" aan. En jullie zijn geen duivelsgebroed en niet slecht – je vader zou dat apekool noemen. Mijn moeder zou het liefste willen dat jullie jezelf gingen verachten, als een andere manier om mij en jullie te straffen. De mensen stellen de regels vast van de maatschappij, niet God. In sommige delen van de wereld kunnen naaste bloedverwanten met elkaar trouwen en kinderen krijgen, zonder dat het slecht of abnormaal wordt gevonden. Maar ik wil niet proberen te rechtvaardigen wat ik heb gedaan, want we moeten leven naar de regels van onze eigen maatschappij. Die maatschappij gelooft dat naaste bloedverwanten niet met elkaar mogen trouwen, omdat ze dan kinderen kunnen voortbrengen die geestelijk of fysiek niet helemaal volmaakt zijn. Maar wie is volmaakt?'

Toen lachte ze, huilde half en drukte ons dicht tegen zich aan. 'Je grootvader voorspelde dat onze kinderen geboren zouden worden met horens, bochels, gespleten staarten, hoeven in plaats van voeten – hij leek wel krankzinnig, hij vervloekte ons en voorspelde dat onze kinderen mismaakt zouden zijn. Is een van zijn onheilsvoorspellingen uitgekomen?' riep ze uit. Ze leek door het dolle heen.

'Nee!' beantwoordde ze haar eigen vraag. 'Je vader en ik maakten ons wel een beetje ongerust toen ik de eerste keer zwanger was. Hij liep de hele nacht door de gangen van het ziekenhuis te ijsberen, tot het bijna ochtend was, en toen kwam een verpleegster hem vertellen dat hij een zoon had die in elk opzicht volmaakt was. Je had zijn gezicht moeten zien toen hij mijn kamer binnenkwam met twee dozijn rode rozen in zijn armen en tranen in zijn ogen toen hij me kuste. Hij was zo trots op je, Christopher, zo trots. Hij gaf zes kisten sigaren weg en ging meteen

een plastic baseball bat voor je kopen en een vanghandschoen, en een voetbal. Toen je tanden doorkwamen sabbelde je op het bat en je sloeg ermee tegen je ledikant en de muur, om te vertellen dat je er uit wilde.

Toen kwam Cathy, en jij was net zo mooi en zo perfect als je broer. En je weet hoeveel je vader van je hield, van zijn mooie dansende Cathy, die altijd overal het middelpunt van de belangstelling was. Herinner je je eerste balletuitvoering nog, toen je vier was? Je droeg je eerste roze tutu, en je maakte een paar fouten, en iedereen in de zaal lachte, en je klapte in je handen alsof je er nog trots op was ook. En je vader stuurde je een dozijn rozen – weet je nog wel? Hij zag nooit een fout van je. In zijn ogen was je volmaakt. En zeven jaar na jou werd de tweeling geboren. Nu hadden we twee jongens en twee meisjes, we hadden het lot vier keer getart – en gewonnen! Vier volmaakte kinderen. Als God ons had willen straffen had hij vier keer de kans gehad ons mismaakte of geestelijk gehandicapte kinderen te geven. In plaats daarvan gaf hij ons de mooiste kinderen die er bestaan. Dus laat je nooit door je grootmoeder of wie dan ook wijsmaken dat je niet intelligent genoeg bent, of niet de moeite waard of niet welgevallig in Gods ogen. Als er een zonde is begaan is dat de zonde van je ouders, niet van jullie. Jullie zijn de vier kinderen die door al onze vrienden in Gladstone werden benijd en de porseleinen poppetjes werden genoemd. Vergeet nooit wat jullie hebben gehad in Gladstone – klamp je daar aan vast. Blijf geloven in jezelf en in mij en in je vader. Zelfs al is hij dood, blijf van hem houden en heb eerbied voor hem. Hij verdient het. Hij deed zo zijn best een goede vader te zijn. Ik geloof niet dat er veel mannen zijn die zoveel om hun kinderen geven als hij heeft gedaan.' Ze glimlachte opgewekt door haar tranen heen. 'Vertel me nu eens wie je bent.'

'De porseleinen poppetjes!' riepen Chris en ik uit.

'Zullen jullie ooit geloven wat je grootmoeder zegt, dat jullie duivelsgebroed zijn?'

'Nee! *Nooit, nooit!*'

En toch, en toch, wat beide vrouwen hadden gezegd zou ik later overdenken, en goed overdenken. Ik wilde geloven dat God tevreden over ons was, ik wilde in onszelf geloven. Ik móest wel, ik had het nodig. Knik maar, zei ik tegen mezelf, zeg maar ja, net als Chris. Doe niet als de tweeling, die zonder iets te begrijpen naar mamma staarde. Wees niet zo achterdochtig!

Chris zei op zijn meest overtuigende toon: 'Ja mamma, ik geloof wat je zegt, want als God niet had goedgevonden dat je met pappa trouwde, zou hij jullie in je kinderen hebben gestraft. God is niet bekrompen en kwezelachtig – zoals onze grootouders. Hoe kan die oude vrouw zo gemeen praten? Ze heeft toch ogen in haar hoofd, ze kan toch zien dat we niet lelijk zijn en niet mismaakt en niet achterlijk?'

Tranen van opluchting rolden over mamma's wangen. Ze trok Chris dicht tegen zich aan, gaf hem een zoen op zijn kruin. Toen nam ze zijn gezicht tussen haar handen, keek hem diep in de ogen en negeerde de rest van ons. 'Dank je, zoon, voor je begrip,' zei ze met een hees gefluister.

'Ik dank je dat je je ouders niet veroordeelt.'

'Ik hou van je, mamma. Wat je ook hebt gedaan of doet, ik zal het altijd begrijpen.'

'Ja,' mompelde ze, 'dat zul je, ik weet dat *jij* dat zult doen.' Ongerust keek ze naar mij. Ik bleef op een afstandje staan en nam haar taxerend op. 'De liefde komt niet altijd als je dat wenst. Soms gebeurt het tegen je wil.' Ze boog haar hoofd en pakte de handen van mijn broer, die ze stevig vasthield. 'Mijn vader was dol op me toen ik jong was. Hij wilde me voor zichzelf houden. Hij wilde niet dat ik met iemand zou trouwen. Ik herinner me nog dat toen ik twaalf was hij zei dat hij me zijn hele bezit na zou laten als ik bij hem bleef tot hij van ouderdom stierf.'

Plotseling hief ze haar hoofd op en keek naar mij. Zag ze een twijfel, een vraag? Haar ogen versomberden. 'Geef elkaar een hand,' beval ze krachtig, terwijl ze haar schouders rechttrok en één van Chris' handen losliet. 'Zeg me na: Wij zijn volmaakte kinderen. Geestelijk, lichamelijk, emotioneel zijn we gezond en godvruchtig. We hebben evenveel recht om te leven, lief te hebben en te genieten als alle andere kinderen op deze aarde.'

Ze glimlachte naar me, pakte mijn hand en vroeg Carrie en Cory zich aan te sluiten bij de kring. 'Jullie zullen hier kleine rituelen nodig hebben om de dagen door te komen, kleine steunpunten. Ik zal jullie er een paar geven voor als ik weg ben. Cathy, als ik naar jou kijk, zie ik mezelf op jouw leeftijd. Hou van me, Cathy, vertrouw me alsjeblieft.'

Stotterend deden we wat ze vroeg en herhaalden de litanie die we moesten opzeggen als we in twijfel verkeerden. En toen we klaar waren lachte ze goedkeurend en geruststellend naar ons.

'Zo!' zei ze wat opgewekter. 'Denk maar niet dat ik deze dag ben doorgekomen zonder voortdurend aan jullie te denken. Ik heb veel aan onze toekomst gedacht, en ik ben tot de conclusie gekomen dat we niet hier kunnen blijven, waar we worden overheerst door mijn vader en moeder. Mijn moeder is een wrede, harteloze vrouw die mij bij toeval het leven, maar verder nooit één sprankje liefde heeft gegeven – liefde had ze alleen maar voor haar zoons. Ik was dom genoeg om te geloven, toen ik haar brief kreeg, dat ze jullie anders zou behandelen dan mij. Ik dacht dat ze milder zou zijn als ze oud was geworden, en dat als ze jullie eenmaal had gezien en jullie kende, ze jullie net als andere grootmoeders met open armen zou hebben verwelkomd en het heerlijk zou vinden om weer kinderen te hebben van wie ze kon houden. Ik hoopte dat als ze jullie zag...' Ze hijgde, of ze niet kon begrijpen dat iemand niet van haar kinderen zou houden. 'Ik kan me nog indenken dat ze Christopher niet mag' – ze omhelsde hem en gaf hem een zoen op zijn wang – 'omdat hij zoveel op zijn vader lijkt. En als ze naar jou kijkt, Cathy, ziet ze mij, en ze heeft nooit van mij gehouden – ik weet niet waarom, behalve misschien dat mijn vader te veel van me hield en ze daarom jaloers was. Maar het is nooit bij me opgekomen dat ze wreed zou kunnen zijn tegen jullie of tegen de tweeling. Ik maakte mezelf wijs dat de mensen veranderen als ze ouder worden en hun fouten inzien, maar nu weet ik dat ik me vergist heb.' Ze veegde haar tranen af.

'Daarom ga ik morgenochtend vroeg hier vandaan, om in de dichtstbijzijnde grote stad een secretaressecursus te gaan volgen. Ik zal steno en typen leren en boekhouden en archiefwerk – alles wat een goede secretaresse hoort te weten zal ik leren. En als ik dat allemaal kan ga ik een goede baan zoeken zodat ik een behoorlijk salaris verdien. En dan zal ik genoeg geld hebben om jullie hier vandaan te halen. We zullen ergens in de buurt een flat zoeken, zodat ik mijn vader kan blijven bezoeken. Het zal niet lang duren of we wonen allemaal weer onder hetzelfde dak, ons eigen dak, en zijn we weer een hecht gezin.'

'O, mamma!' riep Chris blij uit, 'ik wist dat je een manier zou vinden! Ik wist dat je ons niet in deze kamer opgesloten zou laten.' Hij boog zich naar voren en gaf me een voldane blik, alsof hij al die tijd al geweten had dat *zijn* lieve moeder alle problemen zou oplossen, al waren ze nog zo ingewikkeld.

'Heb vertrouwen in me,' zei mamma glimlachend en geruststellend. En weer kuste ze Chris.

Ik wou dat ik net als Chris alles wat ze zei kon opvatten als een plechtige belofte. Maar ik moest steeds weer denken aan haar eigen woorden dat ze geen sterke wil had en weinig initiatief nu pappa er niet meer was om haar te steunen. Terneergeslagen vroeg ik: 'Hoe lang duurt het om voor secretaresse te leren?'

Snel – té snel, dacht ik – antwoordde ze: 'Niet lang, Cathy. Misschien een maand. Maar als het wat langer mocht duren, moet je geduld hebben en beseffen dat ik niet zo knap ben in zulk soort dingen. Dat is niet mijn schuld,' ging ze haastig verder, alsof ze kon zien dat ik het haar kwalijk nam dat ze niet handiger was.

'Als je rijk geboren bent, en opgevoed op kostscholen voor dochters van rijke, machtige mensen, leer je wel het een en ander over etiquette, academische onderwerpen, maar je wordt in de eerste plaats voorbereid op de maalstroom van romantiek en debutantenbals, je leert hoe je mensen moet ontvangen en een ideale gastvrouw moet zijn. Ik heb nooit iets praktisch geleerd. Ik dacht niet dat ik ooit een zakelijke opleiding nodig zou hebben. Ik dacht dat ik altijd een man zou hebben die voor me zou zorgen, en als ik geen man had, zou mijn vader het wel doen – en bovendien was ik al die tijd verliefd op jullie vader. Ik wist dat ik met hem zou trouwen zodra ik achttien was.'

Het was een goede les voor me. Ik zou nooit zo afhankelijk worden van een man dat ik niet voor mezelf zou kunnen zorgen, wat voor tegenslag ik ook zou ondervinden. Ik voelde me onaardig, woedend, beschaamd, schuldig – ik had het gevoel dat het allemaal háár schuld was, maar hoe had ze kunnen vermoeden wat haar te wachten stond?

'Nu moet ik gaan,' zei ze terwijl ze opstond om weg te gaan. De tweeling barstte in tranen uit.

'Mamma, ga niet weg! Laat ons niet in de steek!' Ze sloegen hun kleine armpjes om haar benen.

'Morgenochtend vroeg kom ik terug, voor ik naar die cursus ga. Heus, Cathy,' zei ze, mij recht aankijkend, 'ik beloof je dat ik mijn best zal doen. Ik wil jullie hier even graag vandaan hebben als jullie dat zelf willen.'

Bij de deur zei ze dat het goed was dat we haar hadden teruggezien, want nu wisten we hoe harteloos haar moeder kon zijn. 'Doe in Godsnaam wat ze zegt. Wees preuts in de badkamer. Denk eraan dat ze onmenselijk kan zijn, niet alleen tegen mij, maar tegen iedereen die bij me hoort.' Ze stak haar armen naar ons uit, en we holden naar haar toe en vergaten haar gegeselde rug. 'Ik hou zoveel van jullie allemaal,' snikte ze. 'Vergeet dat nooit. Laat dat een steun voor jullie zijn. Ik zal mijn best doen, zoals nooit tevoren, ik zweer het je. In zekere zin ben ik net zo'n gevangene als jullie. Ga met vrolijke gedachten naar bed, denk eraan dat hoe slecht iets er ook mag uitzien, het nooit *zo* slecht kan zijn. Ik ben aardig, dat weet je, en mijn vader heeft vroeger veel van mij gehouden. Dat maakt het dus gemakkelijker voor hem om weer opnieuw van me te gaan houden, nietwaar?'

Ja, ja, dat was waar. Als je ontzettend veel van iets of iemand had gehouden was je ontvankelijk voor een nieuwe liefde. Ik wist het; ik was al zes keer verliefd geweest.

'En als jullie in deze donkere kamer in bed liggen, denk er dan maar aan dat ik morgen, nadat ik me voor die cursus heb ingeschreven, spelletjes en speelgoed voor jullie zal kopen, om de tijd te verdrijven. En het zal niet zo lang duren voordat mijn vader weer van me gaat houden en me alles vergeeft.'

'Mamma,' zei ik, 'heb je geld genoeg om dingen voor ons te kopen?'

'Ja, ja,' zei ze haastig. 'Ik heb genoeg, en mijn ouders zijn trots. Ze willen voor hun vrienden en buren niet dat ik slecht verzorgd en gekleed ben. En elke dollar die ik niet gebruik zal ik opzijleggen, en ik zal plannen maken voor de dag dat we allemaal weer vrij zijn en in ons eigen huis zullen wonen, zoals vroeger, en weer een gezin vormen.'

Dat waren haar afscheidswoorden; ze wierp ons een paar kushandjes toe en deed de deur achter zich op slot.

Onze tweede nacht achter een gesloten deur.

Nu wisten we meer... misschien te veel.

Toen mamma weg was gingen Chris en ik naar bed. Hij grijnsde naar me, en vlijde zich tegen Cory's rug aan. Zijn ogen vielen al bijna dicht. Hij sloot zijn ogen en mompelde: 'Welterusten, Cathy. Zorg dat de luizen niet bijten.'

Ik volgde Chris' voorbeeld en nestelde me tegen Carries jonge warme lichaam aan. Ze lag gebogen als een lepel in mijn armen en mijn gezicht was verborgen in haar zachte haar. Ik kon niet in slaap komen, en na een tijdje lag ik op mijn rug naar boven te staren. Ik voelde en hoorde de intense stilte in het reusachtige huis dat tot rust kwam en ging slapen. Ik hoorde niet de minste beweging: geen telefoon, geen keukenapparaat dat in- of uitgeschakeld werd; er blafte zelfs geen hond buiten en er kwam geen auto voorbij die misschien een straaltje licht had kunnen werpen door die zware gordijnen.

Er kwamen nare gedachten bij me op, dat we ongewenst waren, opgesloten... Duivelsgebroed. Die gedachten bleven in mijn hoofd rondspoken, en ik voelde me diep ellendig. Ik moest een manier vinden om ze te verjagen. Mamma hield van ons, ze verlangde naar ons, ze zou haar best doen een goede secretaresse te worden. Het zou haar lukken. Ik wist dat het haar zou lukken. Ze zou zich weten te verzetten tegen de pogingen van haar ouders om haar van ons te scheiden. Natuurlijk zou ze dat.

God, bad ik, help mamma alstublieft om gauw te leren!

Het was afschuwelijk warm en benauwd in de kamer. Buiten hoorde ik de bladeren ritselen in de wind, maar er kwam niet voldoende koelte naar binnen om het hier aangenaam te maken. Ik besefte alleen maar dat het buiten koel was en dat het hier ook koel zou kunnen zijn als we de ramen maar open konden zetten. Ik zuchtte weemoedig, verlangde naar frisse lucht. Had mamma niet verteld dat de nachten in de bergen, zelfs in de zomer altijd koel waren? En nu was het zomer en het was niet koel met de gesloten ramen.

In het warme duister fluisterde Chris mijn naam. 'Waar denk je aan?'

'Aan de wind. Hij huilt als een wolf.'

'Ik wist wel dat je aan zoiets opgewekts zou denken. Gô, jij bent een kei in het hebben van deprimerende gedachten.'

'Ik heb nog een goeie voor je – fluisterende winden als dode zielen die proberen ons iets te vertellen.'

Hij kreunde. 'Hoor eens, Catherine Doll (de toneelnaam die ik later van plan was aan te nemen), ik beveel je om op te houden met al die nare gedachten. We nemen elk uur zoals het komt en denken nooit aan het volgende. Op die manier zal het gemakkelijker zijn dan in dagen en weken te denken. Denk aan muziek, aan dansen, zingen. Heb ik je niet eens horen zeggen dat je je nooit bedroefd voelt als er muziek in je hoofd speelt?'

'Waar denk jij aan?'

'Als ik niet zo'n slaap had, zou ik je een heleboel gedachten kunnen vertellen, maar nu ben ik te moe om antwoord te geven. En je weet wat ik van plan ben. Op het ogenblik denk ik alleen maar aan de spelletjes waarvoor we de tijd zullen hebben.' Hij geeuwde, rekte zich uit en lachte naar me. 'Wat vond jij van dat verhaal over halfooms die met halfnichtjes trouwen en kinderen krijgen met hoeven, staarten en horens?'

'Als dorser naar alle kennis en als toekomstig arts, vertel me eens, is dat medisch, wetenschappelijk mogelijk?'

'Nee!' antwoordde hij, alsof hij goed op de hoogte was van het onderwerp. 'In dat geval zou het in de wereld wemelen van monsters die op duivels lijken, maar om je de waarheid te zeggen zou ik wel eens een duivel willen zien.'

'Ik zie ze voortdurend, in mijn dromen.'

'Ha!' zei hij spottend. 'Jij en je krankzinnige dromen. Hoe vond je overigens de tweeling? Ik was echt trots op ze zoals ze die engerd van een grootmoeder durfden te trotseren. Gô, die hebben lef zeg! Maar ik was bang dat ze iets echt gemeens zou doen.'

'Was het al niet erg genoeg wat ze deed? Ze tilde Carrie op aan haar haar. Dat deed pijn. En ze heeft Cory geslagen zodat hij op de grond viel en dat deed ook pijn. Wat wil je nog meer?'

'Ze had ergere dingen kunnen doen.'

'Ik denk dat ze zelf gek is.'

'Misschien heb je gelijk,' mompelde hij slaperig.

'De tweeling zijn nog maar babies. Cory wilde alleen maar Carrie beschermen – je weet hoe hij is ten opzichte van haar, en zij van hem.' Ik aarzelde. 'Chris, was het goed dat pappa en mamma verliefd op elkaar werden? Hadden ze niet iets kunnen doen om er een eind aan te maken?'

'Ik weet het niet. Laten we er maar niet over praten, dat geeft me zo'n onrustig gevoel.'

'Mij ook. Maar dat zal wel de verklaring zijn waarom we allemaal blauwe ogen en blond haar hebben.'

'Ja,' geeuwde hij, 'de porseleinen poppetje, dat zijn wij.'

'Je hebt gelijk. Ik heb altijd de hele dag spelletjes willen doen. Als moeder dat nieuwe Monopoly spel voor ons koopt, zullen we eindelijk tijd hebben een spel af te maken. Want we hadden nog nooit een spel helemaal uitgemaakt. En, Chris, de zilveren balletschoentjes zijn voor mij.'

'Goed,' mompelde hij, 'en ik neem de hoge hoed, of de raceauto.'

'De hoge hoed alsjeblieft.'

'Goed. Sorry, ik dacht er niet aan. En we kunnen de tweeling leren om de bank te houden en het geld te beheren.'

'Dan moeten we ze eerst leren tellen.'

'Dat is gemakkelijk genoeg, want de Foxworths weten alles over geld.'

'We zijn *geen Foxworths!*'

'Wat zijn we dan?'

'Dollangangers!'

'Oké, jij je zin.' En weer zei hij welterusten.

Weer knielde ik naast mijn bed en vouwde mijn handen in gebedspositie onder mijn kin. Zwijgend begon ik: *Ik ga slapen, ik ben moe*... Maar ik kon de woorden of God mijn ziel wilde behoeden als ik mocht sterven voor ik wakker werd, niet over mijn lippen krijgen. Ik sloeg dat deel over en smeekte Gods zegen af over mamma, Chris, de tweeling en pappa, waar hij ook in de hemel mocht zijn.

Toen ik weer in bed lag dacht ik aan de cake of koekjes en het ijs dat grootmoeder ons gisteravond min of meer beloofd had – als we zoet waren.

En we waren zoet geweest.

Tenminste tot Carrie die herrie begon te maken – en toch had grootmoeder geen dessert gebracht.

Hoe had ze kunnen weten dat we het later niet meer zouden verdienen?

'Waar denk je nu aan?' vroeg Chris slaperig en monotoon. Ik dacht dat hij al sliep, ik wist niet dat hij naar me lag te kijken.

'Niets bijzonders. Ik dacht alleen aan het ijs en de cake of koekjes die grootmoeder zou brengen als we zoet waren.'

'Morgen komt er weer een nieuwe dag, dus je kunt blijven hopen. En misschien vergeet de tweeling morgen dat ze naar buiten willen. Ze vergeten gauw.'

Ja, dat was waar. Ze waren pappa al vergeten, en die was pas in april gestorven. Wat deden Cory en Carrie gemakkelijk afstand van een vader die zoveel van ze had gehouden. Ik kon hem niet vergeten; ik zou hem nooit vergeten, ook al kon ik hem nu niet zo duidelijk meer voor me halen... ik kon zijn aanwezigheid voelen.

MINUTEN ALS UREN

De dagen gingen tergend langzaam voorbij. Monotoon.

Wat deed je met de tijd als je die in overvloed had? Waar moest je naar kijken als je alles al had gezien? Welke richting moesten je gedachten nemen, als dagdromen je alleen maar in moeilijkheden konden brengen? Ik kon me voorstellen hoe het zou zijn om buiten door de bossen te rennen, met de droge bladeren ritselend onder mijn voeten. Ik kon me voorstellen hoe het zou zijn om te zwemmen in het meer in de buurt, of pootje te baden in een koele bergbeek. Maar dagdromen waren spinnewebben, die al te gemakkelijk verscheurden, en ik keerde weer snel terug tot de werkelijkheid. En waar lag het geluk? In de dag van gisteren? In de dag van morgen? Niet in dit uur, deze minuut, deze seconde. We hadden één ding, en dan ook maar één ding, dat een lichtstraaltje kon brengen. Hoop.

Chris zei dat het een doodzonde was om tijd te verspillen. Tijd was waardevol. Niemand had ooit tijd genoeg of leefde lang genoeg om voldoende te leren. Overal om ons heen holde de wereld naar de brand, roepend: 'Schiet op, schiet op!' Maar wij, wij hadden tijd te over, uren die gevuld moesten worden, een miljoen boeken om te lezen, tijd om onze verbeelding de vrije loop te laten. Het creatieve genie begint op een moment dat hij niets te doen heeft, droomt over het onmogelijke en maakt het later tot werkelijkheid.

Mamma kwam ons bezoeken, zoals ze beloofd had, met nieuwe spelletjes en speelgoed om ons bezig te houden. Chris en ik waren dol op monopoly, scrabble, dammen en toen mamma ons twee spellen kaarten bracht en een handleiding voor kaartspelletjes werden we fanatieke kaartspelers.

Het was moeilijker voor de tweeling die nog niet oud genoeg was om spelletjes te spelen met spelregels. Hun aandacht was nooit lang geboeid, niet door de talloze autootjes die mamma had gekocht, niet door de vuilnisauto's of de elektrische trein die Chris in elkaar zette, zodat het spoor onder onze bedden en de toilettafel doorliep naar de ladenkast en het dressoir. Waar we ons ook keerden of wendden, we trapten wel ergens op. Eén ding was zeker: ze haatten de zolder – ze vonden alles daar griezelig.

We stonden elke dag vroeg op. We hadden geen wekker, alleen onze horloges. Maar een automatisch weksysteem in mijn lichaam zorgde ervoor dat ik niet te lang sliep, zelfs niet als ik het wilde.

Zodra we uit bed waren gingen we naar de badkamer. We wisselden het elke dag af, eerst de jongens en daarna Carrie en ik, en omgekeerd. We moesten helemaal aangekleed zijn voordat grootmoeder binnenkwam – want anders...

Als grootmoeder de grimmige donkere kamer binnenkwam, stonden wij in de houding, wachtten tot ze de picknickmand had neergezet en weer weg ging. Ze sprak zelden tegen ons en als ze iets zei was het alleen om te vragen of we voor elke maaltijd en voor het naar bed gaan hadden gebeden, en gisteren een pagina uit de Bijbel hadden gelezen.

'Nee,' zei Chris op een ochtend, 'we lezen geen pagina – we lezen een heel hoofdstuk. Als u het lezen in de Bijbel een vorm van straf vindt, vergist u zich. We vinden het enorm boeiend. Het is bloederiger en wellustiger dan alle films die we ooit hebben gezien, en er wordt meer over zonde gepraat dan in alle boeken die we hebben gelezen.'

'Hou je mond, jij!' snauwde ze tegen hem. 'Ik vroeg het aan je zuster, *niet aan jou!*'

Dan vroeg ze mij een citaat op te zeggen dat ik had geleerd, en op die manier konden we haar mooi voor de gek houden, want als je maar goed genoeg zocht kon je in de Bijbel uitspraken vinden die op alles van toepassing zijn. Op een bepaalde ochtend antwoordde ik: 'Waarom hebt Gij goed met kwaad vergolden? Genesis 44:4.'

Ze keek kwaad, draaide zich met een ruk om en verdween. Het duurde een paar dagen voor ze tegen Chris snauwde, zonder hem aan te kijken en met haar rug naar hem toe: 'Zeg een citaat op uit het boek Job. En probeer maar niet me voor de gek te houden en net te doen of je de Bijbel leest als het niet waar is!'

Chris was goed voorbereid en antwoordde vol vertrouwen: 'Job 28:12 – Maar de wijsheid – waar wordt zij gevonden, en waar toch is de verblijfplaats van het inzicht?' Job 28:28 – Zie, de vreze des Heren, dat is wijsheid, en van het kwade te wijken is inzicht.
Job 31:35 – Ach, dat toch iemand naar mij luistere! Ziehier mijn ondertekening – de Almachtige antwoordde mij – ook het stuk dat mijn tegenpartij heeft geschreven. Job 32:9 – Niet de bejaarden hebben de wijsheid, en niet de ouden verstaan wat recht is.'

Hij zou nog eindeloos zo zijn doorgegaan, maar grootmoeders gezicht zag rood van woede. Ze vroeg Chris nooit meer uit de Bijbel te citeren. Tenslotte vroeg ze het ook niet meer aan mij, want ik weet ook wel met een toepasselijk citaat voor den dag te komen.

Mamma kwam elke avond om een uur of zes, ademloos en altijd even gehaast. Ze was beladen met geschenken, nieuwe dingen om te doen, nieuwe boeken om te lezen, nieuwe spelletjes om te spelen. Daarna ging ze er als een haas vandoor om een bad te nemen en zich in haar suite te verkleden voor het diner beneden, waar een butler en een dienstmeisje aan tafel serveerden. Naar ze ons vertelde leken er ook vaak gasten mee te eten.

'Er worden veel zaken gedaan tijdens lunches en diners,' legde ze uit.

De beste momenten waren als ze stiekem kleine hapjes en lekkere hors d'oeuvre boven bracht, maar snoepgoed nam ze nooit mee, want we mochten geen gaatjes krijgen in onze tanden.

Alleen op zaterdag en zondag kon ze wat langer bij ons blijven. Dan ging ze aan ons kleine tafeltje zitten en lunchte met ons. Op een keer sloeg ze op haar maag. 'Kijk eens hoe dik ik word. Dat komt omdat ik moet lunchen met mijn vader. En dan zeg ik dat ik een middagslaapje wil doen, zodat ik boven kan komen om nog een keer met mijn kinderen te eten.'

Die maaltijden met mamma vond ik heerlijk, want ze deden me denken aan vroeger, toen pappa nog leefde.

Op een zondag kwam mamma binnen, fris ruikend naar de buitenlucht, met een pak vanilleijs en een chocoladecake van de banketbakker. Het ijs was praktisch helemaal gesmolten, maar we aten het toch. We smeekten haar de hele nacht te blijven, tussen Carrie en mij in te slapen, zodat we 's morgens wakker konden worden en haar zien. Maar ze keek om zich heen in de rommelige slaapkamer en schudde het hoofd. 'Het spijt me, maar het kan niet, echt niet. De dienstmeisjes zouden zich afvragen waarom mijn bed niet beslapen was. En drie in een bed is toch werkelijk te veel.'

'Mamma,' vroeg ik, 'hoe lang duurt het nog? We zijn hier nu al twee weken – en het lijken wel twee jaren. Heeft grootvader je nog steeds niet vergeven dat je met pappa getrouwd bent? Heb je hem nog niet over ons verteld?'

'Mijn vader heeft me een van zijn auto's gegeven om in te rijden,' zei ze ontwijkend. 'En ik denk dat hij het me wel zal vergeven, want anders zou ik zijn auto niet mogen gebruiken en niet onder zijn dak slapen en zijn voedsel eten. Maar nee, ik durf hem nog niet te vertellen dat ik vier kinderen verstopt heb. Dat moet ik heel voorzichtig voorbereiden. Jullie moeten nog even geduld hebben.'

'Wat zou hij doen als hij van ons bestaan wist?' vroeg ik, zonder op Chris te letten, die fronsend naar me keek. Hij had al tegen me gezegd dat mamma ons niet meer elke dag zou komen opzoeken als ik zoveel bleef vragen. Wat moesten we dan beginnen?

'God mag weten wat hij zou doen,' fluisterde ze angstig. 'Cathy, beloof me dat je zult oppassen dat de bedienden niets horen! Hij is een wreed, harteloos mens, die heel veel macht heeft. Ik moet het juiste moment afwachten.'

Ze ging om zeven uur weg, en even daarna gingen wij naar bed. We gingen vroeg naar bed, want we stonden vroeg op. En hoe langer je kon slapen, hoe korter de dagen waren. We sleepten de tweeling mee naar zolder zodra het tien uur was geweest. Het onderzoeken van de reusachtige zolder was een van de beste manieren om de tijd door te komen. Er stonden twee piano's. Cory klom op een rond krukje dat je hoger of lager kon draaien en tolde in het rond. Hij beukte op de vergeelde pianotoetsen, hield zijn hoofd schuin en luisterde aandachtig. De piano was ontstemd en hij maakte zo'n wanstaltig lawaai dat het pijn aan je hoofd deed. 'Klinkt niet goed,' zei hij. 'Waarom klinkt dat niet goed?'

'Hij moet gestemd worden,' zei Chris en probeerde hem te stemmen. Maar toen braken de snaren. Dat was het einde van onze pogingen om muziek te maken op twee oude piano's. Er stonden vijf Victrola's, allemaal met een klein wit hondje dat zijn kopje schattig schuin hield, alsof hij verrukt was over de muziek die hij hoorde – maar slechts een van de machines functioneerde. We wonden hem op, zetten een afgesleten grammofoonplaat op en luisterden naar de merkwaardigste muziek die we ooit hadden gehoord!

Er lagen stapels en stapels platen van Enrico Caruso, maar jammer genoeg was er niet goed voor gezorgd, ze lagen gewoon op de grond gestapeld, niet eens in kartonnen dozen.

We zaten in een halve kring eromheen en luisterden naar hem. Christopher en ik wisten dat hij de grootste zanger was die ooit had geleefd en nu hadden we eindelijk de kans hem te horen. Zijn stem was zo hoog dat hij vals klonk en we vroegen ons af wat er zo geweldig aan hem was. Maar om een of andere vreemde reden was Cory er dol op. Na een tijdje liep de grammofoon af en Caruso's stem ging over in een vreemd gejammer; dan rende een van ons er naar toe om de grammofoon zo stevig op te winden dat hij heel snel en raar begon te zingen, zodat hij net als Donald Duck leek, en de tweeling begon te lachen. Natuurlijk. Het was de manier waarop zij praatten, hun geheime taal.

Cory bracht al zijn dagen door op zolder en speelde de grammofoonplaten. Maar Carrie was rusteloos, altijd ontevreden, altijd op zoek naar iets beters.

'Ik hou niet van *deze nare plaats*!' jammerde ze voor de duizendste keer. 'Haal me hier vandaan, uit *deze na-are plaats! Nu! Ik wil dat je me nu weghaalt! Haal me hier vandaan of ik schop de muren omver. Ik doe het! Ik kan het, ik kan het echt!*'

Ze rende naar de muren en viel er op aan met haar kleine voetjes en zwaaiende vuistjes die ze lelijk bezeerde voor ze het opgaf.

Ik had medelijden met haar en met Cory. We zouden allemaal de muren wel willen omtrappen en ontsnappen. Maar in het geval van Carrie was het waarschijnlijker dat de muren zouden omvallen door het geweld van haar krachtige stem, zoals de muren van Jericho door het trompetgeschal.

Het was een opluchting als Carrie de gevaren van de zolder trotseerde en de weg zocht naar de trap, om in de slaapkamer beneden met haar poppen te gaan spelen en haar theekopjes en fornuisje en de kleine strijkplank met het strijkijzer dat niet warm werd.

Voor het eerst konden Cory en Carrie een paar uur buiten elkaar, en Chris zei dat dat heel goed was. Boven op zolder was de muziek waar Cory dol op was, terwijl Carrie beneden tegen haar 'dingen' babbelde.

Vaak een bad nemen was een andere manier om de tijd door te komen en je haar wassen maakte dat het langer duurde – o, we waren de schoonste kinderen die er op twee benen rondliepen. We sliepen na de lunch, zo lang we het maar konden rekken. Chris en ik hielden een wedstrijd in het appel schillen zodat de schil er in één lange spiraal af kwam. We schilden sinaasappels en verwijderden alle witte velletjes waar de tweeling zo'n hekel aan had. We hadden kleine doosjes kaascrackers die we eerlijk in vieren verdeelden.

Ons gevaarlijkste en amusantste spel was grootmoeder naäpen – we waren altijd bang dat ze plotseling binnen zou komen als we een vuil grauw laken van de zolder hadden omgeslagen dat haar grijze jurk moest voorstellen. Chris en ik waren er het beste in. De tweeling was zo bang voor haar dat ze zelfs niet op durfden kijken als ze in de kamer was.

'Kinderen!' snauwde Chris terwijl hij bij de deur stond met een onzichtbare picknickmand in de hand. 'Zijn jullie fatsoenlijk, eerbaar, netjes geweest? Deze kamer is een bende! Meisje – jij daar – strijk dat kussen glad voor ik je verpletter met de woedende blik uit mijn ogen!'

'Dank u, grootmoeder!' riep ik. Ik liet me op mijn knieën vallen en kroop naar haar toe met mijn handen onder mijn kin gevouwen. 'Ik was doodmoe omdat ik alle muren op zolder heb geboend. Ik moest even rusten.'

'Rusten!' snauwde grootmoeder bij de deur. Ze stond op het punt haar jurk te verliezen. 'Er bestaat geen rust voor de slechten, corrupten, goddelozen en onwaardigen – er is alleen maar werk tot je dood bent en eeuwig in de hel zult branden!' Toen tilde hij zijn armen op onder het laken en de tweeling gilde van angst en als een heks verdween de grootmoeder en bleef alleen de grijnzende Chris over.

In de eerste weken werden de seconden gerekt tot uren, al deden we nog zo ons best om bezig te zijn, en we hadden heel wat te doen. Het waren de twijfel en de angst, de hoop en verwachtingen, die ons in spanning hielden, terwijl we wachtten, wachtten – maar we waren nog geen stap dichter bij onze vrijlating.

De laatste tijd kwam de tweeling naar *mij* toe gehold met hun wondjes en blauwe plekken en de splinters uit de half vergane planken op zolder. Ik haalde ze er voorzichtig uit met een pincet, Chris behandelde de wondjes met een ontsmettingsmiddel en plakte de pleisters erop, waar ze allebei mateloos trots op waren. Een gewonde pink was voldoende reden om vertroeteld te willen worden, en met een slaapliedje naar bed gebracht. Ik gaf hun een zoen en kietelde ze om ze aan het lachen te maken. Hun kleine armpjes werden stevig om mijn hals geslagen. Ze hielden van me, ze hielden erg veel van me... en ik was nodig.

Onze tweeling leek meer op kinderen van drie dan van vijf jaar. Niet in de manier waarop ze praatten, maar in de manier waarop ze met hun knuistjes in hun ogen wreven en pruilden als ze hun zin niet kregen, en in de manier waarop ze hun adem inhielden tot ze paars aanliepen en je zo probeerden te dwingen toe te geven. Ik was er veel gevoeliger voor dan Chris, die redeneerde dat het onmogelijk was op die manier te stikken. Maar ik vond het afschuwelijk als ze zo paars werden.

'Als ze het de volgende keer weer doen,' vertelde hij me onder vier ogen, 'dan moet je ze negeren, zelfs al moet je daarvoor naar de badkamer gaan en de deur op slot doen. En geloof me maar, ze gaan heus niet dood.'

En dat was precies wat ik deed – en ze gingen niet dood.

Dat was de laatste keer dat ze die stunt uithaalden om iets niet te hoeven eten dat ze niet lekker vonden – en ze vonden niets lekker, of bijna niets.

Carrie had de holle rug die alle kleine meisjes hebben, haar buikje stak naar voren, en ze vond het heerlijk om door de kamer te huppelen en haar rokken omhoog te houden zodat haar onderbroek met strookjes te zien kwam. (Ze wilde alleen maar broeken met kanten ruches dragen.) En als ze geborduurd waren met kleine roosjes versierd, moest je haar zeker wel tien keer op een dag bewonderen en haar vertellen hoe lief ze er uitzag in haar onderbroekje.

Natuurlijk droeg Cory slipjes, net als Chris, waar hij erg trots op was. Ergens in zijn achterhoofd herinnerde hij zich de luiers die nog niet zo lang geleden waren afgeschaft. Hij had gauw last van zijn blaas, maar Carrie kreeg diarree zodra ze een klein stukje fruit at, behalve sinaasappels. Ik haatte de dagen waarop we perziken en druiven kregen, want Carrie was dol op groene druiven zonder pitten en perziken en appels... en alle drie hadden dezelfde uitwerking. Ik verbleekte als er fruit kwam, in de wetenschap dat ik degene was die de broekjes met kant en ruches zou moeten wassen, tenzij ik zo snel reageerde dat ik Carrie onder mijn arm kon nemen en nog net bijtijds neerploffen op de WC. Chris lachte zich een ongeluk als ik het niet haalde. Hij hield de blauwe vaas bij de hand, want als Cory naar het toilet moest, moest hij ook onmiddellijk, en de hemel beware ons als er een meisje op het toilet zat met de deur op slot. Meer dan eens had hij in zijn broek geplast, en dan verborg hij zijn hoofd in mijn schoot, zo schaamde hij zich. (Carrie schaamde zich nooit – mijn schuld dat ik niet vlug genoeg was.)

'Cathy, wanneer kunnen we naar buiten?' fluisterde hij na zo'n ongelukje.

'Zodra mamma zegt dat het mag.'

'Waarom zegt mamma dat dan niet?'

'Er is beneden een oude man die niet weet dat wij hier boven zijn. En we moeten wachten tot hij mamma weer lief vindt, lief genoeg om ook ons te willen hebben.'

'Wie is die oude man?'

'Onze grootvader.'
'Lijkt hij op grootmoeder?'
'Ja, ik ben bang van wel.'
'Waarom vindt hij ons niet aardig?'
'Hij vindt ons niet aardig omdat... omdat, nou ja, omdat hij niet helemaal goed bij zijn hoofd is. Ik denk dat hij ziek is in zijn hoofd en in zijn hart.'
'Houdt mamma nog steeds van ons?'
En dat was de vraag die me 's nachts wakker hield.

Er waren weken voorbijgegaan en toen volgde er een zondag waarop mamma overdag niet kwam. We waren verdrietig omdat ze niet bij ons was, terwijl we wisten dat ze vrij had en ergens in huis was.

Ik lag plat op mijn buik te lezen op de grond, waar het koeler was en Chris was op zolder, op zoek naar nieuwe boeken, en de tweeling kroop rond en duwde autootjes voor zich uit.

De dag ging langzaam voorbij. Het werd avond en eindelijk ging de deur open en kwam mamma de kamer binnen in tennisschoenen, een witte short en een wit truitje met een zeemanskraag, die was afgezet met rood en blauw gevlochten band en waarop een anker geborduurd was. Haar gezicht zag roodbruin van de zon en de buitenlucht. Ze zag er zo gezond, zo gelukkig uit, terwijl wij wegkwijnden en half ziek waren van de drukkende hitte in de kamer.

Zeilkleren – o, ik kende ze wel – dát had ze dus gedaan. Ik keek vol wrok naar haar, ik wou dat mijn huid zo gebruind was door de zon, mijn benen zo'n gezonde kleur hadden als de hare. Haar haren waren verward door de wind, en het stond haar goed, ze leek wel tien keer mooier, aantrekkelijk, sexy. En ze was al oud, bijna veertig.

Het was duidelijk dat ze deze middag meer plezier had gehad dan enige andere dag sinds vaders dood. En het was bijna vijf uur. Om zeven uur werd beneden het diner geserveerd. Dat betekende dat ze maar heel weinig tijd voor ons zou hebben voor ze naar haar eigen kamers ging, om te baden en zich te verkleden voor het eten.

Ik legde mijn boek opzij en ging overeind zitten. Ik had verdriet en ik wilde haar ook verdriet doen: 'Waar ben je geweest?' vroeg ik op onaangename toon. Met welk recht maakte zij plezier terwijl wij opgesloten zaten en niets leuks konden doen? Ik zou nooit meer een zomer meemaken dat ik twaalf was, en Chris zou nooit meer veertien zijn en de tweeling geen vijf.

De hatelijke, beschuldigende klank in mijn stem deed haar schrikken. Ze verbleekte en haar lippen trilden. Misschien had ze er nu wel spijt van dat ze een grote kalender voor ons had meegebracht, zodat we zouden weten wanneer het zaterdag of zondag was. De kalender stond vol met onze grote rode kruisen om de dagen van onze gevangenschap af te tellen, onze hete, eenzame, spannende, verdrietige dagen.

Ze plofte neer op een stoel, sloeg haar mooie benen over elkaar en pakte een tijdschrift om zich koelte toe te wuiven. 'Het spijt me dat ik jullie heb laten wachten,' zei ze met een lieve glimlach naar mij. 'Ik had vanmorgen langs willen komen om jullie te bezoeken, maar mijn vader eiste al mijn aandacht op, en ik had al plannen gemaakt voor vanmiddag, hoewel ik eerder ben teruggekomen om vóór het eten nog wat tijd te kunnen doorbrengen met mijn kinderen.' Hoewel ze niet transpireerde hief ze een mouwloze arm op en waaierde haar oksel koelte toe, alsof deze kamer meer was dan ze kon verdragen. 'Ik heb gezeild, Cathy,' zei ze. 'Mijn broers hebben me leren zeilen toen ik negen was, en toen je vader hier kwam wonen heb ik het hem geleerd. We waren vaak op het meer. Zeilen lijkt wel wat op vliegen... het is erg prettig,' eindigde ze mat, beseffend dat háár plezier ons *ons* plezier had ontnomen.

'Zeilen?' Ik schreeuwde bijna. 'Waarom was je niet beneden om grootvader over ons te vertellen? Hoe lang ben je van plan ons hier op te sluiten? Voorgoed?'

Haar blauwe ogen gleden zenuwachtig door de kamer; ze leek op het punt te staan overeind te komen uit de stoel, die we zelden gebruikten en voor haar bewaarden – hij was haar troon. Misschien zou ze op datzelfde moment zijn vertrokken als Chris niet net beneden was gekomen van de zolder beladen met encyclopedieën, die zó oud waren dat er nog geen televisie of straalmotoren in stonden.

'Cathy, je mag niet schreeuwen tegen mamma!' zei hij bestraffend. 'Hallo, mams. Tjee, wat zie jij er geweldig uit! Die zeilkleren staan je goed.' Hij legde zijn stapel boeken op de toilettafel, die hij als bureau gebruikte, liep naar haar toe en sloeg zijn armen om haar heen. Ik voelde me verraden, niet alleen door mamma, maar ook door mijn broer. De zomer was bijna voorbij en we hadden niets gedaan, we hadden niet gepicknickt en niet gezwommen of in het bos gewandeld, we hadden zelfs geen boot gezien of een badpak aan gehad om in het zwembad in de tuin te spelen.

'Mamma!' riep ik uit, en sprong overeind. Ik was bereid te vechten voor mijn vrijheid. 'Ik geloof dat het tijd wordt dat je je vader over ons vertelt! Ik kan het niet langer verdragen in deze ene kamer te moeten leven en op zolder te spelen! De tweeling moet naar buiten, in de buitenlucht spelen, in de zon, en ik wil ook naar buiten! Ik wil ook gaan zeilen! Als grootvader jou heeft vergeven dat je met pappa getrouwd bent, waarom kan hij óns dan niet accepteren? Zijn we zo lelijk, zo afschrikwekkend, zo stom, dat hij zich schaamt dat we familie van hem zijn?'

Ze duwde Chris van zich af, ging zwakjes op de stoel zitten waaruit ze zojuist was opgestaan, leunde naar voren en verborg haar gezicht in haar handen. Intuïtief wist ik dat ze een waarheid zou gaan onthullen die ze tot dusver verborgen had gehouden. Ik riep Cory en Carrie en zei dat ze naast me moesten komen zitten, zodat ik mijn armen om hen kon heenslaan. En Chris, van wie ik had gedacht dat hij dicht bij mamma zou blijven, kwam op het bed naast Cory zitten. We waren weer de kleine jonge vogeltjes op een waslijn, die wachtten op de windstoot die hen uit elkaar zou jagen.

'Cathy, Christopher,' begon ze met gebogen hoofd, al bewoog ze haar handen zenuwachtig in haar schoot, 'ik ben niet helemaal eerlijk tegen jullie geweest.'

Alsof ik dat niet al had geraden.

'Blijf je vanavond bij ons eten?' vroeg ik. Om de een of andere reden wilde ik de waarheid nog wat uitstellen.

'Ik ben blij dat je me dat vraagt. Ik zou graag willen blijven, maar ik heb andere plannen voor vanavond.'

En dit was *onze* dag, die ze met ons doorbracht tot het donker werd. En gisteren was ze maar een half uur bij ons geweest.

'De brief,' mompelde ze. Ze hief haar hoofd op en haar ogen versomberden van blauw tot groen, 'de brief die mijn moeder me schreef toen we nog in Gladstone waren. In die brief nodigde ze ons uit om hier te komen wonen. Ik heb jullie niet verteld dat mijn vader een kort P.S. had geschreven.'

'Ga door mamma,' drong ik aan. 'Wat het ook is, we kunnen ertegen.'

Onze moeder was een evenwichtige vrouw, koel en beheerst. Maar één ding kon ze nooit in bedwang houden, en dat waren haar handen. Die verrieden altijd haar gevoelens. Eén eigenzinnige hand bewoog zich tastend naar haar hals, zocht naar een parelketting die ze rond haar vingers kon draaien, en omdat ze geen sieraden droeg bleven haar vingers zoeken. De vingers van de hand die ze in haar schoot hield wreven rusteloos tegen elkaar, of ze elkaar schoon wilden wassen.

'Je grootmoeder schreef de brief, ondertekende hem, maar aan het eind schreef je grootvader een P.S.' Ze aarzelde, sloot haar ogen, wachtte even, opende ze toen weer en keek naar ons. 'Je grootvader schreef dat hij blij was dat je vader dood was. Hij schreef dat het enige goede aan mijn huwelijk was dat ik geen duivelsgebroed had geschapen.'

Vroeger zou ik hebben gevraagd: 'Wat is dat?' Nu wist ik het. Duivelsgebroed was iets dat van de duivel stamde – iets slechts, verdorvens, geboren om slecht te zijn.

Ik zat op bed met mijn armen rond de tweeling geslagen, en ik keek naar Chris, die zo op pappa scheen te lijken toen die zo oud was. Ik kreeg een visioen van mijn vader in zijn witte tenniskleren, lang, trots, met goudblond haar en een bronskleurige huid. Wat slecht was, was donker, krom, laag en klein – dat stond niet kaarsrecht en lachte naar je met heldere hemelsblauwe ogen die nooit logen.

'Mijn moeder schreef over haar plan om jullie te verbergen op een bladzijde van de brief die mijn vader niet heeft gelezen,' eindigde ze met een vuurrood gezicht.

'Vond hij vader slecht en verdorven, alleen maar omdat hij met zijn halfnichtje trouwde?' vroeg Chris, op dezelfde beheerste, koele toon van mijn moeder. 'Is dat het enige verkeerde dat hij heeft gedaan?'

'Ja!' riep ze uit, gelukkig dat hij, haar geliefde zoon, het begreep. 'Je vader heeft in zijn hele leven maar één onvergeeflijke zonde begaan – en dat was op mij verliefd te worden. De wet verbiedt een huwelijk tussen oom en nicht, zelfs al zijn ze maar half verwant. Veroordeel ons alsjeblieft niet. Ik heb je uitgelegd hoe het is gegaan. Van ons allemaal was je vader de beste...' Ze stotterde, stond op het punt in tranen uit te barsten, smeekte met haar ogen, en ik wist, ik *wist* wat er nu zou volgen.

'Wat slecht en verdorven is, ligt in het oog van de waarnemer,' ging ze snel verder, verlangend haar standpunt duidelijk te maken. 'Je grootvader zou nog fouten vinden in een engel. Hij is het soort man die verlangt dat iedereen in zijn familie volmaakt is, terwijl hijzelf verre van volmaakt is. Maar probeer hem dat maar eens aan zijn verstand te brengen, hij zou je vermorzelen.' Ze slikte zenuwachtig. Het leek of ze misselijk werd bij de gedachte aan hetgeen ze moest gaan zeggen. 'Christopher, ik dacht dat als we eenmaal hier waren, en ik hem kon vertellen dat jij de knapste leerling van de klas was en altijd de beste cijfers had, en hij zou Cathy zien en weten dat ze zo'n aanleg heeft voor ballet – ik dacht dat alleen dat al genoeg zou zijn, zonder dat hij zelfs de tweeling nog maar had gezien, die zo mooi en lief zijn – en wie weet hoeveel talent hebben? Ik was dom genoeg om te geloven dat hij toe zou geven dat hij zich vergist had toen hij zei dat ons huwelijk verkeerd was.'

'Mamma,' zei ik zwakjes, zelf bijna huilend, 'je doet net of je het hem nooit zult vertellen. Hij zal ons nooit aardig vinden, al is de tweeling nog zo lief en Chris nog zo intelligent en al kan ik nog zo goed dansen. Het zal allemaal geen enkel verschil maken. Hij zal ons blijven haten en ons als duivelsgebroed beschouwen!'

Ze stond op en liep naar ons toe. Ze liet zich op haar knieën vallen en probeerde ons alle vier tegelijk te omhelzen. 'Ik heb je toch gezegd dat hij niet lang meer te leven heeft? Hij snakt naar adem zodra hij zich maar even inspant. En als hij niet gauw dood gaat, zal ik een manier weten te vinden om hem te vertellen over jullie bestaan. Ik zweer het je. Wees geduldig. Heb begrip. Alle pleziertjes die je nu misloopt zal ik later duizendvoudig vergoeden!'

Haar betraande ogen keken ons smekend aan. 'Alsjeblieft, alsjeblieft, doe het voor mij, omdat je van me houdt en ik van jullie hou! Heb nog wat geduld. Het zal niet lang meer duren, het kán niet lang meer duren en ik zal mijn best doen jullie leven zo plezierig mogelijk te maken. En denk eens aan alle rijkdom die we straks zullen hebben!'

'Het is goed, mamma,' zei Chris, en omhelsde haar, zoals mijn vader vroeger zou hebben gedaan. 'Wat je verlangt is niet zoveel, niet als we zoveel te winnen hebben.'

'Ja,' zei mamma gretig. 'Nog even maar, nog een kleine opoffering en nog een klein beetje geduld, en dan zal jullie leven prettig en goed worden.'

Wat kon ik nog zeggen? Hoe kon ik protesteren? We hadden al meer dan drie weken opgeofferd – wat betekenden dan nog een paar dagen, of weken, of zelfs een maand langer?

Aan het eind van de regenboog wachtte de pot met goud. Maar regenbogen waren vluchtig en ijl – en goud woog een ton – en sinds het ontstaan van de wereld draaide alles om goud.

DE AANLEG VAN EEN TUIN

Nu wisten we de volle waarheid.

We zouden in deze kamer blijven tot de dag waarop grootvader zou sterven. 's Nachts, als ik me somber en gedeprimeerd voelde, vroeg ik me af of ze niet van het begin af aan had geweten dat haar vader niet het soort man was om iets te vergeven.

'Maar,' zei mijn opgewekte optimistische Christopher, 'hij kan elk moment doodgaan. Zo gaat het met hartpatiënten. Een klontje bloed dat losraakt en in het hart of de long terechtkomt, en hij is er geweest.'

Chris en ik zeiden wrede en oneerbiedige dingen onder elkaar, maar in ons hart hadden we verdriet; we wisten dat het verkeerd was en we waren alleen maar oneerbiedig om de pijn te verzachten en ons gevoel van eigenwaarde te herstellen.

'Hoor eens,' zei hij, 'nu we hier toch nog langer moeten blijven, moeten we beter ons best doen om de tweeling tevreden te stellen, leukere dingen met ze doen. Als we ons werkelijk erop toeleggen, zullen we best wat gekke dingen kunnen verzinnen.'

Als je een zolder vol rommel hebt en grote kasten vol rottende, stinkende, maar wel heel fantastische kostuums, ga je natuurlijk toneelstukken opvoeren. En omdat ik later aan het toneel wilde, zou ik producer, choreografe en hoofdrolspeelster zijn. Chris zou natuurlijk alle mannelijke hoofdrollen moeten spelen, en de tweeling kon meedoen in de kleinere rollen.

Maar ze wilden niet meedoen! Ze wilden het publiek zijn en kijken en applaudisseren.

Het was niet eens zo'n slecht idee, want wat is een toneelstuk zonder publiek! Het was erg jammer dat ze geen geld hadden om kaartjes te kopen.

'We zullen het een generale repetitie noemen,' zei Chris, 'en omdat jij al alle andere functies schijnt te hebben en alles weet over theateropvoeringen, mag jij ook het scenario schrijven.'

Ha! Alsof ik een scenario hoefde te schrijven. Dit was mijn grote kans om Scarlett O'Hara te spelen. We hadden de crinolines, om onder de wijde rokken met stroken te dragen, de korsetten om je in te rijgen, en de kleren die Chris moest dragen, en ook fraaie parasols met een paar gaatjes. De hutkoffers en kasten boden een ruime keus. Ik moest het mooiste kostuum hebben, dat we uit een van de kasten haalden, terwijl we het ondergoed en de onderrokken in een van de hutkoffers vonden. Ik had mijn haar gekruld met papillotten, zodat het in lange pijpekrullen hing, en op mijn hoofd droeg ik een slappe grote strohoed met verschoten zijden bloemen en afgezet met groen satijnen lint dat aan de randen bruin verkleurd was. Mijn jurk met stroken die ik over de crinoline droeg was van een dunne stof die op voile leek. Ik denk dat het vroeger roze was geweest, maar nu was moeilijk te zeggen welke kleur het was.

Rhett Butler droeg een kostuum met een crèmekleurige broek en een bruin fluwelen jasje met vage rode rozen. 'Kom Scarlett,' zei hij tegen me, 'we moeten uit Atlanta ontsnappen voordat Sherman hier komt en de stad in brand steekt.'

Chris had touwen gespannen waarover de lakens hingen die als toneelgordijnen dienst moesten doen, en ons publiek van twee toeschouwers stampte ongeduldig met zijn voeten. Ze wilden Atlanta zien branden. Ik volgde Rhett het 'toneel' op, gereed hem te plagen en uit te dagen, te flirten en te beheksen, en *hem* in vuur en vlam te zetten, alvorens weg te rennen naar een lichtblonde Ashley Wilkes, maar een van de gehavende ruches van mijn rok bleef haken onder mijn te grote, malle oude schoen, en ik plofte languit op de grond, waarbij een vuile pantalon met gescheurde kant te zien kwam. Het publiek gaf me een staande ovatie, ze dachten dat het opzet was en erbij hoorde. 'Het stuk is uit!' kondigde ik aan en begon de stinkende oude kleren uit te trekken.

'Laten we gaan eten!' riep Carrie, die altijd alles deed om ons weg te krijgen van de door haar zo verfoeide zolder.

Cory stak pruilend zijn onderlip naar voren en keek om zich heen. 'Ik wou dat we weer een tuin hadden,' zei hij zo weemoedig dat het mij door het hart ging. 'Ik vind het niet leuk om te schommelen als er geen bloemen in de wind zwaaien.' Zijn lichtblonde haar was zo lang geworden dat het krullend op de kraag van zijn hemd viel. Carries golvende haar hing tot halverwege haar rug. Ze droegen blauw vandaag, voor de maandag. We hadden voor elke dag een kleur. Geel was de kleur voor zondag. Rood was voor zaterdag.

Cory's opmerking zette Chris aan het denken, en hij draaide langzaam rond, keek oplettend om zich heen. 'Ik moet toegeven dat deze zolder triest en somber is,' zei hij peinzend, 'maar als we onze creativiteit aan het werk zetten, kunnen we daar best verandering in brengen, dan kunnen we van die lelijke rups best een mooie vlinder maken!' Hij lachte naar mij en naar de tweeling, zo vriendelijk, zo overtuigend, dat ik me onmiddellijk gewonnen gaf. Het *zou* leuk zijn om deze naargeestige plek wat op te vrolijken en de tweeling een kleurige namaaktuin te geven, waar ze konden schommelen en wat schoonheid om zich heen zien. Natuurlijk zouden we nooit de hele zolder kunnen versieren, daarvoor was hij veel te groot – en grootvader kon elk moment overlijden, en dan zouden we weggaan en nooit meer terugkomen.

We konden bijna niet wachten tot mamma 's avonds kwam, en toen ze er was, vertelden Chris en ik haar enthousiast over onze plannen om de zolder te versieren en er een vrolijke tuin van te maken, waar de tweeling niet bang meer zou zijn. Even flikkerde er een merkwaardige glans in haar ogen.

'Wel,' zei ze vrolijk, 'als jullie de zolder mooi willen maken, moeten jullie hem eerst schoonmaken. Ik zal doen wat ik kan om jullie te helpen.' Mamma bracht stiekem zwabbers, vegers, emmers, borstels en pakken zeeppoeder boven. Ze ging op haar knieën naast ons liggen om in de hoeken van de zolder te schrobben en langs de randen en onder de grote meubels. Ik was verbaasd dat moeder kon schrobben en schoonmaken. Toen we in Gladstone woonden kwam er twee keer per week een werkster om al het zware werk te doen, zodat mamma's handen niet rood en ruw zouden worden en haar nagels niet afbraken. En nu lag ze op handen en voeten, in een oude spijkerbroek en een oud hemd, haar haar in een knot, op de grond. Ik had bewondering voor haar. Het was zwaar, warm, vernederend werk – en ze klaagde nooit, lachte alleen maar en babbelde en deed of ze het leuk vond.

Na een week hard werken hadden we het grootste deel van de zolder zo goed mogelijk schoongemaakt. Toen nam ze insecticide mee om al het ongedierte te doden dat zich voor ons verstopt had terwijl we aan het schoonmaken waren. We veegden emmers vol dode spinnen en ander kruipend ongedierte op. We gooiden ze uit een achterraam, waar ze naar een lager gelegen gedeelte van het dak rolden. Later werden ze door de regen in de goten gespoeld. Toen vonden de vogels ze en hielden een griezelig feestmaal terwijl wij naast elkaar op de vensterbank zaten en toekeken. We zagen nooit een rat of een muis – maar we zagen wel de keutels. We namen aan dat ze wachtten tot alle herrie voorbij was voor ze zich uit hun donkere, geheime schuilplaats waagden.

Nu de zolder schoon was, bracht mamma ons groene planten en een amaryllis die met kerstmis hoorde te bloeien. Ik fronste mijn voorhoofd toen ze dat zei – want dan zouden we hier niet meer zijn. 'Dan nemen we hem mee,' zei mamma en streelde mijn wang. 'We nemen alle planten mee als we weggaan, dus strijk die frons nu maar weg en kijk niet zo ongelukkig. We willen toch niets dat leeft en van de zon houdt op deze zolder achterlaten.'

We zetten de planten in het schoollokaal, want dat vertrek had ramen op het oosten. Vrolijk en opgewekt liepen we de smalle trap af, en mamma waste zich in onze badkamer en ging toen uitgeput op haar speciale stoel zitten. De tweeling klom op haar schoot, terwijl ik de tafel dekte voor de lunch. Het was een fijne dag, want ze bleef tot het avondeten, toen zuchtte ze en zei dat ze weg moest. Haar vader legde zoveel beslag op haar, wilde weten waar ze elke zaterdag naartoe ging en waarom ze zo lang wegbleef.

'Kun je nog even komen voor we naar bed gaan?' vroeg Chris.

'Ik ga vanavond naar de bioscoop,' zei ze effen, 'maar voor ik wegga kom ik nog even langs. Ik heb een paar van die kleine doosjes rozijnen die je tussen de maaltijden door kunt eten. Ik heb vergeten ze mee te nemen.'

De tweeling was dol op rozijnen, en ik was blij voor ze. 'Ga je alleen naar de bioscoop?' vroeg ik.

'Nee. Met een meisje waarmee ik ben opgegroeid – ze was vroeger mijn beste vriendin en ze is nu getrouwd. Ik ga met haar naar de bioscoop. Ze woont maar een paar huizen hier vandaan.' Ze stond op en liep naar het raam, en toen Chris het licht had uitgedaan, schoof ze de gordijnen open en wees in de richting van het huis waar haar beste vriendin woonde.

'Elena heeft twee ongetrouwde broers, één ervan studeert in Harvard voor advocaat. En de ander is een tennis professional.'

'Mamma!' riep ik uit. 'Heb je een afspraak met een van die broers?'

Ze lachte en liet de gordijnen weer terugvallen. 'Doe het licht maar weer aan, Chris. Nee, Cathy, ik heb met niemand een afspraak. Om je de waarheid te zeggen zou ik liever naar bed gaan, zo moe ben ik. Ik geef toch niet om musicals. Ik zou liever bij mijn kinderen blijven, maar Elena blijft zeuren dat ik uit moet gaan, en als ik steeds weer weiger vraagt ze waarom. Ik wil niet dat de mensen zich afvragen waarom ik de weekends altijd thuis blijf, daarom móet ik zo nu en dan gaan zeilen of naar de bioscoop.'

Dat we erin zouden slagen de zolder gezellig te maken leek erg onwaarschijnlijk – laat staan er een mooie tuin van te maken! We zouden hard moeten zwoegen en er zouden hoge eisen worden gesteld aan onze fantasie, maar die verdraaide broer van me was ervan overtuigd dat we het in een handomdraai voor elkaar zouden hebben. Al gauw had hij mamma zover weten te brengen, dat ze elke dag als ze naar haar cursus ging, kleurboeken meebracht, waaruit we bloemen konden knippen. Ze bracht waterverf, penselen, dozen kleurpotloden, enorme hoeveelheden gekleurd papier, grote potten gluton en vier stompe scharen voor ons mee.

'Leer de tweeling bloemen te kleuren en uit te knippen,' zei ze, 'en laat ze met alles meedoen. Ik benoem jullie tot fröbelonderwijzers.'

Ze kwam uit de stad – een uur rijden met de trein – en straalde gezondheid uit, haar huid was fris en rozig van de buitenlucht, haar kleren waren zo mooi dat ik haar ademloos bekeek. Ze had schoenen in alle kleuren, en langzamerhand verzamelde ze nieuwe sieraden die ze 'namaaksieraden' noemde, maar toch leken die rijnstenen meer op diamanten, zo fonkelden ze. Ze ging in 'haar' stoel zitten, uitgeput, maar gelukkig, en vertelde wat ze die dag gedaan had. 'O, ik wou dat die schrijfmachines letters op de toetsen hadden. Ik kan nooit meer dan één rij onthouden. Ik moet telkens naar de kaart aan de muur kijken, en daarom gaat het zo langzaam; de onderste rij vergeet ik telkens weer. Maar ik weet wel waar de klinkers staan, want die worden vaker gebruikt dan de medeklinkers, zie je. Mijn typesnelheid is op het ogenblik twintig woorden per minuut en dat is niet zo best. En dan maak ik nog ongeveer vier fouten in die twintig woorden. En dat steno...' Ze zuchtte alsof dat te moeilijk voor haar was. 'Nou ja, ik zal het op den duur wel leren; andere vrouwen kunnen het ook, dus waarom ik niet?'

'Heb je aardige leraars, mamma?' vroeg Chris.

Ze giechelde toen ze antwoordde. 'Ik zal je eerst vertellen over mijn typelerares. Ze heet mevrouw Helena Brady. Ze heeft ongeveer hetzelfde figuur als je grootmoeder – iets enorms. Alleen is haar boezem veel groter! Echt, ze heeft de grootste borsten die ik ooit heb gezien! En de schouderbandjes van haar bustehouder glijden steeds weer van haar schouders, en als die het niet zijn, dan zijn het de bandjes van haar onderjurk, en dan grabbelt ze in de halsopening van haar jurk om ze recht te trekken, en dan zitten de mannen in de klas te grinniken.'

'Leren mannen dan ook typen?' vroeg ik verbaasd.

'O, ja, er zijn verscheidene jongemannen bij. Een paar journalisten en schrijvers, en sommigen die een andere reden hebben om te willen typen. Mevrouw Brady is gescheiden en ze heeft een oogje op een van de mannen. Ze flirt met hem, en hij doet zijn best haar te negeren. Ze is minstens tien jaar ouder dan hij, en hij heeft alleen maar belangstelling voor mij. Maar je hoeft je niets in je hoofd te halen, Cathy. Hij is veel te klein voor me. Ik zou nooit met een man kunnen trouwen die me niet kan optillen en me over de drempel dragen. Ik zou hém kunnen optillen – hij is maar één meter vijf en vijftig.'

We moesten er hartelijk om lachen, want pappa was zeker dertig centimeter langer geweest, en hij kon moeder gemakkelijk optillen. We hadden hem dat vaak zien doen, vooral vrijdags, als hij thuiskwam en ze elkaar zo grappig aankeken.

'Mamma, je denkt er toch niet aan om te hertrouwen?' vroeg Chris met een benepen stemmetje. Snel sloeg ze haar armen om hem heen. 'Nee lieverd, natuurlijk niet. Ik heb ontzettend veel van je vader gehouden. Er zou een heel bijzondere man voor nodig zijn om zijn plaats te kunnen innemen, en ik heb nog niemand ontmoet die ook maar in zijn schaduw zou kunnen staan.'

Voor fröbelonderwijzeres spelen was een grote grap, of dat had het kunnen zijn als de leerlingen een beetje hadden meegewerkt. Maar zodra het ontbijt achter de rug was, de borden waren afgewassen en opgeborgen, ons eten op de koudste plaats was opgeborgen en het tien uur was geweest en het personeel van de tweede verdieping was verdwenen, sleurden Chris en ik elk een jammerende tweeling naar het leslokaal op zolder. Daar gingen we aan de lessenaars zitten en maakten een enorme rommel; we knipten bloemen uit het gekleurde papier en versierden ze met strepen en stippen. Chris en ik maakten de mooiste bloemen – wat de tweeling maakte waren gekleurde frutsels.

'Moderne kunst,' zei Chris over de bloemen die zij maakten.

We plakten onze reusachtige bloemen op de doffe grauwe muren. Chris klom weer op de oude ladder met de ontbrekende sporten, om lange stukken touw op te hangen aan de zolderbalken. Aan die touwen bevestigden we de kleurige bloemen die voortdurend bewogen in de tocht.

Moeder kwam ons werk bewonderen en glimlachte verheugd. 'Jullie doen het fantastisch. Het wordt hier werkelijk erg gezellig.' Peinzend liep ze naar de madeliefjes, alsof ze erover piekerde wat ze nog meer voor ons kon meebrengen. En de volgende dag kwam ze met een enorme platte doos met gekleurde glazen kralen en lovertjes, zodat we wat glans en schittering konden aanbrengen in de tuin. We deden verschrikkelijk ons best op die bloemen, want alles wat we ook deden, we deden het met ijver en toewijding. De tweeling werd aangestoken door ons enthousiasme; ze hielden op met huilen en vechten en bijten zodra we het woord zolder noemden. Want de zolder veranderde langzaam maar zeker in een vrolijke tuin. En hoe meer hij veranderde, hoe vaster we van plan waren alle muren van die reusachtige zolder vol te plakken.

Elke dag als mamma thuiskwam van haar cursus moest ze het werk van die dag bewonderen. 'Mamma,' zei Carrie in haar ijle vogelgesjilp, 'dat is het enige wat we de hele dag doen, bloemen maken, en soms wil Cathy niet eens dat we naar beneden gaan om te lunchen!'

'Cathy, je moet niet zo opgaan in het versieren van die zolder dat je vergeet te eten.'

'Maar mamma, we doen het voor de tweeling, zodat ze niet meer zo bang zijn daarboven.'

Ze lachte en omhelsde me. 'Nou, nou, jullie zijn wel hardnekkig, je broer en jij. Dat moeten jullie van je vader hebben, in ieder geval niet van mij. Ik geef er altijd gemakkelijk de brui aan.'

'Mamma!' riep ik ongerust, 'je gaat toch nog wel naar je cursus? Je leert toch nog steeds typen?'

'Ja, natuurlijk.' Ze glimlachte weer, ging wat gemakkelijker zitten en hief haar hand op om haar armband te bewonderen. Ik wilde juist vragen waarom ze zoveel sieraden nodig had om naar die cursus te gaan, maar toen zei ze: 'Nu moeten jullie dieren maken voor de tuin.'

'Maar mamma, we kunnen niet eens rozen maken, hoe moeten we dan *dieren* maken?'

Ze glimlachte even en streek met een koele vinger over mijn neus. 'O, Cathy, wat ben je toch een ongelovige Thomas. Je twijfelt aan alles, terwijl je langzamerhand toch hoort te weten dat je alles kunt wat je wilt, als je het maar graag genoeg wilt. En ik zal jullie een geheim vertellen – in deze wereld, waar alles zo gecompliceerd is, bestaat altijd wel een boek waaruit je kunt leren hoe simpel iets kan zijn.'

Dat zou ik ontdekken.

Mamma bracht tientallen kunstboeken voor ons mee. Een van die boeken leerde ons alle gecompliceerde ontwerpen terug te brengen tot simpele cirkels, cylinders, kegels, vierkanten en rechthoeken. Een stoel was een kubus – dat had ik nooit eerder geweten. Een kerstboom was gewoon een omgekeerde ijshoorn – ook dat had ik nooit geweten. Mensen waren een combinatie van al die basisvormen: een cirkel voor het hoofd, rechthoeken of cylinders voor de armen, halzen, benen en romp, en driehoeken voor de voeten. En het is een feit dat we aan de hand van die methode, met een paar eenvoudige aanvullingen, al gauw konijnen, eekhoorns, vogels en andere kleine lieve diertjes konden maken – allemaal met onze eigen handen.

Ze zagen er soms wel een beetje vreemd uit, maar daardoor waren ze me des te liever. Chris gaf al zijn dieren realistische kleuren. Ik versierde de mijne met stippen, ruiten en strepen, en een leggende hen kreeg een met kant afgezet zakje. Mamma had inkopen gedaan in een fournituren-zaak en daardoor hadden we kant en koord in alle kleuren, knopen, lovertjes, vilt, kiezelsteentjes en andere versiering. De mogelijkheden waren eindeloos. Toen ze me die doos gaf moet alle liefde die ik toen voor haar voelde in mijn ogen te lezen zijn geweest. Want dit bewees dat ze wel degelijk aan ons dacht als ze in de buitenwereld verkeerde. Ze dacht niet alleen aan nieuwe kleren voor haarzelf en nieuwe sieraden en make-up. Ze deed echt haar best ons gevangenisleventje zo prettig mogelijk te maken.

Op een regenachtige middag kwam Cory naar me toe gerend met een oranje papieren slak waaraan hij de hele ochtend en de halve middag ijverig had gewerkt. Hij had maar een klein beetje gegeten van zijn lievelingslunch, boterhammen met pindakaas, zo graag wilde hij weer terug naar zijn slak om die 'dingen die uit zijn kop steken' eraan vast te maken.

Trots bleef hij staan, zijn beentjes wijd uit elkaar, terwijl hij aandachtig naar mij keek om te zien hoe ik zou reageren. Wat hij had gemaakt leek op een ingedeukte strandbal met trillende voelsprieten.

'Vind je het een mooie slak?' vroeg hij bezorgd, toen ik niet zo gauw de juiste woorden kon vinden.

'Ja,' zei ik snel, 'ik vind het een prachtige slak.'

'Vind je niet dat hij op een sinaasappel lijkt?'

'Nee, natuurlijk niet – sinaasappelen hebben toch geen horentjes, zoals een slak?'

Chris kwam erbij om het armzalige wezen te bewonderen dat ik in mijn handen hield. 'Dat zijn geen horentjes,' verbeterde hij me. 'Een slak is een weekdier zonder ruggegraat – en die kleine dingen heten voelsprieten, die zijn verbonden met de hersenen; de slak heeft buisvormige darmen die eindigen bij de bek.'

'Christopher,' zei ik koeltjes, 'als Cory en ik iets willen weten over de buisvormige darmen van een slak, dan zullen we je een telegram sturen, maar doe me een plezier en wacht tot we dat doen.'

'Wil je je leven lang dom blijven?'

'Ja!' viel ik uit. 'Als het om slakken gaat, wil ik geen moer weten!'

Cory liep achter me aan, en samen gingen we naar Carrie, die stukjes paars papier aan elkaar plakte. Zij werkte met de Franse slag, in tegenstelling tot Cory's zorgvuldige geploeter. Carrie nam een schaar en prikte meedogenloos een gat in haar paarse... ding. Achter dat gat plakte ze een stukje rood papier. Toen dat... ding... in elkaar gezet was, noemde ze het een worm. Hij kronkelde als een gigantische boa constrictor en keek vurig uit zijn ene gemene rode oog met zwarte wimpers als spinnepoten. 'Hij heet Charlie,' zei ze, terwijl ze me haar 'worm' van anderhalve meter overhandigde. (Als we iets in handen kregen dat geen eigen naam had lieten we de naam beginnen met een C om ze bij ons te laten horen.)

Op de muren van de zolder, in onze mooie tuin van papieren bloemen, plakten we de epileptische slak naast de woeste, dreigende worm. Ze vormden een mooi paar. Chris ging zitten en schilderde een groot bord met rode letters: ALLE DIEREN OPGEPAST VOOR DE AARDWORM!!!

Ik maakte mijn eigen bord, omdat ik het gevoel had dat Cory's kleine slakje in gevaar verkeerde. IS ER EEN DOKTER IN DE ZAAL? (Cory noemde zijn slak Cindy Lou.)

Lachend bekeek mamma de prestaties van deze dag. Ze was vrolijk gestemd, omdat wij plezier hadden. 'Ja, natuurlijk is er een dokter in de zaal,' zei ze, en boog zich voorover om Chris op de wang te kussen. 'Deze zoon van me heeft altijd geweten wat hij met een ziek dier moest beginnen. En, Cory, ik vind je slak enig – hij ziet er zo... zo gevoelig uit.'

'Vind je Charlie ook leuk?' vroeg Carrie ongerust. 'Ik heb hem gemaakt. Ik heb al het paars gebruikt om hem groot te maken. Nu hebben we geen paars meer.'

'Het is een mooie worm, echt een geweldige worm,' zei mamma, die de tweeling op schoot nam en ze omhelsde en zoende, wat ze soms vergat. 'Vooral die zwarte wimpers om dat rode oog vind ik erg effectief.'

Het was een gezellig huiselijk tafereel, alle drie in haar stoel, Chris op de armleuning, zijn gezicht vlak bij dat van zijn moeder. Maar natuurlijk moest ik het weer bederven, zoals mijn gewoonte was.

'Hoeveel woorden kun je nu per minuut typen, mamma?'

'Het gaat al beter.'

'Hoeveel beter?'

'Ik doe mijn best, echt, Cathy – ik heb je toch gezegd dat het toetsenbord geen letters heeft.'

'En steno – hoe snel kun je een dictaat opnemen?'

'Ik probeer het zo snel mogelijk. Je moet geduld hebben. Je leert zoiets niet van de ene dag op de andere.'

Geduld. Ik kleurde geduld grijs, met zwarte wolken erboven. Ik kleurde de hoop geel, net als de zon die we 's morgens heel even konden zien. Al te snel rees de zon hoog in de hemel en verdween uit het gezicht en liet ons berooid achter, starend naar het blauw.

Als je opgroeit en duizend volwassen dingen te doen hebt vergeet je hoe lang een dag kan duren voor een kind. Het leek of we in zeven weken vier jaar lang doorleefden. Toen kwam er weer een gevreesde vrijdag en moesten we 's morgens voor dag en dauw op en als gekken in de slaapkamer en de badkamer rondrennen om alle sporen van ons bestaan te verwijderen. Ik haalde de lakens van het bed en rolde ze in een bal met de kussenslopen en dekens, en legde de spreien over de matrassen, zoals grootmoeder me had bevolen. De avond tevoren had Chris de treinrails uit elkaar gehaald. We werkten ons een ongeluk om de kamer en de badkamer netjes te maken. Daarna kwam grootmoeder binnen met de picknickmand en beval ons die mee naar zolder te nemen, waar we konden ontbijten. Ik had zorgvuldig al onze vingerafdrukken afgeveegd, en het mahoniehouten meubilair glansde. Ze trok een lelijk gezicht toen ze dat zag en strooide stof uit een stofzak erover om de meubels weer dof te maken.

Om zeven uur waren we in het leslokaal op zolder en aten onze koude pap met rozijnen en melk. Beneden hoorden we de dienstmeisjes in onze kamer. Op onze tenen slopen we naar het trapgat en gingen op de bovenste tree zitten luisteren naar wat er beneden gebeurde, hoewel we doods-

benauwd waren dat we ontdekt zouden worden.
Ik hoorde de meisjes rondlopen, lachen en babbelen, terwijl grootmoeder in de buurt van de kast bleef en aanwijzingen gaf om de spiegels schoon te maken, de meubels in de was te zetten, de matrassen te luchten – het gaf me allemaal een vreemd gevoel. Waarom viel die meisjes niets op? Konden ze dan echt niet ruiken dat Cory vaak in zijn bed plaste? Het leek of we *werkelijk* niet bestonden, niet leefden, alleen maar in onze verbeelding. We sloegen de armen stevig om elkaar heen en bleven dicht tegen elkaar aan zitten.
De dienstmeisjes kwamen niet in de kast; ze maakten de hoge, smalle deur niet open. Ze zagen en hoorden ons niet, en ze schenen het ook niet vreemd te vinden dat grootmoeder de kamer geen seconde verliet terwijl zij bezig waren het bad en het toilet schoon te maken en de tegelvloer te schrobben.
Die vrijdag had een merkwaardige uitwerking op ons. Ik geloof dat we in onze eigen achting daalden, want later wisten we niets te zeggen. We hadden geen zin in spelletjes of lezen, en dus knipten we zwijgend tulpen en madeliefjes uit en wachtten tot mamma zou komen om ons weer wat hoop te geven.
Maar we waren jong en de hoop is onuitroeibaar in de jeugd. Toen we weer op zolder kwamen en naar onze groeiende tuin keken, konden we weer lachen en net doen alsof. We drukten toch ons stempel op de wereld. We maakten iets moois van iets dat grauw en lelijk was.
De tweeling danste als vlinders door de bewegende bloemen. We duwden de schommel hoog de lucht in, om stormen te veroorzaken die de bloemen wild heen en weer deden zwaaien. We verstopten ons achter kartonnen bomen die niet groter waren dan Chris en zaten op paddestoelen van papier maché, met kleurige schuimrubber kussens erop, die eerlijk gezegd nog beter waren dan de echte – tenzij je graag paddestoelen eet.
'Wat mooi!' riep Carrie, die in het rond tolde en haar plooirok omhoog hield, zodat we haar nieuwe onderbroekje met de kanten ruches moesten bewonderen, dat ze gisteren van mamma had gekregen. Alle nieuwe kleren en schoenen werden de eerste nacht door Carrie en Cory mee naar bed genomen. (Het is niet leuk om 's nachts wakker te worden met je wang op de zool van een gymschoen.) 'Ik word ook ballerina,' riep ze vrolijk, en ze bleef in het rond draaien tot ze viel en Cory naar haar toe holde om te zien of ze zich bezeerd had. Ze gilde toen ze het bloed uit de snee op haar knie zag druppelen. 'O – ik wil geen ballerina worden als het pijn doet!'
Ik durfde haar niet te laten merken dat het pijn deed – en *of* het pijn deed!
Vele dagen geleden had ik gedwaald door echte tuinen, echte bossen – en hun geheimzinnige fluïdum gevoeld – alsof er vlak om de hoek iets magisch en fantastisch wachtte. Chris en ik wilden onze zoldertuin ook iets magisch geven en we kropen over de vloer en tekenden met wit krijt madeliefjes op de grond, in een brede cirkel. Binnen die feeënring van witte bloemen, waaruit al het kwaad was verbannen, zaten we met

gekruiste benen op de grond, en bij het licht van een brandende kaars vertelden Chris en ik lange, ingewikkelde verhalen over goede feeën die voor kleine kinderen zorgden, en slechte heksen die altijd het onderspit dolven.

Toen liet Cory zich horen. Zoals altijd was hij degene die de moeilijkste vragen stelde. 'Waar is al het gras gebleven?'

'God heeft het gras mee naar de hemel genomen.' Op die manier bespaarde Carrie mij het antwoord.

'Waarom?'

'Voor pappa. Pappa vindt het leuk om het gras te maaien.'

Chris en ik keken elkaar aan – en wij dachten dat ze pappa vergeten waren.

Cory trok zijn wenkbrauwen op en staarde naar de kleine kartonnen bomen die Chris had gemaakt. 'Waar zijn alle grote bomen?'

'Die zijn daar ook,' zei Carrie. 'Pappa houdt van grote bomen.'

Mijn ogen gingen onrustig heen en weer. Ik vond het afschuwelijk om ze te moeten voorliegen – hun te vertellen dat het maar een spelletje was, een oneindig spel, dat ze met meer geduld verdroegen dan Chris of ik. En ze vroegen niet één keer waarom we dat moesten spelen.

Grootmoeder kwam nooit naar de zolder om te vragen wat we deden, hoewel ze heel vaak de deur van de slaapkamer stilletjes opendeed, in de hoop dat we het niet zouden horen als de sleutel knarsend in het slot omdraaide. Ze tuurde door de spleet en probeerde ons te betrappen op iets 'goddeloos' of 'slechts'.

Op zolder mochten we alles doen wat we wilden zonder angst voor straf, tenzij God ook een zweep hanteerde. Nooit ging grootmoeder de kamer uit zonder ons eraan te herinneren dat God alles zag, ook al zag zij het niet. Mijn nieuwsgierigheid werd gewekt, omdat ze nooit in de kast kwam om de deur naar de zoldertrap te openen. Ik nam me voor het meteen aan mamma te vragen als ze kwam, zodat ik het niet zou vergeten. 'Waarom gaat grootmoeder niet zelf naar de zolder om te controleren wat we doen? Waarom vraagt ze het alleen maar en denkt ze dat we de waarheid vertellen?'

Mamma zat in haar speciale stoel; ze zag er moe en gedeprimeerd uit. Haar nieuwe groen wollen pakje was vast erg duur geweest, en ze was naar de kapper geweest, want haar haar was anders gekapt. Ze beantwoordde mijn vraag nonchalant, alsof ze met haar gedachten bij leukere dingen was. 'O, heb ik je dat nooit verteld? Je grootmoeder lijdt aan claustrofobie. Dat is een aandoening, die maakt dat ze ademnood krijgt in een kleine besloten ruimte. Toen ze klein was sloten haar ouders haar altijd voor straf op in een kast.'

Wauw! Het was moeilijk je in te denken dat die grote oude vrouw vroeger jong was geweest en zo klein dat ze gestraft werd. Ik had haast medelijden met dat jonge kind, maar ik wist dat grootmoeder *ons* maar al te graag opgesloten zag. Het was in haar ogen te zien als ze naar ons keek – de voldoening dat ze ons zo netjes gevangen had. Maar het was een vreemde speling van het lot, die angst van haar, en Chris en ik konden die zalige, dicht op elkaar staande muren van die smalle gang wel zoenen. Chris en ik vroegen ons vaak af hoe ze al die massieve meubelen op zolder hadden gekregen. Ze konden niet door die smalle kast de trap op; de trap was nauwelijks dertig centimeter breed. We zochten naarstig naar een andere, bredere deur naar zolder, maar we vonden er geen. Misschien zat er een deur verborgen achter een van die reusachtige kasten die zo zwaar waren dat wij ze niet van hun plaats konden krijgen. Chris dacht dat de zwaarste meubelen misschien op het dak en daarna door een van de grote ramen naar binnen waren gehesen.

Elke dag kwam de heks-grootmoeder onze kamer binnen, om te steken met haar keiharde ogen, te grommen met haar dunne, scheve lippen. En elke dag stelde ze dezelfde vragen: 'Wat hebben jullie gedaan? Wat voeren jullie uit op zolder? Hebben jullie gebeden vóór de maaltijden? Hebben jullie gisteravond op je knieën God gesmeekt je ouders de zonde te vergeven die ze hebben begaan? Leren jullie de jongste twee het woord van God? Gebruiken jullie samen de badkamer, jongens en meisjes door elkaar?' En haar ogen schoten vuur bij die vraag! 'Zijn jullie altijd zedig en preuts? Verbergen jullie je geslachtsdelen voor de anderen? Raken jullie je lichaam wel eens aan, behalve om het te wassen?'

God! Wat kon zij iets smerigs maken van je lichaam! Chris lachte erom. 'Ik denk dat ze haar ondergoed vastlijmt,' schertste hij.

'Nee! Ze spijkert het vast!' overtroefde ik hem.

'Heb je gemerkt hoe dol ze op grijs is?'

Of ik het gemerkt had? Wie zou dat niet merken? Ze droeg altijd grijs. Soms met smalle rode of blauwe streepjes, of een sierlijk ruitpatroontje, heel vaag, of jacquard – maar de stof was altijd taftzij, de jurk was hooggesloten en aan de hals droeg ze de diamanten broche. De strengheid van haar jurk werd iets verzacht door een met de hand gehaakt kraagje. Mamma had ons al verteld dat die uniformen, die er uitzagen als een harnas, voor haar werden gemaakt door een weduwe die in een naburig dorpje woonde. 'Ze is een goede vriendin van mijn moeder. En ze draagt grijs omdat het goedkoper is stof per baal te kopen dan per meter – en je grootvader heeft ergens in Georgia een fabriek die fijne stoffen produceert.'

Hemeltjelief, zelfs de rijken waren krenterig.

Op een middag in september holde ik in grote haast de zoldertrap af om naar de badkamer te gaan – en botste pardoes tegen mijn grootmoeder op! Ze pakte me bij de schouders en keek me woedend aan. 'Kijk uit waar je loopt, kind!' snauwde ze. 'Waarom heb je zo'n haast?'

Haar vingers waren zo hard als staal door de dunne stof van mijn blauwe bloese. 'Chris schildert een prachtig landschap,' legde ik ademloos uit, 'en ik moet water voor hem halen, voordat de waterverf opdroogt. Anders blijven de kleuren niet helder genoeg.'

'Waarom gaat hij zelf geen water halen? Waarom moet jij dat voor hem doen?'

'Hij is bezig met schilderen en hij vroeg of ik wat water voor hem wilde halen, omdat ik toch alleen maar toekeek en de tweeling het water zou morsen.'

'Dwaas! Je moet een man nooit bedienen! Laat het hem zelf doen. En vertel nu eens de waarheid – wat doen jullie *werkelijk* op zolder?'

'Maar ik *zeg* de waarheid. We werken heel hard om de zolder mooi te maken, zodat de tweeling er niet bang meer is, en Chris kan erg goed schilderen.'

Ze lachte spottend en vroeg minachtend: 'Hoe kun *jij* daarover oordelen?'

'Hij heeft talent, grootmoeder – dat hebben al zijn leraars gezegd.'

'Heeft hij je gevraagd voor hem te poseren – zonder kleren aan?'

Ik was geschokt. 'Nee. Natuurlijk niet!'

'Waarom beef je dan?'

'Ik ben... ik ben bang voor... voor u,' stotterde ik. 'U komt elke dag binnen en vraagt of we zondigen en onzedige dingen doen, en ik weet echt niet wat u eigenlijk denkt dat we zouden doen. Als u het ons niet precies vertelt – hoe kunnen we dan vermijden iets slechts te doen, als we niet weten dat het *slecht* is?'

Ze nam me van top tot teen op en glimlachte sarcastisch. 'Vraag het maar aan je oudste broer – hij weet wel wat ik bedoel. Een man wordt geboren met kennis van alle kwaad.'

Ik knipperde even met mijn ogen. Chris was niet gemeen of slecht. Soms kon hij onmogelijk zijn, maar hij was beslist niet slecht. Ik probeerde het haar te vertellen, maar ze wilde niet luisteren.

Later op de dag kwam ze onze kamer binnen met een pot gele chrysanten. 'Hier zijn een paar echte bloemen voor je namaaktuin,' zei ze zonder enige hartelijkheid. Het was zo'n onheks-achtig gebaar dat mijn adem stokte. Zou ze dan toch veranderen, zou ze ons in een ander daglicht gaan zien? Zou ze kunnen leren ons aardig te vinden? Ik dankte haar uitbundig voor de bloemen, misschien een beetje al te uitbundig, want ze draaide zich om en liep met grote passen de kamer uit, alsof ze zich verlegen voelde.

Carrie kwam aangerend en stopte haar gezichtje in de massa gele bloemblaadjes. 'Mooi,' zei ze. 'Cathy, mag ik ze hebben?' Natuurlijk mocht zij ze hebben. Vol eerbied werd de pot met bloemen op de oostelijke vensterbank gezet, waar hij kon profiteren van de ochtendzon. Er waren alleen maar heuvels te zien, met de bergen daarachter en de bomen daar tussenin. Boven het landschap hing een blauwe nevel. De levende bloemen stonden 's nachts bij ons in de kamer, zodat de tweeling iets moois en levends zag als ze 's morgens wakker werden.

Telkens als ik terugdenk aan die tijd zie ik weer die heuvels en bergen met de blauwe nevel, en de bomen die stram langs de hellingen paradeerden. En ik ruik weer de droge, stoffige lucht op de zolder die zo goed paste bij mijn sombere gedachten, en ik hoor weer de onuitgesproken, onbeantwoorde vragen. Waarom? Wanneer? Hoe lang nog?

Liefde... ik had er zoveel vertrouwen in.

Waarheid... ik bleef geloven dat die altijd wordt gesproken door iemand van wie je houdt en die je vertrouwt.

Geloof... dat hangt samen met liefde en vertrouwen. Waar begint het een en eindigt het ander, en hoe weet je of je liefde blind is?

Er waren meer dan twee maanden voorbijgegaan en grootvader leefde nog steeds.

We stonden, we zaten, we lagen op de vensterbanken van de zolderramen. We zagen met weemoed de toppen van de bomen veranderen van het zomerse donkergroen in het felle rood, goud, oranje en bruin van de herfst. Het ontroerde me, ik geloof dat het ons allemaal ontroerde, zelfs de tweeling, om de zomer afscheid te zien nemen en de herfst te zien beginnen. En we konden alleen maar toekijken, nooit eraan deelnemen.

Mijn gedachten namen een wanhopige vlucht, ik wilde uit deze gevangenis ontsnappen, de wind opzoeken die door mijn haar zou waaien en mijn huid doen tintelen, zodat ik weer het gevoel zou hebben dat ik leefde. Ik benijdde al die kinderen daar buiten, die vrij rond renden op het bruin wordende gras en met hun voeten tegen de droge, ritselende bladeren schopten, zoals ik vroeger altijd deed.

Waarom had ik nooit beseft hoe gelukkig ik was toen ik nog vrij kon rondlopen? Waarom dacht ik toen altijd dat het geluk vóór me lag, in de toekomst, als ik volwassen zou zijn? Waarom was ik er niet tevreden mee geweest een kind te zijn? Waarom dacht ik dat het geluk was gereserveerd voor volwassenen?

'Je kijkt zo droevig,' zei Chris, die vlak naast me zat, met Cory aan zijn andere kant, terwijl Carrie aan de andere kant naast mij zat. Carrie was mijn schaduw geworden; ze volgde me overal, deed precies wat ik deed, en imiteerde mijn stemmingen – en Chris had zijn trouwe schaduw in Cory. Ik geloof dat alleen een Siamese vierling nauwer verwant had kunnen zijn.

'Wil je geen antwoord geven?' vroeg Chris. 'Waarom kijk je zo triest? De bomen zijn toch prachtig? Als het zomer is, hou ik het meest van de zomer, en als het winter wordt, is dat mijn lievelingsseizoen, en dan wordt het weer voorjaar en vind ik het voorjaar het mooist.'

Ja, dat was mijn Christopher Doll. Tevreden met wat hij had en dat het mooiste vinden, onder alle omstandigheden.

'Ik dacht aan mevrouw Bertram en haar vervelende gezeur. Ze maakte de geschiedenis altijd zo saai en oninteressant, en de mensen zo onwezenlijk. Maar toch zou ik me graag weer bij haar vervelen.'

'Ja,' gaf hij toe, 'ik weet wat je bedoelt. Ik vond het ook altijd vervelend op school, en geschiedenis vond ik verschrikkelijk saai, vooral Amerikaanse geschiedenis – op de Indianen en het oude westen na. Maar op school deden we tenminste hetzelfde wat andere kinderen van onze leeftijd deden. Nu verspillen we alleen maar tijd met nietsdoen. Cathy, we mogen geen minuut verloren laten gaan! We moeten ons voorbereiden op de dag dat we hier weg kunnen. Als je niet een vast doel voor ogen hebt waaraan je je vastklampt, als je niet je uiterste best blijft doen dat te bereiken, kom je er nooit. Ik zal me vast voornemen dat als ik geen dokter kan worden, ik niets anders wil worden of nog *iets* wil hebben dat met geld te koop is!'

Hij zei het zo intens. Ik wilde balletdanseres worden, maar ik zou ook genoegen kunnen nemen met iets anders. Chris fronste zijn wenkbrauwen, alsof hij mijn gedachten kon lezen. Hij keek naar me met zijn blauwe ogen en gaf me een standje omdat ik geen balletoefeningen meer had gedaan sinds we hier boven waren komen wonen. 'Cathy, morgen maak ik een barre in het deel van de zolder dat we hebben opgeknapt – en je gaat vijf of zes uur per dag oefenen, net als op balletles!'

'Ik denk er niet aan! Ik laat me door niemand vertellen wat ik moet doen. Bovendien gaat het niet als je er niet behoorlijk voor gekleed bent!'

'Wat een stomme opmerking!'

'Dat komt omdat ik stom *ben*! *Jij* hebt nu eenmaal alle hersens van ons vieren!' En met die woorden barstte ik in tranen uit en holde de zolder af, langs alle papieren flora en fauna. Ik rende, rende, rende naar de trap. Ik vloog, vloog, vloog de steile, smalle houten treden af, daagde het noodlot uit me te laten vallen. Breek je been, je nek, dood in een kist. Dan zouden ze spijt hebben; dan zouden ze huilen om de ballerina die ik had moeten zijn.

Ik plofte languit neer op bed en snikte het uit. Hier konden we alleen maar dromen, hopen – het was allemaal niet echt. Ik zou oud en lelijk worden, nooit meer mensen zien. Die ouwe man beneden kon wel honderdtien worden! Al die dokters zouden hem eeuwig in leven houden – en ik zou Halloween mislopen – geen snoepjes, geen feestjes, niets. Ik had diep medelijden met mezelf, en zwoer dat ik het iemand betaald zou zetten, iemand zou ervoor boeten, *iemand!*

Op hun vuile witte gymschoenen kwamen ze naar me toe, mijn twee broers, mijn kleine zusje, en ze probeerden me te troosten met hun liefste bezit: Carries paarse en rode potloden, Cory's boek Piet Konijn; maar Chris kéék alleen maar naar me. Ik had me nog nooit zo klein gevoeld.

Op een avond laat kwam mamma binnen met een grote doos die ze me gaf en die ik open moest maken. Tussen vellen wit vloeipapier lagen balletkostuums, een lichtroze, een azuurblauwe, met de maillots en balletschoentjes die bij de tule tutu's pasten. 'Van Christopher' stond op het kaartje geschreven. En er waren grammofoonplaten met balletmuziek. Ik begon te huilen, sloeg mijn armen om de hals van mijn moeder en omhelsde daarna mijn broer. Dit keer waren het geen tranen van frustratie of wanhoop. Nu had ik iets waar ik naar toe kon leven.

'Ik had het liefst een wit pakje voor je gekocht,' zei mamma, met haar armen nog steeds om me heen. 'Ze hadden een schatje, maar de maat was te groot voor je, en er hoort een strak kapje bij van witte veren die over je oren krullen – voor het *Zwanenmeer* – ik heb het voor je besteld, Cathy. Drie kostuums moeten toch wel voldoende zijn om je inspiratie te geven, niet?'

O, ja! Toen Chris de barre stevig aan de muur van de zolder bevestigd had, oefende ik uren achter elkaar op de klanken van de balletmuziek. Er was geen grote spiegel achter de barre, zoals op de balletschool, maar in mijn fantasie hing er een enorme spiegel. Ik zag mezelf als Pavlova, die een voorstelling gaf voor een in verrukking gebracht publiek van meer dan tienduizend mensen, en ik gaf de ene encore na de andere, ik boog en nam tientallen bossen bloemen in ontvangst, allemaal rode rozen. Gaandeweg bracht mamma me alle balletmuziek van Tsjaikovsky. We konden de platen spelen op de grammofoon die met een stuk of tien verlengsnoeren was aangesloten. De snoeren liepen langs de trap naar beneden en waren in de slaapkamer in het stopcontact gestoken.

Het dansen op die heerlijke muziek deed me alles vergeten en soms besefte ik niet eens dat het leven aan me voorbijging. Wat gaf het allemaal zolang ik maar kon dansen. Het was beter om pirouettes te maken en een partner te fantaseren die me ondersteunde in een moeilijke positie. Ik viel, stond op, danste weer verder, tot ik buiten adem was en elke spier in mijn lichaam pijn deed, mijn maillot aan me vastplakte van het zweet en mijn haar kletsnat was. Ik viel languit op de grond, om hijgend uit te rusten, krabbelde dan weer overeind om aan de barre plié's te doen. Soms was ik Prinses Aurora in *Doornroosje*, soms danste ik ook de rol van de prins, waarbij ik hoog in de lucht sprong en mijn voeten tegen elkaar sloeg.

Eens keek ik op van mijn laatste stervende zwaan-stuiptrekkingen en zag Chris in de schaduw van de zolder staan. Hij keek naar me met een vreemde uitdrukking op zijn gezicht. Binnenkort was hij jarig, dan werd hij vijftien. Hoe kwam het dat hij al een man leek en geen jongen meer? Was het alleen maar die vage blik in zijn ogen die erop wees dat hij zijn jeugd snel achter zich liet?

Hoog op de tenen voerde ik een reeks kleine, gelijkmatige pasjes uit die de indruk geven dat de danser over het toneel glijdt. Ik gleed naar Chris toe en stak mijn armen uit. 'Kom, Chris, wees mijn *danseur*; ik zal het je leren.'

Hij glimlachte, keek een beetje verlegen en schudde weigerend het hoofd. 'Balletdansen is niets voor mij. Maar ik zou wel willen leren walsen – als het muziek van Strauss is.'

Ik moest even lachen. De enige walsmuziek die we hadden (behalve ballet) waren oude Strauss-platen. Ik liep snel naar de grammofoon, haalde de plaat van het *Zwanenmeer* eraf en zette *De Blauwe Donau* op.

Chris was een stuntel. Hij hield me onhandig vast, alsof hij niet goed durfde. Hij trapte op mijn roze schoentjes. Maar het was roerend zoals hij zijn best deed de eenvoudige passen goed na te volgen, en ik had het hart niet hem te zeggen dat al zijn talent in zijn hersens en zijn gevoelige, artistieke handen zat, en er voor zijn benen en voeten niets was overgebleven. En toch hadden Strauss-walsen iets roerends en sympathieks, ze waren gemakkelijk en romantisch, zo heel anders dan die atletische balletwalsen die je deden transpireren en naar adem snakken.

Toen mamma eindelijk kwam met het doddige witte kostuum voor het *Zwanenmeer* – een kort veren lijfje, een strak kapje, witte schoentjes en een witte maillot die zo doorzichtig was dat het roze van mijn huid er doorheen scheen – wist ik van verrukking niets uit te brengen. Het leek me dat liefde, hoop en geluk hier toch hun intrede konden doen in de vorm van een grote, glimmende witte doos met een paars lint, geschonken door iemand die van me hield en die op het idee was gebracht door een ander die van me hield.

Eindelijk kende Chris de wals en de foxtrot. Toen ik probeerde hem de Charleston te leren weigerde hij: 'Ik hoef niet alle dansen te kennen, zoals jij. Ik wil niet op het toneel: ik wil alleen maar leren hoe ik me met een meisje op de dansvloer moet bewegen zonder me belachelijk te maken.'

Ik had altijd gedanst. Er was geen enkele dans die ik niet kende en die ik niet wilde dansen.

'Chris, één ding: je kunt niet je leven lang alleen maar walsen en foxtrotten. Er komt elk jaar weer wat nieuws, net als in kleren. Je moet bij blijven en je aanpassen. Kom, nu een beetje jazz, om die stramme ledematen van jou wat soepeler te maken. Ze verstijven van al dat zitten en lezen.'

Ik hield op met walsen en zette een andere plaat op: *'You ain't nothin' but a hound dog.'*

Ik hief mijn armen omhoog en begon met mijn heupen te draaien.

'Rock 'n roll, Chris, je moet het leren. Luister naar de beat, laat je gaan en draai met je heupen, net als Elvis. Kom, doe je ogen half dicht, kijk slaperig, sexy, en tuit je lippen, want als je dat niet doet zal geen meisje ooit verliefd op je worden.'

'Dan worden ze maar niet verliefd!'

Hij zei het nuchter en dodelijk serieus. Hij zou zich nooit door een ander laten dwingen iets te doen dat niet overeenstemde met zijn imago, en eigenlijk hield ik ook van hem zoals hij was: sterk, resoluut, vastbesloten zichzelf te zijn, ook al was zijn soort al lang uit de mode. Mijn Sir Christopher, mijn ridder zonder vrees of blaam.

In navolging van God veranderden ook wij de seizoenen op zolder. We haalden de bloemen eraf en hingen herfstbladeren op van bruin, roodbruin, rood en goud. Als we hier nog waren wanneer het van de winter begon te sneeuwen, zouden we kantachtige witte vormen ervoor in de plaats hangen, die we nu al aan het uitknippen waren, want je kon nooit weten. We maakten wilde eenden en zwanen van wit, grijs en zwart karton, en hingen de vogels op in grote pijlvormige vluchten, die gericht waren naar het zuiden. Vogels waren gemakkelijk te maken; langgerekte ovalen met rondjes voor de koppen; tranen met vleugels.

Als Chris niet met zijn hoofd in een boek zat, maakte hij aquarellen van besneeuwde heuvels en meren met schaatsenrijders. Hij schilderde kleine gele en roze huizen die diep in de sneeuw lagen; de rook kronkelde uit de schoorstenen omhoog en in de verte zag je een kerktoren in de nevel. En als hij klaar was schilderde hij er een donker venster omheen en hing het aan de muur, zodat we een kamer met uitzicht hadden!

Vroeger was Chris een plaaggeest wie ik het nooit naar de zin kon maken. Een oudere broer... Maar we veranderden hier boven, hij en ik, net zoals we onze wereld op zolder veranderden. We lagen urenlang naast elkaar op een oude, vlekkerige en onfrisse matras, en praatten en praatten en maakten plannen voor het soort leven dat we zouden leiden als we vrij waren en zo rijk als Midas. We zouden een wereldreis gaan maken. Hij zou verliefd worden op een mooie vrouw, die briljant was, begrijpend, charmant, geestig en gezellig; ze zou een volmaakte huisvrouw zijn, een trouwe, toegewijde echtgenote, een perfecte moeder, en ze zou nooit zeuren of klagen of huilen of mopperen of aan zijn oordeel twijfelen, of teleurgesteld of ontmoedigd zijn als hij domme dingen deed aan de effectenbeurs en al zijn geld verloor. Ze zou begrijpen dat hij zijn best had gedaan en na een tijdje zou hij weer een vermogen verdienen met zijn wijsheid en intelligentie.

Ik begon me wél gedeprimeerd te voelen. Hoe zou ik ooit kunnen voldoen aan de eisen die een man als Chris stelde? Want ik voelde dat hij bezig was de standaard te bepalen waaraan ik al mijn toekomstige huwelijkskandidaten zou toetsen.

'Chris, die intelligente, charmante, geestige, mooie vrouw, mag die niet één klein foutje hebben?'

'Waarom zou ze fouten moeten hebben?'

'Nou, neem moeder bijvoorbeeld. Jij vindt dat zij al die dingen is, behalve intelligent misschien.'

'Mamma is niet stom!' verdedigde hij haar heftig. 'Ze is alleen maar in de verkeerde omgeving opgegroeid! Ze is als kind vernederd en ze hebben gemaakt dat ze zich minderwaardig voelde omdat ze een meisje was.'

Wat mijzelf betrof, als ik een paar jaar een ballerina was geweest en wilde gaan trouwen, zou ik toch een man moeten hebben die op één lijn kon staan met Chris of mijn vader. Hij moest knap zijn, want ik wilde mooie kinderen hebben. En hij moest intelligent zijn, anders zou ik niet tegen hem kunnen opzien. Vóór ik zijn diamanten verlovingsring accepteerde zou hij een heleboel spelletjes met me moeten doen, en als ik dan telkens zou winnen, zou ik meewarig het hoofd schudden en hem zeggen dat hij zijn ring naar de winkel moest terugbrengen.

En terwijl we plannen maakten voor de toekomst ging de filodendron hangen in zijn pot; onze klimop vergeelde en verdorde. We waren druk in de weer, zorgden liefdevol voor onze planten, praatten met ze, smeekten ze om alsjeblieft niet zo ziek te lijken en weer wat op te kikkeren. Ze kregen immers het gezondste zonlicht dat er was – het licht uit het oosten.

Na een paar weken vroegen Cory en Carrie niet langer of ze naar buiten mochten. Carrie trommelde niet meer met haar vuistjes op de eikehouten deur, en Cory probeerde niet meer hem in te trappen met zijn te zwakke voetjes, waaraan hij een paar zachte gymschoentjes droeg die niet konden voorkomen dat hij zijn tenen bezeerde.

Ze aanvaardden nu gedwee wat ze eerst heftig hadden ontkend – de zolder'tuin' was het enige 'buiten' waarover ze konden beschikken. En na verloop van tijd, zielig als het was, leken ze te vergeten dat er een andere wereld bestond dan die waarin ze waren opgesloten.

Chris en ik hadden een paar oude matrassen naar de ramen op het oosten gesleept, zodat we ze wijd open konden gooien en zonnebaden in de weldoende stralen van de zon die niet eerst door vuile ruiten heen hoefde te schijnen. We hoefden maar naar onze stervende planten te kijken om te weten hoe ongezond de atmosfeer op zolder was.

Zonder enige schaamte trokken we onze kleren uit en lagen in de zon gedurende de korte tijd dat hij bij ons binnen scheen. We zagen de verschillen in onze lichamen, maar dachten er verder niet over na, en vertelden mamma eerlijk wat we deden, dat wij niet ook wilden doodgaan door gebrek aan zon, zoals onze planten. Ze keek van Chris naar mij en glimlachte flauwtjes. 'Het is goed, maar laat grootmoeder het niet merken. Zij zou het niet goedvinden, zoals je maar al te goed weet.'

Ik weet nu dat ze naar Chris en mij keek om te zien of ze een teken kon ontdekken van onze onschuld of onze ontwakende seksualiteit. Wat ze zag moest haar hebben gerustgesteld en overtuigd dat we nog maar kinderen waren, al had ze beter moeten weten.

De tweeling vond het heerlijk om naakt te zijn en te spelen als babies. Ze lachten en giechelden als ze uitdrukkingen gebruikten als 'doe-doe' en 'pie-pie' en ze vonden het leuk om naar de plaatsen te kijken waar doe-doe vandaan kwam en vroegen zich af waarom Cory's pie-pie-maker anders was dan die van Carrie.

'Waarom, Chris?' vroeg Carrie en wees naar wat hij had en wat Cory had en zij en ik niet hadden.

Ik las ijverig verder in *De Woeste Hoogte* en negeerde hun domme gepraat.

Maar Chris probeerde een antwoord te geven dat juist en waarheidsgetrouw was: 'Alle mannelijke wezens hebben hun geslachtsdelen aan de buitenkant, terwijl ze bij de vrouwelijke van binnen zitten.'

'*Netjes* naar binnen,' zei ik.

'Ja, Cathy, ik weet dat jij tevreden bent over jouw *nette* lichaam, maar ik ben tevreden over mijn *on-nette* lichaam, dus kunnen we allemaal blij zijn met wat we hebben. Onze ouders accepteerden onze naakte lichamen zoals ze onze ogen en ons haar accepteerden, en dat zullen wij ook doen. O ja, dat vergat ik nog, bij mannetjesvogels zijn de geslachtsdelen ook "netjes" weggestopt, net als bij de vrouwtjes.'

Nieuwsgierig vroeg ik: 'Hoe weet je dat?'

'Dat weet ik gewoon.'

'Heb je dat in een boek gelezen?'

'Wat dacht je dan – dacht je dat ik een vogel had gevangen en die onderzocht?'

'Ik zou je ertoe in staat achten.'

'Ik lees om wijzer te worden, niet alleen om me te amuseren.'

'Je wordt een heel saaie man, ik waarschuw je – en als bij een mannetjesvogel de geslachtsdelen van binnen zitten, wordt hij daardoor dan geen vrouwtje?'

'Nee!'

'Maar Christopher, ik begrijp het niet. Waarom zijn vogels anders?'

'Ze moeten gestroomlijnd zijn om te kunnen vliegen.'

Het was weer een van die raadsels, waarop hij het antwoord wist. Je kon er van op aan dat het brein aller breinen altijd alle antwoorden wist.

'Oké, maar waarom zijn mannetjesvogels zo gemaakt? En vergeet nou maar even die stroomlijn.'

Hij stotterde, zijn gezicht werd vuurrood, en hij zocht naar een manier om het kies uit te drukken. 'Als mannetjesvogels geprikkeld worden, komt wat binnen is naar buiten.'

'Hoe worden ze geprikkeld?'

'Hou je mond en lees je boek – en laat me met rust!'

Sommige dagen was het te koud om te zonnen. Dan werd het kil, en zelfs al droegen we onze dikste en warmste kleren, dan rilden we nog, tenzij we gingen hollen. Helaas verdween de zon zo snel uit het oosten, en liet ons terneergeslagen achter. We wilden dat er ramen waren aan de zuidkant. Maar voor die ramen waren stevige gesloten luiken.

'Dat geeft niet,' zei mamma, 'de ochtendzon is het gezondst.'

Woorden die ons niet opvrolijkten, want onze planten stierven één voor één, terwijl ze toch profiteerden van dat gezonde zonlicht.

Het werd november en bitter koud op zolder. Onze tanden klapperden, we hadden natte neuzen, we niesten en klaagden tegen mamma dat we een kachel nodig hadden met een schoorsteen, omdat de twee kachels in het leslokaal niet waren aangesloten. Mamma zei dat ze een elektrische of gaskachel boven zou brengen. Maar ze was bang dat een elektrische kachel brand zou kunnen veroorzaken als hij werd aangesloten met te veel verlengsnoeren. En voor een gaskachel had je ook een schoorsteen nodig.

Ze bracht lang wollen ondergoed voor ons mee en dikke skijacks met capuchons en vrolijk gekleurde skibroeken met schapewollen voering. In die kleren gingen we elke dag naar zolder waar we vrij konden rondlopen en ontsnappen aan de waakzame blik van grootmoeder.

In onze propvolle slaapkamer hadden we nauwelijks ruimte om te lopen zonder op te botsen tegen iets waaraan we ons pijn deden. Op zolder leefden we ons uit, we gilden en joelden, zaten elkaar achterna: we verstopten ons, vonden elkaar, speelden toneelstukjes, en legden een woeste activiteit aan den dag. Soms vochten we, we maakten ruzie en huilden, en keerden dan weer terug naar onze wilde spelletjes. We waren gek op verstoppertje spelen. Chris en ik maakten het spelletje met opzet zo angstaanjagend mogelijk, maar alleen voor elkaar en niet voor de tweeling, die al bang genoeg was voor al die 'boze dingen' die in de donkere schaduwen van de zolder loerden. Carrie beweerde bij hoog en bij laag dat ze monsters zag die zich verborgen achter de meubels onder hun hoezen.

Op een dag waren we boven op de poolzolder en zochten naar Cory. 'Ik ga naar beneden,' zei Carrie, met een boos gezichtje en een pruillip. Het had geen zin te proberen haar op zolder te houden en in beweging te laten blijven – ze was te koppig. Ze ging er vandoor in haar rode skipakje en liet Chris en mij naar Cory zoeken. In de regel was hij erg gemakkelijk te vinden. Hij koos altijd de laatste schuilplaats van Chris. Dus zouden we regelrecht naar de derde massieve kast kunnen lopen, waar we Cory zouden vinden, neergehurkt op de grond, verborgen onder de oude kleren en vrolijk naar ons grijnzend. Om hem een plezier te doen vermeden wij die kast een hele tijd. Toen besloten we hem te 'vinden'. Maar toen we de kast open deden – toen was hij er niet!

'Wel verdraaid!' riep Chris uit. 'Hij begint initiatief te krijgen en een originele schuilplaats te zoeken.'

Dat kreeg je als je zoveel boeken las. Chris begon tegenwoordig allerlei moeilijke woorden te gebruiken. Ik veegde mijn natte neus af en keek om me heen. Als hij werkelijk wat nieuws wilde zoeken waren er wel een miljoen plaatsen waar je je kon verstoppen op deze zolder.

Het zou uren kunnen duren voor we Cory gevonden hadden. Ik was koud en moe en geprikkeld en ik had schoon genoeg van dat spelletje dat we elke dag weer moesten doen van Chris, om in beweging te blijven.

'Cory!' schreeuwde ik. 'Kom maar te voorschijn! Het is tijd voor de lunch!' Dat hoorde hem naar buiten te lokken. De maaltijden waren gezellig en huiselijk en onderbraken de monotonie van onze lange dagen.

Maar hij gaf geen antwoord. Ik keek woedend naar Chris. 'Brood met pindakaas en druivengelei,' ging ik verder. Cory's geliefde maal, dat hem spoorslags te voorschijn moest brengen. Maar nog steeds geen geluid, geen kreet, niets.

Plotseling werd ik bang. Ik kon niet geloven dat Cory zijn angst had verloren voor de immense zolder vol schaduwen en het spel ernstig opvatte – maar veronderstel dat hij probeerde Chris of mij te imiteren? O, God! 'Chris!' riep ik. 'We moeten Cory vinden, gauw!'

Hij werd aangestoken door mijn paniek en draaide zich met een ruk om. Hij holde over de zolder, riep Cory's naam, beval hem te voorschijn te komen! We renden heen en weer en riepen om het hardst Cory's naam. Uit met het spel, tijd voor de lunch! Geen antwoord. Ik was bijna bevroren, ondanks mijn dikke kleren. Zelfs mijn handen zagen blauw.

'O, mijn God,' mompelde Chris, die plotseling bleef staan. 'Veronderstel dat hij zich in een van de hutkoffers heeft verstopt en het deksel is per ongeluk in het slot gevallen?'

Als gekken holden we weg en zochten overal, we gooiden de deksels open van elke oude hutkoffer. We smeten broeken, hemden, borstrokken, onderrokken, korsetten, kostuums in het rond, in een wanhopige angst en paniek. En terwijl ik holde en zocht, bad ik telkens weer tot God om Cory alsjeblieft niet dood te laten gaan.

'Cathy, ik heb hem gevonden!' schreeuwde Chris. Ik draaide me om en zag dat Chris Cory's slappe lijfje uit een hutkoffer haalde, die in het slot was gevallen en hem gevangen had gehouden. Duizelig van opluchting liep ik struikelend naar hem toe en kuste Cory's smalle, bleke gezichtje, dat een merkwaardige kleur had gekregen door het gebrek aan zuurstof. Zijn ogen waren halfdicht. Hij was zo goed als bewusteloos. 'Mamma,' fluisterde hij. 'Ik wil mamma.'

Maar mamma was kilometers ver weg en leerde steno en typen. Er was alleen een meedogenloze grootmoeder die we niet eens konden bereiken in geval van nood.

'Ga gauw het bad met heet water vullen,' zei Chris. 'Maar niet té heet. We mogen hem niet verbranden.' Toen holde hij met Cory in zijn armen naar de trap.

Ik was het eerst beneden en vloog naar de badkamer. Ik keek achterom en zag dat Chris Cory op bed legde. Toen boog hij zich voorover, hield Cory's neusgaten vast, en liet zijn hoofd zakken tot zijn mond Cory's blauwe lippen bedekte, die half open stonden. Mijn hart stond bijna stil! Was hij dood? Had hij opgehouden met ademhalen?

Carrie wierp één blik op haar tweelingbroertje, dat blauw en onbeweeglijk op bed lag, en begon te gillen.

In de badkamer draaide ik de beide kranen zo ver mogelijk open; het water stroomde in volle kracht eruit. Cory ging dood! Ik droomde altijd van de dood en doodgaan... en meestal kwamen mijn dromen uit! En zoals altijd, juist als ik dacht dat God ons volkomen in de steek had gelaten, klampte ik me vast aan mijn geloof en bad vurig Cory te laten leven... *alstublieft God, alstublieft God, alstublieft, alstublieft, alstublieft...'*

Misschien hielpen mijn wanhopige gebeden wel evenveel als de kunstmatige ademhaling van Chris.

'Hij ademt weer,' zei Chris, die Cory bleek en bevend naar de badkamer droeg. 'Nu moeten we alleen nog zorgen dat hij warm wordt.'

In een minimum van tijd hadden we Cory uitgekleed en in het warme water gelegd.

'Mamma,' fluisterde Cory, toen hij bijkwam. 'Ik wil mamma.' Hij zei het steeds weer, en ik had met mijn vuisten door de muren heen kunnen slaan. Het was zo oneerlijk! Hij hoorde zijn moeder bij zich te hebben, niet alleen maar een namaakmoeder die niet wist wat ze moest doen. Ik wilde hier weg, al zou ik op straat moeten bedelen!

Maar heel kalm, zodat Chris opkeek en goedkeurend naar me glimlachte, zei ik: 'Waarom doe je niet of *ik* je mamma ben? Ik doe precies voor je wat zij zou doen. Je mag bij mij op schoot zitten en ik zal je in slaap wiegen en een slaapliedje voor je zingen, zodra je wat eet en wat melk drinkt.'

Chris en ik lagen geknield naast het bed toen ik dat zei. Hij masseerde Cory's kleine voetjes, terwijl ik zijn koude handen wreef en warmde. Toen hij weer een normale kleur had, droogden we Cory af, trokken hem zijn warmste pyjama aan, wikkelden hem in een deken, en ik ging zitten in de oude schommelstoel die Chris van zolder had gehaald en nam mijn broertje op schoot. Ik bedekte zijn bleke gezichtje met zoenen en fluisterde lieve woordjes in zijn oor die hem aan het giechelen brachten.

Als hij kon lachen, kon hij ook eten, en ik voerde hem kleine stukjes brood en gaf hem wat lauwwarme soep en melk te drinken. En al doende werd ik ouder. In tien minuten werd ik tien jaar ouder. Ik keek even naar Chris, die zat te eten, en zag dat hij ook was veranderd. Nu wisten we dat er werkelijk gevaar school op zolder, behalve het langzame wegteren door gebrek aan zon en frisse lucht. We waren geconfronteerd met gevaren die erger waren dan de muizen en spinnen die hardnekkig in leven bleven, ondanks al onze pogingen ze uit te roeien.

In z'n eentje en met een grimmig gezicht ging Chris de smalle steile trap op. Ik bleef schommelen met Carrie en Cory op schoot, en zong, '*Rock-a-bye, Baby.*' Plotseling klonk er een luid gehamer boven ons, een verschrikkelijk lawaai, dat ze beneden zouden kunnen horen.

'Cathy,' zei Cory zacht fluisterend, terwijl Carrie zat te knikkebollen, 'ik vind het niet leuk om geen mamma meer te hebben.'

'Je hebt wel een mamma – je hebt mij.'

'Ben jij net zo goed als een echte mamma?'

'Ja, dat geloof ik wel. Ik hou heel erg veel van je, Cory, en dan ben je een echte moeder.'

Cory staarde naar me met zijn grote blauwe ogen om te zien of ik het ernstig meende of dat ik hem voor de gek hield met zijn verdriet. Toen sloeg hij zijn armpjes om mijn hals en legde zijn hoofdje op mijn schouder. 'Ik heb zo'n slaap, mamma, maar hou niet op met zingen.'

Ik schommelde nog steeds, zachtjes zingend, heen en weer, toen Chris met een voldaan gezicht weer beneden kwam. 'Er kan geen hutkoffer meer per ongeluk in het slot vallen,' zei hij, 'want ik heb alle sloten kapotgeslagen, en de kasten kunnen ook niet meer op slot!'

Ik knikte.

Hij ging op het dichtstbijzijnde bed zitten en keek naar het langzame ritme van de schommelstoel, luisterde naar het kinderlijke wijsje dat ik bleef zingen. Een diepe blos verspreidde zich langzaam over zijn gezicht en hij leek verlegen. 'Ik voel me zo buitengesloten, Cathy. Vind je het goed als ik eerst in de schommelstoel ga zitten en jullie drieën bij mij komen?'

Dat deed pappa altijd. Hij nam ons allemaal op schoot, zelfs mamma. Zijn armen waren lang en sterk genoeg om ons allemaal te omvatten en ons een heerlijk gevoel van veiligheid en liefde te geven. Ik vroeg me af of Chris dat ook zou kunnen.

Toen we met z'n allen in de schommelstoel zaten, ving ik een glimp van ons op in de spiegel van de toilettafel tegenover ons. Ik kreeg een angstig, griezelig gevoel. Alles leek zo onwerkelijk. Chris en ik zagen eruit als poppenouders, jongere edities van pappa en mamma.

'De Bijbel zegt dat er een tijd is voor alles,' zei Chris fluisterend, om de tweeling niet wakker te maken, 'een tijd om geboren te worden, een tijd om te planten, een tijd om te oogsten, een tijd om te sterven, enzovoort, en dit is onze tijd om te offeren. Later zal er een tijd komen om te leven en gelukkig te zijn.'

Ik draaide mijn hoofd om en legde het op zijn jongensachtige schouder, dankbaar dat hij altijd zo optimistisch was, zo vrolijk. Het deed me goed zijn sterke jonge armen om me heen te voelen – bijna net zo beschermend en goed als pappa's armen waren geweest.

Chris had gelijk. Onze gelukkige tijd zou komen op de dag dat we deze kamer verlieten en naar beneden gingen om een begrafenis bij te wonen.

FEESTDAGEN

Aan de lange stengel van de amaryllis verscheen één enkele knop, een levende kalender om ons eraan te herinneren dat Thanksgiving en kerstmis naderden. Het was de enige plant die nog leefde en ons meest geliefde bezit. We droegen hem elke dag naar beneden van de zolder naar onze slaapkamer, zodat hij 's nachts warm zou staan. Cory was elke ochtend het eerst op en holde dan naar de plant om te zien of de bloemknop de nacht overleefd had. Carrie kwam achter hem aan, en bleef vlak naast hem staan, vol bewondering voor de flinke, dappere, zegevierende plant, die volhield waar andere het hadden opgegeven. Ze raadpleegden de kalender aan de muur om te zien of een van de dagen omcirkeld was met groen, wat betekende dat de plant mest nodig had. Ze betastten de aarde om te zien of hij water moest hebben. Ze vertrouwden nooit op hun eigen oordeel, maar kwamen naar mij toe en vroegen: 'Moeten we Amaryllis water geven? Denk je dat hij dorst heeft?'

We bezaten niets, dood of levend, dat geen naam had, en Amaryllis was vastbesloten in leven te blijven. Cory en Carrie vertrouwden niet op hun zwakke krachten om de zware pot naar de zolderramen te brengen, waar de zon maar heel kort scheen. Ik mocht Amaryllis naar boven dragen, maar Chris moest hem 's avonds beneden brengen. En elke avond kruisten we om de beurt een dag af met een grote rode X. We hadden nu honderd dagen afgekruist.

De koude regens kwamen, er woei een felle wind – soms sloot een zware mist de ochtendzon buiten. De kale takken van de bomen sloegen 's nachts tegen het huis en maakten me wakker, en ik hield mijn adem in, wachtend, wachtend, wachtend tot een of ander griezelig monster naar binnen zou komen en me zou opeten.

Op een dag toen het stroomde van de regen, die later waarschijnlijk zou overgaan in sneeuw, kwam mamma ademloos onze slaapkamer binnen met een doos mooie versieringen voor de Thanksgiving-tafel. Ze had er ook een lichtgeel tafelkleed en oranje servetten met franje bij gedaan.

'We hebben morgen gasten, en we eten heel vroeg,' vertelde ze, terwijl ze de doos neerlegde op het bed bij de deur en zich omdraaide om weg te gaan. 'En er worden twee kalkoenen gebraden, één voor ons en één voor het personeel. Maar ze zijn niet vroeg genoeg gaar voor jullie picknickmand. Maar je hoeft niet bang te zijn, ik zal ervoor zorgen dat mijn kinderen het Thanksgiving-maal krijgen waar ze recht op hebben. Ik vind wel een manier om wat warm eten boven te brengen, een beetje van alles wat wij krijgen. Ik zal met veel drukte aankondigen, dat ik mijn vader zelf wil serveren, en als ik zijn blad klaarmaak, kan ik tegelijkertijd op een ander blad wat voor jullie leggen. Ik kom morgen om een uur of één!'

Ze was als een windvlaag naar binnen gestoven, en stormde nu weer naar buiten, ons vol verwachting achterlatend. We verheugden ons op het vooruitzicht van een uitgebreide, warme Thanksgiving-maaltijd.

Carrie vroeg: 'Wat is Thanksgiving?'

Cory antwoordde: 'Hetzelfde als bidden voor het eten.'

In zekere zin had hij gelijk, denk ik. En omdat hij uit eigen beweging iets gezegd had, wilde ik daar geen domper op zetten met mijn kritiek.

Terwijl Chris met de tweeling op schoot zat, in een van de grote fauteuils, en vertelde over de eerste Thanksgiving Day heel lang geleden, was ik als een huisvrouwtje bezig met het arrangeren van een feestelijke tafel. Onze plaatskaartjes waren vier kleine papieren kalkoenen met staarten die uitwaaierden in oranje en gele staartveren. We hadden twee grote pompoenkaarsen om te branden, twee Pilgrims-Fathers en twee Indiaanse kaarsen, maar ik weigerde die mooie kaarsen aan te steken en in een vieze troep te laten wegsmelten. Ik zette gewone kaarsen op tafel om te branden, en bewaarde de mooie kaarsen voor andere Thanksgiving Days, als we hier niet meer waren. Zorgvuldig schreef ik onze namen op de kalkoentjes, waaierde ze open en zette er één op elk bord. Onze eettafel had een smalle plank onder het tafelblad, waar we ons bestek en onze borden opborgen. Na elke maaltijd waste ik af in de badkamer in een roze plastic bak. Chris droogde af en zette de borden in een plastic rek onder de tafel voor de volgende maaltijd.

Ik legde het bestek klaar, vorken links, messen rechts, met de scherpe kant naar het bord, en naast de messen, de lepels. Ons servies was Lenox met een brede blauwe rand, afgezet met vierentwintig karaats goud – dat stond allemaal aan de achterkant. Mamma had me al verteld dat dit een oud servies was dat de bedienden niet zouden missen. Onze kristallen glazen hadden een voet, en ik deed een stap achteruit om mijn kunstwerk te bewonderen. Het enige wat nog ontbrak waren de bloemen. Mamma had eraan moeten denken om bloemen mee te nemen.

Het werd één uur en later. Carrie klaagde luidkeels: 'Laten we gaan eten, Cathy!'

'Wees nu nog even geduldig. Mamma brengt ons warm eten, kalkoen en alles wat erbij hoort – dan houden we dit voor het avondeten.' Toen mijn huishoudelijke taak voorlopig achter de rug was, ging ik opgewekt op bed liggen en las in *Lorna Doone*.

'Cathy, mijn maag is ongeduldig,' zei Cory en bracht me terug in de werkelijkheid uit het midden van de zeventiende eeuw. Chris was verdiept in een mysterie van Sherlock Holmes dat op de laatste pagina zou worden opgelost. Zou het niet geweldig zijn als de tweeling hun magen in bedwang konden houden, die een capaciteit hadden van nog geen zestig gram, door net als Chris en ik te lezen?

'Eet een paar druiven, Cory.'

'Heb ik geen meer.'

'Je moet zeggen, die heb ik niet meer, of er zijn er niet meer.'

'Heb ik geen meer, eerlijk.'

'Eet dan een pinda.'

'De pinda's zijn op – heb ik dat goed gezegd?'

'Ja,' zuchtte ik. 'Eet een cracker.'

'Carrie heeft de laatste cracker opgegeten.'

'Carrie, waarom heb je die crackers niet gedeeld met je broer?'

'Toen wilde hij ze niet.'

Twee uur. We rammelden nu allemaal van de honger. We hadden onze magen eraan gewend om precies twaalf uur te eten. Waar bleef mamma? Ging ze eerst zelf eten en bracht ze het ons pas daarna? Dat had ze niet gezegd.

Even na drieën kwam mamma binnengestormd, met een enorm zilveren blad met dichtgedekte schalen. Ze droeg een jurk van blauwe jersey en haar haar was in golven uit haar gezicht gekapt en werd achter in de hals met een zilveren speld bijeengehouden. God, wat was ze mooi!

'Ik weet dat jullie doodgaan van de honger,' verontschuldigde ze zich, 'maar mijn vader veranderde plotseling van gedachten en besloot op het laatste moment zijn rolstoel te gebruiken en met ons mee te eten.' Ze glimlachte gekweld naar ons. 'Wat heb je de tafel mooi gedekt, Cathy. Je hebt het uitstekend gedaan allemaal. Het spijt me dat ik de bloemen vergeten ben. Die had ik niet mogen vergeten. We hebben negen gasten, die allemaal druk tegen me aan het praten zijn en steeds maar vragen waar ik zo lang gebleven ben; je hebt geen idee wat een moeite ik had om stiekem de bijkeuken van de butler binnen te glippen, toen John niet keek – die man heeft ogen in zijn achterhoofd. Ik heb als een gek op en neer gedraafd; de gasten moeten me wel erg onbeleefd hebben gevonden – maar het is me gelukt een paar schalen voor jullie te vullen en te verbergen. En dan holde ik weer terug naar de eetkamer en ging weer zitten en glimlachte en at iets, voordat ik weer opstond om zogenaamd mijn neus te snuiten in een andere kamer. Ik heb drie telefoontjes beantwoord die ik zelf heb gemaakt via mijn privé-lijn in mijn slaapkamer. Ik moest mijn stem erg veranderen, om geen achterdocht te wekken, en ik had jullie een paar plakken pompoentaart willen brengen, maar John had hem al in plakken gesneden en over de dessertbordjes verdeeld, dus wat kon ik doen? Hij zou hebben gemerkt dat er vier stukken taart ontbraken.'

Ze wierp ons een kushand toe, lachte even stralend naar ons en liep toen haastig en gejaagd de deur uit.

Ja, we maakten haar leven wél ingewikkeld.

We gingen aan tafel zitten om te eten.

Chris boog het hoofd en zei vlug een dankgebedje, dat op die dag weinig indruk kon hebben gemaakt op God want zijn oren moesten zeker tuiten van alle uitvoeriger dankbetuigingen: 'Dank u, Heer, voor dit verlate Thanksgiving Day maal. Amen.'

Ik moest inwendig lachen, want het was echt iets voor Chris om recht op de man af te gaan, en dat was om voor gastheer te spelen en het voedsel op de borden te scheppen die we hem één voor één aangaven. Hij gaf Carrie en Cory elk één plak wit kalkoenvlees, en kleine porties van de groenten, en elk een klein, mooi opgemaakt slaatje. De middelgrote porties waren voor mij, en natuurlijk bediende hij zichzelf het laatst – enorme hoeveelheden voor de man die het het hardst nodig had – de man met het verstand.

Chris leek uitgehongerd. Hij nam grote happen aardappelpuree, die bijna koud was. Alles was praktisch al koud, de gelatine van het slaatje begon te smelten en de groene sla daaronder was verlept.

'Baa-aa, ik hou niet van koud eten!' jammerde Carrie terwijl ze naar haar mooie bordje keek met de kleine porties keurig in een kringetje. Eén ding moest je Chris nageven, hij was erg precies.

Carrie staarde zo woedend naar haar bord dat je zou denken dat er slangen en wormen op lagen, en Cory keek al met even veel afkeer ernaar als zijn tweelingzusje.

Ik had eigenlijk een beetje medelijden met mamma, die zo haar best had gedaan ons een goed warm maal te brengen en daardoor haar eigen maaltijd in de war had gestuurd, en zich belachelijk had gemaakt in de ogen van de gasten. En nu wilden die twee niets eten! Na drie uur klagen dat ze zo'n honger hadden! Kinderen!

De intellectueel tegenover me sloot zijn ogen om te genieten van het feit dat hij eindelijk eens iets anders at; uitstekend klaargemaakt voedsel en niet de picknick-troep die 's morgens haastig in een mand werd gestopt. Maar we moesten eerlijk zijn, grootmoeder vergat ons nooit. Ze moest in het donker opstaan om eerder in de keuken te zijn dan de kok en de dienstmeisjes.

Toen deed Chris iets dat me een schok gaf. Hij prikte een enorme plak kalkoenvlees aan zijn vork en propte zijn mond daarmee vol!

'Zo mag je niet eten, Chris. Dat is een slecht voorbeeld voor je-weet-wel-wie.'

'Ze kijken niet naar me,' zei hij met volle mond, 'en ik ga dood van de honger. Ik heb nog nooit in mijn leven zo'n honger gehad, en alles smaakt even lekker.'

Precies sneed ik mijn kalkoen in kleine stukjes en stak heel kleine hapjes in mijn mond, om dat varken tegenover me te laten zien hoe je netjes at. Ik at eerst mijn mond leeg en zei toen: 'Ik heb medelijden

met jouw toekomstige vrouw. Die is binnen een jaar van je gescheiden.'
Hij at verder, hij hoorde niets, had alleen maar aandacht voor zijn eten.

'Cathy,' zei Carrie, 'je moet niet onaardig zijn tegen Chris, want wij houden niet van koud eten, dus we willen niet eten.'

'Mijn vrouw zal zo dol op me zijn, dat ze het heerlijk zal vinden om mijn vuile sokken op te rapen. En, Carrie, jij en Cory houden wel van koude pap met rozijnen, dus *eet*!'

'We houden niet van kouwe kalkoen... en die bruine smurrie op de aardappelen ziet er gek uit.'

'Die bruine smurrie heet jus, en smaakt verrukkelijk. En Eskimo's zijn dol op koud eten.'

'Cathy, houden Eskimo's van koud eten?'

'Ik weet het niet, Carrie. Ik denk dat ze het wel lekker moeten vinden, anders gaan ze dood van de honger.' Ik kon met geen mogelijkheid verband leggen tussen Eskimo's en Thanksgiving. 'Chris, had je niet wat beters kunnen bedenken? Waarom begin je over Eskimo's?'

'Eskimo's zijn Indianen. Indianen horen bij Thanksgiving Day.'

'O!'

'Je weet natuurlijk dat het Noordamerikaanse continent vroeger verbonden was met Azië,' zei hij tussen twee happen door. 'De Indianen kwamen uit Azië, en sommigen hielden zo van ijs en sneeuw dat ze daar bleven, terwijl anderen zo verstandig waren om verder te trekken.'

'Cathy, wat is dit klonterige bulterige goedje dat eruit ziet als gelatine?'

'Dat is veenbessensalade. Die klonten zijn hele veenbessen; de bulten zijn walnoten; en dat witte is zure room.' Hm, heerlijk! Ik had ook een paar stukjes ananas.

'We vinden het niet lekker.'

'Carrie,' zei Chris, 'het kan me niet schelen wat je wel en niet lekker vindt – *eet*!'

'Je broer heeft gelijk, Carrie. Veenbessen zijn heerlijk, en noten ook. Vogels eten graag bessen, en je houdt toch van vogels?'

'Vogels eten geen bessen. Ze eten dooie spinnen en andere insekten. We hebben het zelf gezien. Ze pikten ze uit de goten en aten ze op zonder te kauwen! Wij willen niet eten als de vogels.'

'Hou je mond en eet,' zei Chris met volle mond.

Hier zaten we met het beste eten (ook al was het bijna koud) dat we hadden gehad sinds we hier boven in dit afschuwelijke huis waren komen wonen, en het enige wat de tweeling deed was vol walging naar hun bord staren. Ze hadden nog geen hap gegeten!

En Chris – die slokte alles naar binnen als een varken dat de eerste prijs wint op de jaarmarkt.

De tweeling proefde de aardappelpuree met de saus. De aardappels waren 'zanderig' en de saus was 'raar'. Ze proefden de werkelijk verrukkelijke vulling en zeiden dat die 'klonterig, zanderig en raar was'.

'Eet de zoete aardappelen dan!' gilde ik bijna. 'Kijk eens hoe mooi die er uitzien! Ze zijn glad geklopt en er zitten marshmallows doorheen;

jullie houden immers van marshmallows, en er zit ook sinaasappel – en citroensap door.' Ik deed een schietgebedje dat ze de 'bulterige' walnoten niet zouden merken.

Ik geloof dat ze met hun tweeën, tegenover elkaar zittend en hun eten tot een hutspot roerend, een onsje eten naar binnen wisten te werken.

Terwijl Chris naar een dessert verlangde, begon ik de tafel af te ruimen. En – ik kon mijn ogen niet geloven – Chris begon te helpen! Hij lachte ontwapenend naar me en gaf me een zoen op mijn wang. Nou, als een goed maal zo'n uitwerking had op een man, dan zou ik er voor zorgen dat ik goed leerde koken! Hij raapte zelfs zijn sokken op voor hij me kwam helpen met afwassen.

Tien minuten nadat Chris en ik alles netjes onder de tafel hadden geborgen, en er een schone theedoek over hadden gelegd, kondigde de tweeling gelijktijdig aan: 'We hebben honger! Onze maag knort!'

Chris las verder achter zijn bureau. Ik legde *Lorna Doone* opzij, stond op van het bed, en gaf zonder een woord te zeggen elk van de tweeling een boterham met pindakaas en één met gelei.

Terwijl ze met kleine hapjes aten, liet ik me op bed vallen en keek met oprechte verbazing toe. Waarom vonden ze die rommel zo lekker? Moeder zijn was minder gemakkelijk dan ik altijd gedacht had, en minder leuk ook.

'Ga niet op de grond zitten, Cory. Het is daar kouder dan in een stoel.'

'Hou niet van stoelen,' zei Cory. Toen nieste hij.

De volgende dag had Cory een flinke kou te pakken. Zijn gezichtje was rood en gloeiend. Hij klaagde dat zijn hele lichaam pijn deed. 'Cathy, waar is mamma, mijn echte mamma?' Hij verlangde naar zijn moeder en eindelijk kwam ze.

Ze maakte zich onmiddellijk ongerust toen ze Cory's gloeiende gezicht zag, en holde weg om een thermometer te halen. Bezorgd kwam ze terug, gevolgd door de verafschuwde grootmoeder.

Met het smalle glazen staafje in zijn mond staarde Cory naar zijn moeder of een gouden engel hem kwam redden in een tijd van nood. En ik, zijn namaak-moeder, was vergeten.

'Lieverd, schatje van me,' kirde ze. Ze haalde hem uit bed en droeg hem naar de schommelstoel, waarin ze met Cory op schoot ging zitten en gaf hem een zoen op zijn voorhoofd. 'Ik ben bij je, lieverd. Ik hou van je. Ik zal voor je zorgen en de pijn weg laten gaan. Als je zoet bent, goed eet en je sinaasappelsap opdrinkt, ben je zo weer beter.'

Ze stopte hem weer in bed en boog zich over hem heen, gaf hem een aspirientje en wat water om het door te slikken. Haar blauwe ogen waren mistig van de tranen en haar slanke bleke handen bewogen zenuwachtig.

Ik kneep mijn ogen samen toen ik zag dat ze haar lippen bewoog in een geluidloos gebed.

Twee dagen later lag Carrie naast Cory in bed, niezend en hoestend, en de koorts ging met sprongen omhoog, genoeg om mij in paniek te brengen. Chris was ook ongerust. Lusteloos en bleek lagen ze naast elkaar in het grote bed, terwijl hun vingertjes aan de dekens plukten die hoog onder hun kin waren opgetrokken.

Ze leken wel van porselein, zo doodsbleek waren ze, en hun blauwe ogen werden steeds groter en zonken steeds dieper weg in hun hoofd. Er kwamen donkere schaduwen onder hun ogen, waardoor ze er uitzagen als opgejaagde kinderen. Als moeder er niet was smeekten die twee paar ogen Chris en mij zwijgend om iets te doen, wat dan ook, om de pijn en narigheid te laten verdwijnen.

Mamma nam een week vrij van haar cursus, zodat ze zoveel mogelijk bij de tweeling kon blijven. Ik vond het vreselijk dat grootmoeder telkens met haar meekwam. Ze stopte haar neus altijd in zaken die haar niets aangingen en gaf advies als haar advies niet gewenst was. Ze had ons al verteld dat we niet bestonden en dat we niet het recht hadden te leven op Gods aardbodem, die gereserveerd was voor heilige en onschuldige mensen – zoals zijzelf. Kwam ze alleen maar mee om ons nog meer de put in te helpen, en ons die ene troost nog te ontnemen onze moeder voor onszelf te hebben?

Het dreigende geritsel van haar grijze jurken, het geluid van haar stem, van haar zware voetstappen, de aanblik van haar grote, bleke, pafferige handen, met de flonkerende diamanten ringen en de bruine pigment vlekken... als ik haar maar zag haatte ik haar al.

Onze moeder kwam vaak en deed wat ze kon om de tweeling beter te maken. Ook onder haar ogen lagen schaduwen; ze gaf de tweeling aspirientjes en water, en later sinaasappelsap en warme kippesoep.

Op een ochtend kwam mamma haastig binnen met een grote thermosfles vers geperst sinaasappelsap. 'Dat is beter dan bevroren of uit blik,' legde ze uit, 'vol vitamine A en C. Dat is goed tegen de verkoudheid.' Daarna maakte ze een lijst van alles wat Chris en ik moesten doen; ze zei dat we de tweeling veel sinaasappelsap moesten geven. We bewaarden de thermosfles op de zoldertrap – waar het 's winters even koud was als in een ijskast.

Eén blik op de thermometer die ze uit Carrie's mond haalde, en mamma raakte in paniek. 'O, God!' riep ze ontsteld uit. '39.7. Ze moeten naar een dokter of naar het ziekenhuis.' Ik stond voor de toilettafel, waaraan ik me losjes met één hand vasthield, terwijl ik mijn beenoefeningen deed, zoals elke dag, nu het op zolder te koud was om de spieren los te maken. Ik keek even naar mijn grootmoeder, om te zien hoe ze hierop zou reageren.

Grootmoeder had geen geduld met mensen die hun zelfbeheersing verloren. 'Doe niet zo belachelijk, Corrine. Alle kinderen hebben hoge koorts als ze ziek zijn. Dat heeft niets te betekenen. Dat hoor je nu langzamerhand wel te weten. Een verkoudheid is iets doodgewoons.'

Chris keek met een ruk op uit het boek dat hij aan het lezen was. Hij was bang dat de tweeling griep had, al had hij geen idee hoe ze het virus konden hebben opgelopen.

Grootmoeder ging verder: 'Dokters hebben geen verstand van een verkoudheid. Wij weten net zoveel. Je moet drie dingen doen: in bed blijven, veel drinken en aspirientjes nemen – meer niet.' Ze keek met een valse blik naar mij. 'Hou op met dat gedraai met je benen, kind. Je maakt me zenuwachtig.' Ze keek weer naar moeder, haar woorden waren voor haar bestemd. '*Mijn* moeder zei altijd, een kou doet er drie dagen over om te komen, drie dagen om te blijven en drie dagen om weg te gaan.'

'En als ze griep hebben?' vroeg Chris. Grootmoeder keerde hem haar rug toe en negeerde zijn vraag. Ze keek niet graag naar zijn gezicht, hij leek te veel op vader. 'Ik houd er niet van als mensen die beter horen te weten, mensen ondervragen die ouder en verstandiger zijn dan zij. Iedereen kent de regel van een verkoudheid: zes dagen om te komen en te blijven, en drie dagen om weg te gaan. Ze worden heus wel beter.'

Grootmoeders voorspelling kwam uit, de tweeling werd beter. Niet in negen dagen... in negentien dagen. Alleen door bedrust, aspirientjes en vocht – geen medicijnen van de dokter om ze sneller te laten genezen. Overdag lag de tweeling in hetzelfde bed; 's nachts sliep Carrie bij mij en Cory bij zijn broer. Ik begrijp niet dat Chris en ik niet aangestoken werden.

De hele nacht waren we in de weer. We holden om water te halen en sinaasappelsap dat koud stond op de zoldertrap. Ze riepen om koekjes, om mamma, om iets om hun neus te ontstoppen. Ze lagen te woelen en te transpireren, zwak en onrustig, angstig voor dingen die ze niet onder woorden konden brengen; ze keken alleen maar naar ons met grote bange ogen. Toen ze ziek waren vroegen ze dingen die ze niet vroegen toen ze gezond waren... was dat niet vreemd?

'Waarom blijven we aldoor boven?'

'Is er geen beneden meer?'

'Is dat ergens naar toe waar de zon zich verstopt?'

'Houdt mamma niet meer van ons?'

'Waarom golven de muren zo?'

'Golven de muren?' vroeg ik op mijn beurt.

'Chris golft ook.'

'Chris is moe.'

'Ben je moe, Chris?'

'Een beetje. Ik wou dat jullie gingen slapen en niet meer zoveel vroegen. Cathy is ook moe. We willen allebei gaan slapen, maar dan moeten we zeker weten dat jullie ook slapen.'

Chris pakte Cory op en bracht hem naar de schommelstoel en even later zaten Carrie en ik op zijn schoot. Daar schommelden we heen en weer, heen en weer, en vertelden elkaar verhalen tot drie uur in de ochtend. Andere nachten lazen we verhaaltjes tot vier uur 's morgens. Als ze huilden en naar mamma verlangden, zoals ze onophoudelijk deden, speelden Chris en ik vader en moeder en deden ons uiterste best ze gerust te stellen, door slaapliedjes voor ze te zingen. We schommelden zo hard dat de vloerplanken begonnen te kraken, en iemand beneden het beslist had kunnen horen.

En al die tijd hoorden we de wind door de heuvels gieren. Hij loeide door de kale takken en deed het huis kraken en fluisterde over dood en doodgaan, en huilde, kreunde en zuchtte in alle hoeken en gaten en probeerde ons op alle manieren duidelijk te maken dat het hier niet veilig was.

We lazen zoveel verhalen voor en zongen zoveel liedjes dat Chris en ik hees werden en zelf half ziek waren van vermoeidheid. We smeekten God elke nacht op onze knieën om de tweeling weer beter te maken. 'Alstublieft, God, laat ze weer worden zoals ze waren.'

Eindelijk kwam er een dag waarop het hoesten ophield, hun ogen dichtvielen en ze eindelijk wegzonken in een diepe, vredige slaap. Maar de kille benige hand van de dood die zich naar hen had uitgestoken wilde niet zo gauw loslaten, en de kleintjes werden heel langzaam en moeizaam weer gezond. En toen ze eindelijk 'gezond' waren, was het niet meer hetzelfde robuuste, levendige stelletje. Cory, die nooit veel had gezegd, zei nu nog minder. Carrie, die niets heerlijker vond dan te luisteren naar haar eigen ononderbroken gebabbel werd nu bijna even stil als Cory. En nu ik de rust had waar ik zo vaak naar verlangd had, wenste ik het vogelgesjirp weer terug, het onophoudelijke geratel tegen poppen, vrachtwagens, treinen, boten, kussens, planten, schoenen, jurken, onderbroeken, speelgoed, puzzels en spelletjes.

Ik bekeek haar tong, die bleek en wit zag. Bezorgd richtte ik me weer op en staarde naar de twee smalle gezichtjes die naast elkaar op één kussen lagen. Waarom had ik het zo nodig gevonden dat ze opgroeiden en zich naar hun leeftijd gedroegen? Deze lange ziekte had ze veel ouder gemaakt. Ze hadden donkere kringen onder hun grote blauwe ogen en hun gezonde kleur was verdwenen. De hoge koorts en het hoesten had hun de wijze en soms sluwe uitdrukking gegeven van oude, vermoeide mensen, die gingen liggen en wie het niet kon schelen of de zon opkwam of onderging en onderbleef. Ik was bang; hun bleke, ingevallen gezichtjes bezorgden me benauwende dromen over de dood.

En al die tijd gierde de wind om het huis.

Eindelijk kwamen ze hun bed uit en liepen langzaam rond. Hun beentjes, die vroeger zo'n gezonde roze kleur hadden, waarmee ze konden huppelen en springen, waren nu zo broos als strootjes. Ze wilden nu kruipen in plaats van vliegen, en ze glimlachten in plaats van te lachen.

Vermoeid liet ik me voorover op bed vallen en dacht en dacht en dacht – wat konden Chris en ik doen om ze hun babyachtige charme weer terug te geven?

We konden niets doen, al hadden we onze eigen gezondheid graag ervoor opgegeven.

'Vitaminen!' zei mamma, toen Chris en ik haar op het ongezonde verschil in de tweeling attent maakten. 'Vitaminen hebben ze nodig en jullie ook – van nu af aan moeten jullie allemaal elke dag een vitaminepil nemen.' Terwijl ze dat zei schikte ze met haar slanke, goed verzorgde hand haar fraai gekapte, glanzende haar recht.

'Zijn frisse lucht en zonneschijn ook in pillen te krijgen?' vroeg ik. Ik zat op het dichtstbijzijnde bed en keek strak naar onze moeder die weigerde te zien wat er aan de hand was. 'Als we allemaal één vitaminepil per dag slikken, worden we dan weer net zo gezond en sterk als toen we een normaal leven leidden en het grootste deel van de dag buiten waren?'

Mamma droeg een roze jurk – roze stond haar goed. Het bracht rozen op haar wangen, en gaf haar haar een warme roze glans.

'Cathy,' zei ze, terwijl ze neerbuigend naar me keek, en een beweging maakte om haar handen te verstoppen, 'waarom probeer je het toch altijd zo moeilijk voor me te maken? Ik doe wat ik kan. Echt waar. En, ja, als je het wilt weten, met vitaminen *kun* je de gezondheid slikken die het buitenleven je geeft – dat is de reden waarom ze vitaminen maken.'

Haar onverschilligheid deed me nog meer verdriet. Ik keek even naar Chris, die met gebogen hoofd alles in zich opnam, zonder iets te zeggen. 'Hoe lang duurt onze gevangenschap, mamma?'

'Nog even, Cathy, niet lang meer – geloof me.'

'Nog een maand?'

'Misschien.'

'Zou je niet stiekem boven kunnen komen en de tweeling mee naar buiten nemen, voor een ritje in je auto bijvoorbeeld? Je zou er best voor kunnen zorgen dat het personeel je niet ziet. Ik denk dat het ze enorm veel goed zou doen. Chris en ik hoeven niet.'

Ze draaide zich met een ruk om en keek naar mijn oudste broer om te zien of hij met mij in het complot was, maar de verbazing op zijn gezicht verried hem. 'Nee! Natuurlijk niet! Dat kan ik niet riskeren! Er zijn acht bedienden in huis, en hoewel het personeelsverblijf is afgescheiden van de rest van het huis, staat er altijd wel iemand achter het raam om naar buiten te kijken, en dan zouden ze zien dat ik de auto startte. En omdat ze nieuwsgierig zijn, zouden ze kijken in welke richting ik reed.'

Mijn stem klonk kil. 'Wil je dan alsjeblieft proberen wat vers fruit mee te nemen, vooral bananen? Je weet hoe gek de tweeling is op bananen en ze hebben ze niet meer gegeten sinds we hier zijn.'

'Morgen neem ik bananen mee. Je grootvader houdt er niet van.'

'Wat heeft *hij* daarmee te maken?'

'Daarom worden er geen bananen gekocht.'

'Je rijdt elke werkdag op en neer naar die cursus van je – je kunt toch zelf stoppen en wat bananen kopen – en nog wat pinda's? En waarom krijgen ze niet eens een doos popcorn? Daar krijgen ze toch zeker geen slechte tanden van!'

Ze knikte vriendelijk en beloofde het. 'En wat wil jij hebben?' vroeg ze.

'Vrijheid! Ik wil eruit. Ik heb er genoeg van in een kamer opgesloten te zitten. Ik wil dat de tweeling naar buiten gaat – en Chris. Ik wil dat je een huis huurt, of koopt, of steelt – maar dat je ons uit *dit* huis vandaan haalt!'

'Cathy,' pleitte ze, 'ik doe wat ik kan. Ik breng toch altijd cadeautjes voor jullie mee? Wat ontbeer je behalve bananen? Zeg het maar.'

'Je hebt ons beloofd dat we hier maar heel even hoefden te blijven – en we zijn er nu al maanden.'

Ze spreidde haar handen met een smekend gebaar uit. 'Verwacht je soms van me dat ik mijn vader vermoord?'

Zwijgend schudde ik het hoofd.

'Laat haar met rust!' viel Chris uit zodra de deur achter zijn godin was dichtgevallen. 'Ze doet echt haar best voor ons! Zit niet altijd zo op haar te vitten! Het is een wonder dat ze ons nog komt opzoeken, zoals jij altijd tegen haar te keer gaat, met je eeuwige vragen, alsof je haar niet vertrouwt. Jij weet niet hoe zij lijdt. Denk je dat ze zich gelukkig voelt in de wetenschap dat haar vier kinderen in één kamer zitten opgesloten en op een zolder moeten spelen?'

Het was moeilijk te zeggen wat onze moeder precies dacht en voelde. Ze was altijd even kalm en beheerst, al zag ze er vaak moe uit. Ze had nieuwe, dure kleren en droeg zelden twee keer hetzelfde, maar ze bracht voor ons ook nieuwe, dure kleren mee. Niet dat het er iets toe deed wat wij droegen. Niemand zag ons behalve grootmoeder, en we hadden net zo goed in vodden kunnen rondlopen. Misschien zou ze dan nog wel voldaan hebben geglimlacht.

We gingen niet naar zolder als het regende of sneeuwde. Zelfs op heldere dagen was er altijd die wind, die huilde en gierde door de spleten van het oude huis.

Op een nacht werd Cory wakker en riep me. 'Laat die wind weggaan, Cathy.'

Ik liet mijn bed en de vast slapende Carrie in de steek, kroop onder de dekens naast Cory en hield hem stevig in mijn armen. Dat arme, magere lichaampje dat zo graag geliefkoosd werd door zijn echte moeder... en hij had alleen maar mij. Hij voelde zo klein en zo teer aan alsof die gierende wind hem zo kon wegblazen. Ik verborg mijn gezicht in zijn lekker geurende blonde krullen en kuste hem, zoals ik had gedaan toen hij nog een baby was en ik mijn poppen in de steek had gelaten voor levende babies. 'Ik kan de wind niet laten weggaan, Cory. Dat kan alleen God.'

'Zeg dan tegen God dat ik niet van de wind hou,' zei hij slaperig. 'Zeg tegen God dat de wind wil binnenkomen en mij pakken.'

Ik drukte hem steviger tegen me aan... *ik zou Cory nooit door de wind laten pakken, nooit!* Maar ik begreep wat hij bedoelde.

'Vertel me een verhaal, Cathy, zodat ik de wind kan vergeten.'

Ik had een verhaal verzonnen voor Cory over kleine kinderen die in een klein gezellig huis woonden, met een vader en moeder, die veel, veel groter waren en sterk genoeg om alle angstaanjagende dingen te verdrijven. Een gezin van zes personen, met een grote achtertuin, waar enorme bomen stonden met schommels en waar echte bloemen groeiden – bloemen die in de herfst doodgingen en in het voorjaar weer opkwamen. Er was een hond, Clover, en een kat, Calico, en een gele vogel zong

de hele dag in een gouden kooi, en iedereen hield van iedereen, en niemand werd ooit geranseld of geslagen of uitgescholden, er waren geen gesloten deuren en dichte gordijnen.
seld of geslagen of uitgescholden, er waren geen gesloten deuren en dichte gordijnen.

'Zing een liedje voor me, Cathy. Ik vind het prettig als je me in slaap zingt.'

Ik hield hem teder in mijn armen en begon liedjes te zingen die ik zelf had geschreven op muziek die ik Cory steeds hoorde neuriën... zijn eigen gedachtenmuziek. Het was een liedje om zijn angst voor de wind weg te nemen en mijn eigen angst misschien. Het was mijn allereerste poging om te rijmen.

Ik hoor de wind als hij van de heuvel suist,
Hij spreekt tegen mij in de stille nacht,
Hij fluistert in mijn oor
De woorden die ik nooit hoor,
Zelfs al is hij nabij.

Ik voel de bries die waait uit de zee,
Hij speelt met mijn haar, hij liefkoost mij,
Hij neemt mij nooit bij de hand
Om te tonen dat hij begrijpt.
Hij raakt mij nooit teder aan.
Eens zal ik die heuvel beklimmen,
En een nieuwe dag vinden.
Een andere stem om de woorden te zeggen die ik moet horen
Wil ik nog een jaar blijven leven...

Cory lag in mijn armen te slapen, hij haalde regelmatig adem en voelde zich veilig. Achter hem lag Chris met wijd open ogen naar het plafond te staren. Toen mijn liedje uit was, draaide hij zijn hoofd om en keek me aan. Zijn vijftiende verjaardag was gevierd met een taart en ijs om er een bijzondere gelegenheid van te maken. Cadeaus kregen we bijna elke dag. Hij had nu een polaroid camera, een nieuw en mooier horloge. Mooi. Geweldig. Hoe kon hij zo gauw tevreden zijn?

Zag hij dan niet dat moeder niet meer dezelfde was? Merkte hij dan niet dat ze niet elke dag meer kwam? Was hij zo goedgelovig dat hij alles geloofde wat ze zei, elk excuus dat ze verzon?

De avond voor kerstmis. We waren nu vijf maanden in Foxworth Hall. Niet één keer waren we beneden geweest in dit enorme huis, laat staan buiten. We hielden ons aan de regels: we baden voor elke maaltijd; we knielden elke avond naast ons bed en zeiden ons gebed; we waren zedig in de badkamer; we hielden onze gedachten rein, zuiver, onschuldig... en toch leek het me dat ons eten van dag tot dag slechter werd.

Ik praatte mezelf in dat het niet belangrijk was dat we eens één keer onze strooptocht langs de winkels met kerstmis misten. Er kwamen nog meer kerstfeesten, als we rijk, rijk, rijk waren, als we een winkel konden binnenlopen en alles kopen wat we hebben wilden. Wat zouden we mooi zijn in onze schitterende kleren, met onze keurige manieren en zachte, beschaafde stemmen die de wereld kond deden dat we heel speciale mensen waren, nodig, onontbeerlijk, geliefd.

Natuurlijk wisten Chris en ik dat het kerstmannetje niet bestond. Maar we wilden graag dat de tweeling er wel in geloofde en niets zou missen van die betovering en verrukking van dat dikke, vrolijke mannetje dat door de wereld suisde om de wensen te vervullen van alle kinderen – zelfs al wisten ze zelf niet wat ze wensten tot ze het kregen.

Wat was je jeugd als je niet in het kerstmannetje geloofde? Niet het soort jeugd dat ik voor de tweeling verlangde!

Zelfs voor degenen die opgesloten zaten, was kerstmis een drukke tijd, zelfs voor iemand die begon te wanhopen en te twijfelen en wantrouwig werd. In het geheim hadden Chris en ik geschenkjes gemaakt voor mamma (die niets nodig had) en cadeautjes voor de tweeling – pluizige speelgoedbeesten die we moeizaam met de hand stikten en daarna met watten vulden. Ik borduurde de snuitjes voordat ze gevuld waren. Ik breide in het geheim in de badkamer een muts voor Chris van rode wol – hij werd groter en groter en groter; mamma was vergeten me iets over maten te vertellen.

Toen kwam Chris met een volkomen krankzinnig en weerzinwekkend voorstel. 'Laten we voor grootmoeder ook een cadeautje maken. Het is eigenlijk niet juist om haar erbuiten te laten. Ze brengt onze melk en ons eten boven, en wie weet, kan zo'n geschenkje wel maken dat ze ons aardiger gaat vinden. En denk je eens in hoeveel draaglijker ons leven zou worden als zij wat vriendelijker werd.'

Ik was dom genoeg om te denken dat het zou kunnen lukken en uren en uren zwoegden we aan een cadeau voor een oude heks die ons haatte. In al die tijd had ze ons nooit één keer bij de naam genoemd.

We spanden bruin linnen op een borduurraam, plakten er gekleurde steentjes en goudkleurig en bruin koord op. Als we een fout maakten deden we het heel zorgvuldig over en dan goed, zodat *zij* het niet zou merken. Ze moest wel een perfectioniste zijn die de kleinste fout zou zien en afkeuren. En we zouden *haar* nooit iets geven dan het allerbeste wat we met vereende krachten konden creëren.

'Weet je,' zei Chris weer, 'ik geloof echt dat we wel een kans hebben haar genegenheid te winnen. Per slot is ze onze grootmoeder, en mensen kunnen veranderen. Niemand blijft altijd hetzelfde. Terwijl mamma haar vader bewerkt, moeten wij haar moeder bewerken. En ook al weigert ze naar *mij* te kijken, ze kijkt wél naar jou.'

Ze keek niet echt naar me, ze zag alleen maar mijn haar – om de een of andere reden leek ze gefascineerd door mijn haar.

'Vergeet niet, Cathy, dat ze ons die gele chrysanten heeft gegeven.' Hij had gelijk – dat was de enige strohalm waaraan we ons konden vastklampen.

Laat in de middag, tegen de schemering, kwam mamma onze kamer binnen met een echt kerstboompje in een kleine houten tobbe. Een denneboom – wat kon er meer naar kerstmis ruiken? Mamma's wollen jurk was van lichtrode jersey; hij sloot nauw om haar lichaam en liet alle welvingen uitkomen die ik eens hoopte te hebben. Ze lachte en was opgewekt en wist ons ook op te vrolijken, terwijl ze bleef helpen de boom te versieren met de kerstballen en de lichtjes die ze had meegebracht. Ze gaf ons vier kousen om over de bedstijlen te hangen, zodat het kerstmannetje ze kon vullen.

'Volgend jaar om deze tijd wonen we in ons eigen huis,' zei ze vrolijk, en ik geloofde haar.

'Ja,' zei mamma lachend, 'volgend jaar om deze tijd zullen we allemaal een heerlijk leven hebben. We zullen geld genoeg hebben om een groot eigen huis te kopen en jullie zullen alles hebben wat je hartje begeert. Jullie zullen deze kamer en de zolder in een mum van tijd vergeten zijn. En al die dagen die jullie zo dapper hebben verdragen zullen vergeten zijn, of ze nooit hebben bestaan.'

Ze kuste ons en zei dat ze van ons hield. We keken haar na toen ze wegging en voelden ons minder bedroefd dan anders. Ze had ons weer nieuwe hoop gegeven.

Mamma kwam 's nachts binnen toen we sliepen. Toen ik 's morgens wakker werd, zag ik dat de kousen tot aan de rand toe gevuld waren. En er lagen stapels cadeaus onder de kleine tafel waar de boom stond, en overal in de kamer lag speelgoed voor de tweeling dat te groot en onhandig was om in te pakken.

Ik keek naar Chris. Hij knipoogde, grinnikte en sprong uit bed. Hij pakte de zilveren bellen die aan plastic teugels vastzaten en zwaaide ze krachtig boven zijn hoofd heen en weer. 'Gelukkig kerstfeest!' bulderde hij. 'Wakker worden iedereen! Cory, Carrie, slaapkoppen – doe je ogen open en sta op! Kom eens kijken wat het kerstmannetje heeft gebracht!'

Ze werden langzaam wakker uit hun dromen, wreven in hun slaperige ogen, staarden ongelovig naar het vele speelgoed, naar de mooi verpakte cadeaus met naamkaartjes erop, naar de gestreepte kousen die waren gevuld met koekjes, noten, chocola, fruit, kauwgom, pepermuntstokken.

Echt snoepgoed – eindelijk! Zuurtjes, de kleurige zuurtjes die ze in kerken en scholen uitdeelden bij feesten, snoepgoed dat grote zwarte gaten in je tanden kon maken! Maar o, wat zag het er kerstmisachtig uit, en zo smaakte het ook!

Cory zat verbijsterd op bed, en wreef met zijn knuistjes in zijn ogen. Hij leek te veel in de war om iets te kunnen zeggen.

Maar Carrie had altijd haar woordje klaar. 'Hoe heeft het kerstmannetje ons weten te vinden?'

'O, het kerstmannetje heeft magische ogen,' legde Chris uit, die Carrie op zijn schouder tilde. Toen stak hij zijn arm uit naar Cory en tilde hem ook op. Hij deed hetzelfde wat pappa zou hebben gedaan, en de tranen sprongen in mijn ogen.

'Het kerstmannetje zal nooit met opzet een kind overslaan,' zei hij, 'en bovendien wist hij dat je hier was. Ik heb ervoor gezorgd dat hij het zou weten, want ik heb hem een heel lange brief geschreven en ons adres gegeven en een lange lijst opgesteld van de dingen die we wilden hebben, wel anderhalve meter lang.'

Mal, dacht ik. Want de verlanglijst van ons vieren was zo kort en simpel. We wilden naar buiten. We wilden onze vrijheid.

Ik ging rechtop in bed zitten en keek om me heen met een brok in mijn keel. Mamma had het geprobeerd, o, ja. Ze had het geprobeerd, ze had haar best gedaan. Ze hield van ons, ze gaf om ons. Het moest haar maanden hebben gekost om dit alles te kopen.

Ik schaamde me en had berouw over mijn gemene, lelijke gedachten. Dat kwam ervan als je alles onmiddellijk wilde hebben en geen geduld en vertrouwen had.

Chris keek me vragend aan. 'Hé, ben je van plan de hele dag zo te blijven zitten – hou je niet meer van cadeaus?'

Terwijl Cory en Carrie het papier van de pakjes scheurden kwam Chris naar mij toe en stak zijn hand uit. 'Kom, Cathy, geniet van de enige kerstmis die je op je twaalfde jaar zult beleven. Maak er een uniek feest van, anders dan alle kerstfeesten die we in de toekomst zullen beleven.' Zijn blauwe ogen stonden smekend.

Hij droeg een verkreukelde rode pyjama met witte randjes en zijn goudblonde haar stond naar alle kanten uit. Ik droeg een rood nachthemd van schapewol en mijn lange haren waren nog verwarder dan de zijne. Ik legde mijn hand in zijn warme hand en lachte. Kerstmis was kerstmis, waar je ook was en hoe de omstandigheden ook waren, het was een dag om van te genieten. We maakten alle pakjes open en pasten onze nieuwe kleren aan en stopten ons vol met snoep vóór het ontbijt. En 'het kerstmannetje' had een briefje achtergelaten dat we het snoep moesten verbergen voor een zekere 'je-weet-wel-wie'. Want snoep veroorzaakte nog steeds gaten. Zelfs op kerstdag.

Ik zat op de grond in mijn prachtige nieuwe ochtendjas van groen fluweel. Chris had een nieuwe ochtendjas van rood flanel die bij zijn pyjama paste. Ik trok de tweeling hun nieuwe lichtblauwe ochtendjasjes aan. Ik geloof niet dat er vier gelukkigere kinderen bestonden dan wij die ochtend. Chocoladerepen waren hemels en des te lekkerder omdat ze verboden waren. Het was zalig om die chocola in mijn mond te houden en langzaam te laten smelten, terwijl ik mijn ogen stevig dichtkneep om meer van de smaak te kunnen genieten. En toen ik ze even opendeed, zag ik dat Chris de zijne ook gesloten hield. Grappig zoals de tweeling hun chocola at, met wijd open ogen, vol verbazing. Waren ze de smaak vergeten? Het leek van wel, want ze keken of ze de hemel op aarde proefden. Toen we de deurknop hoorden rammelen verborgen we het snoepgoed gauw onder het dichtstbijzijnde bed.

Het was grootmoeder. Ze kwam zachtjes binnen met de picknickmand. Ze zette de mand op de speeltafel. Ze wenste ons geen 'Gelukkig Kerstfeest', geen goedemorgen, ze glimlachte niet of liet op enige manier blijken dat het een bijzondere dag was. En we mochten niet tegen haar spreken als zij niet eerst tegen ons had gesproken.

Met tegenzin en angst, maar ook hoopvol, pakte ik het langwerpige pakje in het rode foliepapier, dat om een van mamma's pakjes had gezeten. Onder dat mooie papier bevond zich onze collage, waaraan we alle vier hadden meegewerkt: een kinderlijke versie van de volmaakte tuin. De oude hutkoffers op zolder hadden ons prachtig materiaal verschaft, zoals de fijne zij waarvan de pastelkleurige vlinders waren gemaakt, die boven de bonte, geborduurde bloemen zweefden. Hoe enthousiast had Carrie die paarse vlinders met rode stippen gemaakt – ze was dol op paars met rood! Als er ooit een mooiere vlinder bestond – een levende kon niet! – zou het die van Cory zijn, van gele zij met groene en zwarte vlekjes en oogjes van rode steentjes. Onze bomen waren gemaakt van bruin koord, met kleine tabaksbruine kiezelsteentjes, die er uitzagen als schors; de takken waren sierlijk ineengevlochten, zodat er felgekleurde vogels op neer konden strijken of tussen de bladeren door vliegen. Chris en ik hadden kippeveren gehaald uit oude kussens en die in waterverf gedoopt en met een oude tandenborstel de veertjes uitgekamd, zodat ze weer mooi glad waren.

Het klinkt misschien verwaand als ik zeg dat ons schilderij blijk gaf van grote artisticiteit en creativiteit. Onze compositie was evenwichtig, maar had toch ritme, stijl... en een charme die de tranen in moeders ogen deden springen toen we het haar lieten zien. Ze moest zich omdraaien, om haar tranen te verbergen. O, ja, deze collage was verreweg het mooiste kunstwerk dat we tot dusver hadden gemaakt.

Met angst en beven wachtte ik het ogenblik af dat haar handen leeg zouden zijn. Daar grootmoeder Chris nooit aankeek, en de tweeling zo doodsbang voor haar was, dat ze ineenschrompelden in haar aanwezigheid, was mij de taak toebedeeld haar het geschenk te overhandigen. Mijn voeten wilden niet bewegen. Chris gaf me een harde por met zijn elleboog. 'Schiet op,' fluisterde hij, 'straks is ze weg.'

Mijn voeten leken aan de grond genageld. Ik reikte het pakje met uitgestrekte armen aan. In die houding leek het een offerande, want het was niet gemakkelijk haar iets te geven, waar zij ons niets anders dan vijandschap toonde en haar kans afwachtte om ons pijn te doen.

Die kerstochtend slaagde ze er wonderwel in om ons pijn te doen, ook zonder karwats of woorden.

Ik wilde haar plechtig begroeten en zeggen: 'Prettig kerstfeest, grootmoeder. We willen u iets geven. U hoeft ons niet te bedanken; het was geen moeite. Alleen maar een kleinigheid om u te tonen hoezeer we het waarderen dat u ons elke dag eten komt brengen en ons onderdak verleent.'

Nee, nee, dan zou ze denken dat ik het sarcastisch bedoelde. Ik kon beter zoiets zeggen als: 'Prettig kerstfeest. We hopen dat u dit mooi vindt. We hebben er allemaal aan gewerkt, zelfs Cory en Carrie, en u mag het houden, zodat, als wij weg zijn u zult weten dat we ons best hebben gedaan, echt ons best gedaan.'

Alleen al het feit dat ze mij voor zich zag staan met het geschenk, verraste haar.

Langzaam, mijn ogen dapper naar haar opgeslagen, bood ik haar ons kerstoffer aan. Ik wilde niet smeken met mijn ogen. Ik wilde dat ze het aannam en mooi vond en dank je wel zei, ook al zei ze het koel. Ik wilde dat ze vanavond naar bed ging en aan ons dacht, ons wat minder slecht vond. Ik wilde dat ze al het werk zou waarderen dat we aan ons geschenk hadden besteed, en ik wilde dat ze zou nadenken over de manier waarop ze ons bejegende.

Haar kille en minachtende ogen gingen vernietigend naar de langwerpige, in rood foliepapier verpakte doos. Bovenop was een takje namaakhulst en een grote zilveren strik bevestigd. Aan de strik was een kaartje gebonden: 'Voor grootmoeder, van Chris, Cathy, Cory en Carrie'.

Haar harde grijze ogen bleven lang genoeg op het kaartje rusten om het te lezen. Toen sloeg ze haar ogen op en zag mijn hoopvolle blik, die smeekte, vroeg, de geruststelling wilde afdwingen dat we niet – zoals ik soms vreesde – slecht waren. Haar ogen gingen weer terug naar de doos en toen draaide ze zich weloverwogen om. Zonder een woord te zeggen liep ze de deur uit, smeet die hard achter zich dicht en deed hem op slot. Ik stond midden in de kamer en hield het eindprodukt in mijn handen van lange uren zwoegen om schoonheid en perfectie te bereiken.

Idioten die we waren! Stomme idioten!

We zouden nooit haar genegenheid kunnen winnen! Ze zou ons altijd als duivelsgebroed beschouwen! Voor haar bestonden we inderdaad niet.

En het deed pijn, o, reken maar dat het pijn deed. Het deed pijn tot in mijn blote voeten, en mijn hart leek een holle bal die pijnscheuten door mijn borst joeg. Achter me hoorde ik Chris hoorbaar in- en uitademen, en de tweeling begon zachtjes te huilen.

Dit was het moment waarop ik moest bewijzen dat ik volwassen was, de beheersing tonen die mamma altijd zo goed en effectief aan den dag wist te leggen. Ik probeerde altijd de reacties en expressies van mijn moeder na te volgen. Ik gebruikte mijn handen zoals zij. Ik glimlachte zoals zij, langzaam en verleidelijk.

En wat deed ik om mijn volwassenheid te demonstreren? Ik smeet het pakje op de grond! Ik vloekte, gebruikte woorden die ik nooit eerder gezegd had! Ik hief mijn voet op en trapte erop, en ik sprong en trapte tot ik het kraken hoorde van de mooie oude lijst die we op zolder hadden gevonden en in elkaar gelijmd en opnieuw gelakt hadden, zodat hij als nieuw was. Ik haatte Chris, omdat hij me had laten geloven dat je de genegenheid kon winnen van een vrouw die van steen was! Ik haatte mamma, omdat ze ons in deze positie had gebracht! Ze had haar moeder beter moeten kennen; er was vast wel iets dat ze had kunnen doen – alles was beter dan dit.

Onder mijn woeste, onbeheerste aanval versplinterde de droge lijst; ons hele werk was naar de maan.

'Stop!' riep Chris. 'We kunnen het zelf houden!'

Hij kwam aangehold om de totale vernietiging te voorkomen, maar het was te laat, het tere schilderij was verwoest, definitief. Ik was in tranen.

Huilend bukte ik me en raapte de zijden vlinders met hun schitterende gekleurde vleugels op, die Cory en Carrie zo ijverig en vol inspanning hadden gemaakt. Pastelkleurige vlinders, die ik mijn leven lang zou bewaren.

Chris hield me in zijn armen, terwijl ik luid snikte; hij probeerde me te troosten met vaderlijke woorden: 'Niet huilen. Het geeft niet wat ze doet. Wij hadden gelijk, en zij had ongelijk. Wij hebben het geprobeerd. Zij probeert het nooit.'

We zaten zwijgend op de grond temidden van onze geschenken. De tweeling was stil, hun grote ogen vol twijfel, ze wilden spelen met hun speelgoed, en wisten niet wat te doen, omdat ze onze spiegels waren en onze emoties weerkaatsten. Ik had zo'n medelijden met ze, dat al mijn verdriet weer bovenkwam. Ik was twaalf. Ik zou toch eens een keer moeten leren me wat volwassener te gedragen en me te beheersen, geen vaatje buskruit te zijn, dat elk moment kon ontploffen.

Mamma kwam glimlachend binnen en riep ons vrolijk Kerstfeest toe. Ze had nog meer cadeaus bij zich, waaronder een enorm poppenhuis, dat vroeger van haar was geweest... en van haar afschuwelijke moeder. 'Dit is *niet* van het kerstmannetje,' zei ze, en zette het poppenhuis voorzichtig op de grond, en er was nu ook werkelijk geen centimeter grond meer vrij. 'Dit is mijn geschenk voor Cory en Carrie.' Ze omhelsde hen en gaf hun een zoen op de wang en zei dat ze nu 'vader-en-moedertje' konden spelen en 'gastheer en gastvrouw', zoals zij altijd had gedaan toen ze vijf was.

Als ze al merkte dat we geen van allen erg blij waren met dat grote poppenhuis, liet ze dat niet blijken. Lachend en vrolijk hurkte ze neer op de grond en vertelde ons hoeveel ze altijd van het poppenhuis gehouden had.

'Het is ook erg waardevol,' zei ze dwepend. 'Zo'n poppenhuis brengt een vermogen op. Alleen al die miniatuur porseleinen poppetjes met die beweegbare ledematen zijn onbetaalbaar; de gezichtjes zijn allemaal met de hand geschilderd. De poppen zijn op schaal gemaakt, in verhouding tot het huis, net als de meubels, de schilderijen – alles eigenlijk. Het huis is met de hand gemaakt door een Engelse kunstenaar. Elke stoel, tafel, bed, lamp, kroonluchter – het zijn allemaal reprodukties van echt antiek. Ik heb gehoord dat de kunstenaar er twaalf jaar over heeft gedaan.

Kijk maar hoe de deurtjes open en dicht gaan, ze sluiten perfect, wat meer is dan je kunt zeggen van het huis waarin wij wonen,' ging ze verder. 'En alle laatjes kunnen open en dicht. Er is een heel klein sleuteltje bij, waarmee je het bureautje op slot kunt doen, en kijk eens, hoe sommige deuren in de muren glijden – schuifdeuren noemen ze die! Ik wou dat dit huis zulke deuren had; ik begrijp niet waarom die uit de mode zijn geraakt. En zie je die met de hand uitgesneden kroonlijsten bij het plafond, en de panelen in de eetkamer en de bibliotheek – en die lilliputter boekjes op de planken? Je gelooft het misschien niet, maar als je een microscoop had, zou je de tekst kunnen lezen!'

Ze demonstreerde heel voorzichtig de wonderen van een poppenhuis dat alleen was weggelegd voor de kinderen van ontzettend rijke mensen.

Chris kon het natuurlijk niet laten een van die mini-boekjes eruit te halen en vlak bij zijn half dichtgeknepen ogen te houden, om te proberen een tekst te lezen, die zo klein gedrukt was, dat je er een microscoop bij nodig had. (Er was een heel speciale microscoop, die hij eens hoopte te hebben... en die ik hoopte hem te kunnen geven.)

Ik bewonderde de vaardigheid en het geduld waarmee al die kleine meubeltjes waren gemaakt. In de salon van het oude poppenhuis stond een vleugel, waarover een zijden sjaal met goudkleurige franje lag. Midden op de tafel in de eetkamer stond een vaas met zijden bloemen. Op het buffet stond een zilveren schaal met namaakfruit. Aan het plafond hingen twee kristallen kroonluchters met echte kaarsjes erin. In de keuken stonden bedienden met schortjes voor, die het eten klaarmaakten. Een butler in livrei stond bij de voordeur om de gasten te begroeten, terwijl in de salon fraai geklede dames stijfjes naast mannen met uitgestreken gezichten stonden. Boven, in de kinderkamer, waren drie kinderen, en in de wieg lag een baby met uitgestrekte armpjes gereed om eruit te worden getild. Er was een bijgebouw, iets naar achteren, en daarin stond een rijtuig. En twee paarden in de stallen. Hemel! Wie had ooit kunnen denken dat mensen zoiets kleins konden maken! Ik keek naar de ramen, bewonderde de sierlijke witte gordijnen en zware overgordijnen. Op de eettafel stonden potten en pannen – allemaal heel klein, niet groter dan doperwten.

'Cathy,' zei mamma, terwijl ze haar arm om me heen sloeg, 'kijk eens naar dat kleine kleedje. Het is een echte pers, van zuivere zijde. En in de eetkamer ligt een oosters kleed.' Ze ging door met het ophemelen van het opvallende stuk speelgoed.

'Hoe kan het er zo nieuw uitzien en toch zo oud zijn?' vroeg ik. Een schaduw gleed over mamma's gezicht. 'Toen het van mijn moeder was stond het onder een enorme glazen stolp. Ze mocht ernaar kijken, maar het nooit aanraken. Toen ik het kreeg nam mijn vader een hamer en sloeg de glazen stolp kapot, en ik mocht van hem met alles spelen – op voorwaarde dat ik met mijn hand op de Bijbel zou zweren, dat ik niets zou breken.'

'En heb je dat gezworen en heb je niets gebroken?' vroeg Chris.

'Ja, ik heb het gezworen, en, ja, ik heb wat gebroken.' Haar hoofd was gebogen, zodat we haar ogen niet konden zien. 'Er was nog een poppetje, een knappe jongeman, en zijn armpje brak af toen ik probeerde zijn jasje uit te trekken. Ik kreeg met de karwats, niet alleen omdat ik het poppetje had gebroken, maar vooral omdat ik wilde zien wat er onder zijn kleren zat.'

Chris en ik bleven zwijgend zitten, maar Carrie leefde op en toonde grote belangstelling voor de grappige poppetjes in hun mooie, kleurige kleren. Vooral de baby in de wieg vond ze mooi. Omdat zij zo enthousiast was, kwam Cory er ook bij staan om het poppenhuis te bekijken.

Toen richtte mamma haar aandacht op mij. 'Cathy, waarom keek je zo ernstig toen ik binnenkwam? Vond je je cadeaus niet mooi?'

Omdat ik geen antwoord gaf, antwoordde Chris in mijn plaats. 'Ze is bedroefd, omdat grootmoeder het geschenk weigerde dat we voor haar hadden gemaakt.' Mamma gaf me een klopje op mijn schouder, maar vermeed mijn blik. Chris ging verder: 'En welbedankt voor alles – je hebt niets vergeten, je hebt alles aan het kerstmannetje doorgegeven. Maar nog het meest bedankt voor het poppenhuis. Ik denk dat de tweeling daar meer plezier mee zal hebben dan met iets anders.'

Ik staarde naar de twee driewielertjes waarmee de tweeling op zolder kon rijden, om hun magere zwakke beentjes door het trappen wat te versterken. Er waren rolschaatsen voor Chris en mij, die we alleen in het schoollokaal mochten gebruiken. Die kamer was geïsoleerd met bepleisterde muren en stevige houten vloeren en daardoor geluiddichter dan de rest van de zolder.

Mamma stond op en glimlachte geheimzinnig voor ze wegging. Vlakbij de deur zei ze dat ze over een paar seconden terug was en toen kwam ze met het beste cadeau van alles – een kleine draagbare TV!

'Die heeft mijn vader me gegeven voor mijn slaapkamer. En toen wist ik meteen wie er het meeste plezier van zou hebben. Nu hebben jullie een echt raam waardoor je de wereld kunt zien.'

Precies de juiste woorden om mijn hoop vleugels te geven! 'Mamma!' riep ik uit. 'Heeft je vader je een duur cadeau gegeven? Betekent dat dat hij je nu aardig vindt? Heeft hij je vergeven dat je met pappa getrouwd bent? Mogen we nu naar beneden?'

Haar blauwe ogen werden weer donker en omfloerst, en er klonk geen vreugde in haar stem, toen ze ons vertelde dat haar vader inderdaad vriendelijker was – hij had haar vergeven dat ze een zonde had begaan jegens God en de maatschappij. En toen zei ze iets dat mijn hart in mijn keel deed kloppen.

'Volgende week laat mijn vader me in zijn testament opnemen. Hij laat me alles na; zelfs dit huis is van mij als mijn moeder sterft. Hij laat haar niets na, omdat zij al van *haar* vader en moeder heeft geërfd.'

Geld – het kon me niets schelen. Ik wilde alleen maar naar buiten! En plots voelde ik me heel gelukkig – zo gelukkig dat ik mijn armen om mijn moeder heen sloeg, haar op de wang kuste en haar innig omhelsde. Jeetjemina, dit was de fijnste dag sinds we hier gekomen waren... en toen herinnerde ik me ineens dat mamma niet gezegd had dat we naar beneden mochten. *Maar* we waren toch een stap verder op de weg naar onze vrijheid.

Moeder zat op bed en glimlachte met haar mond, maar niet met haar ogen. Ze lachte om een paar malle dingen die Chris en ik zeiden, en het was een harde, broze lach, helemaal niet haar eigen lach. 'Ja, Cathy, ik ben de plichtsgetrouwe, gehoorzame dochter geworden die je grootvader altijd gewenst heeft. Hij spreekt en ik gehoorzaam. Hij beveelt en ik draaf. Het is me eindelijk gelukt het hem naar de zin te maken.' Ze zweeg plotseling en keek naar de dubbele ramen en het bleke licht daarachter. 'Hij is zelfs zo tevreden over me dat hij vanavond een party voor me geeft om me weer te introduceren bij mijn oude vrienden en de plaatselijke society. Het wordt een enorme bedoening, want áls mijn ouders een feest geven, dan doen ze alles in het groot. Ze drinken zelf geen alcohol, maar ze zien er geen been in om drank te serveren aan mensen die niet bang zijn voor de hel. Al het eten en drinken wordt verzorgd door een restaurant, en er komt ook een orkest voor het dansen.'

Een feest! Een feest voor Kerstmis! Met een orkest om te dansen! En eten en drinken door een restaurant! En mamma werd in het testament van haar vader opgenomen. Wat een geweldige dag!

'Mogen we kijken?' vroegen Chris en ik bijna tegelijkertijd. 'We zullen heel stil zijn.'

'We zullen ons ergens verbergen waar niemand ons kan zien.' 'Alsjeblieft, mamma, alsjeblieft, het is zo lang geleden dat we andere mensen hebben gezien en we zijn nog nooit op een kerstfeest geweest.'

We smeekten en smeekten tot ze eindelijk niet langer nee kon zeggen. Ze trok Chris en mij terzijde, in een hoek waar de tweeling ons niet kon horen, en fluisterde: 'Er is één plaats waar jullie je kunnen verstoppen en toch kunnen kijken, maar ik durf het niet aan met de tweeling. Ze zijn nog te jong; je weet dat ze niet langer dan twee seconden stil kunnen zitten, en Carrie zou waarschijnlijk gaan gillen van opwinding en de algemene aandacht trekken. Dus zweer op je woord van eer dat je het hun niet zult vertellen.'

We beloofden het. Nee, natuurlijk zouden we het niet vertellen, dat hoefden we niet eens te zweren. We hielden van onze kleine tweeling, en we zouden ze nooit verdriet willen doen; ze hoefden niet te weten wat ze misten.

We zongen kerstliedjes toen mamma weg was en de dag ging vrolijk genoeg voorbij, al zat er niets bijzonders in de picknickmand; boterhammen met ham, waar de tweeling niet van hield en plakken kalkoen, die nog ijskoud waren, alsof ze zo uit de diepvries kwamen. Restantjes van Thanksgiving Day.

Het werd vroeg donker, en ik zat lange tijd naar het poppenhuis te staren, waar Carrie en Cory vrolijk speelden met de kleine porseleinen poppetjes en de kostbare miniaturen.

Gek, hoeveel je kon leren van levenloze voorwerpen die eens van een klein meisje waren geweest, waarnaar ze had mogen kijken, maar die ze nooit mocht aanraken. En toen kwam er een ander klein meisje, dat het poppenhuis kreeg, en de glazen stolp werd kapotgeslagen, zodat ze de voorwerpen daarbinnen kon aanraken, en ze gestraft kon worden – als ze iets brak.

Een huiveringwekkende gedachte kwam bij me op: ik vroeg me af wat Carrie of Cory zou breken en wat hun straf zou zijn.

Ik stopte een stukje chocola in mijn mond en verzoette daarmee de wrangheid van mijn achterdochtige, onvriendelijke gedachten.

HET KERSTFEEST

Mamma hield woord. Toen de tweeling sliep kwam ze onze kamer binnen. Ze zag er zo mooi uit dat mijn hart zwol van trots en bewondering en ook een beetje afgunst. Haar lange avondjurk had een wijde rok van groen chiffon; het laag uitgesneden lijfje was van een donkerder kleur groen fluweel. Onder de wijde groene rok glinsterden de bandjes van haar schoenen. In haar oren fonkelden de lange diamanten en smaragden oorhangers. Haar parfum deed me denken aan een oosterse tuin die naar muskus geurde op een door de maan verlichte avond. Geen wonder dat Chris haar ademloos aanstaarde. Verlangend zuchtte ik: *O God, laat mij alstublieft er eens ook zo uitzien... laat me al die welvingen hebben die mannen zo bewonderen.*

Toen ze zich bewoog zweefden de chiffonnen banen van de rok om haar heen als vleugels die ons voor het eerst uit onze afgesloten donkere ruimte voerden. We volgden mamma's zilveren hakken door de donkere, brede gangen van de noordelijke vleugel. 'Er is een plaats waar ik me vroeger als kind verschool om naar de feesten van de volwassenen te kijken zonder dat mijn ouders het wisten. Het is een beetje nauw voor jullie beiden, maar het is de enige plaats waar je je kunt verbergen en toch iets kunt zien. Beloof me alsjeblieft dat je stil zult zijn, en als je slaap krijgt, ga dan terug naar je kamer zonder dat iemand je ziet – onthou goed hoe je daar moet komen.' Ze zei tegen ons dat we niet langer dan een uur mochten kijken, want als de tweeling wakker werd zouden ze bang worden als ze merkten dat ze alleen waren. Dan zouden ze misschien de gang oplopen, op zoek naar ons – en God mocht weten wat er dan zou kunnen gebeuren.

Ze liet ons in een massieve langwerpige donkere kist, met twee deuren. Het was er ongemakkelijk en benauwd, maar we konden vrij goed zien door het fijne netwerk-achtige scherm aan de achterkant.

Stilletjes sloop mamma weg.

Ver beneden ons lag een grote zaal, die helder verlicht was door de kaarsen in de vijf rijen van drie gigantische kristallen kroonluchters die aan een zoldering hingen, zo ver boven ons dat we die niet konden zien. Ik had nog nooit zoveel kaarsen tegelijk zien branden! De geur, de flakkerende lichtjes die weerkaatsten in de fonkelende prisma's en die de juwelen van de vrouwen deden fonkelen met alle kleuren van de regenboog – het was net een droom – nee, een film, scherp, duidelijk, een balzaal waar Assepoester en de Prins hadden kunnen dansen!

Honderden fraai en duur uitgedoste mensen liepen lachend en pratend door elkaar heen. In de hoek stond een reusachtige kerstboom. Hij was zeker meer dan zes meter hoog en fonkelde met duizenden gouden lichtjes die op de bontgekleurde kerstballen schenen.

Tientallen bedienden in zwart-met-rode uniformen liepen de balzaal in en uit, en plaatsten zilveren bladen met de heerlijkste hapjes op lange tafels, waar uit een reusachtige kristallen fontein een amberkleurig vocht vloeide in een zilveren schaal. Mannen en vrouwen vingen de vloeistof op in langstelige kristallen glazen. Er stonden nog twee zilveren punchbowls met kleine bijpassende kopjes – beide groot genoeg dat een kind erin kon baden. Het was mooi, betoverend, opwindend, adembenemend... en goed om te weten dat buiten onze gesloten deur nog een gelukkig leven bestond.

'Cathy,' fluisterde Chris in mijn oor, 'ik zou mijn ziel aan de duivel verkopen om één enkele teug te kunnen nemen uit die kristallen fontein!'

Mijn idee!

Nog nooit had ik me zo hongerig, zo dorstig, zo misdeeld gevoeld. Toch waren we allebei gecharmeerd en verblind door alle pracht en praal die met een grote rijkdom kon worden gekocht. De met mozaïek ingelegde dansvloer was zo glanzend gewreven dat hij glom als een spiegel. Aan de muren hingen enorme spiegels in vergulde lijsten, waarin de dansende paren werden weerkaatst, zodat het spiegelbeeld nauwelijks van het echte te onderscheiden was. Het hout van de vele stoelen en banken langs de muren was goudkleurig en de zittingen en ruggen waren van rood fluweel of wit brokaat. Franse stoelen natuurlijk – Louis XIV of XV!

Chris en ik staarden naar de dansende paren, die mooi en jong waren. We gaven commentaar op hun kleren en hun kapsels en raadden naar hun verhouding tot elkaar. Maar we keken vooral naar onze moeder, die in het middelpunt van de aandacht stond. Het meest danste ze met een lange, knappe man met donker haar en een grote snor. Hij bracht haar ook een glas en een bord met hapjes. Ze zaten naast elkaar op een bank. Ik vond dat ze veel te dicht bij elkaar zaten. Snel wendde ik mijn blik van hen af en keek naar de drie koks achter de lange tafels, die een soort pannekoekjes stonden te bakken, die met allerlei dingen gevuld werden. De geur kringelde naar boven en deed ons watertanden.

Onze maaltijden waren saai en monotoon: boterhammen, soep en de eeuwige gebraden kip en aardappelsla. Daar beneden was een gastronomisch feest aan de gang met de meest zalige dingen. Daar beneden hadden ze warm eten. Dat van ons was zelden warm. We bewaarden onze melk op zolder, om hem niet zuur te laten worden – en soms dreef er ijs op. Als we onze picknickmand met eten op de zoldertrap zetten kwamen de muizen aan alles knabbelen.

Van tijd tot tijd verdween mamma met die man. Waar gingen ze naar toe en wat deden ze? Zoenden ze elkaar? Was ze verliefd op hem? Zelfs vanaf deze hoge, verre plaats in de kist kon ik zien dat de man gefascineerd was door mamma. Hij kon zijn ogen niet van haar afhouden en zijn handen raakten haar voortdurend aan. En als ze op langzame muziek dansten hield hij haar zo stevig vast dat zijn wang tegen de hare lag. Als ze ophielden met dansen, hield hij zijn arm om haar schouders of haar middel geslagen – en één keer durfde hij zelfs haar borst aan te raken!

Ik dacht dat ze hem nu wel een klap in zijn gezicht zou geven! Maar ze draaide zich alleen maar lachend om en duwde hem weg, terwijl ze iets zei dat waarschijnlijk een waarschuwing was dat hij zoiets niet in het openbaar mocht doen. Hij glimlachte en bracht haar hand aan zijn lippen, terwijl ze elkaar lang en veelbetekenend aankeken – of dat dacht ik tenminste.

'Chris, zie je mamma met die man?'

'Natuurlijk zie ik ze. Hij is net zo lang als pappa was.'

'Heb jij ook gezien wat ik net zag?'

'Ze eten en drinken en lachen en praten en dansen, net als alle anderen. Cathy, denk je eens in, als mamma al dat geld erft, kunnen wij ook zulke feesten geven met kerstmis en op onze verjaardagen. Misschien komen er later wel een paar van dezelfde gasten als nu. Laten we een uitnodiging sturen aan onze vrienden in Gladstone. Die zullen verbaasd opkijken als ze zien wat we erven!'

Op dat moment stonden mamma en die man op en gingen weg. Dus richtten we onze gefascineerde blik op de op één na aantrekkelijkste vrouw van het gezelschap, en hadden medelijden met haar, omdat ze onmogelijk kon concurreren met onze moeder.

En toen kwam grootmoeder de balzaal binnen. Ze keek niet naar links en niet naar rechts, ze glimlachte tegen niemand. Haar jurk was niet grijs – en dat alleen al was voldoende om onze verbazing te wekken. Haar lange avondjurk was van diep rood fluweel, strak van voren en wijd van achteren, en haar haar was met een overdaad aan krullen boven op haar hoofd opgestoken en aan haar hals, oren, armen en vingers flonkerden robijnen en diamanten. Wie zou ooit kunnen denken dat die vorstelijk uitziende vrouw de angstaanjagende grootmoeder was, die ons elke dag bezocht?

Met tegenzin moesten we fluisterend toegeven: 'Ze ziet er schitterend uit.'

'Ja, heel indrukwekkend. Net een Amazone, te groot.'

'Een gemene Amazone.'

'Ja, een krijgshaftige Amazone, die gereed is om de strijd aan te binden, met als enig wapen de felle gloed uit haar ogen. Ze heeft geen ander wapen nodig.'

En toen zagen we hem! De onbekende grootvader. Mijn adem stokte, toen ik naar beneden keek en een man zag die sprekend op onze vader leek als hij lang genoeg had geleefd om oud en zwak te worden. Hij zat in een glimmende rolstoel, hij droeg een smoking en een wit met zwart afgezet smokinghemd. Zijn blonde haar was bijna wit en het licht wierp er een zilverachtige glans op. Hij had een gladde huid, althans bezien vanuit onze verre, hoge schuilplaats. Geschrokken en tegelijk gefascineerd konden Chris en ik onze blik niet meer van hem afwenden. Hij maakte een broze indruk, maar was nog steeds onnatuurlijk knap voor een man van zevenenzestig, die aan de rand van de dood stond. Plotseling hief hij zijn hoofd op en keek recht naar onze schuilplaats! Eén afschuwelijk, angstwekkend moment leek het of hij wist dat wij er waren, verborgen achter het scherm! Een vage glimlach speelde om

zijn lippen. O, lieve God, wat betekende die glimlach?
Toch leek hij lang zo harteloos niet als grootmoeder. Kon hij werkelijk die wrede, meedogenloze tiran zijn waar wij hem voor hielden? Te oordelen naar de vriendelijke, zachte glimlach, waarmee hij iedereen begroette, die naar hem toekwam en hem de hand schudde of op de schouder klopte, was hij niet zo kwaad. Een oude man in een rolstoel die er helemaal niet zo ziek uitzag. Toch was hij degene die bevolen had dat mijn moeder zich moest uitkleden, en die haar van boven tot onder had laten geselen, en hij had erbij toegekeken. Hoe konden we hem dat ooit vergeven?
'Ik wist niet dat hij op pappa zou lijken,' fluisterde ik tegen Chris.
'Waarom niet? Pappa was zijn veel jongere halfbroer. Grootvader was al een volwassen man voordat pappa geboren werd, en hij was al getrouwd en had twee zoons, voordat hij een halfbroer kreeg.'
Dat was dus Malcolm Neal Foxworth, de man die zijn jongere stiefmoeder en haar zoontje de deur uit had geschopt.
Arme mamma. Hoe konden we het haar kwalijk nemen dat ze verliefd was geworden op een halfoom die zo jong, knap en charmant was als onze vader? Met zulke ouders als zij had beschreven, *had* ze iemand nodig om van te houden en om zelf bemind te worden... ze had het nodig... echt nodig.
Liefde kwam ongevraagd.
Je kon er niets aan doen op wie je verliefd werd – de pijlen van Cupido waren slecht gericht. Dat waren de gefluisterde commentaren tussen Chris en mij.
Toen werd ons plotseling het zwijgen opgelegd door het geluid van voetstappen. Twee mensen naderden onze schuilplaats.
'Corrine is niets veranderd,' zei een onzichtbare man. 'Ze is nog mooier en mysterieuzer geworden. Ze is een heel intrigerende vrouw.'
'Ha! Dat komt omdat je altijd al verliefd op haar bent geweest, Al,' antwoordde een vrouwenstem. 'Jammer, dat ze haar oog niet op jou heeft laten vallen in plaats van op Christopher Foxworth. Maar dat was ook een man die er mocht zijn. Het verbaast me alleen dat die bekrompen kwezels daar beneden Corrine hebben vergeven dat ze met haar halfoom is getrouwd.'
'Ze móeten haar wel vergeven. Als je nog maar één kind over hebt van de drie, ben je wel gedwongen dat weer in het nest op te nemen.'
'Gek eigenlijk hoe de dingen kunnen lopen,' zei de vrouw met dubbelslaande tong. 'Drie kinderen... en alleen de verachte dochter is overgebleven om alles te erven.'
De halfdronken man grinnikte. 'Corrine is niet altijd het zwarte schaap geweest. Weet je niet meer hoe de ouwe heer haar adoreerde? Ze kon geen kwaad bij hem doen, tot ze er vandoor ging met Christopher. Maar die ouwe feeks van een moeder van haar heeft nooit wat met haar dochter op gehad. Jaloers misschien. Maar wat een verrukkelijke rijpe vrucht valt in de schoot van Bartholomew Winslow! Ik wou dat ik het was,' zei de onzichtbare Al verlangend.
'Dat geloof ik graag!' spotte de vrouw sarcastisch, die iets op de kist

zette dat leek op een glas met ijs erin. 'Een mooie, jonge, rijke vrouw is een buitenkansje voor elke man. Veel te goed voor zo'n slome duikelaar als jij bent, Albert Donne. Corrine Foxworth zou je nooit bekeken hebben, ook niet toen je nog jong was. Bovendien zit je aan mij vast.'

Het twistende paar verwijderde zich. Andere stemmen kwamen en gingen, en de uren verstreken. Chris en ik hadden er allebei genoeg van en bovendien moesten we dringend naar het toilet. En we maakten ons ongerust over de tweeling, die alleen in de slaapkamer was. Veronderstel dat een van de gasten per ongeluk in de verboden kamer kwam en de slapende tweeling zag. Dan zou de hele wereld – en onze grootvader – weten dat onze moeder vier kinderen had.

Een groepje mensen stond bij onze schuilplaats te lachen, te drinken en te praten. Het leek een eeuwigheid te duren voor ze eindelijk weggingen en we de kans kregen voorzichtig de deur van de kist open te doen. Toen we niemand zagen krabbelden we naar buiten en holden hals over kop in de richting waaruit we gekomen waren. Ademloos en hijgend, met een blaas die op springen stond, bereikten we ongezien en ongehoord onze rustige, kluizenaarsachtige kamer.

De tweeling lag nog net zo te slapen als we ze hadden achtergelaten in hun aparte bedden. Ze leken op twee identieke, teer uitziende bleke poppetjes... zoals de kinderen vroeger op de plaatjes in de geschiedenisboeken. Het waren helemaal geen kinderen van deze tijd, al waren ze dat vroeger wel geweest. En dat zouden ze weer worden, dat zwoer ik!

Het volgende ogenblik maakten Chris en ik ruzie wie het eerst naar de badkamer mocht – maar dat was snel opgelost. Chris duwde me gewoon op een bed en rende weg, smeet de deur van de badkamer achter zich dicht en deed hem op slot. Ik ging woedend tekeer, dat hij er een eeuwigheid over deed om zijn blaas te legen. Hemeltje, hoe kon die blaas zoveel bevatten?

Toen aan de drang van de natuur was voldaan en de ruzie voorbij was, gingen we bij elkaar zitten om te bespreken wat we zojuist hadden gezien en gehoord.

'Denk je dat mamma van plan is met Bartholomew Winslow te trouwen?' vroeg ik, mijn altijd aanwezige angst uitend.

'Hoe moet ik dat weten?' antwoordde Chris nonchalant. 'Maar iedereen schijnt te geloven dat ze het zal doen, en zij kennen die kant van haar karakter natuurlijk beter dan wij.'

Wat een vreemde opmerking. Wij, haar kinderen, kenden onze moeder toch zeker beter dan wie ook?

'Chris, waarom zei je dat?'

'Wat?'

'Nou – dat anderen haar beter kennen dan wij.'

'Mensen hebben meerdere gezichten, Cathy. Voor ons is mamma alleen maar onze moeder. Voor anderen is ze een mooie, sexy, jonge weduwe, die waarschijnlijk een vermogen zal erven. Geen wonder dat de motten allemaal om de heldere vlam heen fladderen.'

Wauw! En hij deed er zo achteloos over, alsof het hem totaal niets kon schelen – terwijl ik wist dat het wel zo was. Ik meende mijn broer goed te kennen. Hij moest ook verdriet hebben, net als ik, want ik wist dat hij niet wilde dat moeder zou hertrouwen. Ik keek hem onderzoekend aan. Aha, hij was lang zo onbevangen niet als hij leek, en dat deed me genoegen.

Maar ik zuchtte diep, want ik wilde verschrikkelijk graag ook zo'n optimist zijn als hij. Ik was bang dat ik mijn leven lang zou blijven twijfelen. Ik moest mezelf overdoen, beter worden, net als Chris – altijd even vrolijk en opgewekt zijn. Als ik verdriet had, moest ik leren dat te verbergen, net als hij. Ik moest leren glimlachen, en nooit kwaad kijken, niet zo helderziend zijn.

We hadden onder elkaar al de mogelijkheid besproken dat moeder zou hertrouwen, en we wilden het geen van beiden. We vonden dat ze nog steeds bij onze vader hoorde; we wilden dat ze zijn nagedachtenis, haar eerste liefde trouw bleef. En als ze hertrouwde, wat zou er dan met ons vieren gebeuren? Zou die Winslow met zijn knappe gezicht en zijn grote snor vier kinderen accepteren die niet van hem waren?

'Cathy,' peinsde Chris hardop. 'Besef je wel dat dit de van God gegeven gelegenheid is om het huis te doorzoeken? De deur is niet afgesloten, onze grootouders zijn beneden. Mamma is bezig – het is *de* kans om iets te weten te komen over dit huis.'

'Nee!' riep ik angstig. 'Als grootmoeder het eens ontdekte? Ze zou ons doodslaan!'

'Blijf jij dan maar bij de tweeling,' zei hij vol zelfvertrouwen. 'Als ik betrapt word, wat niet het geval zal zijn, neem ik de schuld wel op me en het pak slaag. Misschien komt er nog eens een dag dat we moeten weten hoe het huis in elkaar zit om te kunnen ontvluchten.' Een geamuseerde glimlach speelde om zijn lippen toen hij verder ging. 'Ik zal me vermommen, voor het geval iemand me ziet.'

Vermommen? Hoe? Maar ik vergat de kasten met oude kleren op zolder. Hij was maar een paar minuten boven en kwam toen weer beneden in een ouderwets donker pak dat hem niet eens veel te groot was. Chris was lang voor zijn leeftijd. Op zijn blonde haar droeg hij een donkere pruik, die hij in een hutkoffer had gevonden. Hij zou inderdaad voor een kleine man kunnen doorgaan als het niet al te licht was – een belachelijk, mal mannetje!

Zwierig paradeerde hij op en neer. Toen leunde hij wat naar voren en imiteerde Croucho Marx, met een onzichtbare sigaar in zijn mond. Hij bleef vlak voor me staan, grinnikte verlegen, maakte een diepe buiging en nam met een zwierig en galant gebaar een onzichtbare hoge hoed af.

Ik moest lachen, en hij lachte mee. Toen richtte hij zich op en zei: 'Nou, zeg eens eerlijk, wie zou in dit vreemde mannetje een lid van de machtige Foxworth familie herkennen?'

Niemand! Want wie had ooit zo'n Foxworth gezien? Een onhandig, mager, slungelig kereltje, met donker piekhaar en een smoezelige potloodsnor? Er was geen foto op zolder die daarop leek.

'Oké, Chris, hou op met die komedie. Ga nu maar en probeer wat te ontdekken, maar blijf niet te lang weg. Ik vind het hier niet prettig zonder jou.'

Hij kwam naar me toe en fluisterde op de manier van een samenzweerder: 'Ik kom gauw terug, mijn blonde schone, naar alle duistere geheimen van dit reusachtige huis keer ik terug.' En plotseling bukte hij zich en gaf me een zoen op mijn wang.

Geheimen? En hij zei dat *ik* altijd overdreef! Wat mankeerde hem? Wist hij niet dat *wij* de geheimen waren?

Ik was al in bad geweest, had mijn haar gewassen en was gereed om naar bed te gaan. Natuurlijk kon ik op kerstavond niet naar bed gaan in een nachthemd dat ik al eerder had gedragen – niet nu ik van 'het kerstmannetje' een paar nieuwe had gekregen. Ik had een beeldig nachthemd aan, wit, met lange wijde mouwen die aan de polsen waren ingerimpeld, versierd met blauw satijnen linten en afgezet met kant; het lijfje was aan de voor- en achterkant gesmockt en geborduurd met roze roosjes en tere groene blaadjes. Het was een snoezig hemd, waarin ik me mooi voelde.

Chris liet zijn blik over me heen glijden, van mijn haar tot mijn blote tenen, die net onder het lange hemd uitstaken, en zijn ogen waren welsprekend. Hij staarde naar mijn gezicht, naar mijn haar, dat tot over mijn middel viel en dat glansde door al het borstelen. Hij leek onder de indruk, net als toen hij zo lang naar mamma's boezem boven het laag uitgesneden fluwelen lijfje had gestaard.

Geen wonder dat hij me zo spontaan kuste – ik was net een prinses. Hij bleef aarzelend op de drempel staan, nog steeds naar mij starend; ik denk dat hij het fijn vond voor ridder te spelen, de beschermer van zijn aangebedene, van kleine kinderen en van iedereen die op zijn dapperheid vertrouwde.

'Wees voorzichtig tot ik terugkom,' fluisterde hij.

'Christopher,' fluisterde ik terug, 'je hebt alleen nog maar een schimmel en een wapenschild nodig!'

'Nee,' fluisterde hij weer, 'een eenhoorn en een lans met een groene drakekop. Ik kom terug in mijn glanzende witte harnas als de sneeuwstorm woedt in de maand augustus en de zon hoog aan de hemel staat, en als ik afstap kijk je naar iemand die drieëneenhalve meter lang is, dus spreek eerbiedig tegen mij, my lady Cath-er-ine.'

'Ja, mijnheer. Ga henen en versla de draak – maar draal niet te lang, want ik zou kunnen bezwijken onder al hetgeen mij en de mijnen bedreigt in dit ijskoude kasteel, waar alle bruggen zijn opgetrokken en de valhekken zijn neergelaten!'

'Vaarwel,' fluisterde hij. 'Heb geen angst. Ik kom weldra terug om voor u en de uwen te zorgen.'

Ik giechelde en klom in bed naast Carrie. De slaap was die nacht een ongrijpbare vreemdeling. Ik dacht aan mijn moeder en die onbekende man, aan Chris, aan jongens, aan mannen, aan romantiek – en liefde.

Toen ik zachtjes in dromenland wegzonk, en vaag de muziek beneden hoorde, betastte ik het ringetje met het granaten hartje dat mijn vader aan mijn vinger had geschoven toen ik zeven jaar was. Een ringetje dat me al lang te klein was geworden. Mijn amulet. Mijn talisman, die ik nu aan een heel dun gouden kettinkje om mijn hals droeg.

Prettig kerstfeest, pappa.

CHRISTOPHERS SPEURTOCHT EN DE TERUGSLAG DAARVAN

Plotseling werd ik door ruwe handen bij de schouders gepakt en wakker geschud! Geschrokken en bang staarde ik naar de vrouw in wie ik nauwelijks mijn moeder herkende. Ze keek me vernietigend aan en vroeg woedend: 'Waar is je broer?'

Ik kromp ineen, verbijsterd dat ze zo kon spreken en kijken, zo woedend, zo onbeheerst. Toen draaide ik mijn hoofd om naar het bed dat op een meter afstand van het mijne stond. Leeg. O, God, hij was te lang weggebleven.

Zou ik liegen? Hem beschermen en zeggen dat hij op zolder was? Nee, ze was immers onze moeder, ze hield van ons, zij zou het begrijpen. 'Chris is de andere kamers gaan bekijken op deze verdieping.'

Eerlijk duurt het langst! En we logen nooit tegen moeder of tegen elkaar. Alleen tegen grootmoeder, en dan alleen als het nodig was.

'Verdomme, verdomme, verdomme!' vloekte ze. Haar gezicht zag vuurrood en haar woede was nu geheel tegen mij gericht. Natuurlijk zou haar lievelingszoontje nooit zoiets hebben gedaan zonder mijn duivelse invloed. Ze schudde me heen en weer tot ik het gevoel had dat ik een lappenpop was en mijn ogen uit mijn hoofd rolden.

'Alleen hierom zal ik nooit en nooit meer, om welke reden of bij welke gelegenheid ook, jou en Christopher toestaan deze kamer te verlaten! Jullie hebt me allebei je woord gegeven – en dat heb je gebroken! Hoe kan ik één van jullie ooit nog vertrouwen? Ik dacht dat ik het kon. Ik dacht dat je van me hield, dat jullie me nooit zouden verraden!'

Ik sperde mijn ogen open. Hadden wij haar verraden? Ik was diep geschokt door haar gedrag – het leek me eerder dat zij *ons* verried.

'Mamma, we hebben niets verkeerds gedaan. We zijn heel stil geweest bij de kist. Er zijn allemaal mensen gekomen, maar niemand heeft gemerkt dat we er waren. We *zijn* stil geweest. Niemand weet dat we hier zijn. En je mag niet zeggen dat je ons hier nooit meer uitlaat. Je *moet* ons eruit laten. Je kunt ons niet eeuwig hier opgesloten houden.'

Ze keek me met een vreemde, gekwelde blik aan, zonder antwoord te geven. Ik dacht dat ze me zou slaan, maar nee, ze liet mijn schouders los en draaide zich met een ruk om. De deinende rok van haar kostbare jurk leek op fladderende vleugels; ze verspreidde een zoete bloemengeur die slecht paste bij haar hysterische gedrag.

Ze stond op het punt de kamer uit te gaan, waarschijnlijk om Chris zelf te gaan zoeken, toen de deur open ging en mijn broer stilletjes binnenkwam. Hij deed zachtjes de deur achter zich dicht, keerde zich toen om en keek mijn richting uit. Hij deed zijn mond open om wat te zeggen. Toen zag hij moeder staan en er verscheen een merkwaardige uitdrukking op zijn gezicht.

Om de een of andere reden begonnen zijn ogen niet te glanzen zoals meestal als hij haar zag.

Met een snelle beweging was mamma bij hem. Ze hief haar hand op en gaf hem een harde klap op zijn wang. En voordat hij van de schrik bekomen was hief ze haar linkerhand op en kreeg ook zijn andere wang de kracht van haar woede te voelen! Op Chris' bleke, geschrokken gezicht verschenen twee grote rode plekken.

'Als je ooit nog eens zoiets uithaalt, Christopher Foxworth, dan zal ik eigenhandig niet alleen jou, maar ook Cathy een pak rammel geven.'

Het laatste beetje kleur trok weg uit Chris' onnatuurlijk bleke gezicht; de rode plekken op zijn wangen leken op bloederige handafdrukken. Ook ik voelde het bloed uit mijn hoofd wegtrekken en voelde een stekende pijn achter mijn oren. Mijn krachten lieten me in de steek. Ik staarde naar de vrouw die een vreemde voor me was, een vrouw die ik niet kende en niet wilde kennen. Was dat de moeder, die altijd zo lief en zacht tegen ons sprak? Was dat de moeder die zoveel begrip had voor de ellende die we door onze lange opsluiting moesten doorstaan? Had het huis al 'invloed' op haar – veranderde het haar?

Het drong plotseling tot me door... ja, alle kleine dingen bij elkaar... ze *was* aan het veranderen. Ze kwam niet meer zo vaak als vroeger, niet elke dag, en zeker niet twee keer per dag zoals in het begin. Ik was bang, alsof alles wat betrouwbaar en vertrouwd was onder onze voeten vandaan werd getrokken – en er alleen maar speelgoed, spelletjes en andere cadeaus overbleven.

Ze moest iets gezien hebben in Chris' verbijsterde gezicht, iets dat haar woede deed verdwijnen. Ze sloeg haar armen om hem heen en bedekte zijn bleke, besmeurde, besnorde gezicht met vlugge korte zoenen, probeerde het kwaad goed te maken dat ze had aangericht.

Kus, kus, kus, ze woelde in zijn haar, streelde over zijn wang, trok zijn hoofd tegen haar zachte, volle borsten en liet hem verdrinken in de sensualiteit van dat zachte vlees, een liefkozing die zelfs een jongen van zijn leeftijd moest opwinden.

'Het spijt me, lieveling,' fluisterde ze met tranen in haar ogen en haar stem. 'Vergeef me, vergeef me alsjeblieft. Kijk niet zo angstig. Je bent toch niet bang voor me? Ik meende het niet van dat pak rammel. Ik hou van je, dat weet je. Ik zou jou of Cathy nooit afranselen. Dat heb ik toch nooit gedaan? Ik was van de kook, omdat alles nu zo goed voor me gaat – voor ons. Je mag nu niets doen om het voor ons allemaal te bederven. Dat is de enige reden waarom ik je sloeg.'

Ze nam zijn gezicht tussen haar handen en kuste hem vol op de lippen, die naar voren tuitten door de stevige druk van haar handen. En die diamanten, die smaragden bleven maar flonkeren, flonkeren... signalen die een betekenis hadden. Ik zat er verwonderd naar te kijken en voelde... ja, ik weet niet wat, verwarring, verbijstering... en ik voelde me heel, heel jong. En de wereld om ons heen was zo verstandig, en oud, zo oud.

Natuurlijk vergaf hij haar, net als ik. En natuurlijk moesten we weten wat zo goed ging voor haar en voor ons.

'Alsjeblieft, mamma, vertel wat het is – alsjeblieft!'

'Een andere keer,' zei ze. Ze had ineens grote haast om terug te gaan naar het feest, voordat ze haar zouden missen. Meer zoenen voor ons allebei. En plotseling besefte ik dat ik nooit met mijn wang tegen haar zachte borst had gelegen.

'Een andere keer, morgen misschien, dan zal ik je alles vertellen,' zei ze, terwijl ze ons haastig nog een keer zoende en een paar sussende woordjes zei om onze angst weg te nemen. Ze boog zich over me heen om Carrie een zoen te geven en ging toen naar Cory en gaf hem ook een zoen op zijn wang.

'Heb je me vergeven, Christopher?'

'Ja, mamma, ik begrijp het, mamma. We hadden hier moeten blijven. Ik had niet op onderzoek uit mogen gaan.'

Ze glimlachte en zei: 'Gelukkig kerstfeest, ik kom gauw weer bij jullie.' Toen ging ze de deur uit en deed die achter zich op slot.

Onze eerste kerstdag hierboven was voorbij. De klok in de gang beneden sloeg één uur. We hadden een kamer vol cadeaus, een TV-toestel, het schaakspel dat we hadden gevraagd, een rode en een blauwe driewieler, nieuwe kleren die dik en warm waren, en veel snoep, en Chris en ik waren naar een schitterend feest geweest – in zekere zin tenminste. Maar er was iets nieuws in ons leven gekomen, een facet van het karakter van onze moeder dat we nooit hadden meegemaakt. Eén of twee seconden lang had mamma precies op grootmoeder geleken!

In het donker lagen we op één bed, Carrie aan mijn ene kant, Chris aan de andere. Chris en ik lagen hand in hand. Hij rook anders dan ik. Mijn hoofd lag op zijn jongensachtige borst. Hij werd mager. Ik kon zijn hart horen kloppen. De muziek van beneden klonk nog steeds vaag in onze oren. Zijn hand rustte op mijn haar, hij krulde een lok rond zijn vinger.

'Chris, opgroeien is erg gecompliceerd, hè?'

'Ik geloof het wel, ja.'

'Ik heb altijd gedacht dat je, als je volwassen was, elke situatie aankon. Dat je nooit zou twijfelen en altijd zou weten wat goed is en verkeerd. Ik heb nooit gedacht dat volwassenen ook maar wat aanstuntelden, net als wij.'

'Als je mamma bedoelt: ze meende niet wat ze zei en deed. Ik geloof, al weet ik het niet zeker, dat als je eenmaal volwassen bent en je gaat weer in het huis van je ouders wonen, dat je dan op een vreemde manier zelf weer een afhankelijk kind wordt. Haar ouders trekken haar de ene kant op – en wij trekken haar een andere kant op – en nu is er ook die man met de snor. Die trekt haar natuurlijk ook zijn kant uit.'

'Ik hoop dat ze nooit hertrouwt! Wij hebben haar harder nodig dan die man!'

Chris zei niets.

'En dat TV-toestel dat ze ons heeft gebracht – ze heeft gewacht tot haar vader haar er een gaf, terwijl ze er zelf al maanden geleden één voor ons had kunnen kopen, in plaats van al die kleren voor zichzelf! En die juwelen! Ze draagt altijd nieuwe ringen en nieuwe armbanden en oorhangers en kettingen.'

Voorzichtig waagde hij zich aan een uitleg van moeders motieven. 'Je moet het zo zien, Cathy – als ze ons de eerste de beste dag een TV had gegeven, zouden we er de hele dag naar gekeken hebben. Dan zouden we geen tuin hebben gemaakt op zolder waar de tweeling kan spelen. We zouden alleen maar hebben zitten kijken. En bedenk eens hoeveel we hebben geleerd in al die eindeloos lange dagen, zoals bloemen en dieren maken. Ik schilder nu beter dan toen ik hier kwam, en al die boeken die we hebben gelezen... daar hebben we ook van geleerd. En jij bent ook veranderd, Cathy.'

'Hoe ben ik veranderd? Hoe? Vertel eens.'

Hij rolde zijn hoofd van de ene kant naar de andere kant op het kussen, een beetje verlegen en hulpeloos.

'Oké, je hoeft niets aardigs tegen me te zeggen. Maar voor je weggaat en in je eigen bed stapt moet je me alles vertellen wat je ontdekt hebt – alles. Je mag niets weglaten, zelfs je gedachten niet. Ik wil dat je me het gevoel geeft dat ik bij je was, naast je, zag en voelde wat jij deed.'

Hij draaide zijn hoofd om, zodat we elkaar recht in de ogen keken en zei op heel vreemde toon: 'Je *was* naast me. Ik voelde je naast me, je hield mijn hand vast, fluisterde in mijn oor, en ik heb aandachtiger gekeken, zodat jij kon zien wat ik zag.'

Het reusachtige huis, dat geregeerd werd door het zieke monster beneden, had hem geïntimideerd; ik hoorde het aan zijn stem. 'Het is een ontzettend groot huis, Cathy, net een hotel. Er zijn rijen kamers, die allemaal gemeubileerd zijn met de mooiste, duurste dingen, maar je kunt zien dat ze nooit worden gebruikt. Ik heb alleen op deze verdieping al veertien kamers geteld, en ik geloof dat ik nog een paar kleine heb overgeslagen.'

'Chris!' riep ik teleurgesteld uit, 'zo mag je het niet vertellen! Je moet me het gevoel geven dat ik naast je loop. Begin overnieuw en vertel me hoe het is gegaan vanaf de seconde dat je hier bent weggegaan!'

'Nou,' zei hij zuchtend, alsof hij het liever niet deed, 'ik sloop over de donkere gang van deze vleugel en holde naar de plaats waar hij uitkomt op de grote rotonde waar we ons hebben verborgen in de kist bij het balkon. Ik heb niet in de kamers van de noordelijke vleugel gekeken. Zodra ik ergens was waar de mensen me konden zien, moest ik oppassen. De party was bijna op het hoogtepunt. Het feestgedruis beneden was luider, iedereen leek dronken. Iemand zong iets geks, over het missen van twee voortanden. Het klonk zó mal dat ik naar de balustrade ben geslopen en naar al die mensen heb gekeken. Ze zagen er mal, verkort uit, en ik dacht, dat moet ik onthouden; als ik mensen van bovenaf teken, moet ik zorgen dat ze er zo uitzien. Perspectief maakt al het verschil in een schilderij.'

Het maakte al het verschil in alles, als je het mij vroeg.

'Natuurlijk zocht ik naar mamma,' ging hij verder, na mijn aandringen, 'maar de enigen die ik herkende waren onze grootouders. Grootvader begon er vermoeid uit te zien en terwijl ik stond te kijken kwam er een verpleegster en reed hem weg. Ik heb hem nagekeken, want zo wist ik in welke richting zijn kamer lag, achter de bibliotheek.'

'Droeg ze een wit uniform?'

'Natuurlijk. Hoe zou ik anders weten dat ze verpleegster was?'

'Oké, ga verder. Niets overslaan.'

'Nou, grootvader was nog niet weg, of grootmoeder verdween ook, en toen hoorde ik stemmen op de trap van mensen die naar boven kwamen! Ik ben nog nooit zo vlug geweest! Ik kon me niet ongemerkt in de kist verbergen, dus dook ik weg in een hoek waar een harnas stond op een voetstuk. Weet je, dat harnas moet toch gedragen zijn door een volwassen man, maar ik durf te wedden, dat het mij zou passen. Ik had het best eens willen proberen! En raad eens wie er boven kwamen? Mamma en die donkere man met de snor!'

'Wat deden ze? Waarom gingen ze naar boven?'

'Ik geloof niet dat ze me hebben gezien, want ze hadden het veel te druk met elkaar. Die man wilde een bed zien dat in mamma's kamer stond.'

'Haar bed – wilde hij haar bed zien? Waarom?'

'Het is een heel speciaal bed, Cathy. Hij zei tegen haar: "Kom, je hebt het nou lang genoeg uitgesteld." Zijn stem klonk plagend. Toen ging hij verder: "Het wordt tijd dat je me dat beroemde zwanebed eens laat zien waar ik al zoveel over gehoord heb." Ik denk dat mamma bang was, dat we nog steeds verborgen zaten in de kist. Ze keek ernaar en leek niet erg op haar gemak. Maar ze gaf toe en zei: "Goed, Bart – heel even maar, want je weet wat de anderen zullen denken als we te lang wegblijven." Hij grinnikte en zei plagend: "Nee, ik heb geen idee wat ze zullen denken. Vertel het eens!" Het leek een soort uitdaging dat de mensen mochten denken wat ze wilden. Ik was kwaad toen ik hem dat hoorde zeggen.'

Chris zweeg even en zijn ademhaling ging hijgend.

'Je verzwijgt iets,' zei ik. Ik kende hem als een boek dat ik al honderd keer gelezen had. 'Je beschermt haar! Je hebt iets gezien dat je mij niet wilt vertellen! Dat is niet eerlijk! Je weet dat we de eerste dag dat we hier kwamen hebben afgesproken, dat we altijd eerlijk tegen elkaar zouden zijn – en vertel nu wat je gezien hebt!'

'Ach,' zei hij – hij draaide zijn hoofd om en vermeed mijn blik – 'wat doen een paar zoenen er nou toe?'

'EEN PAAR *zoenen*?' viel ik uit. 'Heb je hem mamma meer dan één keer zien zoenen? Wat voor zoenen? Handkussen – of echte zoenen, op de mond?'

Een blos verwarmde zijn borst waarop mijn wang rustte. Het brandde door zijn pyjama heen. 'Het waren hartstochtelijke kussen, hè?' flapte ik eruit. Ik was ervan overtuigd, ook zonder dat hij het zei. 'Hij zoende haar en zij liet het toe, en misschien raakte hij zelfs haar borsten aan en streelde hij haar billen, zoals ik pappa eens heb zien doen, toen hij niet wist dat ik in de kamer was! Heb je dat gezien, Christopher?'

'Wat maakt het nou uit?' zei hij gesmoord. 'Zij scheen het in ieder geval niet erg te vinden, al werd ik er misselijk van.'

Het maakte mij ook misselijk. Mamma was pas acht maanden weduwe. Maar soms lijken acht maanden langer dan acht jaar, en wat had het verleden nog voor waarde als het heden zo opwindend en plezierig was... want je kon er donder op zeggen dat er heel wat meer gebeurd was dan Chris me ooit zou vertellen.

'Cathy, ik weet niet wat je denkt, maar mamma zei tegen hem dat hij op moest houden, en als hij dat niet deed, dan zou ze hem haar slaapkamer niet laten zien.'

'Oh, hij deed vast wat onbeschofts!'

'Zoenen,' zei Chris, naar de kerstboom starend, 'alleen maar zoenen, en een paar liefkozingen, maar haar ogen straalden, en toen vroeg die Bart of dat zwanebed vroeger van een Franse courtisane was geweest.'

'Wat is een Franse courtisane nou weer?'

Chris schraapte zijn keel: 'Het is een zelfstandig naamwoord dat ik in het woordenboek heb opgezocht, en het wil zeggen een vrouw die haar gunsten bewaart voor mannen uit de aristocratie of de koninklijke familie.'

'Gunsten – wat voor gunsten?'

'Het soort waar rijke mannen voor betalen,' zei hij snel, en legde zijn hand op mijn mond om me het spreken te beletten. 'En natuurlijk ontkende mamma dat het mogelijk was dat er zo'n bed hier in huis zou zijn. Ze zei dat een bed met een zondige reputatie, al was het nog zo mooi, midden in de nacht, onder het bidden voor zijn redding, verbrand zou worden. Het zwanebed was van haar grootmoeder geweest, en als klein meisje had ze altijd de slaapkamer van haar grootmoeder willen hebben. Maar haar ouders wilden haar die kamer niet geven, uit angst dat ze zou worden besmet door de geest van haar grootmoeder, die niet bepaald een heilige was geweest, al was ze ook geen courtisane. En toen lachte mamma, hard en bitter, en zei tegen Bart dat haar ouders geloofden dat ze nu zo verdorven was dat ze niet slechter kon worden. En weet je, dat gaf me zo'n naar gevoel. Mamma is niet verdorven – pappa hield van haar... ze waren getrouwd... en wat getrouwde mensen samen doen, daar heeft niemand iets mee te maken.'

Mijn adem stokte in mijn keel. Chris wist altijd alles – werkelijk alles!

'Nou,' zei mamma, 'heel even dan, Bart, en dan gaan we terug naar het feest.' Ze verdwenen in een gedempt verlichte gang, waardoor ik wist in welke richting haar kamer lag. Ik keek voorzichtig alle kanten op voor ik uit mijn schuilplaats te voorschijn kwam en rende weg, bij dat harnas vandaan. De eerste de beste gesloten deur die ik zag maakte ik open en ging naar binnen. Het was donker in die kamer en omdat de deur dicht was, dacht ik dat er wel niemand zou zijn. Ik deed de deur heel stilletjes weer achter me dicht en bleef toen doodstil staan, om de geur en de sfeer van die kamer in me op te nemen, zoals jij altijd doet. Ik had mijn zaklantaarn bij me en ik had meteen licht kunnen maken, maar ik wilde leren net zo intuïtief te worden als jij, net zo voorzichtig en wantrouwend. En verdomd als het niet waar was. Als het licht geweest zou zijn, of ik had mijn zaklantaarn gebruikt, dan zou ik misschien niet die vreemde onnatuurlijke geur hebben geroken die in de kamer hing. Een geur die me ongerust en bang maakte. En toen *had* ik het niet meer!'

'Wat – wat?' zei ik en duwde de hand weg die me het zwijgen wilde opleggen. 'Wat heb je gezien – een monster?'

'Eén monster? Een heleboel monsters! Tientallen monsters! Opgezette koppen die aan de muren hingen. Overal om me heen glinsterden ogen – groene, amber-, topaas- en citroenkleurige ogen. God, om je dood te schrikken! Het licht dat door de ramen naar binnen viel was blauwachtig door de sneeuw en het viel op de glimmende tanden en op de slagtanden van de leeuw die met wijd open bek zwijgend brulde. Hij had een geelbruine bos manen, waardoor de kop enorm groot leek – hij keek bang of woedend. Ik had medelijden met hem, onthoofd, opgezet – een ding dat dienst deed als versiering, terwijl hij zijn leven had moeten voleinden in de vlakten van Afrika.'

Ja, ik wist wat hij bedoelde.

'Het was een trofeeënkamer, Cathy, een enorm vertrek met een hoop dierekoppen. Er was een tijger, en een olifant met opgeheven slurf. Alle dieren uit Azië en Afrika hingen aan één kant van het vertrek, en het grote wild uit Amerika aan de andere kant: een grijze beer, een bruin-met-zwarte beer, een antiloop, een bergleeuw, ga maar door. Geen enkele vis of vogel – dat was waarschijnlijk niet voldoende uitdaging voor die jager die dieren doodde om een kamer te versieren. Het was een griezelig vertrek, en toch wilde ik dat je het gezien had. Je moet het eens zien!'

Flauwekul – wat kon mij die trofeeënkamer nou schelen? Ik wilde alleen maar dingen weten over mensen – hun geheimen kennen.

'Er was een stenen open haard van minstens zes meter in de muur, met ramen aan elke kant, en boven de haard hing een levensgroot olieportret van een jonge man die zoveel op onze vader leek, dat ik het bijna uitschreeuwde. Maar het was geen portret van pappa. Toen ik dichterbij kwam zag ik dat het een man was die veel op vader leek, behalve zijn ogen. Hij droeg een khaki jachtkostuum, met een blauw hemd. Hij leunde op zijn geweer en stond met één been op een houtblok, dat op de grond lag. Ik weet wel iets van kunst af, in ieder geval genoeg om te weten dat het schilderij een meesterwerk is. De schilder wist de ziel van de jager vast te leggen. Je hebt nog nooit zulke harde, kille, wrede en meedogenloze blauwe ogen gezien. Alleen daaraan kon ik al zien dat het vader niet was, nog voordat ik het metalen plaatje had gelezen dat op de onderkant van de vergulde lijst was bevestigd. Het was een portret van Malcolm Neal Foxworth, onze grootvader. De datum toonde aan dat pappa vijf jaar was toen dat portret werd geschilderd. En zoals je weet, toen pappa drie was, waren hij en zijn moeder, Alicia, uit Foxworth Hall weggejaagd, en woonden ze in Richmond.'

'Ga door.'

'Nou, ik bofte dat niemand me heeft zien rondsluipen, want ik heb in alle kamers gekeken. En tenslotte kwam ik bij mamma's kamer. Die heeft een dubbele deur boven twee treden en, tjeempie, toen ik naar binnen keek, leek het wel een paleis. Ik had wel wat moois verwacht nadat ik de andere kamers had gezien, maar die van haar is fantastisch! En het moest mamma's kamer zijn, want pappa's foto stond op haar nachtkastje, en hij rook naar haar parfum. Midden in de kamer, op een podium, stond het beroemde zwanebed! Wat een bed! Je hebt nog nooit in je leven zoiets gezien! De zwaan heeft een gladde slanke kop, in profiel, en lijkt op het punt te staan die kop onder de gefronste onderkant van een omhooggeheven vleugel te steken. Het heeft één slaperig rood oog. De vleugels zijn zacht gewelfd en omvatten het hoofdeinde van een bijna ovaal bed – ik weet niet hoe ze daar passende lakens en dekens voor kunnen krijgen, tenzij ze natuurlijk speciaal gemaakt worden. De veren van de vleugeltoppen doen dienst als vingers; ze houden de tere, doorzichtige gordijnen op, die een kleurschakering hebben van rose, violet en paars. Het is me het bed wél... en die gordijnen... ze moet zich wel een prinses voelen als ze daar slaapt. De lila vloerbedekking is zo dik dat je er tot je enkels in wegzakt, en voor het bed ligt een groot kleed van wit bont. Er staan kristallen lampen van bijna anderhalve meter hoog, die met goud en zilver versierd zijn, en twee daarvan hebben zwarte lampekappen. Er staat een ivoren chaise-longue die met rose fluweel is bekleed – iets uit een Romeinse orgie. En aan het voeteneind van dat grote zwanebed – dat hou je niet voor mogelijk! – staat een klein zwanebed! Moet je je voorstellen! Aan het voeteneinde, dwars erop. Ik vraag me af waarom iemand behalve dat grote brede bed ook nog een klein smal bed nodig heeft. Het moet een reden hebben, en niet alleen om een dutje te kunnen doen zonder de lakens van het grote bed te kreuken. Cathy, je moet dat bed zien om het te kunnen geloven!'

Ik wist dat hij nog veel meer had gezien, waarover hij niet repte. Maar dat zou ik later zelf zien. Ik zou zoveel zien, dat ik heel goed begreep waarom hij terugkwam en zo'n ophef maakte over dat bed zonder de rest te vertellen.

'Is dit huis mooier dan ons huis in Gladstone?' vroeg ik, want voor mij was ons vroegere huis – met zijn acht kamers en tweeëneenhalve badkamer het mooiste wat er bestond.

Hij aarzelde. Het duurde even voor hij de juiste woorden gevonden had, want hij was er niet de jongen naar om een overhaast oordeel te geven. Hij woog zijn woorden zorgvuldig af, wat op zichzelf al veelzeggend was. 'Het is geen leuk huis. Het is grandioos, het is groot en mooi, maar niet leuk.'

Ik begreep wat hij bedoelde. Leuk was dichter bij gezellig dan grandioos, rijk, mooi en reusachtig.

Nu konden we elkaar alleen nog maar welterusten wensen – met de hoop dat de luizen niet bijten. Ik gaf hem een zoen op zijn wang en duwde hem het bed af. Deze keer klaagde hij niet dat alleen babies gezoend werden en moederskindjes – en meisjes. Even later lag hij naast Cory, op nog geen meter afstand. In het donker fonkelde het kleine kerstboompje van zestig centimeter hoog, de gekleurde lichtjes leken op de tranen die ik zag glinsteren in de ogen van mijn broer.

DE LANGE WINTER EN LENTE EN ZOMER

Nooit was moeder dichter bij de waarheid geweest dan toen ze zei dat we nu een echt raam hadden waardoor we op het leven konden uitzien. Die winter nam het televisietoestel bezit van ons leven. Net als invalide, zieke en oude mensen aten, baadden en kleedden we ons, om daarna te gaan zitten en te zien hoe andere mensen namaaklevens leidden.

In januari, februari en het grootste deel van maart konden we niet naar de zolder, omdat het er veel te koud was. Er hing een ijzige nevel, die over alles een griezelig waas legde, en dat was dood-eng. Dat moest zelfs Chris toegeven.

Daarom bleven we in de warmere slaapkamer, dicht tegen elkaar aangedrukt, terwijl we staarden en staarden naar het TV-scherm. De tweeling was dol op de TV en wilde hem nooit afzetten; zelfs 's nachts als we sliepen wilden ze hem nog aan laten staan, om er 's ochtends mee gewekt te kunnen worden. Zelfs de sneeuw op het scherm na de late-late show vonden ze beter dan niets. Vooral Cory vond het fijn om wakker te worden en de mensjes te zien achter hun lessenaars, die het nieuws of het weerbericht doorgaven; want hun stemmen waren een opgewekter welkom in de nieuwe dag dan de doffe beslagen ramen.

De TV vormde ons, leerde ons moeilijke woorden te spellen en uit te spreken. We leerden hoe belangrijk het was om schoon en reukloos te zijn en de boenwas niet te laten aankoeken op de keukenvloer; en te zorgen dat je haar niet in de wind verwaaide, en God beware je als je roos had! Dan werd je door de hele wereld geminacht. In april werd ik dertien; de tijd van de jeugdpuistjes naderde! Elke dag controleerde ik mijn huid om te zien of er al een van die griezels te voorschijn kwam. We vatten alle reclame letterlijk op, geloofden er heilig in en zagen de reclameboodschappen als een leidraad die ons veilig door het leven zou loodsen.

Elke dag die voorbijging bracht een verandering teweeg in Chris en mij. Er gebeurden vreemde dingen met ons lichaam. We kregen haar, waar eerst geen haar was – mal, krullerig, amberkleurig haar, donkerder dan ons hoofdhaar. Ik had er een hekel aan en met een pincet trok ik ze eruit, maar het was net onkruid; hoe meer je eruit plukte, hoe meer er terugkwamen. Chris betrapte me op een keer toen ik met omhoog geheven arm zat, ijverig speurend naar een krullende amberkleurige haar, om die er meedogenloos uit te rukken.

'Wat doe jij in Godsnaam?' riep hij uit.

'Ik wil me niet onder mijn armen scheren en ik wil ook niet die ontharingscrème van mamma gebruiken – die stinkt!'

'Bedoel je dat je uit je hele lichaam de haren zit te plukken, overal?'

'Natuurlijk. Ik wil een mooi en net lichaam – ook al kan dat jou niets schelen.'

'Je voert een verloren strijd,' zei hij met een gemene grijns. 'Dat haar hoort te groeien waar het groeit – laat het met rust en vergeet die kinderlijke netheid eens van je en beschouw dat haar maar als sexy.'

Sexy? Grote borsten waren sexy, niet krullerig, hard haar. Maar dat zei ik niet, want er begonnen kleine harde appeltjes uit mijn borst naar voren te prikken, en ik hoopte maar dat Chris het niet gezien had. Ik was heel trots dat ik van voren begon op te zwellen – als ik in mijn eentje was en niemand me kon zien – maar ik wilde niet dat een ander het merkte. Die hoop moest ik echter laten varen, want ik zag dat Chris vaak naar mijn borst keek, en al zaten mijn truien of bloeses nog zo ruim, die kleine heuveltjes waren verraderlijk.

Ik kwam tot leven, voelde dingen die ik nooit eerder gevoeld had. Vreemde pijn, verlangens. Ik wilde iets, maar ik wist niet wat. Ik werd 's nachts wakker met kloppend hart, opgewonden, wetend dat er een man bij me was, die iets deed dat ik wilde dat hij zou afmaken, wat hij nooit deed... nooit deed... ik werd altijd te vroeg wakker, voordat ik die climax bereikte waarheen ik wist dat hij me zou voeren – als ik maar niet altijd te vroeg wakker werd en alles weer bedierf.

Dan was er nog iets raadselachtigs. Ik maakte elke ochtend de bedden op, zodra we waren aangekleed en voordat de heks binnenkwam met de picknickmand. Ik vond steeds weer vlekken op de lakens die niet groot genoeg waren om het gevolg van Cory's droom te zijn dat hij naar de wc ging. Ze waren aan Chris' kant van het bed.

'Hemel, Chris, ik hoop dat *jij* niet gaat dromen dat je op het toilet zit terwijl je nog in bed ligt te slapen.'

Ik kon zijn fantastische verhaal gewoon niet geloven over iets dat hij 'nachtelijke emissies' noemde.

'Chris, ik geloof dat je het aan mamma moet vertellen, zodat ze met je naar de dokter kan gaan. Misschien is het wel besmettelijk en kan Cory het ook krijgen; hij maakt al troep genoeg in bed om het niet nog erger te maken.'

Hij keek me vol minachting aan, terwijl een diepe blos over zijn gezicht kroop. 'Ik hoef niet naar de dokter,' zei hij stijfjes. 'Ik heb de oudere jongens horen praten op school, en wat er met mij gebeurt is volkomen normaal.'

'Het kan niet normaal zijn – het is veel te kliederig om normaal te zijn.'

'Ha,' spotte hij, met een lachende blik in zijn ogen. 'Jouw tijd om je lakens te bevuilen komt nog wel.'

'Wat bedoel je?'

'Vraag maar aan mamma. Het wordt tijd dat ze het je vertelt. Ik heb gemerkt dat je begint te groeien, en dat is een zeker teken.'

Ik vond het afschuwelijk dat hij altijd meer wist dan ik! Waar had hij dat allemaal geleerd – van die nare beuzelpraat op school? Ik had de meisjes ook horen praten, maar ik geloofde er geen woord van. Het was allemaal veel te grof om waar te kunnen zijn.

De tweeling zat zelden op een stoel, en ze konden niet op de bedden stoeien, want dan raakten de dekens in de war, en grootmoeder stond erop dat alles 'in de puntjes' was. En al waren ze dol op de televisie, ze speelden toch ook, al keken ze nu en dan toch naar de fascinerende beelden. Carry had haar poppenhuis, met alle kleine mensjes erin, waartegen ze constant babbelde met een zangerig stemmetje dat soms op je zenuwen kon werken. Ik keek vaak geërgerd naar haar, in de hoop dat ze twee seconden haar mond zou houden en me laten luisteren zonder al dat gebabbel op de achtergrond – maar ik zei nooit iets, want dat zou een gekrijs uitlokken dat heel wat erger was dan het voortdurend gemompel van haar conversatie.

Terwijl Carrie de poppetjes verplaatste en het gesprek voerde voor de man en de vrouw, was Cory bezig met zijn mecanodozen. Hij weigerde de aanwijzingen te volgen die Chris hem gaf. Cory maakte wat op dat moment het best bij zijn stemming paste, en dat was altijd iets waarop hij kon slaan en waarmee hij muzikale tonen kon voortbrengen. Met de televisie, die lawaai maakte en telkens wisselende beelden liet zien, het poppenhuis waar Carrie gelukkig mee was, en de mecanodoos waarmee Cory de tijd verdreef, wist de tweeling het beste van hun gevangenschap te maken. Jonge kinderen passen zich gemakkelijk aan – ik weet het, want ik heb ze gadegeslagen. Natuurlijk klaagden ze wel, vooral over twee dingen. Waarom kwam mamma niet zo vaak als vroeger? Dat stak, dat deed pijn, want wat moest ik zeggen? En dan het eten, ze vonden het eten nooit lekker. Ze wilden ijsjes, zoals ze op de TV zagen, en hot-dogs die de kinderen op de TV altijd aten. Ze wilden alles wat zoetigheid of speelgoed was. Het speelgoed kregen ze. Het snoep niet.

En terwijl de tweeling over de vloer kroop of met gekruiste benen op de grond zat en hun irriterende lawaai maakte, probeerden Chris en ik ons te concentreren op de gecompliceerde situaties die zich dagelijks voor onze ogen ontvouwden. We zagen hoe ontrouwe echtgenoten liefhebbende vrouwen bedrogen, of vittende vrouwen, of vrouwen die het te druk hadden met hun kinderen om hun man de aandacht te geven die hij zo nodig vond. Het was ook omgekeerd. Vrouwen konden even ontrouw zijn als de mannen, en de mannen goed of slecht. We leerden dat de liefde een zeepbel was, die de ene dag helder glansde, en de volgende dag uit elkaar spatte. Dan kwamen de tranen, de droeve gezichten, het drinken van eindeloze kopjes koffie aan de keukentafel met een vriend of vriendin die haar of zijn eigen moeilijkheden had. Maar de ene liefde was nog niet voorbij, of er kwam alweer een andere, die de glanzende zeepbel weer omhoog deed zweven. Ach, wat deden al die mensen hun best de volmaakte liefde te vinden, om die te kunnen opsluiten, veilig te bewaren; en het lukte hun nooit.

Op een middag laat in maart kwam mamma de kamer binnen met een grote doos onder haar arm. We waren gewend haar binnen te zien komen met veel cadeaus, niet met maar één, en het vreemde was dat ze knikte tegen Chris, die het scheen te begrijpen, want hij stond op van de plaats waar hij zat te studeren, pakte de handjes van de tweeling en nam ze mee naar de zolder. Ik begreep er totaal niets van. Het was nog steeds bitter koud op zolder. Was dit een of ander geheim? Had ze een cadeau bij zich dat alleen voor mij bestemd was?

We zaten naast elkaar op het bed dat Carrie en ik met elkaar deelden, en voordat ik een blik kon werpen op het 'cadeau', dat speciaal voor mij bestemd was, zei mamma dat we eens 'van-vrouw-tot-vrouw' moesten praten.

Nu had ik wel gehoord over 'van-man-tot-man' praten, omdat ik de Andy Hardy-films had gezien, en ik wist dat dergelijke gesprekken iets te maken hadden met opgroeien en sex, dus probeerde ik tactvol mijn belangstelling niet te duidelijk te tonen, wat niet damesachtig zou zijn geweest – al popelde ik van verlangen om het eindelijk te horen.

En dacht je dat ze me vertelde wat ik al een jaar lang wilde weten? Nee, hoor! Terwijl ik plechtig zat te wachten op de onthulling van alle slechte, zedeloze dingen die de jongens al wisten vanaf het moment dat ze geboren werden, volgens één speciale grootmoeder, moest ik verbijsterd en ongelovig haar uitleg aanhoren, dat ik op een goede dag zou gaan bloeden! Niet uit een wond, maar omdat God had bepaald dat het lichaam van de vrouw zo moest functioneren. En om mijn verbijstering nog groter te maken, zou ik niet alleen vanaf nu tot ik een oude vrouw van vijftig was eens per maand gaan bloeden, maar zou dat nog vijf dagen duren ook!

'Tot ik vijftig ben?' vroeg ik met een benepen stemmetje, doodsbang dat ze het ernstig meende.

Ze glimlachte. 'Soms houdt het op vóór je vijftigste en soms duurt het een paar jaar langer – er is geen vaste regel voor. Maar om en nabij die leeftijd kun je die verandering verwachten. Dat heet de menopauze.'

'Doet het pijn?' was het belangrijkste dat ik op dat moment wilde weten.

'Je maandelijkse menstruatie? Misschien wat kramp, maar zo erg is het niet, en ik moet zeggen, sprekend uit eigen ervaring en wat ik van andere vrouwen gehoord heb, hoe banger je ervoor bent, hoe meer pijn het doet.'

Ik wist het! Ik zag nooit bloed zonder pijn – tenzij het bloed van een ander was. En al die smeerboel, die pijn, die krampen, alleen maar om mijn baarmoeder ontvankelijk te maken voor een 'bevrucht eitje', dat tot een baby zou groeien. Toen gaf ze me de doos waarin alles zat wat ik voor 'die periode' nodig zou hebben.

'Hou op, mamma!' riep ik. Ik had een manier gevonden om dat allemaal te vermijden. 'Je vergeet helemaal dat ik van plan ben een ballerina te worden, en danseressen moeten geen babies krijgen. Miss Danielle heeft ons altijd verteld dat het beter was geen kinderen te krijgen. En ik wil ook geen kind, nooit. Dus breng al die rommel maar terug naar de winkel, en ga je geld terughalen, want ik wil die maandelijkse smeerboel niet!'

Ze grinnikte, omhelsde me en gaf me een zoen op mijn wang. 'Ik geloof dat ik iets vergeten ben – je kunt je menstruatie niet vermijden. Je zult je moeten neerleggen bij de natuur, die je lichaam van een kind verandert in het lichaam van een vrouw. Je wilt toch zeker niet je hele leven een kind blijven?'

Ik aarzelde. Ik wilde dolgraag een volwassen vrouw zijn met alle welvingen die zij had, maar ik was niet voorbereid geweest op al die viezigheid – en dan nog wel elke maand!

'En, Cathy, je hoeft je echt niet te schamen of bang te zijn voor wat ongemak – babies krijgen is heus de moeite waard. Als je van een man gaat houden en je trouwt met hem, dan zul je hem ook kinderen willen geven – als jullie allebei genoeg van elkaar houden.'

'Mamma, je slaat wat over. Als meisjes dit moeten verduren om een vrouw te worden, wat moet Chris dan doorstaan om een man te worden?'

Ze giechelde meisjesachtig en legde haar wang tegen de mijne. 'Zij hebben hun eigen risico's en ongemak, al bloeden ze dan niet. Chris zal zich binnenkort moeten gaan scheren – elke dag. En er zijn nog andere dingen die hij zal moeten leren te volbrengen en te beheersen, waarover jij je geen zorgen hoeft te maken.'

'Wat dan?' vroeg ik. Ik gunde het de mannen dat ze ook wat ellende moesten meemaken om volwassen te worden. Toen ze geen antwoord gaf vroeg ik: 'Chris heeft jou naar me toegestuurd met de opdracht het me te vertellen, hè?' Ze knikte en zei, ja, al was ze zelf al lang van plan geweest het met me erover te hebben, maar er was beneden altijd wat, ze probeerden haar altijd te belemmeren in hetgeen ze doen moest. 'En Chris – wat voor pijn krijgt hij?'

Ze lachte geamuseerd. 'Een andere keer, Cathy. Berg je spulletjes nu op, zodat je ze bij de hand hebt als het zover is. En schrik niet als het 's nachts begint of terwijl je aan het dansen bent. Ik was twaalf toen ik begon te menstrueren, ik was aan het fietsen, en ik ben minstens zes keer naar huis gereden om een schone broek aan te trekken voordat mijn moeder het eindelijk merkte en de moeite nam me uit te leggen wat er aan de hand was. Ik was woedend omdat ze me niet van tevoren gewaarschuwd had. Ze vertelde me nooit iets. Geloof me, je raakt er gauw genoeg aan gewend!'

Ondanks de doos met al die akelige dingen die ik hoopte nooit nodig te hebben, omdat ik toch niet van plan was een baby te krijgen, vond ik het een prettig intiem gesprek met mijn moeder.

Maar toen ze Chris en de tweeling beneden riep en Chris zoende, door zijn blonde krullen woelde en plagend met hem speelde, terwijl ze de tweeling praktisch negeerde, begon de intimiteit van een ogenblik geleden te vervagen. Carrie en Cory voelden zich niet erg op hun gemak meer in haar aanwezigheid. Ze kwamen naar mij toe gehold en klommen op mijn schoot, en met mijn armen stevig om de tweeling geslagen zag ik hoe Chris werd geliefkoosd, gezoend, vertroeteld. Ik maakte me ongerust over de manier waarop ze de tweeling bejegende, alsof zij ze liever niet zag. Chris en ik gingen langzaam naar de puberteit toe, we waren op weg naar de volwassenheid, maar de tweeling stagneerde en kwam nergens.

De lange koude winter maakte plaats voor de lente. Langzamerhand begon het warmer te worden op zolder. We gingen met ons vieren naar boven om de papieren sneeuwvlokken eraf te halen en we brachten de tuin weer in bloei met onze prachtige voorjaarsbloemen.

In april was ik jarig, en mamma kwam met geschenken en ijs en een taart. Ze ging zitten en bracht de zondagmiddag bij ons door en leerde me naaien en borduren. En zo leerde ik weer een nieuwe manier om mijn leven te vullen, met het borduurmateriaal dat ik van haar kreeg.

Mijn verjaardag werd gevolgd door die van de tweeling – hun zesde verjaardag. Weer kocht mamma de taart en het ijs en de vele geschenken, waaronder een paar muziekinstrumenten, die Cory's blauwe ogen deden glanzen. Hij keek verrukt naar de speelgoed-accordeon, duwde hem een paar keer in elkaar, terwijl hij op de toetsen speelde en hield zijn hoofd schuin om te luisteren naar de geluiden die hij voortbracht. En, verdraaid, in een handomdraai wist hij er al een deuntje op te spelen! We konden het geen van allen geloven. En toen waren we weer met stomheid geslagen, want hij ging achter Carries speelgoed-piano zitten en begon daar ook op te spelen. 'Happy birthday to you, happy birthday to you, happy birthday dear Carrie, happy birthday to you and me.'

'Cory heeft een muzikaal gehoor,' zei mamma met een droeve, weemoedige blik naar haar jongste zoon. 'Allebei mijn broers waren musici. Het was jammer dat mijn vader niets wilde weten van artiesten – niet alleen van musici, maar ook van schilders en dichters, enzovoort. Hij vond ze zwak en verwijfd. Hij dwong mijn oudste broer op de bank te werken die van hem was; het interesseerde hem niet dat zijn zoon het werk haatte waarvoor hij helemaal niet geschikt was. Hij heette naar mijn vader, maar we noemden hem Mal. Hij was een heel knappe jongen. In de weekends ontsnapte Mal aan het leven dat hij verafschuwde, door met zijn motorfiets de bergen in te rijden. In een blokhut, die hij zelf had gebouwd en waar hij zich terugtrok, componeerde hij muziek. Op een regenachtige dag ging hij te snel door een bocht. Hij vloog van de weg af en verongelukte in een tientallen meters diep ravijn. Hij was tweeentwintig jaar en dood. Mijn jongste broer, Joel, liep weg op de dag van de begrafenis van zijn broer. Hij en Mal waren altijd erg intiem met elkaar geweest en ik geloof dat hij de gedachte niet kon verdragen dat hij Mals plaats zou moeten innemen en het imperium van zijn vader zou erven. We ontvingen één briefkaart uit Parijs, waarin Joel ons schreef dat hij een baan had bij een orkest en een tournee maakte door Europa. Het volgende bericht, ongeveer drie weken later, was dat Joel om het leven was gekomen bij een ski-ongeluk in Zwitserland. Hij was negentien toen hij stierf. Hij was in een diep, met sneeuw gevuld ravijn gevallen, en zijn lichaam is nooit gevonden.'

Ik raakte helemaal in de war, ik had een soort verdoofd gevoel van binnen. Zoveel ongelukken. Twee broers gestorven, en pappa, en allemaal door een ongeluk. Ontsteld keek ik naar Chris. Hij glimlachte niet. Zodra moeder weg was vluchtten we naar de zolder en onze boeken.

'We hebben al die verrekte boeken al gelezen!' zei Chris met een diepe afkeer in zijn stem, terwijl hij me geërgerd aankeek. Was het mijn schuld dat hij een boek in een paar uur uit had?

'We zouden Shakespeare nog een keer kunnen lezen,' opperde ik.

'Ik hou niet van toneelstukken!'

Ik las graag de stukken van Shakespeare en Eugene O'Neill, trouwens alles wat dramatisch en fantasierijk was en stormachtige emoties behelsde.

'Laten we de tweeling leren lezen en schrijven,' stelde ik voor. Ik wilde dolgraag wat anders doen. En zo kregen *zij* ook weer een nieuwe mogelijkheid om zich bezig te houden. 'En, Chris, we zullen moeten voorkomen dat hun hersens verweken en dat ze blind worden door al dat televisie kijken.' Vastbesloten liepen we de trap af, regelrecht naar de tweeling die gefascineerd zat te kijken naar Bugs Bunny.

'We gaan jullie leren lezen en schrijven,' zei Chris. Ze protesteerden met een luid gekrijs. 'Nee!' gilde Carrie. 'We willen naar de Lucy-show kijken!'

Chris pakte Carrie en ik pakte Cory, en we sleurden ze letterlijk naar de zolder. Het was of je een paar glibberige slangen vasthield. Een van hen krijste als een woedende stier! Cory zei niets en schreeuwde niet en sloeg niet naar me met zijn vuistjes om me pijn te doen; hij klampte zich vast aan alles wat binnen het bereik van zijn handen kwam en strengelde zijn benen om alles heen waar wij langs kwamen.

Ik geloof niet dat ooit een onderwijzer meer moeite heeft gehad met een onwillige klas. Maar eindelijk, door slimmigheidjes en dreigementen en verhaaltjes werd hun belangstelling gewekt. En misschien was het wel jammer voor *ons* dat het niet lang duurde of ze leerden de letters moeizaam uit het hoofd en zeiden ze na een tijdje vlot op. We hadden een paar eenvoudige leesboekjes voor kinderen gevonden op zolder, waaruit we ze woorden lieten overschrijven.

Chris en ik, die geen andere kinderen kenden van de leeftijd van de tweeling, vonden dat onze zes jaar oude leerlingen opvallend goede resultaten boekten. En hoewel mamma nu niet meer iedere dag of om de dag kwam, zoals in het begin, kwam ze toch nog één of twee keer per week. We wachtten met kloppend hart haar komst af en gaven haar het briefje dat Cory en Carrie hadden geschreven, waarbij we ervoor gezorgd hadden dat ze allebei evenveel woorden kregen. Ze maakten drukletters van minstens vijf centimeter hoog en heel krom:

LIEVE MAMMA,
WE HOUDEN VAN JE,
EN OOK VAN SNOEP.
DAG,
CARRIE EN CORY.

Ze hadden een enorme ijver aan den dag gelegd om een eigen boodschap over te brengen, niet geholpen door Chris en mij – en ze hoopten dat die boodschap tot moeder zou doordringen. Wat niet gebeurde. Slechte tanden natuurlijk.

Het was zomer. En weer was het heet en drukkend, en afschuwelijk benauwd, hoewel het merkwaardig genoeg gemakkelijker te verdragen was dan vorige zomer. Chris redeneerde dat ons bloed nu dunner was, zodat we beter tegen de hitte konden.

Onze zomer was gevuld met boeken. Ik geloof dat mamma gewoon maar een greep deed en een paar boeken van de plank haalde, zonder de moeite te nemen de titels te lezen of zich af te vragen of ze ons zouden interesseren of geschikt leesvoer waren voor gemakkelijk te beïnvloeden jonge mensen. Het deed er niet toe. Chris en ik lazen alles.

Een van onze lievelingsboeken die zomer was een historische roman, waarin de historie heel wat aantrekkelijker werd gemaakt dan op school. Tot onze verbazing lazen we dat vroeger vrouwen niet naar een ziekenhuis gingen om babies te krijgen. Ze kregen ze thuis op een klein, smal ledikant, zodat de dokter er gemakkelijker bij kon dan op een groot breed bed. En soms was er alleen maar een vroedvrouw bij.

'Een klein zwanebed, om een baby te krijgen,' peinsde Chris hardop, in de ruimte starend.

Ik rolde op mijn rug en glimlachte boosaardig. We lagen op zolder, op de oude gevlekte matras bij de open ramen, waardoor een zacht briesje naar binnen woei. 'En koningen en koninginnen hielden hof in hun slaapkamer – of slaapvertrek, zoals het toen werd genoemd – en ze zaten rechtop en spiernaakt in bed. Denk je dat alles wat ze in de boeken schrijven waar is?'

'Natuurlijk niet! Maar veel wel. De mensen droegen vroeger geen nachthemden of pyjama's in bed. Alleen maar slaapmutsen om hun hoofd warm te houden; de rest was niet belangrijk.'

We lachten en dachten aan de koningen en koninginnen die geen last hadden van verlegenheid als ze naakt zaten tegenover edellieden en buitenlandse hoogwaardigheidsbekleders.

'Was het in de Middeleeuwen niet zondig om naakt te zijn?'

'Ik geloof het niet,' antwoordde hij.

'Het is wat je *doet* als je naakt bent, dat zondig is, hè?'

'Ik geloof van wel.'

Het was nu al de tweede keer dat ik kampte met die vloek van de natuur, die een vrouw van me moest maken, en het deed zo'n pijn, dat ik de eerste keer de hele dag in bed was gebleven, luid jammerend dat ik kramp had.

'Jij vindt het toch niet weerzinwekkend wat er met me gebeurt, hè?' vroeg ik aan Chris.

Hij verborg zijn gezicht in mijn haar. 'Cathy, ik geloof niet dat iets van het menselijk lichaam en de manier waarop het functioneert weerzinwekkend of walgelijk is. Dat zal de toekomstige arts in me wel zijn. Weet je wat ik vind... als er elke maand een paar dagen ongemak voor nodig zijn om van jou een vrouw te maken als moeder, dan lijkt me dat helemaal niet erg. En als het pijn doet en je hebt er last van, dan denk je maar aan dansen, want dat doet ook pijn, dat heb je me zelf verteld. En die prijs vind je ook niet te hoog.'

Ik sloeg mijn armen steviger om hem heen toen hij even zweeg. 'En ik moet ook een prijs betalen om volwassen te worden. Ik heb geen man om mee te praten, zoals jij met mamma. Ik ben helemaal in m'n eentje, in een netelige situatie, vol frustraties, en soms weet ik niet hoe ik me moet wenden of keren en hoe ik aan de verleidingen moet ontkomen. En ik ben zo verdomd bang dat ik nooit arts zal worden.'

'Chris,' begon ik – ik begaf me op drijfzand, dat wist ik – 'twijfel je nooit aan haar?'

Hij fronste zijn wenkbrauwen en ik zei snel, voordat hij een nijdig antwoord kon geven: 'Vind je het niet... niet *vreemd*, dat ze ons zo lang opgesloten houdt? Ze heeft geld genoeg, Chris, ik weet het. Die ringen en armbanden, dat is geen namaak, zoals ze zegt. Ik weet het zeker!'

Hij werd ongenaakbaar, zodra ik het over 'haar' had. Hij aanbad zijn godin van de vrouwelijke perfectie. Maar toen omhelsde hij me spontaan, zijn wang lag tegen mijn haren, zijn stem klonk gesmoord van ontroering. 'Ik ben niet altijd die eeuwige optimist die jij in me ziet. Soms twijfel ik net zo erg aan wat ze doet als jij. Maar dan denk ik weer aan vroeger en dan voel ik dat we haar moeten vertrouwen en in haar geloven, en dat we net zo moeten zijn als pappa was. Weet je nog dat hij altijd zei: "Voor alles wat vreemd lijkt is een goede reden. Alles komt altijd op z'n pootjes terecht." Dat dwing ik mezelf te geloven – ze heeft een goede reden om ons hier te houden en ons niet stiekem naar een of andere kostschool te sturen. Ze weet wat ze doet, en, Cathy, ik hou zoveel van haar. Ik kan het niet helpen. Wat ze ook doet, ik weet dat ik altijd van haar zal houden.'

Hij hield meer van haar dan van mij, dacht ik verbitterd.

Onze moeder kwam en ging zoals het haar uitkwam. Eén keer ging er een hele week voorbij zonder dat ze ons bezocht. Toen ze eindelijk kwam vertelde ze ons dat haar vader erg ziek was. Ik was dolblij met dat nieuws. 'Gaat het hem slechter?' vroeg ik, met iets van schuldbesef. Ik wist dat het verkeerd was hem dood te wensen, maar zijn dood betekende onze redding. 'Ja,' zei ze plechtig, 'veel slechter. Het kan elke dag voorbij zijn, Cathy, elke dag. Je hebt geen idee hoe bleek hij ziet en wat een pijn hij heeft; hij zal het niet lang meer maken en dan zijn jullie vrij.'

O, mijn God, en dan te bedenken dat ik zo slecht was dat ik die oude man op ditzelfde moment dood wenste! God, vergeef me. Maar het was verkeerd dat wij al die tijd opgesloten zaten; we moesten naar buiten, ons koesteren in de warme zon. We waren zo eenzaam, omdat we nooit andere mensen zagen.

'Het kan elk uur gebeurd zijn,' zei mamma en stond op om weg te gaan.

'Swing low, sweet chariot, comin' for t'carry me home...' was het liedje dat ik neuriede toen ik de bedden opmaakte en wachtte op het nieuws dat grootvader op weg was naar de hemel als zijn geld gewicht in de schaal legde, en naar de hel als de duivel niet omkoopbaar was.

En toen stond mamma in de deuropening. Ze zag er moe uit. 'Hij heeft de crisis doorstaan... hij wordt beter – deze keer.' De deur ging dicht, en we waren alleen, onze hoop de bodem ingeslagen.

Ik stopte de tweeling die avond in bed, want mamma kwam maar zelden meer om dat te doen. Ik was degene die hun een zoen op hun wang gaf en hen hielp hun gebedje te zeggen. En Chris deed ook zijn deel. Ze hielden van ons, dat was duidelijk zichtbaar in hun grote, blauwe ogen.

Toen ze sliepen kruisten we weer een dag af op de kalender. Het was opnieuw augustus. We hadden een vol jaar in deze gevangenis geleefd.

Boek twee

Tot de avondwind waait
En de schaduwen vlieden
Hooglied 2:17

OPGROEIEN EN WIJZER WORDEN

Er ging weer een jaar voorbij, dat niet veel verschilde van het eerste. Mamma kwam steeds minder vaak, maar altijd met beloftes die onze hoop wakker hielden; we bleven geloven dat de bevrijding voor de deur stond. Elke avond kruisten we de dag af met een grote rode X.

We hadden nu drie kalenders met grote rode kruizen. De eerste was maar half rood, de tweede was helemaal rood en de derde was nu half vol met rode kruizen. En de stervende grootvader, die nu achtenzestig was, en altijd op het punt stond de laatste adem uit te blazen, bleef leven en leven tot zijn negenenzestigste.

Donderdags gingen de bedienden van Foxworth Hall de stad in en dan slopen Chris en ik het dak op, gingen op een steile glooiing liggen en dronken het zonlicht in of genoten van de frisse lucht onder de maan en de sterren. Hoewel het dak hoog en gevaarlijk was, waren we buiten en konden we de frisse lucht voelen op onze verdroogde huid.

Op de plaats waar twee vleugels van het huis samenkwamen en een hoek vormden, konden we ons met onze voeten schrap zetten tegen een stevige schoorsteen en daar voelden we ons veilig. We waren voor iedereen op de grond aan het oog onttrokken.

De woede van onze grootmoeder had zich nog steeds niet gemanifesteerd en Chris en ik begonnen nonchalant te worden. We waren niet zo preuts meer in de badkamer, en we waren ook niet altijd volledig gekleed. Het was erg moeilijk om dag in dag uit zo dicht op elkaar te leven en daarbij de intieme delen van je lichaam altijd verborgen te houden voor het andere geslacht. En om eerlijk te zijn kon het ons geen barst schelen of een ander het zag. Het had ons wel moeten kunnen schelen. We hadden voorzichtig moeten zijn. We hadden de herinnering levend moeten houden aan mamma's gegeselde bloedende rug en die nooit en nooit vergeten. Maar de dag waarop ze was geranseld leek zo lang, lang geleden. Een eeuwigheid geleden.

Ik was nu een tiener en ik had mezelf nog nooit helemaal naakt gezien, want de spiegel boven het medicijnkastje hing te hoog om goed te kunnen zien. Ik had nog nooit een naakte vrouw gezien of een foto ervan en op schilderijen en beeldhouwwerken zag je geen details. Dus wachtte ik tot ik alleen in de slaapkamer was, en voor de spiegel van de toilettafel trok ik al mijn kleren uit. Ik staarde in de spiegel en bewonderde en pronkte met mijn lichaam. Ongelooflijk wat de verandering in hormonen teweegbracht! Ik was veel knapper dan toen ik hier kwam, zelfs mijn gezicht, mijn haar, mijn benen – dat gewelfde lichaam. Ik draaide me naar alle kanten, in allerlei balletposities, mijn ogen strak gevestigd op mijn spiegelbeeld.

Een lichte rilling over mijn rug maakte me erop attent dat er iemand in de kamer was en naar me keek. Ik draaide me met een ruk om en zag Chris in de schaduw van de kast staan. Hij was heel stilletjes van zolder gekomen. Hoe lang stond hij daar al? Had hij al die dwaze, onzedige dingen gezien die ik had gedaan? O, God, ik hoopte maar van niet!

Hij stond als aan de grond genageld. In zijn ogen lag een merkwaardige glazige blik, of hij me nooit eerder zonder kleren had gezien – wat toch vaak gebeurd was. Misschien als we samen met de tweeling lagen te zonnen, bleven zijn gedachten broederlijk en rein, en keek hij niet echt.

Zijn blik gleed omlaag van mijn blozende gezicht naar mijn borsten, toen lager, en lager, tot mijn voeten, toen ging zijn blik weer heel langzaam omhoog.

Ik bleef bevend en onzeker staan, en vroeg me af wat ik moest doen om geen dwaze preutse juffrouw te zijn in het oog van mijn broer, die er een meester in was om me belachelijk te maken als hij dat wilde. Hij leek haast een vreemde – ouder, iemand die ik niet kende. Hij leek zwak, verbluft, verbijsterd en ik had het gevoel dat als ik mijn naaktheid nu zou bedekken, ik hem van iets zou beroven dat hij hunkerde om te zien.

De tijd leek stil te staan. Hij bleef onbeweeglijk in de schaduw van de kast staan, en ik aarzelde voor de toilettafel, waarin hij ook de achterkant van mijn lichaam kon zien, want ik zag dat zijn blik nu en dan naar de spiegel afdwaalde.

'Chris, alsjeblieft, ga weg.'

Hij scheen het niet te horen. Hij staarde alleen maar.

Ik bloosde hevig en voelde het koude zweet onder mijn oksels, en mijn bloed klopte in mijn aderen. Ik voelde me als een kind dat wordt betrapt met het handje in de koektrommel, schuldig aan een of andere kleine overtreding en verschrikkelijk bang om streng te worden gestraft voor bijna niets. Maar zijn blik, zijn ogen, brachten me tot leven, en mijn hart begon fel te kloppen van angst. Waarom zou ik bang zijn? Het was Chris maar.

Voor het eerst voelde ik me verlegen, schaamde ik me en snel wilde ik de jurk pakken die ik had uitgetrokken. Daarachter wilde ik me verbergen en dan zou ik hem zeggen dat hij weg moest gaan.

'Niet doen,' zei hij, toen ik met de jurk in mijn handen stond. 'Je mag niet...,' stotterde ik, terwijl ik nog erger begon te beven.

'Ik weet dat het niet mag, maar je bent zo mooi. Alsof ik je nooit eerder gezien heb. Hoe komt het dat je zo mooi bent geworden, zonder dat ik het gemerkt heb, terwijl ik toch al die tijd hier was?'

Hoe moest ik die vraag beantwoorden? Ik kon hem alleen maar aankijken, smeken met mijn ogen.

En op dat moment draaide een sleutel om in het slot van de deur. Snel probeerde ik de jurk over mijn hoofd te trekken voor ze binnenkwam. O, God! Ik kon de mouwen niet vinden. Mijn hoofd was bedekt door mijn jurk, terwijl de rest naakt was, en *zij* was binnen – de grootmoeder. Ik kon haar niet zien, maar ik *voelde* haar.

Tenslotte vond ik de armsgaten en snel trok ik mijn jurk omlaag. Maar ze had me in al mijn naakte glorie gezien, het stond te lezen in haar glinsterende grijze ogen. Ze wendde die ogen van me af en keek met een stekende, vernietigende blik naar Chris. Hij verkeerde nog steeds in die toestand van verbijstering die hem weerloos maakte.

'Zo!' siste ze. 'Eindelijk heb ik jullie toch betrapt! Ik wist dat het me vroeg of laat zou lukken!'

Ze had het eerst tegen ons gesproken. Dit leek op een van mijn nachtmerries... zonder kleren voor grootmoeder en God. Chris kwam met een schok op de aarde terug. Hij deed een stap naar voren en snauwde: 'U hebt ons betrapt? Waarop hebt u ons betrapt? Op niets!'

Niets...

Niets...

Niets...

Eén woord dat weergalmde. In haar ogen had ze ons betrapt op alles wat slecht was!

'Zondaars!' siste ze verder, haar wrede ogen op mij gericht. Ze kende geen genade. 'Vind je dat je er mooi uitziet? Vind je je nieuwe rondingen aantrekkelijk? Hou je van dat lange goudblonde haar dat je borstelt en borstelt en krult?' Toen glimlachte ze – de meest angstaanjagende glimlach die ik ooit heb gezien.

Mijn knieën knikten; mijn handen gingen zenuwachtig open en dicht. Ik voelde me zo kwetsbaar zonder ondergoed en met een open ritssluiting van achteren. Ik keek even naar Chris. Hij kwam langzaam naar voren, zoekend naar iets dat hij als wapen zou kunnen gebruiken.

'Hoe vaak heb je je broer toegestaan je lichaam te gebruiken?' schreeuwde grootmoeder. Ik bleef roerloos staan, ik kon geen woord uitbrengen, ik begreep niet wat ze bedoelde.

'Gebruiken? Wat bedoelt u?'

Ze kneep haar ogen dicht tot spleetjes en keerde zich toen snel om. Ze zag de verlegen blos op Chris' gezicht. Hij wist dus wel wat ze bedoelde.

'Ik wou alleen maar zeggen,' zei hij, nog dieper blozend, 'dat we niets slechts hebben gedaan.'

Hij had nu de stem van een man, diep en krachtig. 'Toe maar, kijk maar naar me met je gemene, achterdochtige ogen. Geloof maar wat je wilt, maar Cathy en ik hebben nooit één slecht, zondig of onzedig ding gedaan!'

'Je zuster was naakt – ze heeft je toegestaan naar haar lichaam te kijken – dus hebben jullie gezondigd.' Ze wierp me een blik vol haat toe en draaide zich toen om en liep de kamer uit. Ik bleef trillend staan. Chris was woedend.

'Cathy, waarom moest je je in Godsnaam in deze kamer uitkleden! Je weet dat ze ons bespioneert, dat ze hoopt ons ergens op te betrappen!'

Een radeloze uitdrukking verscheen op zijn gezicht. 'Ze zal ons straffen. Dat ze zonder iets te zeggen is weggegaan betekent niet dat ze niet terugkomt.'

Ik wist het... ik wist het. Ze kwam terug – met de zweep!

Slaperig en humeurig kwam de tweeling terug van de zolder. Carrie ging voor het poppenhuis zitten. Cory hurkte op zijn hielen en keek naar de TV. Hij pakte zijn dure, professionele gitaar en begon te spelen. Chris zat op bed en keek naar de deur. Ik stelde me verdekt op, klaar om weg te rennen als ze terugkwam. Ik zou naar de badkamer hollen, de deur op slot doen... ik zou...

De sleutel draaide om in het slot. De deurknop bewoog. Ik sprong overeind en Chris ook. Hij zei: 'Ga naar de badkamer, Cathy, en blijf daar.'

Grootmoeder liep met grote passen de kamer in, hoog boven ons uittorenend. Ze had geen karwats bij zich, maar een grote schaar, zoals vrouwen gebruikten om stof te knippen. Hij was verchroomd, glimmend, lang en leek erg scherp.

'Ga zitten!' snauwde ze tegen mij. 'Ik ga je haar afknippen – dan zul je misschien minder trots zijn als je in de spiegel kijkt.'

Minachtend en wreed glimlachte ze toen ze mijn verbazing zag – de eerste keer dat ik haar zag glimlachen.

Mijn grootste angst! Ik had liever een pak ransel met de karwats! Mijn huid genas wel, maar het zou jaren en jaren duren voor mijn mooie lange haar weer was aangegroeid, dat ik had gekoesterd sinds pappa voor het eerst had gezegd dat ik mooi haar had en dat hij lang haar mooi vond voor kleine meisjes. O, lieve God, hoe kon ze weten dat ik bijna elke nacht droomde dat ze de kamer binnenkwam terwijl ik sliep en me kaal schoor als een schaap? En soms droomde ik niet alleen dat ik 's morgens kaal en lelijk wakker werd, maar ook dat ze mijn borsten had afgesneden!

Als ze naar me keek was het altijd naar één speciale plaats. Ze zag me niet als een volledig mens, maar onderverdeeld in delen die haar woede schenen op te wekken... en ze zou alles vernietigen wat haar kwaad maakte!

Ik probeerde naar de badkamer te vluchten en de deur achter me op slot te doen. Maar mijn benen, die toch zo goed getraind waren voor het ballet, weigerden te bewegen. Ik was verlamd door het dreigement van die lange glimmende schaar en grootmoeders chroomkleurige ogen vol haat en minachting.

Toen sprak Chris met de stem van een man. 'Je zult geen haar van Cathy's hoofd knippen, grootmoeder! Als je één stap in haar richting doet sla ik je op het hoofd met deze stoel!' Hij hield een van de stoelen vast die we voor het eten gebruikten, gereed om zijn dreigement uit te voeren. Zijn blauwe ogen schoten vuur en de hare waren een en al haat.

Ze keek hem vernietigend aan, alsof ze zijn dreigement niet ernstig nam, alsof zijn geringe kracht nooit tegen de berg van staal, die zij leek te zijn, was opgewassen. 'Goed. Jij je zin. Ik geef je de keus, kind –

je haar of een hele week geen eten en melk.'

'De tweeling heeft niets gedaan,' smeekte ik. 'En Chris ook niet. Hij wist niet dat ik geen kleren aan had toen hij van de zolder kwam – het was allemaal mijn schuld. Ik kan wel een week zonder voedsel en melk. Ik zal niet verhongeren. Bovendien zal mamma niet goed vinden dat u ons dit aandoet. Zij zal ons eten brengen.'

Maar ik zei het zonder veel vertrouwen. Mamma was al zo lang weg; ze kwam niet vaak meer. Ik zou erge honger krijgen.

'Je haar – of een week lang geen eten,' herhaalde ze, onaangedaan en onvermurwbaar.

'Je vergist je, ouwe vrouw,' zei Chris, die dichterbij kwam met zijn opgeheven stoel. 'Ik heb Cathy per ongeluk betrapt. We hebben niets zondigs gedaan. Dat hebben we nooit gedaan. U veroordeelt ons naar de omstandigheden.'

'Je haar, of *geen* van jullie krijgt een week te eten,' zei ze tegen mij, Chris negerend, zoals altijd. 'En als je jezelf opsluit in de badkamer of je op zolder verbergt, dan krijgen jullie twee weken niet te eten! Pas als je beneden komt met een kaal hoofd!'

Vervolgens richtte ze haar koude, berekenende ogen op Chris. 'Ik denk dat *jij* degene zult zijn die dat mooie lange haar van je zuster afknipt,' zei ze met een heimelijke glimlach. Ze legde de glimmende schaar boven op de toilettafel. 'Als ik terugkom en ik zie je zuster zonder haar, dan krijgen jullie te eten.'

Ze ging weg, sloot ons op en liet ons in een lastig parket achter. Chris staarde naar mij en ik staarde terug.

Chris glimlachte. 'Kom nou, Cathy, ze bluft! Mamma kan elk ogenblik komen. We zullen het haar vertellen... geen probleem. Ik zal je haar nooit afknippen.' Hij sloeg zijn arm om me heen. 'Wat een geluk dat we een doos crackers en een stuk kaas op zolder hebben verborgen. En we hebben het eten van vandaag nog – dat heeft de oude heks vergeten.'

We aten zelden veel. We aten die dag nog minder, voor het geval mamma niet zou komen. We bewaarden de helft van de melk en de sinaasappels. De dag ging voorbij zonder dat mamma kwam. De hele nacht lag ik te woelen en te draaien, viel in slaap, maar werd telkens weer wakker. Als ik sliep had ik vreselijke nachtmerries.

Ik droomde dat Chris en ik in een dicht donker bos verdwaald waren en zochten naar Carrie en Cory. We riepen hen met de geluidloze stemmen van de droom. De tweeling gaf geen antwoord. We raakten in paniek en renden het duister in. Toen dook er plotseling een hut van gemberkoek voor ons op. En ook van kaas, met een dak van koekjes en een pad van snoepjes dat naar de deur van chocoladerepen leidde. Het hek was van pepermuntstokken, het struikgewas van ijshoorns, zeven smaken. Ik flitste een gedachte naar Chris. *Nee!* Dit is een truc! We kunnen niet naar binnen. Hij seinde terug: 'We moeten naar binnen! We moeten de tweeling redden!'

Stilletjes slopen we naar binnen en zagen de kussens van warme broodjes, druipend van goudgele boter, de sofa was van vers gebakken brood met boter. In de keuken stond de heks aller heksen! Met een kromme neus, een vooruitstekende kin, een tandeloze mond, en haar hoofd was een dot grijs gekleurd touw dat woest naar alle richtingen uitstak. Ze hield onze tweeling aan hun lange goudblonde haren vast. Ze stond op het punt ze in de brandende kachel te gooien! Ze waren geglazuurd met roze en blauw, en hun vlees begon, zonder te verbranden, te veranderen in gemberkoek en hun blauwe ogen in zwarte krenten. Ik gilde! Ik gilde aan één stuk door!

De heks draaide zich naar me om en keek me woedend aan met haar grijze, granietachtige ogen en haar ingevallen mond, zo dun als een messnede, die ze wijd opende om te lachen! Hysterisch bleef ze lachen terwijl Chris en ik geschrokken ineenkrompen. Ze gooide haar hoofd achterover, en in haar wijd open mond leken haar amandelen op slagtanden – en plotseling begon de grootmoeder op verbluffende, angstwekkende manier te veranderen. Ze kwam als een vlinder uit een rups te voorschijn, terwijl wij aan de grond genageld stonden toe te kijken... en uit die verschrikking kwam onze moeder te voorschijn!

Mamma! Haar blonde haar golfde als zijden linten, kronkelde als slangen over de vloer om ons te grijpen! Glibberige trossen haar strengelden zich omhoog langs onze benen en kropen naar onze keel... probeerden ons te wurgen, om ons het zwijgen op te leggen... geen bedreiging voor haar erfenis! Ik hou van je, ik hou van je, ik hou van je, fluisterde ze woordloos.

Ik werd wakker, maar Chris bleef doorslapen, net als de tweeling. Ik was wanhopig toen de slaap zich weer van me meester wilde maken. Ik probeerde me ertegen te verzetten, tegen die afschuwelijke doezeligheid, waarin ik ver wegzakte, verdronk. En dan droomde ik weer, bevond ik me weer midden in een nachtmerrie. Ik holde wild het duister in en viel in een plas bloed. Bloed dat zo kleverig was als teer, naar teer rook, en met diamanten bezaaide vissen met zwanekoppen en rode ogen knabbelden aan mijn armen en benen, zodat ze verlamd en ongevoelig werden. En de vissen met de zwanekoppen lachten, lachten, lachten, blij dat ik van kant werd gemaakt, dat ik overal bloedde. Zie je wel! schreeuwden ze met jammerende stemmen die door een meervoudige echo weerkaatst werden. *Je kunt niet ontsnappen!*

De ochtend scheen bleekjes achter de zware dichtgetrokken gordijnen die het gele licht van de hoop buitensloten. Carrie draaide zich om in haar slaap en nestelde zich dicht tegen me aan. 'Mamma,' mompelde ze, 'ik vind dit een naar huis.' Haar zijde-achtige haar voelde aan als ganzedons en langzaam, heel langzaam kwam het gevoel weer terug in mijn handen en armen, mijn voeten en benen.

Ik lag stil op bed, terwijl Carrie rusteloos bewoog. Ze wilde dat ik mijn armen om haar heen sloeg, maar ik voelde me zo versuft dat ik mijn armen niet kon bewegen. Wat mankeerde me? Mijn hoofd voelde zo zwaar of het vol rotsen zat, zodat er van de binnenkant tegen mijn schedel werd gedrukt, en de pijn was zo hevig dat het leek of mijn schedel open zou barsten! Mijn tenen en vingers tintelden nog. Mijn lichaam voelde loodzwaar. De muren kwamen op me af, weken weer terug, en niets had rechte verticale lijnen.

Ik probeerde mijn spiegelbeeld te zien in de glanzende spiegel tegenover me, maar toen ik mijn gezwollen hoofd probeerde om te draaien weigerde het te bewegen. Vóór ik ging slapen spreidde ik mijn haar altijd uit op het kussen, zodat ik mijn wang kon koesteren in de zoet-geurende zij van mijn verzorgde, gezonde, sterke haar. Het was een heerlijke sensuele gewaarwording, mijn zachte haar dat mijn wang streelde en me meenam naar de zoete dromen der liefde.

Maar vandaag lag er geen haar op mijn kussen. Waar was mijn haar? De schaar lag nog steeds op de toilettafel. Hij glinsterde vaag in het donker. Ik moest herhaaldelijk slikken om geluid te kunnen maken, maar eindelijk slaakte ik een zachte kreet; ik riep Chris, niet mamma.

Ik bad God dat Chris me zou horen. 'Chris,' fluisterde ik eindelijk met een vreemde, hortende stem, 'er is iets met me.'

Mijn gefluisterde woorden wekten Chris, hoewel ik niet begreep hoe hij dat gehoord kon hebben. Hij ging overeind zitten en wreef slaperig in zijn ogen. 'Wat is er, Cathy?' vroeg hij.

Ik mompelde iets en hij kwam zijn bed uit. In zijn gekreukte blauwe pyjama en met verwarde blonde haren liep hij naar me toe. Met een schok bleef hij staan. Hij hield zijn adem in en hijgde zachtjes van schrik en afschuw.

'Cathy, o, mijn God!'

Zijn gil deed me huiveren van angst.

'Cathy... O, Cathy,' kreunde hij.

Terwijl hij me aanstaarde en ik me vertwijfeld afvroeg wat hij wel kon zien dat hem zo overstuur maakte, probeerde ik mijn loodzware armen op te heffen om mijn vreemd gezwollen hoofd te betasten. Op de een of andere manier wist ik ze omhoog te krijgen – en toen vond ik mijn stem terug en schreeuwde! Ik bleef maar gillen, als een waanzinnige, tot Chris bij me kwam en me in zijn armen sloot.

'Hou op, alsjeblieft, hou op,' snikte hij. 'Denk aan de tweeling... maak ze niet nog banger... gil alsjeblieft niet meer, Cathy. Ze hebben al zoveel meegemaakt; ik weet dat je ze geen onherstelbaar kwaad wilt doen, maar dat gebeurt als je je niet beheerst. Het komt heus in orde, ik haal de rommel eraf. Op mijn woord van eer: ik krijg vandaag op de een of andere manier die teer uit je haar.'

Hij vond een kleine rode prik in mijn arm waar grootmoeder me een injectie had gegeven met een verdovend middel. En terwijl ik sliep had ze hete teer over mijn haar gegoten. Ze moet mijn haar bij elkaar hebben gehouden voor ze de teer gebruikte, want niet één lok was onberoerd gebleven.

Chris wilde me beletten in de spiegel te kijken, maar ik duwde hem opzij en staarde met wijd open mond naar de afschuwelijke zwarte klont die mijn hoofd was. Als een enorme klont zwart kauwgum, uitgekauwd en in een vieze kledder uitgespuwd; het droop zelfs langs mijn gezicht en zwarte strepen liepen over mijn wangen.

Ik wist dat hij de teer er nooit uit zou krijgen. Nooit!

Cory werd het eerst wakker, klaar om naar de ramen te spurten en de gesloten gordijnen opzij te trekken om naar buiten te kijken en de zon te zien die achter die gordijnen verborgen ging. Hij was al uit bed en wilde naar het raam hollen toen hij me zag.

Zijn ogen en zijn mond gingen wijd open. Hij bracht zijn zenuwachtig bewegende handjes naar zijn gezicht en wreef met zijn knuistjes in zijn ogen. Toen staarde hij me ongelovig aan. 'Cathy,' zei hij tenslotte 'ben jij dat?'

'Ik geloof het wel.'

'Waarom is je haar zwart?'

Voor ik antwoord kon geven op die vraag werd Carrie wakker. *'Ooooo!'* gilde ze. 'Cathy – je hoofd is zo gek!' Grote tranen glinsterden in haar ogen en rolden over haar wangen. 'Ik vind je hoofd niet mooi!' jammerde ze, en toen begon ze te snikken alsof de teer op *haar* haar was gesmeerd.

'Bedaar een beetje, Carrie,' zei Chris op zijn meest nuchtere, alledaagse toon. 'Er zit alleen maar wat teer op Cathy's haar – en als ze een bad heeft genomen en haar haar heeft gewassen, is het weer net als gisteren. En terwijl zij in bad gaat moeten jullie je sinaasappels eten en naar de TV kijken. Later gaan we met ons allen echt ontbijten, zodra Cathy's haar schoon is.' Hij zei niets over grootmoeder, uit angst dat ze nog banger zouden worden. Ze zaten dicht tegen elkaar aan op de grond, als boekensteunen. Ze schilden en aten hun sinaasappels en verdiepten zich in de aardige onbeduidende tekenfilms en het andere zaterdagochtendgeweld en de dwaasheid.

Chris beval me in een bad vol heet water te stappen. In dat bijna kokende water dompelde ik mijn hoofd steeds weer onder, terwijl Chris probeerde met shampoo de teer zacht te maken. Dat lukte wel, maar de teer bleef in mijn haar zitten en het werd niet schoon. Zijn vingers bewogen zich heen en weer in een weke kleverige massa. Ik hoorde dat ik zacht kreunende geluidjes maakte. Hij probeerde, o, hij deed zo zijn best de teer uit mijn haar te halen zonder alle haren eruit te trekken. En ik kon alleen maar denken aan de schaar – de glimmende schaar die grootmoeder op de toilettafel had gelegd.

Op zijn knieën naast het bad wist Chris eindelijk met zijn vingers door de kleverige massa heen te komen, maar toen hij ze eruit wilde halen, bleven ze aan elkaar plakken in het kleverige zwarte haar. 'Je moet de schaar gebruiken!' riep ik uit, toen ik er na twee uur eindelijk genoeg van had. Maar nee, hij beschouwde de schaar als de laatste toevlucht. Hij meende dat er een chemische oplossing moest zijn die de teer zou oplossen, zonder mijn haar aan te tasten. Hij had een heel professionele scheikundedoos van mamma gekregen. Op het deksel stond een strenge waarschuwing: 'Dit is geen speelgoed. Deze doos bevat gevaarlijke chemicaliën en is alleen bestemd voor vakkundig gebruik.'

'Cathy,' zei hij, op zijn hielen hurkend, 'ik ga naar het leslokaal op zolder en zal daar wat samenstellen om die teer uit je haar te halen.' Hij grijnsde verlegen naar me. Het licht van het plafond viel op het zachte dons op zijn bovenlip, en ik wist dat hij stevig donkerder haar had op het onderdeel van zijn lichaam, net als ik. 'Ik moet naar de WC, Cathy. Dat heb ik nog nooit gedaan waar jij bij bent, en ik voel me een beetje verlegen. Je kunt je omdraaien en je vingers in je oren steken, en als jij het ook in het water doet, maakt de ammoniak je haar misschien schoon.'

Ik keek hem verbijsterd aan. De dag begon op een nachtmerrie te lijken. In kokend water zitten en dat als toilet gebruiken en daarin mijn haar wassen? Moest ik dat werkelijk doen terwijl Chris zijn blaas leegde in de pot achter mijn rug? Ik zei tegen mezelf, dat het niet waar was, dat het een droom was. Waren Carrie en Cory nu ook al in de badkamer terwijl ik mijn haar in vuil water stopte?

Het was waar. Hand in hand kwamen Cory en Carrie voor het bad staan en keken naar me. Ze wilden weten waarom ik zo lang wegbleef.

'Cathy, wat is dat op je hoofd?'

'Teer.'

'Waarom heb je teer op je haar gedaan?'

'Ik denk dat ik het in mijn slaap heb gedaan.'

'Waar heb je die teer gevonden?'

'Op zolder.'

'Waarom wilde je teer op je haar doen?'

Ik wilde niet liegen! Ik wilde zeggen wie het had gedaan, maar ik mocht het niet. Zij en Cory waren al bang genoeg voor die oude vrouw. 'Ga naar de kamer en kijk TV, Carrie,' zei ik, geprikkeld door haar vragen en zielsbedroefd toen ik naar haar magere uitgeholde wangen, haar diep weggezonken ogen keek.

'Cathy, vind je me geeneens aardig meer?'

'Niet aardig...,' verbeterde ik.

'Heus niet?'

'Natuurlijk vind ik je aardig, Cory. Ik hou van jullie allebei, maar ik heb per ongeluk die teer in mijn haar gesmeerd en nu heb ik de pest in.'

Carrie liep weg en ging weer naast Cory zitten. Ze fluisterden met elkaar in dat vreemde taaltje dat alleen zij konden begrijpen. Soms dacht ik wel eens dat ze veel wijzer waren dan Chris en ik vermoedden.

Ik zat urenlang in het bad terwijl Chris een tiental chemische verbindingen probeerde op een stukje van mijn haar. Hij probeerde van alles en liet me telkens schoon water nemen, steeds warmer. Ik begon te verschrompelen tot een gedroogde pruim terwijl hij beetje bij beetje de kleverige massa uit mijn haar verwijderde. De teer kwam er tenslotte uit, samen met een heleboel haar. Maar ik had haar genoeg en kon best wat missen zonder dat het opviel. En toen het gebeurd was, was de dag voorbij, en Chris en ik hadden geen hap gegeten. Hij had de tweeling kaas en crackers gegeven, maar hij had zelf geen tijd verspild met eten. In een handdoek gewikkeld zat ik op bed en droogde mijn uitgedunde haar. Wat er over was, was broos en breekbaar en bijna platina van kleur.

'Je had je de moeite kunnen besparen,' zei ik tegen Chris, die hongerig twee crackers met kaas at. 'Ze heeft geen eten gebracht – en ze zal niets brengen voordat je alles er hebt afgeknipt.'

Hij kwam naar me toe met een bord met kaas en crackers en een glas water. 'Eet en drink. We zullen haar overtroeven. Als ze morgen geen eten komt brengen, of als mamma niet komt, zal ik alleen je haar van voren afknippen, op je voorhoofd. Dan kun je een sjaal om je hoofd binden alsof je je schaamt dat je kaal bent. En je haar van voren groeit gauw genoeg weer aan.'

Omzichtig at ik de kaas en de crackers, zonder antwoord te geven. Ik spoelde mijn maaltijd van die dag naar binnen met water uit de kraan. Toen borstelde Chris het bleke, zwakke haar dat zoveel had moeten verduren. Een merkwaardige speling van het lot: mijn haar had nog nooit zo geglansd, nog nooit zo zijdeachtig aangevoeld. Ik was blij dat ik nog wat overhad. Ik lag op mijn rug op bed, uitgeput door alle emoties, en keek naar Chris die op het andere bed zat en naar mij staarde. Toen ik in slaap viel zat hij nog steeds op dezelfde plaats, en in zijn hand hield hij een lange krul van mijn ragfijne, zijden haar.

Die nacht sliep ik onrustig en werd telkens wakker. Ik was rusteloos, en voelde me hulpeloos, kwaad, gefrustreerd.

En toen zag ik Chris.

In dezelfde kleren die hij de hele dag had gedragen. Hij had de zwaarste stoel in de kamer tegen de deur geschoven, en zat in die stoel te soezen, terwijl hij de lange scherpe schaar in zijn hand hield. Hij had de deur gebarricadeerd, zodat grootmoeder niet stiekem binnen kon komen en de schaar gebruiken. Zelfs in zijn slaap beschermde hij me nog tegen haar.

Terwijl ik naar hem staarde opende hij zijn ogen, schrok op, alsof het niet zijn bedoeling was geweest in slaap te vallen en mij onbeschermd te laten. In de schemering van de kamer ving hij mijn blik op en we keken elkaar recht in de ogen. Hij glimlachte langzaam. 'Hallo.'

'Chris,' snikte ik, 'ga naar bed. Je kunt haar niet eeuwig buiten de deur houden.'

'Wel, terwijl jij slaapt.'

'Laat ik dan nu de wacht houden. Om de beurt.'

'Wie is de man hier, jij of ik? Bovendien eet ik meer dan jij.'

'Wat heeft dat er nou mee te maken?' 'Jij bent mager en als je de hele nacht wakker blijft word je nog magerder, terwijl ik best wat gewicht kan missen.'

Hij was ook te mager; dat waren we allemaal. Zijn lichte gewicht zou grootmoeder niet tegenhouden als ze werkelijk door die deur naar binnen wilde. Ik stond op en ging bij hem in de stoel zitten, ondanks zijn protest.

'Sst,' fluisterde ik. 'Samen kunnen we haar beter tegenhouden, en dan kunnen we allebei slapen.' In elkaars armen vielen we in slaap.

En het werd ochtend... zonder grootmoeder... zonder eten.

De hongerige dagen gingen eindeloos langzaam, miserabel, voorbij.
De kaas en crackers waren veel te gauw op, al waren we nog zo zuinig met onze voorraad. En toen begon het werkelijk te nijpen. Chris en ik dronken alleen maar water en bewaarden de melk voor de tweeling.
Chris kwam naar me toe met de schaar in zijn hand en met tegenzin, onder tranen, knipte hij de voorste haren vlak bij de schedel af. Ik wilde niet in de spiegel kijken toen het gebeurd was. Het lange haar wikkelde ik rond mijn hoofd en daarover knoopte ik een sjaal, als een tulband.
En toen kwam de ironie, de bittere ironie; grootmoeder kwam niet controleren!
Ze bracht ons geen voedsel of melk of schoon beddegoed of handdoeken, of zelfs maar zeep en tandpasta, die inmiddels op waren. En geen toiletpapier. Nu betreurde ik het dat ik al het vloeipapier had weggegooid waarin onze dure kleren verpakt waren. Er bleef niets anders over dan de pagina's uit de oudste boeken op zolder te scheuren en die te gebruiken.
Het toilet raakte verstopt en stroomde over. Cory begon te gillen toen de viezigheid over de rand heen spoelde, de badkamer in. We hadden geen ontstopper. Wanhopig vroegen Chris en ik ons af wat we moesten doen. Terwijl hij op zoek ging naar een ijzeren hangertje dat hij kon rechtbuigen om daarmee de prop naar beneden te duwen die de boel verstopte, ging ik naar zolder om wat oude kleren te halen waarmee ik de troep in de badkamer kon opdweilen.
Chris slaagde er zowaar in met het hangertje de WC te ontstoppen, zodat hij weer normaal werkte. Toen ging hij zonder een woord te zeggen op zijn knieën naast me liggen en we dweilden samen de vloer met de oude kleren uit de hutkoffers.
Nu hadden we ook nog smerige, stinkende vodden, die we in een van de hutkoffers op zolder stopten, zodat we er weer een geheim op zolder bij hadden.
We probeerden de situatie zo draaglijk mogelijk te maken door er niet over te praten. We stonden 's morgens op, wasten ons gezicht met koud water, borstelden onze tanden met koud water, dronken koud water, liepen wat heen en weer, en gingen TV kijken of lezen. Je zou de poppen aan het dansen hebben als ze binnenkwam en ons erop betrapte dat we de spreien kreukten. Maar wat kon het ons nu nog schelen?
Het gejammer van de tweeling om eten sneed door mijn ziel; ik zou de herinnering mijn leven lang niet meer kwijtraken. En ik haatte – o, wat haatte ik die oude vrouw – en mamma – om wat ze ons aandeden!
Als het etenstijd werd gingen we slapen. Als je slaapt voel je geen pijn of honger of eenzaamheid of verbittering. In je slaap kun je wegzinken in een valse euforie, en als je wakker wordt kan het je allemaal niets meer schelen.
Eén vage, onwezenlijke dag, toen we alle vier lusteloos op bed lagen en het leven slechts verder ging in een kastje in de hoek van de kamer, draaide ik suf mijn hoofd om, zo maar, om naar Chris en Cory te kijken.

Ik bleef gedachteloos liggen en zag dat Chris met zijn zakmes in zijn pols sneed. Hij hield zijn bloedende arm tegen Cory's mond en dwong hem zijn bloed te drinken, ondanks Cory's protesten. Daarna was het Carries beurt. De tweeling, die nooit iets wilde eten dat klonterig, korrelig, te taai, te hard, of 'gek' was, dronk het bloed van hun oudste broer en keek naar hem op met grote, doffe, berustende ogen.

Ik keerde mijn hoofd af, misselijk door wat hij deed, en vol bewondering dat hij het *kon*. Hij wist alle moeilijke problemen op te lossen.

Chris liep naar mijn kant van het bed en ging op de rand zitten. Hij keek me heel lang aan. Toen richtte hij zijn blik op de snee in zijn pols die niet meer zo erg bloedde. Hij hief zijn zakmes op om een tweede snee te maken, zodat hij ook mij kon voeden met zijn bloed, maar ik weerhield hem, pakte zijn zakmes en smeet het weg. Hij rende er naar toe, pakte het op, maakte het schoon met alcohol, ondanks mijn plechtige eed dat ik nooit zijn bloed zou drinken en nog meer kracht aan hem onttrekken.

'Wat moeten we doen, Chris, als ze nooit meer terugkomt?' vroeg ik dof. 'Ze zal ons laten doodhongeren.' Daarmee bedoelde ik natuurlijk onze grootmoeder, die we nu al in twee weken niet meer hadden gezien. Chris had overdreven toen hij zei dat we nog een pond kaas hadden. We gebruikten stukjes kaas voor de muizenvallen, en die hadden we er weer uitgehaald om zelf op te eten, toen de rest op was. We hadden nu al drie dagen lang geen hap te eten gehad en vier dagen alleen maar een heel klein stukje kaas en een cracker. En de melk die we voor de tweeling bewaard hadden was tien dagen geleden al op.

'Ze zal ons niet laten doodhongeren,' zei Chris, terwijl hij naast me ging liggen en me in zijn verzwakte armen nam. 'We zouden ruggegraatloze idioten zijn als we dat zouden toelaten. Als ze morgen geen eten komt brengen, en moeder ook niet komt, gaan we met onze lakens naar de begane grond.'

Mijn hoofd lag op zijn borst en ik voelde zijn hart bonzen. 'Hoe weet je wat ze zal doen? Ze haat ons. Ze wil ons dood hebben – ze heeft toch telkens gezegd dat we nooit geboren hadden mogen worden?'

'Cathy, die ouwe heks is niet dom. Ze zal ons heus wel wat te eten brengen, voordat mamma terugkomt.'

Ik kwam overeind om zijn gewonde pols te verbinden. We hadden twee weken geleden moeten ontsnappen, toen we allebei nog de kracht hadden om die gevaarlijke afdaling te maken. Als we het nu probeerden zouden we vast en zeker doodvallen, want met de tweeling op onze rug gebonden zou het nog moeilijker zijn.

Maar toen het ochtend werd en er nog steeds geen eten gebracht was, dwong Chris ons naar de zolder te gaan. We moesten de tweeling dragen die te zwak was om te lopen. Het was er bloedheet. Slaperig liet de tweeling zich in een hoek van het leslokaal zakken. Chris ging draagbanden maken waarmee we de tweeling veilig op onze rug konden binden. Geen van ons roerde de mogelijkheid aan dat het zelfmoord – en moord – zou betekenen als we vielen.

'We zullen het anders doen,' zei Chris bij nader inzien. 'Ik ga eerst. Als ik op de grond ben bind jij Cory in een draagband en bind hem goed vast, zodat hij niet los kan komen, en dan laat je hem op de grond zakken. Daarna doe je hetzelfde met Carrie. En jij komt als laatste. En wees in Godsnaam voorzichtig en doe je best! Smeek God je kracht te geven – doe niet apathisch. Wees woedend, denk aan wraak, vergelding! Ik heb gehoord dat een grote woede je in geval van nood bovenmenselijke kracht kan geven.'

'Laat ik als eerste gaan. Jij bent sterker,' zei ik zwakjes.

'Nee! Ik wil beneden staan om iemand op te vangen als hij te snel naar beneden zou komen, en jouw armen zijn minder sterk dan de mijne. Ik zal het touw om een schoorsteen slaan, zodat je niet al het gewicht hoeft te dragen – en Cathy, dit is een noodsituatie!'

God, ik kon niet geloven wat hij toen van me verlangde!

Vol afschuw staarde ik naar de vier dode muizen in de vallen. 'We moeten die muizen opeten, om ons wat kracht te geven,' zei hij grimmig. 'En wat moet, *kan!*'

Rauw vlees? Rauwe muizen? 'Nee,' fluisterde ik, walgend van die kleine stijve dode dingen.

Hij werd kwaad, zei dat ik alles moest doen wat nodig was om de tweeling en mijzelf in leven te houden. 'Cathy, ik zal ze het eerst eten, ik ga alleen even naar beneden om wat zout en peper te halen. Ik heb die klerenhanger nodig om de knopen van de lakens strak aan te trekken – de hefboomwerking, je weet wel. Mijn handen zijn niet zo sterk meer.'

Nee, natuurlijk niet. We waren allemaal zo verzwakt dat we ons nauwelijks meer konden bewegen.

Hij keek me onderzoekend aan. 'Echt, met wat zout en peper geloof ik dat muizen heel smakelijk kunnen zijn.'

Smakelijk!

Hij sneed de koppen eraf, stroopte toen het vel eraf en haalde de ingewanden eruit. Ik zag hoe hij de kleine buikjes opensneed en lange slijmerige darmen eruit haalde, de piepkleine hartjes en andere miniatuur 'ingewanden'.

Ik had kunnen kotsen als ik iets in mijn maag had gehad.

Hij holde trouwens ook niet erg hard naar beneden om peper en zout en de klerenhangers te halen. Hij liep heel langzaam op en neer – en liet me op zijn manier weten dat hij ook niet zo happig was op die rauwe muizen.

Toen hij weg was bleven mijn ogen strak gericht op de gestroopte muizen die mijn eerstvolgende maal zouden zijn. Ik deed mijn ogen dicht en probeerde me te dwingen de eerste hap te nemen. Ik had honger maar ik was nog niet hongerig genoeg om het vooruitzicht op prijs te stellen.

Toen dacht ik aan de tweeling, die met gesloten ogen in de hoek zaten, elkaar stevig omklemmend, hun voorhoofdjes tegen elkaar gedrukt, en ik dacht dat ze waarschijnlijk precies zo gezeten hadden in mamma's schoot, wachtend tot ze geboren zouden worden, om te worden weggesloten achter een dichte deur en doodgehongerd. Onze arme kleintjes, die eens een vader en moeder hadden gekend die van hen hielden.

Ja, ik had een vage hoop dat de muizen Chris en mij voldoende kracht zouden geven om de tweeling veilig naar beneden te brengen, en een vriendelijke buur zou hun eten geven, ons allemaal – als we het volgende uur zouden overleven.

Ik hoorde de langzame voetstappen van Chris, die terugkwam. Hij bleef in de deuropening staan, met een aarzelende glimlach. Zijn blauwe ogen keken naar mij ... stralend. In zijn beide handen droeg hij de enorme picknickmand die we zo goed kenden. De mand zat zo vol voedsel dat de houten deksels die omhoog klapten niet helemaal dicht konden.

Hij haalde er twee thermosflessen uit: een met groentesoep en een met koude melk. Ik voelde me suf, verward, hoopvol. Was mamma teruggekomen en had zij ons dit gebracht? Waarom had ze ons dan niet geroepen? En waarom kwam ze ons niet opzoeken?

Chris nam Carrie en ik nam Cory op schoot, en we voerden hun soep. Ze accepteerden de soep zoals ze zijn bloed hadden geaccepteerd – als een gewone gebeurtenis in hun buitengewone leventje. We voerden hun stukjes brood. We aten heel voorzichtig en weinig, want Chris waarschuwde dat alles er anders weer uit kon komen.

Ik wilde het voedsel in Cory's mond proppen, zodat ik op mijn beurt mijn rammelende maag kon vullen. Hij at zo verdraaid langzaam! Duizend vragen gingen door mijn hoofd: Waarom vandaag? Waarom vandaag wel voedsel, en niet gisteren of eergisteren? Wat was haar gedachtengang? Toen ik tenslotte kon eten was ik te apathisch om erg blij te zijn, en te wantrouwend om me opgelucht te voelen.

Chris at langzaam wat soep en een halve boterham en vouwde toen een pakje in foliepapier open. We kregen nooit zoetigheid, maar nu kregen we voor het eerst een dessert – van grootmoeder. Was dit haar manier om ons om vergeving te vragen? We vatten het zo maar op, wat haar beweegreden ook geweest was.

Tijdens de week dat we aan de rand van de hongerdood stonden was er iets merkwaardigs gebeurd tussen Chris en mij. Misschien was het verscherpt op die dag toen ik in het warme schuimbad zat en hij dapper zijn best deed de teer uit mijn haar te wassen. Vóór die afgrijselijke dag waren we alleen maar broer en zus geweest, die voor de tweeling de rol van vader en moeder speelden, maar nu was onze verhouding veranderd. We speelden geen rol meer. We waren echt de ouders van Carrie en Cory. We waren verantwoordelijk voor hen en met handen en voeten aan elkaar gebonden.

Het was immers maar al te duidelijk. Onze moeder interesseerde het niet meer wat er met ons gebeurde.

Chris hoefde niet hardop te zeggen hoe hij zich voelde nu hij gedwongen was haar onverschilligheid te erkennen. Zijn trieste ogen zeiden genoeg. Zijn lusteloze bewegingen nog meer. De foto die naast zijn bed stond had hij opgeborgen. Hij had altijd meer in haar geloofd dan ik, dus was hij natuurlijk ook verdrietiger. En als hij nóg verdrietiger was dan ik, dan moest hij de wanhoop nabij zijn.

Teder nam hij mij bij de hand en maakte me duidelijk dat we terug konden naar de slaapkamer. We daalden de trap af als bleke, versufte geesten, in een subnormale shocktoestand. We voelden ons ziek en zwak, vooral de tweeling. Ik geloof dat ze geen dertig pond meer wogen. Ik kon wel zien hoe de tweeling en Chris er uitzagen, maar mijzelf kon ik niet zien. Ik keek naar de hoge, brede spiegel boven de toilettafel, in de verwachting een rariteit van de kermis te zien, met van voren kort haar en van achteren lang haar. Maar er was geen spiegel meer!

Snel liep ik naar de badkamer en zag dat de spiegel boven het medicijnkastje kapot was geslagen! Ik ging terug naar de slaapkamer, tilde het blad op van de toilettafel die Chris vaak als bureau gebruikte... ook die spiegel was gebroken!

We konden alleen nog maar in glasscherven kijken en een verwrongen beeld van ons zelf opvangen. Leuk was het niet om naar te kijken. Ik draaide me om, zette de mand met eten op de koudste plaats op de grond en ging liggen. Ik vroeg niet naar de reden waarom de spiegels kapot waren geslagen en weggehaald. Ik wist waarom ze het had gedaan. Het was zondig om trots te zijn. En in haar ogen waren Chris en ik grote zondaars. Om ons te straffen zou ze de tweeling ook laten lijden. Maar toch begreep ik niet waarom ze nu plotseling eten had gebracht.

Er kwamen andere ochtenden waarop de mand met eten boven werd gebracht. Grootmoeder weigerde naar ons te kijken. Ze hield haar ogen afgewend en liep haastig de deur uit. Ik droeg een tulband van een roze handdoek om mijn hoofd, die het afgeknipte deel van mijn haar liet zien, maar als ze het merkte gaf ze geen commentaar. We zagen haar komen en gaan, en vroegen niet waar mamma was of wanneer ze terugkwam. Kinderen die zo snel gestraft worden leren hun lesje wel, en spreken niet voor er tegen hen wordt gesproken. Chris en ik staarden naar haar met vijandige ogen, woedend en vol haat, in de hoop dat ze zich zou omdraaien en zien hoe we ons voelden. Maar ze zag ons nooit. En dan wilde ik het uitschreeuwen en haar dwingen te kijken, vooral naar de tweeling, opdat ze zou zien hoe mager ze waren en wat een donkere kringen ze onder hun ogen hadden. Maar ze zag het niet.

Toen ik op bed lag naast Carrie ging ik ernstig bij mezelf te rade, en het drong tot me door dat ik het allemaal erger maakte dan het hoorde te zijn. Chris, eens de vrolijke optimist, werd een sombere imitatie van mijzelf. Ik wilde dat hij weer was als vroeger – glimlachend en vrolijk, vastbesloten er het beste van te maken, ongeacht de omstandigheden.

Hij zat aan de toilettafel, met het blad omlaag geklapt, zijn medische boeken opengeslagen voor hem. Zijn schouders hingen naar beneden. Hij las niet en maakte geen aantekeningen. Hij zat er alleen maar.

'Chris,' zei ik, terwijl ik overeind kwam om mijn haar te borstelen, 'wat denk jij, hoeveel vrouwelijke tieners zouden er op de wereld zijn die met schoon, glanzend haar naar bed zijn gegaan en wakker zijn geworden vol met teer?'

Hij keerde zich met een ruk om, verbaasd dat ik de herinnering aan die afschuwelijke dag ophaalde. 'Nou,' zei hij gerekt, 'volgens mij ben je de enige... je bent uniek.'

'O, dat weet ik nog zo net niet. Herinner je je nog toen ze asfalt stortten bij ons in de straat? Mary Lou Baker en ik hebben een hele kuip van die rommel omgegooid, en we maakten kleine teer-babies, en zetten zwarte bedjes in zwarte huizen, en toen kwam de baas van de ploeg stratenmakers en schold ons uit.'

'Ja,' zei hij, 'ik herinner me nog dat je thuiskwam, zo vuil als Piet de Smeerpoets, en je kauwde op een stuk teer om witte tanden te krijgen. Maar je verloor alleen maar een vulling uit je kies!

Deze kamer heeft één voordeel, we hoeven niet tweemaal per jaar naar de tandarts.' Hij keek me bevreemd aan. 'En een ander voordeel is dat ik zoveel tijd heb! We zullen het Monopoly-tournooi afmaken. De verliezer moet al ons ondergoed wassen.'

Dat beviel hem wel. Hij vond het vreselijk om op de harde tegels bij het bad geknield te liggen en zijn en Cory's kleren te wassen.

We zetten het spel klaar, telden het geld en keken om ons heen naar de tweeling. Ze waren verdwenen. Waar konden ze anders zijn dan op zolder? Maar daar zouden ze nooit naar toe gaan zonder ons, en de badkamer was leeg. Toen hoorden we zachte hoge stemmetjes achter de TV.

Daar zaten ze, gehurkt in de hoek achter de TV, wachtend tot de kleine mensjes daarin naar buiten zouden komen. 'We dachten dat mamma misschien daarbinnen was,' legde Carrie uit.

'Ik ga naar de zolder om te dansen,' zei ik. Ik stond op en liep naar de kast.

'Cathy! En ons Monopoly-tournooi dan?'

Ik bleef even staan, draaide me half om. 'O, jij zou het toch maar weer winnen. Vergeet dat tournooi maar.'

'Lafaard!' plaagde hij nu, net als vroeger. 'Kom, laten we spelen.' Hij keek de tweeling, die altijd de bank voor ons hield, lang en streng aan. 'En niet vals spelen deze keer,' zei hij vermanend. 'Als ik een van jullie erop betrap dat je Cathy stiekem geld toeschuift als je denkt dat ik niet kijk – dan eet ik alle vier die donuts in m'n eentje op!'

Dat zou hij wel willen! De donuts waren het beste deel van onze maaltijden en werden bewaard tot we naar bed gingen. Ik ging met gekruiste benen op de grond zitten en bedacht allerlei slimme manieren om de beste straten het eerst te kopen, en de stations en elektriciteitsbedrijven, en ik zou eerst de rode huizen kopen en dan de hotels. Ik zou hem wel eens laten zien dat ik beter speelde dan hij!

We speelden uren en uren aan een stuk, stopten alleen om te eten of naar de WC te gaan. Toen de tweeling er genoeg van kreeg om de bank te houden, telden we het geld zelf, en hielden elkaar scherp in de gaten om te zien of de ander niet vals speelde. En Chris bleef maar in de gevangenis terechtkomen, zonder langs de start te mogen gaan en de tweehonderd dollars te ontvangen, en als hij een kaartje trok van het Algemeen Fonds moest hij altijd betalen en hij moest successierechten neertellen... en *toch* won hij!

Laat in augustus kwam Chris op een avond naar me toe en fluisterde in mijn oor: 'De tweeling ligt te slapen. En het is hier zo warm. Zou het niet fijn zijn als we konden gaan zwemmen?'

'Schiet op – laat me met rust – je weet dat we niet kunnen zwemmen.' Ik had nog de pest in, omdat ik altijd verloor met Monopoly.

Zwemmen, wat een krankzinnig idee. Zelfs al was het mogelijk, dan zou ik nog niet iets willen doen waarin hij uitblonk, zoals zwemmen. 'En waar zou je dan wel willen zwemmen? In het bad?'

'In het meer waar mamma ons over verteld heeft. Het is hier niet ver vandaan,' fluisterde hij. 'We moeten tóch oefenen om met ons lakentouw beneden te komen, voor het geval er brand komt. We zijn nu sterker. We halen het gemakkelijk, en we blijven niet lang weg.' Hij bleef smeken, als hing zijn bestaan er van af om dit huis, al was het maar één keer te kunnen ontvluchten – alleen maar om te bewijzen dat het kon.

'En als de tweeling wakker wordt en merkt dat we weg zijn?'

'We laten een briefje achter op de deur van de badkamer dat we boven op zolder zijn. Bovendien worden ze nooit vóór de ochtend wakker, zelfs niet om naar de WC te gaan.'

Hij praatte en smeekte tot hij me had overgehaald. We gingen naar de zolder, het dak op, waar hij het touw van lakens stevig vastbond aan de schoorsteen die het dichtst bij de achterkant van het huis was.

Chris controleerde de knopen één voor één en gaf instructies: 'Gebruik de grote knopen als een sport van een ladder. Hou je handen vlak boven de knoop die boven je hoofd is. Ga heel langzaam naar beneden, tast met je voeten naar de volgende knoop – en zorg dat je het touw stevig tussen je benen geklemd houdt, zodat je niet slipt en valt.'

Hij glimlachte vol vertrouwen, hield het touw vast en schoof langzaam naar de rand van het dak. Voor het eerst in meer dan twee jaar gingen we naar de begane grond.

EEN VOORPROEFJE VAN DE HEMEL

Langzaam, zorgvuldig, hand voor hand, en voet voor voet, daalde Chris naar de grond, terwijl ik plat op mijn buik aan de rand van het dak lag en hem nakeek. De maan scheen helder en hij stak zijn hand op en wuifde: zijn signaal dat het mijn beurt was. Ik had gezien hoe hij het deed, dus ik kon hem nadoen. Ik hield mezelf voor dat er geen enkel verschil was met het slingeren aan de touwen die we aan de zolderbalken hadden gebonden. De knopen waren groot en stevig, en op ongeveer honderdvijfendertig centimeter van elkaar. Hij had gezegd dat ik niet omlaag mocht kijken als ik eenmaal onderweg was, maar al mijn aandacht erop moest richten om één voet veilig om de knoop beneden me te haken vóór ik met mijn andere voet naar een nog lagere knoop zocht. In minder dan tien minuten stond ik op de grond naast hem.

'Wauw!' fluisterde hij, terwijl hij me dicht tegen zich aan drukte, 'je deed het nog beter dan ik!'

We stonden in de achtertuin van Foxworth Hall. Alle kamers waren donker, behalve in het personeelsverblijf boven de enorme garage, waar de ramen helder verlicht waren.

'Wijs ons de weg naar het meer, o, Heer,' zei ik zachtjes, 'als je de weg tenminste weet.'

Natuurlijk wist Chris de weg. Mamma had ons verteld dat zij en haar broers vaak stiekem gingen zwemmen met hun vrienden.

Hij pakte mijn hand vast en op onze tenen slopen we weg. Het was een vreemde gewaarwording om op een warme zomeravond buiten te zijn en ons broertje en zusje alleen achter te laten. Toen we over een smal bruggetje liepen en buiten het domein van Foxworth waren, voelden we ons gelukkig en vrij. Maar we moesten voorzichtig zijn en zorgen dat niemand ons zag. We holden naar het bos en het meer waarover mamma ons had verteld.

Het was tien uur toen we het huis uitgingen, half elf toen we bij het kleine meer kwamen dat omringd was door bomen. We waren bang dat er anderen zouden zijn, die het voor ons zouden bederven, zodat we onverrichterzake zouden moeten terugkeren, maar het water van het meer was rimpelloos en niet verstoord door wind of baders of zeilboten.

In het maanlicht, onder een heldere sterrenhemel, keek ik naar het meer. Ik had het idee dat ik nog nooit zulk prachtig water had gezien en zo'n mooie nacht had meegemaakt.

'Gaan we in ons nakie?' vroeg Chris, die me eigenaardig aankeek.

'Nee. In ons ondergoed.'

De moeilijkheid was dat ik geen bustehouder had. Maar nu we hier eenmaal waren zou ik me niet door een domme preutsheid laten weerhouden van dit verrukkelijke zwemwater te genieten. 'De laatste die erin is, is een sukkel!' riep ik. En ik holde weg naar een kleine aanlegsteiger. Maar aan het einde van de steiger besefte ik plotseling dat het water wel eens ijskoud zou kunnen zijn. Voorzichtig stak ik mijn teen erin. Het *was* ijskoud! Ik keek achterom naar Chris, die zijn horloge had afgedaan en op de grond gegooid en naar me toe holde. Zo verhipt snel dat nog voordat ik de moed had verzameld in het water te duiken, hij al achter me stond en me erin duwde! Plens – ik lag languit in het water – pardoes, en niet centimeter voor centimeter zoals mijn bedoeling was geweest!

Ik kwam rillend en watertrappend boven en zocht Chris. Hij klom op een stapel rotsen en stak donker af tegen de lucht. Toen hief hij zijn armen omhoog en maakte een fraaie duik midden in het meer. Ik hield mijn adem in van schrik! Als het water eens niet diep genoeg was? Als hij tegen de bodem sloeg en zijn nek of rug brak?

En toen... hij kwam niet boven! O, God... hij was dood... verdronken!

Plotseling trok iemand aan mijn benen. Ik schreeuwde en ging kopje onder, neergetrokken door Chris, die ons stevig trappend weer boven bracht. Ik lachte en spatte water in zijn gezicht omdat hij zo'n gemeen trucje had uitgehaald.

'Is dit niet beter dan opgesloten te zitten in die verdomde hete kamer?' vroeg hij, als een krankzinnige rondspartelend in het water, door het dolle heen. Het was of het beetje vrijheid hem als een koppige wijn naar het hoofd was gestegen en hij dronken was! Hij zwom in kringetjes om me heen en dook naar mijn benen om me onder water te trekken. Maar ik was nu op mijn hoede. Hij kwam weer boven en zwom op zijn rug, op zijn borst, crawlde, en vertelde bij alles wat hij deed. 'Dit is de rugcrawl,' zei hij, terwijl hij een demonstratie gaf zoals ik nog nooit had gezien.

Hij dook onder, kwam weer naar boven, zong watertrappend 'Dance, ballerina, dance,' – en spatte water in mijn gezicht, en ik spatte terug – lachend en joelend sloeg hij zijn armen om me heen. We waren dolgelukkig dat we weer kinderen konden zijn. O, hij was geweldig in het water, net een balletdanser. Plotseling was ik moe, doodmoe, zo moe dat ik me nauwelijks meer kon bewegen. Hij sloeg zijn arm om me heen en hielp me aan de kant.

We lieten ons allebei op een grashelling vallen en lagen op onze rug met elkaar te praten.

'Nog één keer, en dan terug naar de tweeling,' zei hij. We staarden omhoog naar de hemel vol glinsterende, fonkelende sterren. De maan stond in het eerste kwartier en had een zilver-gouden glans. Hij verschool zich telkens, speelde verstoppertje met de langgerekte donkere wolken.

'En als we nu eens niet meer op het dak kunnen komen?'

'O, dat lukt wel, want we *moeten* er komen.'

Dat was weer mijn oude Christopher Doll, de eeuwige optimist, die nat en glimmend naast me lag, zijn blonde haar tegen zijn voorhoofd geplakt. Hij had dezelfde neus als pappa, omhoog gericht, zijn volle lippen waren zo fraai van vorm dat hij ze niet naar voren hoefde te steken om sensueel te lijken, zijn kin was vierkant, sterk, en had een kloof, en zijn borstkas begon uit te zetten... en dan die heuvel van zijn groeiende mannelijkheid bij zijn sterke dijen, die steeds meer begon te zwellen. Op een vreemde manier raakte ik opgewonden bij het zien van die sterke, mannelijke dijen. Ik draaide mijn hoofd om, ik kon er niet naar kijken zonder me schuldig te voelen en me te schamen.

Vogels nestelden boven ons in de takken van de bomen. Ze maakten slaperige, sjilpende geluiden die me om een of andere reden aan de tweeling deden denken, en ik werd plotseling bedroefd en de tranen sprongen in mijn ogen.

De vuurvliegjes dansten voorbij en flitsten hun citroenkleurige staartlichtjes aan en uit, het mannetje signalerend aan het vrouwtje, en omgekeerd. 'Chris, geeft het mannetje licht of het vrouwtje?'

'Ik weet het niet,' antwoordde hij onverschillig. 'Ik geloof allebei, maar het vrouwtje blijft op de grond en het mannetje vliegt rond, op zoek naar haar.'

'Wil je daarmee zeggen dat jij niet alles weet – jij, de alwetende?'

'Cathy, laten we niet kibbelen. Ik weet echt niet alles – lang niet.' Hij draaide zijn hoofd om en keek me aan; onze blikken haakten zich aan elkaar vast en we konden geen van beiden onze ogen afwenden.

Een zachte zuidelijke bries speelde door mijn haar en droogde de lokken langs mijn gezicht. Ik voelde ze kietelen als kleine kusjes, en weer had ik kunnen huilen, zonder enige reden, behalve dat het zo'n mooie, lieflijke avond was en ik de leeftijd had voor romantische verlangens. En het briesje fluisterde tedere woorden in mijn oor... woorden die ik vreesde dat niemand ooit tegen me zou zeggen. Maar het was heerlijk hier onder de bomen, bij het glinsterende door de maan beschenen water, en ik zuchtte diep. Ik had het gevoel dat ik hier al eens eerder was geweest, op ditzelfde gras bij dit meer. Er kwamen vreemde gedachten bij me op terwijl de nachtinsekten zoemden en bromden, en de muggen gonsden en ergens in de verte een uil kraste, en dat deed me weer denken aan de nacht toen we hier als vluchtelingen waren aangekomen, verstopt voor een wereld die geen plaats voor ons had.

'Chris, je bent bijna zeventien, net zo oud als pappa toen hij mamma leerde kennen.'

'En jij veertien, net zo oud als zij was,' zei hij hees.

'Geloof jij in liefde op het eerste gezicht?'

Hij aarzelde, dacht er lang over na... dat was zijn manier, niet de mijne. 'Ik ben geen autoriteit op dat gebied. Ik weet dat als ik op school een aardig meisje zag, ik onmiddellijk dacht dat ik verliefd op haar was. Maar als we dan met elkaar praatten en ze was dom, dan voelde ik helemaal niets voor haar. Maar als ze niet alleen mooi was geweest maar ook nog andere goede eigenschappen had gehad, had ik waarschijnlijk wel op het eerste gezicht verliefd kunnen worden, al heb ik gelezen dat dat soort liefde alleen maar lichamelijke aantrekkingskracht is.'

'Vind je mij dom?'

Hij grijnsde en raakte mijn haar aan. 'Hemel, nee. Ik hoop niet dat jij dat van jezelf denkt, want dat ben je beslist niet. Weet je wat het met jou is, Cathy, je hebt te veel talenten; jij wilt alles tegelijk, en dat is onmogelijk.'

'Hoe weet je dat ik ook nog zangeres en actrice wil zijn?'

Hij lachte zacht en laag. 'Malle meid, je speelt negentig procent van de tijd toneel, en je zingt als je tevreden bent. Helaas is dat niet erg vaak.'

'Ben *jij* vaak tevreden?'

'Nee.'

We bleven liggen, staarden van tijd tot tijd naar iets dat onze aandacht trok, zoals de vuurvliegjes, die paarden op het gras, en de ritselende bladeren en de voorbijdrijvende wolken, en het spel van het maanlicht op het water. Het was een betoverende avond en mijn gedachten dreven af naar de natuur en haar geheimen. Ik begreep niet alles, ik begreep niet waarom ik tegenwoordig zo bizar en met kloppend hart wakker werd en verlangde naar een climax die nooit kwam.

Ik was blij dat Chris me had overgehaald om mee te gaan. Het was heerlijk om weer op het gras te liggen, je koel en fris te voelen – te voelen dat je leefde!

'Chris,' begon ik aarzelend, bang om de stille schoonheid van deze nacht te verstoren, 'waar denk je dat moeder is?'

Hij bleef staren naar Polaris, de poolster.

'Ik heb geen idee,' zei hij tenslotte.

'Geen enkel idee?'

'Ach, er zijn natuurlijk verschillende mogelijkheden.'

'Wat dan?'

'Ze kan ziek zijn.'

'Ze is niet ziek; mamma is nooit ziek.'

'Ze kan voor zaken weg zijn, voor haar vader.'

'Waarom is ze ons dan niet komen vertellen dat ze wegging? En wanneer ze terug zou komen?'

'Ik weet het niet!' zei hij geprikkeld, alsof ik zijn avond bedierf. Natuurlijk kon hij het ook niet weten, evenmin als ik.

'Chris, hou je nog evenveel van haar en heb je nog evenveel vertrouwen in haar als vroeger?'

'Vraag toch niet zulke domme dingen! Ze is mijn moeder. Ze is alles wat we hebben, en als je soms denkt dat ik gemene dingen over haar ga zeggen, dan kun je dat rustig vergeten! Ik pieker er niet over! Waar ze ook is, ze denkt aan ons en ze komt terug. Ze heeft een heel goede reden om zo lang weg te blijven, daar kun je vergif op innemen!'

Ik kon hem niet zeggen wat ik werkelijk dacht, dat ze de tijd had kunnen nemen om naar ons toe te komen en ons over haar plannen te vertellen – want dat wist hij evengoed als ik.

Er lag een hese klank in zijn stem, die zich alleen manifesteerde als hij verdriet had. Ik wilde het verdriet wegnemen dat ik had opgewekt met mijn vragen. 'Chris, op de TV maken meisjes van mijn leeftijd – en jongens van jouw leeftijd – afspraakjes. Weet jij hoe je je bij zo'n afspraak zou moeten gedragen?'

'Natuurlijk, ik heb een hele hoop gezien op de TV.'

'Maar kijken is niet hetzelfde als doen.'

'Maar het geeft je wel een idee van wat je moet zeggen en doen. Bovendien ben jij nog te jong om afspraakjes te maken met jongens.'

'Zal ik je eens wat vertellen, meneer Wonderbrein, een meisje van mijn leeftijd is een jaar ouder dan een jongen van jouw leeftijd.'

'Je bent gek!'

'Gek? Ik heb het gelezen in een tijdschrift, in een artikel dat geschreven is door een autoriteit op dat gebied – een doctor in de psychologie,' zei ik, denkend dat hij nu wel onder de indruk zou zijn. 'Hij zei dat meisjes emotioneel veel sneller rijp worden dan jongens.'

'De auteur van dat artikel beoordeelde de hele mensheid naar zijn eigen onrijpheid.'

'Chris, jij denkt dat je alles weet – maar niemand weet alles!'

Hij draaide zijn hoofd om en keek me recht in de ogen. 'Je hebt gelijk,' gaf hij opgewekt toe. 'Ik weet alleen maar wat ik in de boeken heb gelezen, en wat ik binnen in me voel is een even groot raadsel voor me als voor de eerste de beste leerling van de lagere school. Ik ben razend op mamma om wat ze heeft gedaan, en er gebeurt zoveel met me, ik voel zoveel dingen tegelijk en ik heb niemand, geen man, om ze mee te bespreken.' Leunend op zijn ellebogen keek hij naar me. 'Ik wou dat het niet zo lang duurde voor je haar weer aangroeide. Ik wou dat ik het niet had afgeknipt... het heeft toch niets geholpen.'

Ik wilde niet dat hij nog iets zei om me aan Foxworth Hall te herinneren. Ik wilde alleen maar naar de sterrenhemel kijken en de frisse nachtlucht voelen op mijn natte huid. Mijn pyjama was van dunne witte batist, geborduurd met rozeknopjes en afgezet met kant. Hij plakte aan me vast als een tweede huid, net als Chris' witte short.

'Laten we gaan, Chris.'

Met tegenzin stond hij op en stak zijn hand uit. 'Nog één keer zwemmen?'

'Nee. Laten we teruggaan.'

Zwijgend draaiden we het meer de rug toe en liepen langzaam door het bos. We genoten van de sensatie om buiten te zijn, op de begane grond.

We keerden terug naar onze verantwoordelijkheid, onze verplichtingen. We bleven heel lang staan bij het lakentouw dat we hadden gemaakt en vastgebonden aan een schoorsteen. Ik stond er niet bij stil hoe we weer naar boven moesten, vroeg me alleen af wat we hadden gewonnen met deze korte ontsnapping uit een gevangenis waarnaar we weer terug moesten.

'Chris, voel jij je anders?'

'Ja. We hebben alleen maar gelopen en gehold en even geklommen maar ik heb weer het gevoel dat ik leef en ik ben ook hoopvoller gestemd.'

'Als we wilden – konden we weglopen – vannacht nog – zonder te wachten tot mamma terugkomt. We kunnen naar boven gaan en draagbanden maken om de tweeling te dragen, en terwijl ze slapen kunnen we ze naar beneden dragen. We kunnen weglopen! *Vrij* zijn!'

Hij gaf geen antwoord, maar begon naar het dak te klimmen, hand voor hand, het lakentouw stevig tussen zijn benen geklemd. Zodra hij boven was volgde ik, want we waren bang dat het touw niet het gewicht van twee mensen zou kunnen houden. Het was veel moeilijker om omhoog te klimmen dan omlaag. Mijn benen leken sterker dan mijn armen. Ik reikte omhoog naar de volgende knoop en hief mijn rechterbeen op. Plotseling gleed mijn linkervoet van de knoop waarop hij rustte en ik slingerde vrij rond – alleen aan mijn handen! Onwillekeurig gaf ik een gil. Ik hing meer dan zes meter boven de grond!

'Hou vast!' riep Chris van bovenaf. 'Het touw is vlak tussen je benen. Je hoeft ze alleen maar tegen elkaar aan te knijpen.'

Ik kon niet zien wat ik deed. Ik kon alleen maar zijn aanwijzingen volgen. Ik kneep het touw stevig tussen mijn dijen, rillend over mijn hele lichaam. De angst maakte dat ik me zwakker voelde. Hoe langer ik op één plaats bleef, hoe banger ik werd. Ik begon te hijgen, te trillen. En toen kwamen de tranen... domme, meisjesachtige tranen!

'Je bent bijna binnen bereik van mijn handen,' riep Chris. 'Nog een meter, dan kan ik je helpen. Cathy, geen paniek. Denk eraan hoe hard de tweeling je nodig heeft! Doe je best... vooruit!'

Ik moest mezelf dwingen één hand los te laten, hoger te reiken naar een volgende knoop. Ik dacht steeds maar weer: ik *kan* het. Ik kan het. Mijn voeten waren glibberig van het gras – maar Chris' voeten waren ook glad, en hem was het wel gelukt. En als hij het kon, kon ik het ook.

Angstig klom ik stukje voor stukje omhoog tot Chris mijn polsen kon beetpakken. Toen zijn stevige handen me eenmaal vasthadden, ging er een golf van opluchting door me heen. Een paar seconden later stond ik naast hem op het dak en omhelsde hij me zwijgend. We moesten allebei lachen en huilen tegelijk. Toen kropen we langs de steile glooiing omhoog, en hielden het touw stevig vast tot we bij de schoorsteen waren. Toen gingen we op ons vertrouwde plekje zitten, huiverend over ons hele lichaam.

En de ironie van alles was – dat we blij waren terug te zijn!

Chris lag op bed en keek naar mij. 'Cathy, heel even, toen we aan de oever van dat meer lagen, leek het op een stukje van de hemel. En toen je van dat touw afgleed wist ik dat ik ook dood zou gaan als jou iets zou gebeuren. We mogen het niet meer doen. Jij bent minder sterk in je armen dan ik. Het spijt me, daar had ik niet aan gedacht.'

Het nachtlampje verspreidde een zachtroze gloed. Onze blikken kruisten elkaar in het duister. 'Het spijt me niet dat we gegaan zijn. Ik ben er blij om. Het is zo lang geleden dat ik het gevoel had dat ik leefde.'

'Had jij dat gevoel ook?' vroeg hij. 'Ja, ik ook... net of we uit een nare droom kwamen, die te lang had geduurd.'

Ik waagde het opnieuw, ik *moest*. 'Chris, waar *denk* je dat mamma is? Ze verwijdert zich langzamerhand van ons, en ze kijkt nooit echt naar de tweeling, het is net of ze haar bang maken. Maar ze is nog nooit zo lang weggebleven. Het is nu al langer dan een maand geleden.'

Ik hoorde zijn diepe, droevige zucht. 'Eerlijk, Cathy, ik weet het niet. Ze heeft mij niet meer verteld dan jou – maar ze heeft heus wel een goede reden.'

'Maar wat voor reden kan ze hebben om zonder enige uitleg weg te blijven? Ze had ons tenminste wel iets kunnen zeggen.'

'Ik weet niet wat ik daarop moet antwoorden.'

'Als ik kinderen had, zou ik ze nooit in de steek laten, zoals zij doet. Ik zou mijn vier kinderen nooit in een kamer opsluiten en vergeten.'

'Jij wilde toch geen kinderen hebben, weet je niet meer?'

'Chris, eens zal ik dansen in de armen van een man die van me houdt, en als hij graag een kind wil, dan doe ik het misschien wel.'

'Natuurlijk, ik wist wel dat je bij zou draaien als je ouder werd.'

'Vind je heus dat ik aardig genoeg ben dat een man van me kan houden?'

'Je bent *meer* dan aardig.' Zijn stem klonk een beetje verlegen.

'Chris, herinner je je nog dat mamma tegen ons zei dat geld de aarde draaiende hield en niet liefde? Ik geloof dat ze ongelijk heeft.'

'Ja? Denk er nog eens over. Waarom zou je niet allebei kunnen hebben?'

Ik dacht er over. Ik dacht er heel lang over. Ik lag op mijn rug en staarde naar het plafond dat mijn dansvloer was en peinsde over het leven en de liefde. En uit elk boek dat ik ooit had gelezen haalde ik één filosofische parel, en ik reeg ze allemaal tot een rozenkrans, waarin de rest van mijn leven zou geloven.

Als de liefde aan mijn deur klopte, zou dat voldoende zijn.

En de onbekende auteur die had geschreven dat het niet genoeg was als je beroemd was en ook nog niet genoeg als je daarbij nog rijk was, en dat zelfs als je beroemd en rijk en bemind was, het nog steeds niet genoeg was – ach, jongens, wat had ik een medelijden met die man!

EEN REGENACHTIGE MIDDAG

Chris stond voor het raam en hield met beide handen de zware gordijnen open. De lucht was loodkleurig, het regende pijpestelen. Elke lamp in onze kamer brandde en de TV stond aan, zoals gewoonlijk. Chris wachtte op de trein die om ongeveer vier uur voorbij kwam. Je kon het klaaglijke gefluit horen vóór de dageraad, om ongeveer vier uur, en later, als je wakker was. Je zag de trein nauwelijks. Hij was zo ver weg, dat het net een speelgoedtreintje leek.

Hij toefde in zijn wereld, ik in de mijne. Ik zat met gekruiste benen op het bed dat Carrie en ik deelden en knipte foto's uit de tijdschriften voor wooninrichting die mamma voor me had meegebracht voordat ze zo lang weg bleef. Ik knipte zorgvuldig elke foto uit en plakte die in een groot plakboek. Ik maakte plannen voor mijn droomhuis, waar ik lang en gelukkig zou leven, met een lange, sterke, donkerharige man die alleen van mij hield en niet nog van duizenden anderen daarnaast.

Ik had mijn leven helemaal uitgekiend; eerst mijn carrière, en dan een echtgenoot en kinderen zodra ik bereid was me terug te trekken om een ander een kans te geven. En als ik mijn droomhuis had, zou ik een smaragdgroen bad op een verhoging laten plaatsen, waar ik de hele dag in geparfumeerd badwater kon zitten, als ik daar zin in had – en er zou niemand op de deur staan bonzen en gillen dat ik op moest schieten! (Ik kreeg nooit de kans om lang genoeg in het bad te zitten.) Dan zou ik uit het bad komen, zoet geurend naar parfum, mijn huid zo zacht als satijn, en mijn poriën voor eeuwig gereinigd van de rottende stank van droog oud hout en zolderstof, doortrokken van alle ellende van de oudheid... zodat wij, die nog jong waren, even oud roken als dit huis.

'Chris,' zei ik, naar zijn rug starend, 'waarom zouden we hier blijven wachten tot mamma terugkomt, of erger nog, wachten tot die ouwe man doodgaat? Nu we sterk genoeg zijn kunnen we toch wel een manier vinden om te ontsnappen?'

Hij zei geen woord. Maar ik zag dat zijn handen zich steviger om de gordijnstof klemden.

'Chris...'

'Ik wil er niet over praten!' viel hij uit.

'Waarom sta je daar te wachten tot de trein voorbijkomt, als je er niet over peinst om te vluchten?'

'Ik wacht niet op de trein! Ik kijk alleen maar naar buiten, meer niet!'

Zijn voorhoofd lag plat tegen de ruit; hij daagde als 't ware een van de buren uit om naar buiten te kijken en hem te zien.

'Chris, ga bij dat raam vandaan. Straks ziet iemand je!'

'Het kan me geen donder schelen wie me ziet!'

Mijn eerste impuls was naar hem toe te rennen, mijn armen om hem heen te slaan en zijn gezicht te bedekken met een miljoen kussen als compensatie voor de zoenen die hij miste van mamma. Ik wilde zijn hoofd tegen mijn borst drukken en hem koesteren, zoals zij altijd deed, zodat hij weer de vrolijke, zonnige optimist zou worden van vroeger, die nooit zo'n sombere, boze bui had als ik. Maar al deed ik alles wat mamma vroeger deed, ik was verstandig genoeg om te beseffen dat het niet hetzelfde zou zijn. Hij verlangde naar *haar*. Hij had al zijn hoop, zijn dromen en vertrouwen geconcentreerd op één – mamma.

Ze was al langer dan twee maanden weg! Besefte ze niet dat één dag hier langer was dan een maand normaal leven? Maakte ze zich geen zorgen over ons en vroeg ze zich niet af hoe het met ons ging? Geloofde ze werkelijk dat Chris altijd haar trouwe steun en toeverlaat zou zijn en haar zou verdedigen als ze ons zonder een woord van excuus, een reden, een verklaring in de steek liet? Geloofde ze werkelijk dat een liefde, die ze veroverd had, niet kon worden afgekapt door twijfel en angst, onherstelbaar?

'Cathy,' zei Chris plotseling, 'waar zou jij naar toe gaan als je kon kiezen?'

'Naar het zuiden,' zei ik, 'naar een warm, zonnig strand, met een kalme zee... geen hoge golven met witte kruinen... geen grauwe zee die tegen hoge rotsen beukt... ergens waar het nooit waait, alleen maar een zachte bries door mijn haar en langs mijn wangen speelt, terwijl ik op het witte zand lig te zonnen.'

'Ja,' zei hij met een verlangende klank in zijn stem, 'dat klinkt niet slecht. Maar ik heb niets tegen hoge golven; ik wil surfen. Dat lijkt een beetje op skieën.'

Ik legde mijn schaar neer, mijn tijdschriften en mijn pot lijm, schoof de tijdschriften en het plakboek opzij, om al mijn aandacht aan Chris te geven. Hij miste zoveel sporten waarvan hij hield, hij zat opgesloten in deze kamer, hij werd oud en triest, zijn jeugd ging voorbij. Ik had hem zo graag willen troosten, maar ik wist niet hoe.

'Ga weg van dat raam, Chris, alsjeblieft.'

'Laat me met rust! Spreek alleen als er tegen je gesproken wordt – eet die verdomde maaltijden elke dag, die nooit warm genoeg zijn, of zout genoeg. Ik denk dat *zij* het met opzet doet, zodat we niets hebben om blij mee te zijn, zelfs het eten niet. Dan denk ik aan al dat geld – de helft daarvan is van mamma en van ons. En dan houd ik me weer voor dat het ondanks alles de moeite waard is! Die ouwe man kan niet eeuwig blijven leven!'

'Al het geld ter wereld weegt niet op tegen al die dagen van gevangenschap!' viel ik uit.

Hij draaide zich met een ruk om. Het bloed steeg naar zijn gezicht. 'Dat dacht je maar! Misschien dat jij het kunt redden met je talent, maar ik heb jaren en jaren van studie voor me! Je weet dat pappa verwachtte dat ik arts zou worden, dus wat er ook gebeurt, ik zal mijn medische studie afmaken! En als we weglopen lukt me dat nooit – dat weet je best! Noem maar op wat ik zou kunnen doen om ons brood te verdienen – toe dan, maak eens een lijstje van de banen die ik zou kunnen krijgen, behalve vaatwasser, fruitplukker, koksmaat – denk je dat ik met een van die banen mijn studie zou kunnen bekostigen? En ik zou jou en de tweeling ook moeten onderhouden – een kant-en-klaar gezin op je zestiende!'

Ik zag wit van woede. Hij veronderstelde geen moment dat ik ook mijn deel zou kunnen bijdragen! 'Ik kan ook werken!' snauwde ik terug. 'Samen kunnen we het best rooien. Chris, toen we bijna verhongerden, kwam je met vier dooie muizen aanzetten, en je zei dat God de mensen extra kracht geeft in tijden van nood. Nou, dat geloof ik ook. Als we hier weggaan en op eigen benen staan, zullen we het heus wel redden, en jij *zult* arts worden! Ik zal alles doen wat ik kan om ervoor te zorgen dat jij die verdraaide studie afmaakt.'

'Wat kun *jij* doen?' vroeg hij hatelijk en spottend. Voor ik antwoord kon geven ging de deur achter ons open en kwam grootmoeder binnen! Ze bleef staan zonder binnen te komen en richtte haar woedende blik op Chris. En hij, koppig en onwillig om mee te werken, zoals vroeger, weigerde zich te laten intimideren. Hij ging niet van het raam vandaan, maar draaide zich om en staarde weer naar buiten, naar de regen.

'Knaap!' zei ze snijdend. *'Ga weg van dat raam – onmiddellijk!'*

'Ik heet niet *"knaap"*. Ik heet Christopher. U kunt me bij mijn voornaam noemen of helemaal niet tegen me spreken – maar noem me nooit meer *"knaap"*!'

Ze snauwde tegen zijn rug: 'Ik haat die naam! Het was de naam van je vader; uit louter goedheid heb ik voor hem gepleit toen zijn moeder stierf en hij geen dak boven zijn hoofd had. Mijn man wilde hem niet in huis hebben, maar ik had medelijden met die jongen, die geen ouders en geen geld had. Dus bleef ik bij mijn man zeuren om zijn jonge halfbroer in ons gezin op te nemen. En je vader kwam... briljant en knap, en hij maakte misbruik van onze edelmoedigheid. Hij bedroog ons! We stuurden hem naar de beste scholen, kochten de mooiste dingen voor hem, en hij stal onze dochter, zijn eigen halfnicht! Zij was alles wat we toen nog hadden... de enige die was overgebleven... ze liepen midden in de nacht weg en kwamen twee weken later glimlachend en gelukkig terug, en vroegen om vergiffenis dat ze verliefd waren geworden. Die nacht had mijn man zijn eerste hartaanval. Heeft je moeder je dat ook verteld – dat zij en die man de oorzaak waren van de hartkwaal van haar vader? Hij joeg haar de deur uit – zei dat ze nooit meer terug mocht komen – en toen viel hij neer.'

Ze zweeg, hijgde naar adem en legde haar grote sterke hand, waaraan de diamanten fonkelden, tegen haar hals. Chris wendde zich af van het raam en keek naar haar, net als ik. Dit was meer dan ze alles bij elkaar tegen ons had gezegd sinds we hier waren komen wonen, een eeuwigheid geleden.

'U kunt óns niet kwalijk nemen wat onze ouders hebben gedaan,' zei Chris effen.

'Ik neem jou kwalijk wat jij en je zuster hebben gedaan!'

'Wat hebben wij voor zondigs gedaan?' vroeg hij. 'Dacht u dat we jaar in, jaar uit, in één kamer konden leven zonder elkaar te zien? U bent mede schuldig dat we hier opgesloten zitten. U hebt deze vleugel afgesloten, zodat het personeel er niet kan komen. U *wilt* ons betrappen op iets dat u slecht vindt. U wilt dat Cathy en ik bewijzen dat uw oordeel over moeders huwelijk juist is! U staat daar in uw grijze jurk godvruchtig en eigengerechtig te zijn, terwijl u kleine kinderen laat verhongeren!'

'Stop!' riep ik, geschrokken van de uitdrukking op grootmoeders gezicht.

'Chris, hou je mond!'

Maar hij had al te veel gezegd. Ze liep weg, smeet de deur achter zich dicht, en mijn hart klopte in mijn keel. 'We gaan naar boven, naar zolder,' zei Chris kalm. 'De lafaard is bang voor de trap. Daar zijn we veilig, en als ze ons uithongert, gaan we met het lakentouw naar beneden.'

De deur ging weer open. Grootmoeder kwam binnen. Ze liep naar ons toe met een zweep van wilgehout in de hand en een vastberaden blik in haar ogen. Ze moest die zweep vlak bij de hand hebben gehad. 'Ga maar gauw naar de zolder en verstop je,' gilde ze met overslaande stem, en ze stak haar arm uit om Chris bij zijn bovenarm te pakken. 'Dan krijgen jullie allemaal een week lang niet te eten! En ik zal niet alleen jou een pak rammel geven, maar je zuster ook, en als je je verzet, krijgt de tweeling ook nog met de zweep.'

Het was oktober. In november zou Chris zeventien worden. Hij was nog maar een jongen, vergeleken bij haar enorme omvang. Hij dacht er even over zich te verzetten, maar keek toen naar mij en naar de tweeling, die zich jammerend aan elkaar vastklampte, en liet zich toen gewillig door de oude vrouw naar de badkamer slepen. Ze deed de deur dicht en op slot. Ze beval hem zich uit te kleden en over het bad te leunen.

De tweeling kwam naar mij toegerend. Ze verborgen hun gezichtjes in mijn schoot. 'Laat haar ophouden!' smeekte Carrie. 'Ze mag Chris niet slaan!'

Hij gaf geen kik toen de zweep neerkwam op zijn naakte huid. Ik hoorde het misselijke zwiepen van de groene wilgezweep en de doffe slagen waarmee hij op zijn lichaam neerkwam. Ik voelde elke gemene slag! Chris en ik waren bijna één geworden in het afgelopen jaar; hij was mijn andere ik – zoals ik graag wilde zijn, sterk en krachtig, en in staat die ranseling te doorstaan zonder te schreeuwen. Ik haatte haar. Ik zat op het bed met de tweeling in mijn armen, en mijn haat werd zo groot dat ik het moest uitschreeuwen om er niet in te stikken. Hij kreeg de zweepslagen en ik schreeuwde van pijn! Ik hoopte dat God het hoorde! Ik hoopte dat de bedienden het hoorden! Ik hoopte dat die stervende grootvader het hoorde!

Ze kwam uit de badkamer, met de zweep in haar hand. Achter haar aan kwam Chris, met een handdoek om zijn heupen geslagen. Hij zag doodsbleek. Ik bleef schreeuwen.

'Hou je mond!' beval ze, de zweep voor mijn ogen heen en weer zwiepend. 'Hou ogenblikkelijk op, anders krijg je nog meer.'

Maar ik kon niet ophouden, zelfs niet toen ze me van het bed sleurde en de tweeling opzij duwde die probeerde me te beschermen. Cory viel met zijn tanden aan op haar been. Ze velde hem met één slag. Mijn hysterie was voorbij en ik ging naar de badkamer waar ze ook mij beval me uit te kleden. Ik staarde naar de diamanten broche, die ze altijd droeg en telde de stenen – zeventien kleine steentjes. De grijze taftzij van haar jurk had smalle rode lijntjes, en het witte kraagje was met de hand gehaakt. Ze keek met een blik van wellustige voldoening naar mijn korte haar dat onder de sjaal uit kwam.

'Kleed je uit of ik scheur de kleren van je lijf.'

Ik begon me uit te kleden, maakte langzaam de knoopjes van mijn bloese open. Ik droeg geen bustehouder, al had ik er wel een nodig. Ik zag haar kijken naar mijn borsten, mijn platte buik, voor ze geërgerd haar blik afwendde. 'Op een dag zal ik het je betaald zetten, oud wijf,' zei ik. 'Er komt een dag dat jij degene zult zijn die hulpeloos is en ik de zweep zal vasthouden. En er zal eten zijn in de keuken dat jij niet zult krijgen, want zoals je zelf zegt, God ziet alles, en Hij heeft Zijn eigen manier om recht te doen, oog om oog, tand om tand, dat is Zijn manier, grootmoeder!'

'Zeg geen woord meer tegen me! Nooit meer!' snauwde ze. Ze glimlachte, overtuigd als ze was dat de dag nooit zou komen dat ik haar lot in mijn handen zou houden. Het was dom wat ik zei, en een slechter moment had ik niet kunnen uitkiezen. Ze liet het me dan ook wel weten. Terwijl de zweep neerkwam op mijn zachte huid, schreeuwde de tweeling in de slaapkamer: 'Chris, laat haar ophouden! Ze mag Cathy geen pijn doen!'

Ik viel op mijn knieën naast het bad en rolde me op tot een bal, om mijn gezicht, mijn borsten, mijn meest kwetsbare delen te beschermen. Als een wilde die zich niet kan beheersen sloeg ze op me los tot de zweep brak. De pijn was zo erg dat het leek of ik in brand stond. Toen de zweep brak dacht ik dat het voorbij was, maar ze pakte een borstel met een lange houten steel en sloeg daarmee op mijn hoofd en schouders. Ik deed mijn best om niet te schreeuwen, om net zo dapper te zijn als Chris, maar ik kon me niet meer bedwingen. Ik gilde: 'Je bent geen vrouw! Je bent een monster! Je bent niet menselijk, onmenselijk!' Mijn beloning was een daverende klap tegen de rechterkant van mijn hoofd. Alles werd zwart voor mijn ogen.

Toen ik weer terugkwam in de werkelijkheid deed mijn hele lichaam pijn. Mijn hoofd leek uit elkaar te barsten. Boven op zolder speelde een plaat de 'Rose Adagio' uit het ballet *Doornroosje*. Al word ik honderd jaar, ik zal die muziek nooit vergeten, evenmin als de gewaarwording toen ik mijn ogen opendeed en Chris over me heengebogen zag staan. Hij behandelde me met antiseptische middelen, plakte pleisters op de wonden, terwijl zijn tranen op me neerdruppelden. Hij had de tweeling naar zolder gestuurd om te spelen, te studeren, te kleuren, alles wat hun gedachten zou kunnen afleiden van hetgeen hier gebeurde. Toen hij alles voor mij had gedaan wat hij kon met zijn ontoereikende medische middelen, zorgde ik op mijn beurt voor zijn mishandelde, bloederige rug. We hadden geen van beiden kleren aan. De stof zou blijven vastplakken aan onze bloedende wonden. Mijn ergste wonden kwamen van de borstel waarmee ze zo wreed had geslagen. Op mijn hoofd had ik een grote donkere bult, en Chris was bang dat het een hersenschudding zou zijn.

Toen we onze wonden verzorgd hadden, gingen we op onze zij liggen onder het laken. We keken elkaar diep in de ogen. Hij raakte mijn wang aan, een zachte, tedere liefkozing. 'Don't we have fun, my brother... don't we have fun?' zong ik in een parodie op het liedje over Bill Bailey. *'We'll hurt the livelong da-ay... you'll do the doctoring and I'll pay the rent...'* (wat een pret hebben we, broer... wat een pret. We hebben pijn de hele dag door... jij speelt voor dokter en ik betaal de huur...)

'Hou op!' riep hij uit. Hij keek verdrietig en weerloos. 'Ik weet dat het mijn schuld was! *Ik* stond voor het raam. Ze had *jou* geen pijn hoeven te doen!'

'Het geeft niet. Vroeg of laat had ze het toch gedaan. Vanaf de allereerste dag is het haar opzet geweest ons om een flutreden te straffen. Het verbaast me alleen dat het nog zo lang geduurd heeft voor ze die zweep gebruikte.'

'Toen ze mij sloeg, hoorde ik jou schreeuwen – en hoefde ik het niet te doen. Jij deed het voor mij, Cathy, en het hielp; ik voelde alleen maar jouw pijn.'

We hielden elkaar voorzichtig vast. Onze naakte lichamen persten zich tegen elkaar; mijn borsten werden platgedrukt tegen zijn borst. Hij mompelde mijn naam, rukte de sjaal van mijn hoofd en liet mijn lange haren los vallen voor hij mijn hoofd tussen zijn handen nam en het zachtjes dichter bij zijn mond bracht. Het was vreemd om gekust te worden terwijl ik naakt in zijn armen lag... en niet juist. 'Niet doen!' fluisterde ik angstig. Ik voelde zijn mannelijke geslachtsdeel tegen mijn lichaam opzwellen. 'Dit is precies wat zij dacht dat we hadden gedaan.'

Hij lachte verbitterd en trok zich terug. Hij zei dat ik er niets van wist. Liefde was meer dan alleen maar zoenen, en we hadden nooit iets anders gedaan.

'En we zullen het nooit doen ook,' zei ik, zonder veel overtuiging. Toen ik die nacht ging slapen dacht ik aan zijn kus en niet aan de zweep of de slagen met de borstel. Een golf van emoties ging door me heen. Diep in me was iets ontwaakt, zoals Doornroosje ontwaakte toen de prins een lange hartstochtelijke kus op haar zachte lippen drukte.

Zo eindigden alle sprookjes – met een kus en 'Ze leefden nog lang en gelukkig.' Er moest ergens een andere prins voor mij zijn, die voor het gelukkige einde zou zorgen.

EEN VRIENDJE

Er schreeuwde iemand op de zoldertrap! Ik werd met een schok wakker en keek om me heen om te zien wie er ontbrak. Cory!

O, God – wat gebeurde er nu weer?

Ik sprong uit bed en rende naar de kast. Ik hoorde dat Carrie wakker werd en met Cory mee begon te schreeuwen, zonder zelfs maar te weten waarom. Chris riep uit: 'Wat is er in Godsnaam aan de hand?'

Ik holde de zes treden van de zoldertrap op en bleef toen doodstil staan. Ik staarde naar Cory in zijn witte pyjama, die op de grond zat te gillen – en ik had geen flauw idee waarom.

'Doe iets! Doe iets!' schreeuwde hij tegen me en wees naar de reden van zijn verdriet.

Oooooo... op de trap stond een muizenval, op dezelfde plaats waar we hem iedere avond neerzetten, met een stukje kaas erin. Maar de muis was niet dood. Hij had geprobeerd slim te zijn en het stukje kaas met zijn voorpootje te pakken in plaats van met zijn tanden, en nu zat het kleine pootje gevangen onder de sterke veer. Woest kauwde het grijze muisje op het gevangen pootje, om zich te bevrijden, ondanks de pijn die het moest doen.

'Cathy, doe iets, gauw!' riep Cory, terwijl hij in mijn armen vloog. 'Red hem! Laat hem niet zijn poot afbijten! Hij moet blijven leven! Ik wil een vriendje! Ik heb nog nooit een huisdier gehad, je weet dat ik altijd een huisdier heb willen hebben. Waarom moeten jij en Chris alle muizen altijd doodmaken?'

Carrie kwam achter me staan en trommelde met haar vuistjes op mijn rug. 'Je bent *gemeen*, Cathy! *Gemeen! Gemeen! Je gunt Cory niets*!'

Voor zover ik wist had Cory ongeveer alles wat met geld te koop was, behalve een huisdier, zijn vrijheid en het leven buiten. Carrie zou me vermoord hebben op de trap als Chris niet te hulp was geschoten en haar kaken had losgemaakt die ze had dichtgeklapt om mijn been, dat gelukkig goed geschermd was met een dik nachthemd, dat tot mijn enkels reikte.

'Hou op met dat lawaai!' beval hij streng. Hij bukte zich en met het washandje dat hij had gehaald om zijn hand te beschermen tegen de scherpe tandjes, liep hij naar de muis toe.

'Maak hem beter, Chris,' smeekte Cory. 'Laat hem alsjeblieft niet doodgaan!'

'Als je die muis zo graag wilt hebben, Cory, zal ik doen wat ik kan om zijn pootje te redden, maar het is flink beschadigd.'

Wat een gedoe om het leven van één muis te sparen, terwijl we er honderden hadden gedood. Chris tilde voorzichtig de veer op en het diertje siste van angst. Cory draaide zich snikkend om en Carrie gilde. Toen scheen de muis flauw te vallen, van opluchting, denk ik.

We holden naar de badkamer, waar Chris en ik ons wasten en Cory zijn halfdode muis met een lichtblauw washandje vasthield, terwijl Chris waarschuwde niet te hard te knijpen.

Op het blad van de commode stalde ik op een schone handdoek alles uit wat we nodig hadden.

'Hij is dood!' gilde Carrie, en sloeg naar Chris. 'Je hebt Cory's huisdier doodgemaakt!'

'Hij is niet dood,' zei Chris kalm. 'Sta nou stil alsjeblieft en beweeg je niet. Cathy, hou jij die muis vast. Ik moet proberen dat gescheurde vlees te genezen en het pootje te spalken'.

Met een antiseptisch middel maakte hij de wond schoon. De muis lag erbij of hij dood was. Hij had alleen zijn oogjes open en keek ons meelijwekkend aan. Chris knipte het gaas in de lengte doormidden, zodat het om het kleine pootje zou passen, en daaromheen bond hij watten.

Als spalk gebruikte hij een in tweeën gebroken houten tandenstoker, en alles werd met plakband op zijn plaats gehouden.

'Ik noem hem Mickey,' zei Cory – met duizend kaarsjes in zijn ogen omdat één klein muisje zou blijven leven.

'Misschien is het wel een meisje,' zei Chris, die snel even keek om te controleren.

'Nee! Ik wil geen meisjesmuis – ik wil een Mickey Mouse!'

'Het is een jongetje, stil maar,' zei Chris. 'Mickey blijft leven en zal onze kaas opeten,' zei de arts, die zijn eerste operatie had verricht en zijn eerste been gezet. Ik moet zeggen dat hij nogal trots was op zichzelf.

Hij waste zijn handen, Cory en Carrie waren weer helemaal opgeleefd, of er eindelijk iets moois in hun leven was gekomen.

'Nu mag *ik* Mickey vasthouden!' riep Cory uit.

'Nee, Cory, laat Cathy hem nog even vasthouden. Hij heeft een shock, zie je, en haar handen zijn groter en geven Mickey meer warmte dan die van jou. En jij zou misschien per ongeluk wat te hard knijpen.'

Ik zat in de schommelstoel in de slaapkamer en koesterde een grijze muis die op het punt leek een hartaanval te krijgen – zijn hartje klopte zo wild. Hij hijgde en knipperde met zijn oogjes. Terwijl ik het vasthield en het kleine warme lichaampje voelde vechten om in leven te blijven, hoopte ik dat het zou blijven leven en Cory's lievelingsdiertje zou worden.

De deur ging open en grootmoeder kwam binnen. We waren geen van allen volledig gekleed. We liepen nog in ons nachtgoed, zonder ochtendjassen, die moesten verbergen wat we niet mochten laten zien. We hadden blote voeten en verwarde haren en ongewassen gezichten.

Eén regel overtreden.

Cory drukte zich dicht tegen me aan, terwijl grootmoeder haar speurende blik liet glijden over de rommel, om eerlijk te zijn, enorme rotzooi. De bedden waren niet opgemaakt, onze kleren hingen over de stoelen en de sokken lagen verspreid over de grond.

Twee regels overtreden.

En Chris was in de badkamer en waste Carrie's gezicht en hielp haar bij het aankleden en maakte de knoopjes van haar roze overall vast.

Drie regels overtreden.

Ze kwamen allebei naar buiten, Carrie's haar in een keurige paardestaart, vastgebonden met een roze lint.

Zodra ze grootmoeder zag verstarde Carrie. Ze sperde haar blauwe ogen en keek doodsbang. Ze draaide zich om en klampte zich aan Chris vast om bij hem bescherming te zoeken. Hij tilde haar op, droeg haar naar mij toe en zette haar op mijn schoot. Toen liep hij naar de picknickmand en begon die uit te pakken.

Toen Chris bij haar in de buurt kwam week grootmoeder achteruit. Hij negeerde haar en maakte snel de mand leeg.

'Cory,' zei hij, terwijl hij naar de kast liep, 'ik ga naar boven om te zien of ik een geschikte vogelkooi kan vinden. Terwijl ik weg ben moet je proberen je zelf aan te kleden, zonder Cathy's hulp, en je gezicht en handen wassen.'

Grootmoeder bleef zwijgen. Ik zat in de schommelstoel en koesterde de kwijnende muis, terwijl mijn kleine kindertjes bij me in de stoel zaten. We keken haar alle drie aan, tot Carrie het niet meer uithield en haar gezichtje tegen mijn schouder verborg. Haar hele lichaam trilde.

Het verontrustte me dat ze ons geen standje gaf en niets zei over de onopgemaakte bedden en de rommelige kamer die ik altijd probeerde zo netjes en opgeruimd mogelijk te houden – en waarom had ze Chris geen standje gegeven omdat hij Carrie had aangekleed? Waarom keek ze en zag ze alles, maar zei ze niets?

Chris kwam van de zolder met een vogelkooi en ijzergaas om de kooi veiliger te maken. Grootmoeder richtte haar blik op ons. Haar harde ogen keken naar mij en het lichtblauwe washandje. 'Wat heb je daar?' vroeg ze op ijzige toon.

'Een gewonde muis,' antwoordde ik, even ijzig als zij.

'Ben je van plan die muis als huisdier te houden en in een kooi te stoppen?'

'Ja.' Ik keek haar uitdagend aan en tartte haar het ons te verbieden. 'Cory heeft nog nooit een huisdier gehad en het wordt tijd dat hij er een krijgt.'

Ze tuitte haar dunne lippen en haar harde ogen gingen naar Cory, die op het punt stond in tranen uit te barsten. 'Ga je gang,' zei ze, 'hou die muis maar. Zo'n huisdier past bij je.' En met die woorden smeet ze de deur achter zich dicht.

Chris begon al pratend te prutsen aan de vogelkooi met het ijzergaas. 'De tralies staan veel te ver uit elkaar om Mickey binnen te kunnen houden, Cory, dus moet er ijzergaas om de kooi heen, zodat hij niet kan ontsnappen.'

Cory glimlachte. Hij keek even om te zien of Mickey nog leefde. 'Hij heeft honger. Ik kan het zien, zijn neus trilt.'

Het temmen van Mickey, de zoldermuis, was een hele prestatie. Om te beginnen vertrouwde hij ons niet, ook al hadden we zijn pootje bevrijd uit de val. Hij haatte de beperking van zijn kooi. Hij hobbelde in kringetjes rond op het onhandige ding dat we om zijn poot hadden gebonden en zocht naar een uitweg. Cory stopte stukjes kaas en brood door de tralies om hem te verleiden te eten en aan te sterken. De muis negeerde de kaas en het brood. Zijn kleine kraaloogjes fonkelden van angst, zijn lijfje trilde en beefde en toen Cory de roestige deur van de kooi opende en een miniatuur soepterrientje met water neerzette, deinsde hij zo ver mogelijk achteruit.

Cory stak zijn hand in de kooi en duwde het stukje kaas wat dichter naar de muis toe. 'Lekkere kaas,' zei hij uitnodigend. Hij duwde ook een stukje brood naar het trillende muisje, wiens snorharen zenuwachtig bewogen. 'Lekker brood. Daar word je sterk van.'

Het duurde twee weken voor Cory een muis had die hem adoreerde en kwam als hij floot. Cory verborg lekkere hapjes in de zakken van zijn hemd om Mickey te verleiden erin te kruipen. Als Cory een hemd met twee borstzakken aanhad en in de rechterzak zat een stukje kaas en in de linker een stukje brood met pindakaas en druivejam, bleef Mickey eindeloos lang aarzelen op Cory's schouder, met een trekkend neusje en wiebelende snorharen. Het was duidelijk dat we geen gourmet hadden, maar een gourmand, die de hapjes uit beide zakken tegelijk wilde hebben.

Als hij dan eindelijk besloten had wat hij het eerst zou gaan halen schoot hij in de pindakaas-zak, at de inhoud ondersteboven op, en vloog in een oogwenk terug naar Cory's schouder, om zijn hals heen naar de andere zak, maar altijd eerst naar boven, kietelend rond zijn hals, en dan pas naar beneden.

Het pootje genas, maar het muisje leerde nooit meer helemaal normaal lopen en hardlopen kon het ook niet. Ik denk dat de muis slim genoeg was om de kaas voor het laatst te bewaren, want die kon hij met zijn voorpootjes oppakken en vasthouden en rustig en netjes opknabbelen, terwijl het stukje brood een smeerboel was.

Er was geen muis die beter kon ruiken waar eten te vinden was, hoe goed we het ook verborgen hadden. Mickey liet vrijwillig zijn muizevriendjes in de steek en ging bij de mensen wonen die hem goed te eten gaven en liefkoosden en in slaap wiegden. Merkwaardigerwijze had Carrie niet veel op met Mickey. Misschien kwam het omdat de muis net zo dol was op haar poppenhuis als zij. De kleine trappen en gangen pasten precies bij zijn afmetingen, en zodra hij uit de kooi kwam schoot hij in de richting van het poppenhuis. Hij klom door een raam naar binnen en tuimelde op de grond; en de porseleinen mensjes, die in wankel evenwicht stonden, vielen links en rechts omver, en de eettafel rolde om als hij iets wilde proeven.

Cory ving zijn lamme muis, die niet snel kon lopen, en koesterde hem tegen zijn borst. 'Je moet leren je netjes te gedragen, Mickey. Er gebeuren slechte dingen in grote huizen. Die vrouw van wie dat huis is, slaat je zo maar, om niets.'

Ik moest even grinniken, want het was de eerste keer dat hij ook maar de geringste kritiek had op zijn tweelingzusje.

Het was maar goed dat Cory een lief klein muisje had dat diep in zijn zakken kon graven naar het lekkers dat hij daar verborg. Het was maar goed dat we allemaal wat te doen hadden om de tijd te verdrijven, ons bezig te houden, terwijl we wachtten en wachtten tot moeder zou komen, en het er naar uit begon te zien dat ze nooit meer terug zou keren.

EINDELIJK, MAMMA

Chris en ik spraken met geen woord over hetgeen er op de dag van de ranselingen in bed tussen ons gebeurd was. Ik betrapte hem er soms op dat hij naar mij staarde, maar zodra ik naar hem keek wendde hij zijn blik af. En als hij zich plotseling omdraaide terwijl ik naar hem keek, vlogen mijn ogen een andere kant op.

We groeiden elke dag, Chris en ik. Mijn borsten werden voller, mijn heupen breder, mijn middel werd smaller en het korte haar boven mijn voorhoofd groeide en krulde. Waarom had ik niet eerder beseft dat het zou gaan krullen als het niet langer in golven werd getrokken door het gewicht van al dat haar. Chris' schouders werden breder, zijn borst werd mannelijker, en zijn armen sterker. Eén keer betrapte ik hem erop dat hij op zolder naar dat lichaamsdeel stond te staren, waar hij zo dol op leek te zijn – en daar ook de maat van nam! 'Waarom?' vroeg ik, en hoorde tot mijn verbazing dat de lengte belangrijk was. Hij draaide zich om en vertelde me dat hij pappa eens naakt had gezien, en wat hij zelf had leek zo klein vergeleken bij het zijne.

Hij bloosde tot diep in zijn hals toen hij dat zei. Het was hetzelfde als wanneer ik me afvroeg welke maat bustehouder mamma zou dragen! 'Niet meer doen,' fluisterde ik. Cory had zo'n klein mannelijk dingetje, en als hij Chris eens zag en vond dat die van *hem* niet groot genoeg was?

Plotseling hield ik op met het poetsen van de schoolbanken en bleef roerloos staan. Ik dacht aan Cory. Ik draaide me om en staarde naar hem en Carrie. O, God, wat dringt er toch weinig tot je door als je zo boven op elkaar leeft! We zaten nu twee jaar en vier maanden opgesloten – en de tweeling was niet veel veranderd sinds de avond dat we gekomen waren! Hun hoofden waren groter en daardoor hadden hun ogen minder groot moeten lijken. Maar die waren juist uitzonderlijk groot. Ze zaten lusteloos op de gevlekte en stinkende oude matras die we vlak bij de gordijnen hadden gelegd. Ik kreeg een vreemd kriebelig gevoel in mijn maag toen ik ze objectief bekeek. Hun lichaampjes leken ranke bloemstengels die te zwak waren om de bloesems van hun hoofden te kunnen dragen.

Ik wachtte tot ze in slaap vielen en zei toen zachtjes tegen Chris: 'Kijk eens naar de kleintjes. Ze groeien niet. Alleen hun hoofden zijn groter geworden.'

Hij zuchtte diep, kneep zijn ogen halfdicht en liep naar de tweeling toe. Hij bleef bij hen staan, bukte zich en betastte hun transparante huidjes. 'Als ze maar mee naar buiten wilden, het dak op, zodat ze konden profiteren van de zon en de frisse lucht, zoals wij. Cathy, hoe ze ook tekeer gaan, we moeten ze dwingen om naar buiten te gaan!'

We waren naïef genoeg om te denken dat als we ze het dak op droegen, terwijl ze sliepen, ze in de zon wakker zouden worden en zich in onze armen veilig zouden voelen. Voorzichtig tilde Chris Cory op, terwijl ik me bukte om Carrie op te nemen. Voorzichtig liepen we naar een open zolderraam. Het was donderdag, onze dag om het dak op te gaan, als de bedienden hun vrije dag in het dorp doorbrachten. Op het achterste deel van het dak was het veilig genoeg.

Chris stapte over de vensterbank heen met Cory in zijn armen en op hetzelfde moment werd Cory wakker door de warme najaarslucht. Hij keek om zich heen, zag mij met Carrie in mijn armen, om haar ook naar het dak te brengen, en gaf een gil die door merg en been ging! Carrie werd met een schok wakker. Ze zag Chris en Cory op het steile dak, ze zag mij en zag waar ik haar naar toe bracht, en ze gaf een schreeuw die mijlenver hoorbaar was!

Chris riep door het lawaai heen: 'Kom! We moeten het doen, voor hun eigen bestwil!'

Ze schreeuwden niet alleen, maar schopten en sloegen met hun kleine vuistjes. Carrie zette haar tanden in mijn armen, en ik gaf ook een gil. Klein als ze waren, ze hadden de kracht van iemand in doodsnood. Carrie sloeg met haar vuistjes in mijn gezicht, zodat ik nauwelijks iets kon zien, en schreeuwde in mijn oor! Haastig keerde ik om en ging terug naar het leslokaal. Trillend zette ik Carrie weer op haar benen. Ik leunde hijgend en puffend tegen een lessenaar en dankte God dat ik haar veilig en wel weer binnen had. Chris kwam terug met Cory. Het had geen zin. Als we ze dwongen het dak op te gaan brachten we het leven van ons alle vier in gevaar.

De tweeling was boos. Ze verzetten zich toen we hen naar de muur brachten, waar we de eerste dag streepjes hadden gezet om hun lengte aan te geven. Chris hield hen vast, terwijl ik een beetje naar achteren ging om te zien hoeveel centimeter ze waren gegroeid.

Ik staarde geschokt en ongelovig naar de tweeling. Het was niet mogelijk. Waren ze in al die tijd maar vijf centimeter gegroeid? Vijf centimeter, terwijl Chris en ik juist zoveel gegroeid waren tussen ons vijfde en zevende jaar? Ze waren wel uitzonderlijk klein geweest bij hun geboorte; Cory woog maar vijf pond en Carrie vijf pond en honderd gram.

Ik verborg mijn gezicht in mijn handen, om mijn ontsteltenis niet te laten zien. Maar dat was niet voldoende. Ik draaide me om zodat ze alleen maar mijn rug zagen, en ik kreeg het benauwd, omdat ik mijn tranen moest bedwingen.

'Je kunt ze nu wel loslaten,' bracht ik er tenslotte uit. Ik keek om en zag ze nog net naar de trap hollen, als twee blonde muizen, naar hun geliefde televisie, waarmee ze de werkelijkheid konden ontvluchten, en naar het kleine muisje, dat leefde en wachtte tot zij *zijn* gevangenschap kwamen opvrolijken.

Chris stond vlak achter me te wachten. 'En,' vroeg hij, toen ik sprakeloos bleef staan. 'Hoeveel zijn ze gegroeid?'

Snel wiste ik mijn tranen weg voor ik me omdraaide. Ik wilde zijn gezicht zien als ik het hem vertelde. 'Vijf centimeter,' zei ik toonloos, maar het verdriet in mijn ogen ontging hem niet.

Hij kwam dichterbij en sloeg zijn armen om me heen. Toen drukte hij mijn hoofd dicht tegen zijn borst, en ik begon luid te snikken. Ik haatte mamma dat ze dit gedaan had! Ik haatte haar! Ze wist dat kinderen net planten waren – ze hadden zon nodig om te kunnen groeien. Trillend lag ik in de armen van mijn broer en probeerde te geloven dat het weer mooie, gezonde kinderen zouden worden als we weer vrij waren. Natuurlijk werden ze dat, natuurlijk! Ze zouden de verloren jaren inhalen en als de zon weer op hun magere lichaampjes scheen zouden ze groeien als kool – natuurlijk zouden ze dat, natuurlijk! Het kwam alleen maar door die lange dagen binnenshuis dat hun wangen zo hol waren en hun ogen zo diep in de kassen lagen. Dat kon immers allemaal weer ongedaan worden gemaakt?

'Nou?' zei ik gesmoord, me vastklampend aan de enige ter wereld die nog iets om ons scheen te geven, 'houdt geld de wereld draaiende of de liefde? Als de tweeling voldoende liefde had gehad zouden ze zeventien of misschien wel twintig centimeter zijn gegroeid in plaats van vijf.'

Chris en ik gingen naar onze duistere, eenzame gevangenis om te lunchen, en zoals altijd stuurde ik de tweeling naar de badkamer om hun handen te wassen, want ik wilde niet dat muizenbacillen hun zwakke gezondheid nog meer in gevaar brachten.

Terwijl we rustig aan tafel onze boterhammen aten, onze lauwwarme soep en melk dronken, en naar de mensen op de TV keken die elkaar ontmoetten en omhelsden en plannen maakten om weg te lopen en hun respectieve echtgenoten in de steek te laten, ging de deur van onze kamer open. Ik wilde eigenlijk niets missen van wat er op het scherm gebeurde, maar ik keek toch op.

Vrolijk en stralend op de drempel stond moeder. Ze droeg een sjiek mantelpakje van dunne wol, met zacht grijs bont aan de manchetten en de hals van het jasje.

'Lieverds!' begroette ze ons enthousiast, en zweeg toen aarzelend en onzeker, omdat niet één van ons overeind sprong om haar welkom te heten. 'Daar ben ik dan! Zijn jullie niet blij me weer te zien? Jullie weten niet hoe fijn ik het vind jullie weer terug te zien. Ik heb jullie zo gemist, en ik heb zoveel aan jullie gedacht, en ik heb een hele hoop mooie cadeaus meegebracht, die ik heel zorgvuldig heb uitgezocht. Wacht maar tot jullie ze zien! Ik heb het heel stiekem moeten doen – want ik kon moeilijk uitleggen waarom ik allerlei dingen voor kinderen wilde kopen. Ik wilde het goedmaken dat ik zo lang ben weggebleven, echt waar, maar het was wel erg gecompliceerd! En ik wist niet precies hoe lang ik weg zou blijven. Maar al hebben jullie me gemist, jullie zijn goed verzorgd in die tijd, nietwaar? Jullie hebben toch niet geleden?'

Hadden we geleden? Hadden we haar alleen maar gemist? Wie was ze eigenlijk? Idiote gedachten, terwijl ik naar haar staarde en luisterde hoe gecompliceerd het leven kan worden door vier verheimelijkte kinderen. En hoewel ik haar wilde verloochenen, haar nooit meer toelaten in mijn hart, weifelde ik toch en ondanks alles kwam er weer hoop in me op. Ik wilde zo graag weer van haar houden, haar vertrouwen.

Chris stond op en liet als eerste zijn stem horen die van hoog en soms piepend zwaar en laag en mannelijk was geworden. 'Mamma, natuurlijk zijn we blij dat je terug bent! En natuurlijk hebben we je gemist! Maar het was verkeerd van je om weg te gaan en zo lang weg te blijven, wat voor ingewikkelde redenen je ook had.'

'Christopher,' zei ze, met grote verbaasde ogen, 'je stem klinkt heel anders dan anders.' Haar ogen flitsten van hem naar mij en toen naar de tweeling. Haar opgewekte levendigheid verdween. 'Chris, is er iets verkeerd gegaan?'

'Verkeerd gegaan?' herhaalde hij. 'Mamma, wat kan er in 's hemelsnaam ooit goed gaan als je jarenlang in één kamer opgesloten zit? Je zei dat mijn stem anders klinkt – kijk maar eens goed naar me. Ben ik nog diezelfde kleine jongen? En kijk eens naar Cathy – is zij nog een kind? En kijk vooral naar de tweeling; kijk maar hoe groot ze zijn geworden. En kijk dan weer naar mij en durf in mijn gezicht te zeggen dat Cathy en ik nog steeds kinderen zijn die je neerbuigend kunt behandelen en die geen volwassen problemen kunnen begrijpen. We hebben geen duimen zitten draaien terwijl jij weg was en plezier maakte. Via onze boeken hebben Cathy en ik een biljoen levens geleid... onze manier om uit de tweede hand te voelen dat we leven.'

Mamma wilde hem in de rede vallen, maar Chris overstemde haar zwakke, haperende stemgeluid. Hij keek minachtend naar haar talloze cadeaus. 'Je komt terug met je vredesofferandes, zoals je altijd doet als je weet dat je verkeerd hebt gedaan. Waarom denk je toch nog altijd dat die stomme geschenken van je goed kunnen maken wat wij verloren hebben en nog steeds verliezen? O, ja, er is een tijd geweest dat we blij waren met je spelletjes en speelgoed en kleren die je naar onze gevangenis bracht, maar we zijn nu ouder, en cadeaus zijn niet voldoende meer.'

'Christopher, alsjeblieft,' smeekte ze. Ze keek onrustig naar de tweeling, maar wendde haar blik weer snel af. 'Praat alsjeblieft niet of je niet meer van me houdt. Dat zou ik niet kunnen verdragen.'

'Ik hou van je,' was zijn antwoord. 'Ik *dwing* mezelf van je te blijven houden, ondanks alles wat je doet. Ik *moet* van je houden. We moeten allemaal van je houden en in je geloven, en vertrouwen dat je het beste met ons voorhebt. Maar kijk eens naar ons, mamma, probeer ons eens te zien zoals we zijn. Cathy denkt, en ik denk, dat je je ogen sluit voor het kwaad dat je aanricht. Je komt glimlachend bij ons en je houdt ons zoet met beloftes voor de toekomst, maar er komt nooit iets van terecht. Lang geleden, toen je ons voor het eerst vertelde over dit huis en je ouders, toen zei je dat we maar *één* nacht in deze kamer opgesloten zouden worden, en die ene nacht werd een paar dagen en toen een paar weken en toen een paar maanden... en er zijn nu al twee jaar voorbij gegaan terwijl we wachten op de dood van een oude man, die misschien wel nooit dood gaat, omdat een hoop slimme artsen hem in leven weten te houden. Maar deze kamer is niet zo erg best voor *onze* gezondheid. Begrijp je dat dan niet?' schreeuwde hij bijna. Zijn jongensachtige gezicht was vuurrood, of hij de grens van zijn zelfbeheersing bereikt had. Ik had niet gedacht dat ik het ooit zou meemaken dat hij moeder zou aanvallen – *zijn* geliefde moeder.

Hij scheen zelf te schrikken van zijn harde stemgeluid, want hij liet zijn stem dalen en sprak wat rustiger, maar zijn woorden sloegen in als kogels: 'Mamma, of je dat enorme fortuin van je vader erft of niet, wij willen hier uit! Niet de volgende week of morgen – maar vandaag! Nu! Deze minuut! Geef mij die sleutel, dan gaan we weg, heel ver weg. Je kunt ons geld sturen als je wilt, of niet, als je dat liever hebt, en je hoeft ons nooit meer terug te zien, en dan zijn al je problemen opgelost. Wij zullen uit je leven verdwenen zijn, en je vader hoeft nooit te weten dat we bestaan, en jij kunt alles wat hij je nalaat voor jezelf houden.'

Mamma verbleekte van schrik.

Ik zat op mijn stoel, mijn lunch half opgegeten voor me. Ik had medelijden met haar en voelde me verraden door mijn eigen medelijden. Ik weigerde haar de toegang tot mijn hart door te denken aan die twee weken toen we bijna verhongerd waren... vier dagen zonder iets te eten dan een paar crackers en een stukje kaas, en drie dagen helemaal niets, alleen een beetje water uit de kraan. En aan de ranselingen, het teer in mijn haar, en vooral aan het feit dat Chris zijn pols had opengesneden om de tweeling zijn bloed te geven en ze op die manier in leven te houden.

Wat Chris tegen haar zei, op die harde, vastberaden toon, was grotendeels mijn schuld.

Ik denk dat ze dat ook vermoedde, want ze wierp mij een stekende blik toe.

'Zeg niets meer, Christopher – je bent jezelf niet.'

Ik sprong overeind en ging naast hem staan. 'Kijk eens naar ons, mamma! Kijk eens goed hoe stralend en gezond we eruit zien, net als jij. En kijk vooral naar je twee jongsten. Die zien er toch helemaal niet verzwakt uit, vind je wel? Hun bolle wangen zijn toch niet ingevallen? Hun haar is toch niet dof? Hun ogen zijn toch niet donker en hol. Zie je niet hoe ze gegroeid zijn, hoe gezond ze opgroeien? Als je dan al geen medelijden hebt met Christopher en mij, heb dan medelijden met hen.'

'Hou je mond!' gilde ze. Ze sprong van het bed, waarop ze was gaan zitten, vertrouwend dat we gezellig om haar heen zouden gaan staan, zoals vroeger. Ze draaide zich met een ruk om, zodat ze ons niet zag. Een gesmoorde snik klonk in haar stem toen ze riep: 'Je hebt niet het recht zo tegen je moeder te spreken. Als ik er niet geweest was, zou je op straat verhongerd zijn.' Haar stem brak. Ze draaide zich half om en keek met een smekende, trieste blik naar Chris. 'Heb ik niet mijn best gedaan voor jullie? Wat heb ik verkeerd gedaan? Het ontbreekt jullie toch aan niets? Jullie wisten hoe het zou zijn tot je grootvader stierf. Je hebt beloofd hier te blijven tot hij dood zou zijn. En ik heb mijn woord gehouden. Je woont in een warme, veilige kamer. Ik breng jullie van alles het beste – boeken, speelgoed, spelletjes, de beste kleren die voor geld te koop zijn. Je hebt goed eten, een TV-toestel.' Ze keek ons recht in het gezicht, spreidde haar handen uit met een smekend gebaar, en keek toen overredend naar mij. 'Luister – je grootvader is zo ziek dat hij nu de hele dag aan zijn bed is gekluisterd. Hij mag niet eens meer in zijn rolstoel zitten. De dokters zeggen dat hij het niet lang meer zal maken, een paar dagen, hoogstens een paar weken. De dag waarop hij sterft kom ik naar boven, open jullie deur en neem jullie mee naar beneden. Dan heb ik geld genoeg om jullie alle vier te laten studeren, en jij, Cathy, kunt verder gaan met je balletlessen. Ik zal voor Cory de beste muziekleraar zoeken die er te vinden is en Carrie kan alles doen wat ze wil. Willen jullie werkelijk dat al die afschuwelijke jaren voor niets zijn geweest? Willen jullie echt niet wachten op de beloning – jullie staan op het punt je doel te bereiken! Herinner je je niet meer hoe enthousiast jullie het erover hadden wat je allemaal zou doen als je zoveel geld had dat je niet zou weten hoe je het uit moest geven? Denk eens aan alle plannen die we hebben gemaakt... ons huis waar we weer allemaal bij elkaar kunnen wonen. Gooi nou niet alles weg door ongeduldig te worden, juist nu we op het punt staan ons doel te bereiken. Zeg maar dat ik plezier heb gemaakt terwijl jullie geleden hebben; ik geef het toe. Maar ik zal alles goedmaken.'

O, ik moet bekennen dat ik ontroerd was; ik wilde haar zo graag geloven. Ik aarzelde – ik vertrouwde haar en was achterdochtig, bang dat ze loog. Had ze ons niet van begin of aan verteld dat grootvader bijna de laatste adem had uitgeblazen... jaren en jaren verkeerde hij nu al aan het randje van de dood. Moest ik het uitschreeuwen: *Mamma, we geloven je niet meer?* Ik wilde haar pijn doen, verdriet, haar laten lijden zoals wij hadden geleden, met onze tranen, afzondering en eenzaamheid – om nog maar te zwijgen over de onmenselijke straffen.

Maar Chris keek me streng aan, en ik schaamde me. Waarom kon ik niet net zo ridderlijk zijn als hij? Ik wou dat ik hem kon negeren, en alles eruit flappen wat grootmoeder had gedaan. Maar om een of andere merkwaardige reden zweeg ik. Misschien wilde ik de tweeling beschermen, wilde ik niet dat ze teveel zouden weten. Misschien wachtte ik tot Chris het haar als eerste zou vertellen.

Hij keek naar haar met medelijden in zijn ogen, hij vergat de teer in mijn haar, de weken zonder eten, de dode muizen die hij smakelijk wilde maken met zout en peper – en de ranselingen. Hij stond naast me, zijn arm beroerde de mijne. Ik trilde van besluiteloosheid, en zijn ogen keken gekweld en wanhopig naar moeder die begon te huilen.

De tweeling kroop dichter naar me toe en klampte zich aan mijn rok vast toen mamma zich snikkend op bed liet vallen, met haar vuisten op het kussen trommelde als een klein kind.

'Jullie zijn harteloze, ondankbare kinderen!' jammerde ze. 'Dat jullie me zoiets kunnen aandoen, je eigen moeder, de enige ter wereld die van jullie houdt! De enige die iets om jullie geeft! Ik kwam zo vrolijk hier naar toe, ik was zo blij dat ik jullie weer zag, ik had jullie het goede nieuws willen vertellen, zodat jullie samen met mij blij konden zijn. En wat doen jullie? Jullie vallen me gemeen en onrechtvaardig aan! Jullie maken dat ik me schuldig voel en me schaam, terwijl ik alleen maar het beste met jullie voorhad, en dat willen jullie niet eens geloven!'

Ze lag met haar gezicht op het bed, en gedroeg zich net zo als ik jaren geleden zou hebben gedaan, en zoals Carrie nu deed.

Chris en ik hadden spontaan berouw en spijt. Alles wat ze zei was waar. Zij *was* de enige die van ons hield, die om ons gaf, zij alleen had onze redding, ons leven, onze toekomst en onze dromen in haar hand. We holden naar haar toe en sloegen onze armen om haar heen en smeekten haar ons te vergeven. De tweeling zei niets en keek alleen maar.

'Mamma, alsjeblieft, niet meer huilen! We wilden je geen verdriet doen. Het spijt ons, heus waar. We blijven. We geloven je. Grootvader *is* bijna dood – hij zal toch eens moeten doodgaan, nietwaar?'

Ze bleef huilen, ontroostbaar.

'Zeg iets tegen ons, mamma, alsjeblieft! Vertel ons het goede nieuws. We willen het weten, we willen blij zijn, samen met jou. We hebben die dingen alleen maar gezegd omdat we zo verdrietig waren dat je weg was gegaan en ons niet had verteld waarom. Mamma, alsjeblieft, alsjeblieft, mamma.'

Onze smeekbeden, onze tranen, onze angst drongen eindelijk tot haar door. Ze kwam langzaam overeind en bette haar ogen met een wit linnen zakdoekje dat met een tien centimeter brede rand van fijne kant was afgezet en waarop een grote witte C. was geborduurd.

Ze duwde Chris en mij opzij, schudde onze handen van haar af of ze brandden en stond op. Ze weigerde ons in de ogen te kijken die smekend, vleiend, vragend naar haar keken.

'Maak je cadeaus open die ik met zoveel zorg heb uitgezocht,' zei ze met kille haperende stem, 'en zeg dan nog eens dat ik niet aan jullie denk of niet van jullie hou. Zeg dan nog maar eens dat ik niet probeer al jullie wensen te vervullen. Zeg maar dat ik een egoïste ben en niet om jullie geef.'

De mascara liep in strepen over haar wangen. Haar vuurrode lippenstift was uitgesmeerd. Haar haar, dat gewoonlijk zo onberispelijk gekamd was, hing in pieken om haar hoofd. Toen ze de kamer binnenkwam was ze een beeld van volmaaktheid en nu leek ze een gebroken paspop.

En waarom dacht ik nu weer dat ze net een actrice was die haar hele ziel in haar rol legde?

Ze keek naar Chris en negeerde mij. En de tweeling – die had evengoed in Timboektoe kunnen zijn, want ze schonk hun geen enkele aandacht.

'Ik heb een nieuwe encyclopedie besteld voor je verjaardag, Christopher,' zei ze, haar gezicht bettend en de mascara van haar wangen vegend. 'De encyclopedie die je altijd zo graag wilde hebben – de beste die op de markt is, in rood leer gebonden, de omslag is aan alle vier de kanten en op de rug met vierentwintig karaats gouden versieringen ingeperst. Ik ben rechtstreeks naar de uitgever gegaan, om hem voor je te bestellen. Jouw naam zal erin gedrukt worden, met de datum, maar ze worden niet hierheen gestuurd, omdat niemand de boeken mag zien.' Ze slikte moeilijk en stopte haar fraaie zakdoekje weg. 'Ik heb me suf gepiekerd wat ik je zou kunnen geven dat je graag zou willen hebben.'

Chris was met stomheid geslagen. Zijn emoties spiegelden zich af op zijn gezicht, hij keek verbijsterd, verdwaasd, hulpeloos. God, wat moest hij veel van haar houden, zelfs na alles wat ze had gedaan.

Mijn emoties waren allerminst verward of aarzelend, maar zeer oprecht. Ik was razend! Nu kwam ze met een in echt leer gebonden, met vierentwintig karaats goud bewerkte encyclopedie! Die boeken moesten meer dan duizend dollar kosten – misschien wel twee- of drieduizend! Waarom stortte ze dat geld niet in ons ontsnappingsfonds? Ik had schreeuwend willen protesteren, net als Carrie, maar de uitdrukking in Chris' ogen deed me zwijgen. Hij had altijd een in rood leer gebonden encyclopedie willen hebben, en ze had hem al besteld. Geld betekende niets meer voor haar, en misschien, heel misschien, zou grootvader werkelijk vandaag of morgen sterven, en zou ze geen flat *hoeven* te huren of een huis te kopen.

Ze voelde mijn twijfel.

Mamma hief met een vorstelijk gebaar haar hoofd op en liep naar de deur. We hadden onze cadeaus nog niet geopend en ze bleef niet om onze reactie te zien. Waarom was ik zo verdrietig terwijl ik haar toch haatte? Ik hield niet meer van haar... echt niet.

Toen ze bij de deur was, zei ze: 'Als je hebt nagedacht over het verdriet dat je me vandaag hebt aangedaan en me weer met respect en liefde kunt behandelen, kom ik terug. Eerder niet.'

Zo kwam ze.

Zo ging ze.

Ze was gekomen en gegaan en ze had Carrie en Cory niet aangeraakt, niet één zoen gegeven, ze had geen woord tegen ze gezegd en ze nauwelijks bekeken. Ik wist waarom. Ze kon het niet verdragen om te moeten zien wat haar fortuin de tweeling kostte.

Ze sprongen van tafel en liepen naar me toe, klampten zich vast aan mijn rok. Hun gezichtjes stonden angstig, ongerust en ze keken naar mij, om te zien of ik blij was, zodat zij ook blij konden zijn. Ik knielde naast hen neer en gaf hun alle kussen en liefkozingen die mamma hun onthouden had – of die ze niet kon geven aan de kinderen die ze zoveel kwaad berokkende.

'Zien we er mal uit?' vroeg Carrie bezorgd, haar kleine handjes in de mijne.

'Nee, natuurlijk niet. Jij en Cory zien alleen maar wat bleekjes, omdat jullie te veel binnen zitten.'

'Zijn we gegroeid?'

'Ja, ja, natuurlijk zijn jullie gegroeid.' Ik loog met een glimlach. Ik deed net of ik blij was en lachte mijn valse glimlach, alsof ik een masker voordeed, en ging met de tweeling en Chris op de grond zitten om de cadeaus uit te pakken. Het leek wel kerstmis. Ze waren prachtig ingepakt in duur papier of goud- en zilverfolie en met enorme satijnen strikken van bijpassende kleuren.

Scheur het papier eraf, gooi weg de linten en strikken, ruk het deksel van de dozen, haal het vloeipapier eruit... bewonder al die mooie kleren. Kijk naar de nieuwe boeken, hoera! En een reusachtige doos noga-chocola in de vorm van blaadjes!

Hier voor ons lag het bewijs van haar zorg en aandacht. Ze kende ons goed, dat moest ik toegeven, onze smaak, onze hobbies – behalve onze maten. Met geschenken wilde ze al die lange maanden compenseren, toen we achterbleven in de hoede van een heks-grootmoeder die ons liever dood dan levend zag.

En ze wist wat voor moeder ze had – ze wist het!

Met spelletjes en speelgoed en puzzels probeerde ze ons om te kopen en ons vergiffenis te vragen voor wat ze in haar hart wist dat verkeerd was.

Met snoepjes probeerde ze de zure, bittere pil van de eenzaamheid te verdrijven uit onze monden, harten en gedachten. In haar gedachtengang, dat was duidelijk, waren we nog maar kinderen, ook al moest Chris zich scheren en ik een bustehouder dragen... nog altijd kinderen... en ze zou ons eeuwig kinderen laten blijven, zoals de titels van de boeken die ze voor ons had meegebracht duidelijk bewezen. *Little Men.* Dat had ik jaren geleden gelezen. Sprookjes van de Gebroeders Grimm en Hans Christian Andersen – we kenden ze uit ons hoofd. En *De Woeste Hoogte* en *Jane Eyre*, alweer? Hield ze geen lijst bij van de boeken die we al gelezen hadden? Welke boeken we hadden?

Maar ik forceerde een glimlach en trok een nieuwe rode jurk over Carries hoofd en bond een paars lint in haar haar. Nu was ze gekleed in haar lievelingskleuren. Ik trok haar een paar paarse sokken aan en nieuwe witte gymschoenen. 'Je ziet er beeldig uit, Carrie.' En in zekere zin was het waar, ze was zo gelukkig dat ze die bontgekleurde, volwassen kleren aanhad.

Daarna hielp ik Cory met zijn felrode broekje en een wit hemd met een rood monogram op het borstzakje. Zijn das moest worden gestrikt door Chris, zoals pappa hem lang geleden had voorgedaan.

'Zal ik nu jou aankleden, Christopher?' vroeg ik sarcastisch.

'Als je dat leuk vindt,' zei hij plagend, 'mag je me vanaf mijn blote velletje aankleden.'

'Doe niet zo vulgair!'

Cory had een nieuw muziekinstrument om op te spelen – een glimmende banjo. Ach, hemel, hij had altijd een banjo willen hebben. Ze had het goed onthouden! Zijn ogen begonnen te glanzen. *Oh, Susannah, don't you cry for me, for I'm going to Louisiana with a banjo on my knee...*

Hij speelde de melodie en Carrie zong de woorden. Het was een van zijn geliefde, vrolijke liedjes, en als hij het op de gitaar speelde, klonk het nooit helemaal juist. Maar op de banjo klonk het zoals het hoorde. God had Cory gezegend met magische vingers.

En God had mij gezegend met slechte gedachten, die aan alles de vreugde ontnamen. Waar dienden mooie kleren voor als niemand ze ooit zag?

Ik wilde dingen die *niet* in mooi papier verpakt waren en met satijnen linten dichtgebonden, en in een dure winkel waren gekocht. Ik wilde dingen die *niet* met geld te koop waren. Had ze gezien dat mijn haar van voren was kortgeknipt? Had ze gezien hoe mager we waren? Vond ze dat we er gezond uitzagen met onze bleke, transparante huid?

Bittere, lelijke gedachten, terwijl ik Carrie een chocolaatje in haar gretige mondje stak en daarna Cory. Ik keek woedend naar de mooie kleren die voor mij bestemd waren. Een blauwe fluwelen jurk die op een feest thuishoorde. Een roze met blauw nachthemd met bijpassende peignoir en muiltjes. Ik stak een chocolaatje in mijn mond en liet het op mijn tong smelten. Het had de bittere smaak van het brok in mijn keel. Een encyclopedie! Moesten we hier dan eeuwig blijven?

Maar de chocolaatjes die ze had meegebracht waren mijn lievelingssnoepjes, altijd geweest. Ze had die doos voor mij meegebracht, *voor mij*, en ik kon maar één chocolaatje door mijn keel krijgen, en dan nog met de grootste moeite.

Ze zaten op de grond met de doos chocolaatjes tussen hen in, Cory, Carrie en Chris. Ze stopten ze één voor één in hun mond, lachend en voldaan. 'Ik zou er maar zuinig mee zijn,' zei ik hatelijk. 'Dat zou wel eens de laatste doos kunnen zijn in heel, heel lange tijd.'

Chris keek me met blijde, stralende ogen aan. Het was duidelijk te zien dat al *zijn* geloof en vertrouwen hersteld waren door één kort bezoekje van mamma. Waarom begreep hij niet dat haar cadeaus alleen maar dienden om het feit te verbergen dat ze niets meer om ons gaf? Waarom begreep hij niet, zoals ik, dat we geen essentiële rol meer speelden in haar leven? We hoorden tot de pijnlijke onderwerpen waar mensen liever niet over praten, zoals muizen op zolder.

'Blijf jij daar maar dom zitten kijken,' zei Chris, nog steeds even vrolijk. 'Laat jij je chocolaatjes maar staan. Wij eten ze allemaal achter elkaar op, voordat de muizen eraan beginnen. Cory, Carrie en ik zullen onze tanden wel poetsen, terwijl jij zit te huilen en medelijden hebt met jezelf en net doet of je door een opoffering iets aan onze omstandigheden kunt veranderen! Sla met je hoofd tegen de muur! Schreeuw dan! We blijven hier toch tot grootvader dood is, en al het snoep zal op zijn, op, op!'

Ik haatte hem omdat hij me belachelijk maakte! Ik sprong overeind, holde naar de andere kant van de kamer, draaide hem mijn rug toe en paste mijn nieuwe kleren aan. Drie mooie jurken, die ik één voor één over mijn hoofd trok. Tot aan het middel gingen ze gemakkelijk dicht. Maar hoe ik ook mijn best deed, de ritssluiting wilde van boven niet dicht. Ik rukte de laatste jurk die ik gepast had uit en zocht naar de figuurnaden in het lijfje. Niets! Ze kocht meisjesjurken voor me – malle, mooie kleren voor kleine meisjes, die het feit *uitschreeuwden* dat ze helemaal niets merkte! Ik gooide de drie jurken op de grond en trapte erop, ik verpletterde het blauwe fluweel zodat ze de jurk nooit meer zou kunnen terugbrengen.

Chris zat op de grond met de tweeling, hij keek ondeugend en lachte met een uitbundige, jongensachtige charme, en ik had bijna meegelachen

– als ik niet op mijn tellen had gepast. 'Je moet een boodschappenlijstje maken,' zei hij schertsend. 'Het wordt tijd dat je een bustehouder gaat dragen, zodat ze niet langer op en neer floepen. En als je toch bezig bent schrijf dan meteen een step-in erbij.'

Ik had hem in zijn grijnzende gezicht kunnen slaan! Mijn buik was een ingevallen holte. En als mijn billen rond en stevig waren kwam dat door de oefeningen – niet van het vet! 'Hou je mond!' gilde ik. 'Waarom moet ik een boodschappenlijstje maken en mamma alles voorkauwen? Als ze ooit eens goed naar me keek zou ze weten wat ik nodig heb! Hoe moet ik weten wat voor maat beha ik moet bestellen? En een step-in heb ik helemaal niet nodig! Wat jij nodig hebt is een toque – en een beetje gezond verstand dat je niet uit een boek kunt leren!' schreeuwde ik, niet in staat me langer te beheersen. 'Soms haat ik mamma! En dat niet alleen, soms haat ik jou ook! Soms haat ik iedereen – het meest van alles mezelf! Soms wou ik dat ik dood was. Ik geloof dat we allemaal beter af zouden zijn als we dood waren, in plaats van hier levend begraven te zijn! Als rottende, lopende, pratende gewassen!'

Al mijn heimelijke gedachten spoten als vuilnis naar buiten, en mijn twee broers krompen ineen en verbleekten. En mijn kleine zusje leek nog kleiner te worden en begon over haar hele lichaam te trillen. De wrede woorden waren nog niet mijn mond uit of ik had ze al weer terug willen nemen. Ik verging van schaamte, maar kon me niet verontschuldigen en mijn woorden terugnemen. Ik draaide me met een ruk om en holde naar de kast, naar de lange smalle deur waarachter de trap naar de zolder lag. Als ik verdriet had, en dat had ik vaak, holde ik naar mijn muziek, mijn kostuums en balletschoenen waarop ik kon rondzweven en wervelen en al mijn zorgen wegdansen. En ergens in dat roodgekleurde sprookjesland, waar ik dolle pirouettes maakte, in de wilde, krankzinnige hoop dat ik zo uitgeput zou raken dat ik niets meer zou voelen, zag ik die man, vaag, vèraf, half verborgen achter hoge witte kolommen, die omhoog rezen in een paarse hemel. In een hartstochtelijke *pas de deux* danste hij met me mee, altijd gescheiden van me, hoe ik ook mijn best deed hem dichterbij te lokken, in zijn armen te springen, die hij beschermend om me heen zou slaan, om me te steunen... en met hem zou ik eindelijk een veilige plaats vinden waar ik kon leven en liefhebben.

Toen was de muziek plotseling afgelopen. Ik was weer op de droge, stoffige zolder, en mijn rechterbeen lag in een vreemde kronkel onder me. Ik was gevallen! Toen ik moeizaam overeind gekrabbeld was, kon ik nauwelijks lopen. Mijn knie deed zo'n pijn dat een ander soort tranen in mijn ogen sprong. Ik hinkte over de zolder naar het leslokaal. Het kon me niet schelen, al zou ik mijn knie voorgoed verpesten. Ik gooide een raam open en klom het dak op. Pijnlijk en voorzichtig liet ik me omlaag glijden langs de steile glooiing en stopte pas toen ik aan het uiterste randje van de goot was die vol bladeren lag. Ver onder me was de begane grond. Tranen van zelfmedelijden en pijn rolden over mijn gezicht en vormden een waas voor mijn ogen. Ik deed mijn ogen dicht en zwaaide heen en weer. Ik raakte uit mijn evenwicht. Over een minuut zou alles voorbij zijn. Ik zou beneden boven op de doornige rozenstruiken liggen.

Grootmoeder en mamma zouden waarschijnlijk zeggen dat het een vreemd meisje was dat op hun dak was geklommen en er per ongeluk was afgevallen, en mamma zou huilen als ze me dood in een kist zag liggen, gekleed in een blauwe maillot en een tulen tutu. Dan zou het tot haar doordringen wat ze gedaan had, ze zou me terug willen hebben, ze zou de deur openen om Chris en de tweeling vrij te laten, zodat ze weer konden leven.

En dat was de zonnige kant van mijn zelfmoordpenning.

Maar ik moest hem omdraaien en de schaduwkant bekijken. Als ik eens niet dood ging? Als ik eens viel en de rozenstruiken zouden mijn val breken en ik zou de rest van mijn leven invalide blijven?

En als ik wel doodging, maar mamma zou helemaal niet huilen of spijt hebben en alleen maar blij zijn dat ze die lastpost kwijt was? Hoe zouden Chris en de tweeling het overleven als ik niet voor ze kon zorgen? Wie zou de tweeling bemoederen en hun alle liefde geven? Chris voelde zich soms te verlegen daarvoor, terwijl het mij zo gemakkelijk afging. En wat Chris betrof – hij dacht misschien dat hij mij niet nodig had, dat boeken en een in rood leer gebonden, met echt goud versierde encyclopedie genoeg waren om mijn plaats in te nemen. Als hij die medische studie eenmaal achter de rug had, zou hij denken dat hij de rest van zijn leven tevreden kon zijn. Maar ook als hij arts was, wist ik dat het *niet* genoeg zou zijn, nooit genoeg, als ik er niet bij was. En ik werd van de dood gered omdat ik beide kanten van de penning kon zien.

Struikelend klom ik uit de dakgoot omhoog, ik voelde me dwaas en kinderachtig, en ik huilde nog steeds. Mijn knie deed zo'n pijn dat ik eerst naar ons eigen plekje achter de schoorsteen kroop, waar de daken van de beide vleugels elkaar raakten en een veilige hoek vormden. Ik ging op mijn rug liggen en staarde naar de lucht die niets zag en zich om niets bekommerde. Ik geloofde niet dat God daar woonde; ik geloofde ook niet dat de hemel daar was.

God en de hemel waren hier beneden, op de grond, in de tuinen, in de bossen, in de parken, aan de kusten, op de meren en op de snelwegen.

De hel was hier, waar ik was, hij achtervolgde me, probeerde me eronder te krijgen, en me te maken tot wat grootmoeder dacht dat ik was – duivelsgebroed.

Ik bleef op het harde koude dak liggen tot het donker werd en de maan opkwam. De sterren flonkerden boos, alsof ze wisten wat ik was. Ik droeg alleen maar een balletkostuum, een maillot en een tutu.

Ik kreeg kippevel, maar ik bleef liggen en smeedde wraakplannen, wraak tegen degenen die me slecht hadden gemaakt. Ik wilde vast geloven dat er een dag zou komen waarop ik mijn moeder en grootmoeder in mijn macht zou hebben... dan zou ik de zweep hanteren en de teer, en de voedselvoorziening afsluiten.

Ik probeerde te bedenken wat ik precies met ze zou doen. Wat was een goede straf? Zou ik ze allebei opsluiten en de sleutel weggooien? Ze honger laten lijden, zoals wij honger hadden geleden?

Een zacht geluid onderbrak mijn duistere gedachten. In de sombere schemering van de vroege avond zei Chris aarzelend mijn naam. Meer niet, alleen mijn naam. Ik gaf geen antwoord, ik had hem niet nodig – ik had niemand nodig. Hij had me in de steek gelaten, hij had het niet willen begrijpen, en ik had hem niet nodig, nu niet.

Hij kwam toch en ging naast me liggen. Hij had een warm wollen vest meegebracht dat hij zonder een woord te zeggen over me heen spreidde. Hij staarde lange tijd naar de koude, ongenaakbare lucht. Er viel een lange, pijnlijke stilte tussen ons. Er was niets in Chris dat ik echt haatte of waaraan ik zelfs maar een hekel had, en ik had me zo graag omgedraaid en dat tegen hem gezegd, en hem bedankt voor het warme vest dat hij had meegebracht, maar ik kon geen woord uitbrengen. Ik had hem willen zeggen dat het me speet dat ik tegen hem en de tweeling was uitgevallen. God wist dat we niet nog meer vijanden nodig hadden. Ik huiverde onder het warme vest, wilde mijn armen om hem heen slaan en hem troosten, zoals hij mij zo vaak troostte als ik wakker werd uit een nachtmerrie. Maar ik kon alleen maar blijven liggen en hopen dat hij begreep dat ik volkomen in de knoop zat met mezelf.

Hij was altijd de eerste die de witte vlag hees, en daarvoor ben ik hem eeuwig dankbaar. Met de hese, geforceerde stem van een vreemde, die van heel ver leek te komen, vertelde hij me dat hij en de tweeling al hadden gegeten, maar dat ze mijn deel hadden bewaard.

'We deden maar net alsof we alle chocolaatjes opaten, Cathy. Er is nog genoeg voor jou.'

Snoep. Hij sprak over snoep. Leefde hij nog steeds in de wereld van de kinderen waar snoep iets was dat de tranen kon tegenhouden? Ik was ouder geworden en had mijn enthousiasme voor dergelijke kinderachtige pleziertjes verloren. Ik wilde wat elke tiener wil – de vrijheid om me te ontwikkelen tot een vrouw, de vrijheid om mijn eigen leven te leiden. Ik probeerde het hem te vertellen, maar mijn stem was, gelijk met mijn tranen, opgedroogd.

'Cathy... wat je daarnet zei... zeg nooit meer zulke lelijke, hopeloze dingen.'

'Waarom niet?' bracht ik er met moeite uit. 'Elk woord dat ik gezegd heb is waar. Ik heb alleen maar hardop gezegd wat ik van binnen voel – ik heb uitgesproken wat *jij* diep in jezelf verborgen houdt. Hou jezelf maar voor de gek, je zult merken dat die verborgen waarheid verandert in een zuur dat je van binnen aanvreet!'

'Ik heb nog nooit gewenst dat ik dood was!' riep hij uit met de hese stem van iemand die aan een constante verkoudheid lijdt. 'Zeg dat nooit meer – en denk niet aan de dood! Natuurlijk heb ik twijfel en achterdocht diep in me verborgen, maar ik glimlach en lach, en ik dwing mezelf te geloven, omdat ik wil overleven. Als jij je van het leven zou beroven, zou dat ook mijn dood betekenen, en de tweeling zou ons gauw volgen, want wie zou er dan voor ze moeten zorgen en ze bemoederen?'

Ik moest lachen. Een harde, lelijke lach – de lach van mijn moeder als *zij* verbitterd was. 'Maar, Christopher Doll, vergeet niet dat we een lieve, schattige, zorgzame moeder hebben, die altijd eerst aan ons denkt, zij is er dan immers nog om voor de tweeling te zorgen.'

Chris pakte mijn schouders beet. 'Ik vind het vreselijk als je zo praat, net als zij soms doet. Dacht je dat ik niet wist dat jij meer een moeder bent voor Cory en Carrie dan *zij*? Dacht je dat ik niet zag dat ze naar hun moeder kijken of ze een vreemde is? Cathy, ik ben niet blind of dom. Ik wéét dat mamma eerst aan zichzelf denkt en dan pas aan ons.'

Het maanlicht glansde, de tranen bevroren in zijn ogen. Zijn stem in mijn oor was hortend, zacht en laag.

Hij zei het zonder bitterheid, alleen maar spijtig – op de nuchtere, koele toon van een dokter die zijn patiënt vertelt dat hij aan een ongeneeslijke ziekte lijdt.

Het brak als een stortvloed in me door – ik hield van Chris – en hij was mijn broer. Hij maakte een volledig mens van me, hij gaf me wat me ontbrak, een stabiliteit, waar *ik* de neiging had als een paard op hol te slaan – en wat een fantastische manier om wraak te nemen op mamma en onze grootouders! God zou het niet zien. Hij had zijn ogen gesloten voor alles op de dag dat Jezus aan het kruis werd geslagen. Maar pappa was daar boven en keek omlaag, en ik kromp ineen van schaamte.

'Kijk me aan, Cathy, alsjeblieft kijk me aan.'

'Ik meende het niet, Chris, echt niet. Je weet hoe melodramatisch ik soms kan zijn – ik wil net zo graag leven als ieder ander, maar ik ben zo bang dat er iets verschrikkelijks met ons gaat gebeuren, als we altijd maar opgesloten blijven. Dus zeg ik afschuwelijke dingen om je wakker te schudden, je tot inzicht te brengen. O, Chris, ik verlang er zo naar om een hoop mensen om me heen te hebben. Ik wil nieuwe gezichten zien, nieuwe kamers. Ik maak me zo ongerust over de tweeling. Ik wil boodschappen doen, winkelen, paardrijden, alles wat we hier niet kunnen.'

In het donker, in de kou op het dak staken we intuïtief de armen naar elkaar uit. We klampten ons aan elkaar vast, met luid bonzende harten. We huilden niet en we lachten niet. We hadden immers al een zee van tranen geschreid? En ze hadden niet geholpen. We hadden een miljoen gebeden gezegd en gewacht op een verlossing die nooit kwam. En als tranen niet hielpen en gebeden niet werden verhoord, hoe moesten we God dan bereiken en zorgen dat Hij iets deed?

'Chris, ik heb het al eerder gezegd en ik zeg het nog eens. We moeten het initiatief nemen. Zei pappa niet altijd dat God de mensen helpt die zichzelf helpen?'

Zijn wang lag tegen de mijne, terwijl hij nadacht, verschrikkelijk lang nadacht. 'Ik zal het in gedachten houden, maar, zoals mamma zei, dat fortuin kan ons nu elke dag in de schoot vallen.'

MAMMA'S VERRASSING

Er gingen tien dagen voorbij voordat mamma ons weer kwam opzoeken en elke dag vroegen Chris en ik ons urenlang af waarom ze naar Europa was gegaan en waarom ze zo lang was weggebleven, en vooral – wat het grote nieuws was dat ze ons te vertellen had.

We beschouwden die tien dagen als een vorm van straf. Want het wás een straf, en het was verdrietig te weten dat ze in hetzelfde huis was en ons toch negeerde en buitensloot, of we werkelijk niet méér waren dan muizen op zolder.

Toen ze eindelijk kwam waren we dan ook onder een hoedje te vangen; we waren bang dat ze nooit meer terug zou komen als Chris en ik ook maar enige vijandschap toonden of verlangden te worden vrijgelaten. We waren rustig en timide, en legden ons neer bij ons lot. Want wat moesten we beginnen als ze nooit meer terugkwam? We konden niet ontsnappen door het zolderraam – niet zolang de tweeling hysterisch werd als ze het dak maar zágen.

Dus lachten we tegen mamma en lieten geen klacht over onze lippen komen. We vroegen niet waarom ze ons had gestraft door weer tien dagen weg te blijven, waar ze toch al maanden was weggeweest. We accepteerden wat ze bereid was ons te geven. Wij waren wat zij had geleerd voor haar vader te zijn, haar plichtsgetrouwe, gehoorzame en passieve kinderen. En dat beviel haar. Wij waren weer haar lieve, schattige, eigen kindertjes.

Omdat we zo goed en lief waren, met haar instemden en haar respecteerden en vertrouwden, vond ze het moment gekomen om de bom te laten ontploffen.

'Kinderen, wees blij voor me! Ik ben zo gelukkig!' Ze lachte, wervelde rond, kruiste haar armen voor haar borst, en aanbad haar eigen lichaam – zo leek het mij althans. 'Raad eens wat er gebeurd is – toe dan, raad eens!'

Chris en ik keken elkaar aan. 'Grootvader is gestorven,' zei hij voorzichtig, terwijl mijn hart opsprong van vreugde. Ik spande me om op te springen en een rondedans te doen als ze ons het blijde nieuws meedeelde.

'Nee!' zei ze scherp, alsof we haar geluk bezoedelden.

'Hij is naar het ziekenhuis gebracht,' raadde ik als het op één na beste nieuws.

'Nee. Ik haat hem nu niet meer, dus zou ik nooit blij kunnen zijn over zijn dood.'

'Waarom vertel je het ons dan niet gewoon,' zei ik dof. 'We raden het toch nooit; we weten bijna niets meer van jouw leven.'

Ze negeerde mijn insinuatie en ging enthousiast verder: 'De reden dat ik zo lang ben weggebleven, de reden die ik jullie zo moeilijk kon uitleggen, is dat ik getrouwd ben met een geweldige man, een advocaat, Bart

Winslow. Jullie vinden hem vast aardig. En hij houdt beslist van jullie. Hij heeft donker haar en is knap en lang en sportief. En hij houdt van skiën, net als jij, Christopher, en hij speelt tennis, en hij is net zo briljant als jij, lieverd,' en ze keek natuurlijk naar Chris. 'Hij is charmant en iedereen vindt hem aardig, zelfs mijn vader. En we zijn naar Europa geweest op huwelijksreis, en de cadeaus die ik voor jullie heb meegebracht komen allemaal uit Engeland, Frankrijk, Spanje of Italië.' En ze ging dwepend verder over haar nieuwe echtgenoot, terwijl Chris en ik zwijgend toehoorden.

Sinds de avond van het kerstfeest hadden Chris en ik onze vermoedens. Toen waren we nog erg jong, maar we waren nu verstandig genoeg om te weten dat een mooie, jonge vrouw, die zo'n behoefte had aan een man als onze moeder, niet lang weduwe zou blijven. Maar er waren bijna twee jaar verstreken zonder dat ze getrouwd was, en daarom dachten we dat die knappe man met het donkere haar en de grote snor toch niet echt belangrijk was voor mamma – een voorbijgaande bevlieging – een van de vele aanbidders. En we waren zo dwaas te geloven dat ze onze gestorven vader eeuwig trouw zou blijven – onze blonde, blauwogige Griekse god van wie ze krankzinnig veel gehouden moest hebben, om te doen wat zij had gedaan – trouwen met een man met wie ze zo na verwant was.

Ik sloot mijn ogen en probeerde haar nare stem niet te horen, die doorratelde over een andere man die de plaats van onze vader zou innemen. Ze was nu de vrouw van een andere man, een heel ander soort man, en hij was bij haar in bed geweest en sliep nu met haar, en we zouden haar nog minder zien dan tot dusver. O, lieve God, hoe lang, hoe lang?

Het nieuws en haar stem gaven gestalte aan een klein grijs paniekvogeltje dat wild fladderde in de kooi van mijn ribben... en dat er uit wilde, eruit, eruit!

'Alsjeblieft,' zei mamma, één en al glimlach, stralend van een geluk, dat probeerde stand te houden in de kille, steriele sfeer waarmee we haar nieuws begroetten. 'Probeer het te begrijpen en blij voor me te zijn. Ik hield van je vader, dat weet je, maar hij is er niet meer, en hij is al zo lang geleden gestorven. Ik heb iemand anders nodig om van te houden, iemand die van mij houdt.'

Ik zag dat Chris zijn mond opendeed om te zeggen dat hij van haar hield, dat we allemaal van haar hielden, maar toen klemde hij zijn lippen op elkaar en besefte, net als ik, dat de liefde van haar kinderen niet het soort liefde was dat zij bedoelde. En *ik* hield niet meer van haar. Ik wist niet eens of ik haar nog wel aardig vond, maar ik glimlachte en deed net alsof en wist de juiste woorden te vinden, zodat de tweeling niet bang zou worden. 'Ja, mamma, ik ben blij voor je. Het is fijn dat je iemand gevonden hebt die weer van je houdt.'

'Hij houdt al heel lang van me, Cathy,' ging ze snel verder, aangemoedigd en vol vertrouwen glimlachend, 'hoewel hij vast van plan was vrijgezel te blijven. Het was niet gemakkelijk hem ervan te overtuigen dat hij een vrouw nodig had. En je grootvader wilde niet dat ik een tweede keer zou trouwen, als straf voor het feit dat ik met je vader getrouwd was. Maar hij vindt Bart aardig en ik heb net zo lang gesmeekt tot hij toegaf en zei dat ik met Bart mocht trouwen en toch van hem erven.' Ze zweeg even en beet op haar onderlip. Toen slikte ze nerveus. Haar beringde vingers vlogen naar haar hals en speelden zenuwachtig met het snoer echte parels dat ze droeg.

'Natuurlijk hou ik niet zoveel van Bart als van je vader.'

Ha! Wat zei ze dat zwakjes. Haar glanzende ogen en stralende gezicht verrieden een liefde die groter was dan alles wat ze ooit gekend had. Ik zuchtte. Arme pappa.

'De cadeaus die je voor ons hebt meegebracht, mamma... die waren toch niet allemaal uit Europa of van de Britse Eilanden? Die doos chocolaatjes kwam uit Vermont – ben je ook in Vermont geweest? Komt je man daar vandaan?'

Haar lach was zangerig, ongeremd en een beetje sensueel, alsof Vermont intieme herinneringen bij haar wekte. 'Nee, hij komt niet uit Vermont, Cathy. Maar een zuster van hem woont daar en we hebben een weekend bij haar gelogeerd toen we uit Europa kwamen en bij die gelegenheid heb ik die doos voor je gekocht, omdat ik weet dat je zoveel van die chocolaatjes houdt. Hij heeft nog twee zusters die in het zuiden wonen. Hij komt uit een klein dorpje in Zuid Carolina – Greenglena, Grenglenna, of zoiets. Maar hij heeft zo lang in New England gewoond, en hij heeft ook in Harvard gestudeerd, dat hij meer een Yankee lijkt dan een zuiderling. En het is zo mooi in Vermont in de herfst; adembenemend. Maar natuurlijk wil je tijdens je huwelijksreis niet bij anderen logeren, dus zijn we maar heel kort gebleven. Daarna zijn we nog een tijdje naar de kust geweest.' Ze keek even ongerust naar de tweeling en trok zo nerveus aan haar parelketting dat ik bang was dat hij elk moment zou breken. Maar blijkbaar worden echte parels steviger geregen dan imitatie.

'Vond je de bootjes mooi die ik voor je heb meegebracht, Cory?'

'Ja, mam,' antwoordde hij heel beleefd. Hij staarde met zijn grote sombere ogen naar haar of ze een vreemde was.

'Carrie, lieveling... die poppetjes heb ik in Engeland voor je gekocht, voor je collectie. Ik had gehoopt nog een wiegje voor je te vinden maar ze schijnen geen wiegjes voor poppenhuizen meer te maken.'

'Dat geeft niet, mamma,' zei Carrie, met neergeslagen ogen. 'Chris en Cathy hebben een wiegje van karton voor me gemaakt, en dat vind ik erg mooi.'

O, God, drong het dan nog niet tot haar door?

Ze kenden haar niet meer. Ze voelden zich niet op hun gemak bij haar.

'Weet je man het van ons?' vroeg ik ernstig. Chris keek me woedend aan, en gaf me zwijgend te kennen dat moeder niet zo achterbaks was dat ze voor de man met wie ze getrouwd was zou verzwijgen dat ze vier kinderen had – die door sommigen als duivelsgebroed werden beschouwd.

Een schaduw gleed over mamma's geluk. Ik had natuurlijk weer de verkeerde vraag gesteld. 'Nog niet, Cathy, maar zodra pappa sterft zal ik het hem vertellen. Dan zal ik het hem in alle bijzonderheden uitleggen. Hij zal het begrijpen. Hij is vriendelijk en begrijpend. Jullie vinden hem vast aardig.'

Dat had ze al vaker gezegd. En nu was er weer een ding dat zou moeten wachten tot een oude man was gestorven.

'Cathy, kijk me niet zo aan! Ik kon niets tegen Bart zeggen vóór ons huwelijk! Hij is de advocaat van je grootvader. Ik kon hem onmogelijk vertellen dat ik kinderen heb, nu nog niet, pas als het testament is voorgelezen en het geld op mijn naam staat.'

Het lag op het puntje van mijn tong dat een man het hoorde te weten als zijn vrouw vier kinderen had uit haar eerste huwelijk. O, wat had ik dat graag gezegd! Maar Chris keek me veelbetekenend aan, en de tweeling zat ineengedoken met hun grote ogen naar het TV-toestel te staren. Ik wist niet of ik moest spreken of mijn mond houden. Als je zweeg maakte je tenminste geen nieuwe vijanden. En misschien had ze ook wel gelijk. *God, laat haar gelijk hebben. Laat ik haar weer kunnen vertrouwen. Laat me weer in haar geloven. Laat me geloven dat ze niet alleen van buiten mooi is, maar ook van binnen.*

God strekte Zijn hand niet uit om die warm en troostend op mijn schouder te leggen. Ik bleef doodstil zitten en besefte dat mijn achterdocht de band tussen ons tot een heel dun draadje uitrekte.

Liefde. Hoe vaak kwam dat woord niet in boeken voor. Steeds opnieuw. Rijkdom, gezondheid, schoonheid en talent... het was allemaal niets zonder liefde. De liefde maakte alle gewone dingen duizelingwekkend, machtig, betoverend. Daaraan dacht ik op een vroege winterdag toen de regen op het dak kletterde en de tweeling in de slaapkamer TV keek. Chris en ik waren op zolder. We lagen naast elkaar op de oude matras bij het raam in het leslokaal en lazen samen in een van de antieke boeken die mamma had meegebracht uit de grote bibliotheek beneden. Het zou niet lang meer duren of er zou weer een poolklimaat heersen op zolder, dus brachten we er zolang het nog kon, zoveel mogelijk tijd door. Chris las een pagina altijd heel snel en sloeg dan om. Ik deed er daarentegen heel lang over, las een mooie zin nog eens over, en soms wel een derde keer. We hadden er voortdurend ruzie over. 'Lees toch wat sneller, Cathy! Jij probeert de woorden uit je hoofd te leren.'

Maar vandaag was hij geduldig. Hij ging op zijn rug liggen en staarde naar de zoldering terwijl ik rustig elke fraai geschreven zin herlas en de sfeer van de Victoriaanse tijd in me opnam, toen de mensen zulke mooie kleren droegen en zo elegant spraken en de liefde zo serieus namen. Vanaf de eerste alinea had het verhaal ons gepakt met zijn mystieke, romantische charme. Het was een gecompliceerd verhaal over twee gedwarsboomde geliefden, Lily en Raymond, die enorme moeilijkheden moesten overwinnen om de magische plek van het paarse gras te vinden waar alle dromen uitkwamen. God, wat wilde ik graag dat ze die plek zouden vinden! Maar toen ontdekte ik de tragedie van hun leven. Al die tijd hadden ze op dat paarse gras gestaan... kun je je dat voorstellen? Al die tijd stonden ze op dat speciale plekje gras en ze hadden niet één keer omlaag gekeken en het gezien. Ik had een hekel aan een ongelukkige afloop! Ik sloeg het akelige boek dicht en smeet het tegen de muur. 'Wat een stom, mal, belachelijk verhaal!' viel ik woedend uit tegen Chris, alsof hij het boek had geschreven. 'Wie ik ook bemin, ik zal leren vergeven en vergeten!' ging ik verder, in overeenstemming met de storm die buiten raasde. 'Waarom kon het niet anders geschreven zijn? Hoe is het mogelijk dat twee intelligente mensen met hun hoofd in de wolken zweven, zonder te beseffen dat het toeval altijd ongeluk kan veroorzaken? Nooit, nooit zal ik worden als Lily, of als Raymond! Idealistische dwazen, die niet slim genoeg zijn om zo nu en dan eens naar de grond te kijken!'

Chris moest lachen dat ik het verhaal zo ernstig opnam, maar toen bedacht hij zich en staarde peinzend naar de regen. 'Misschien horen geliefden niet naar de grond te kijken. Zo'n verhaal is symbolisch – en de aarde vertegenwoordigt de werkelijkheid, en de werkelijkheid staat voor frustraties, ziekte, dood, moord en allerlei andere tragedies. Geliefden moeten omhoog kijken, naar de lucht, waar niemand een mooie illusie kan vertrappen.'

Ontstemd keek ik hem aan. 'En als ik verliefd word,' begon ik, 'zal ik een berg bouwen tot aan de lucht. Dan zullen we het beste hebben van twee werelden, de werkelijkheid stevig onder onze voeten, en onze hoofden in de wolken en al onze illusies nog intact. En het paarse gras zal zo hoog om ons heen groeien, dat het tot aan onze ogen reikt.'

Hij lachte en omhelsde me, gaf me een vluchtige, tedere kus, en zijn ogen stonden lief en zacht in het sombere, kille duister van de zolder. 'O, ja, mijn Cathy zou dat kunnen. Haar fantastische illusies behouden, dansen in het paarse gras dat tot haar ogen reikt en de wolken dragen als ijle kleren. Ze zou springen en dansen en pirouettes maken tot haar logge, onhandige minnaar even sierlijk met haar meedanste.'

Ik begaf me op drijfzand en nam een snelle sprong naar steviger grond. 'Toch was het een mooi verhaal, maar wel vreemd. Ik vind het wel jammer dat Lily en Raymond zelfmoord pleegden, terwijl het heel anders had kunnen aflopen. Toen Lily Raymond de waarheid vertelde, dat ze praktisch verkracht was door die afschuwelijke man, had Raymond haar niet mogen beschuldigen dat ze hem verleid had! Geen enkele vrouw die goed bij haar verstand is zou een man met acht kinderen willen verleiden.'

'O, Cathy, soms ben je ongelooflijk.'

Zijn stem klonk lager dan gewoonlijk. Zijn blik gleed over mijn gezicht, bleef even aan mijn lippen hangen, gleed af naar mijn borsten, mijn benen, die in een witte maillot gestoken waren. Over de maillot droeg ik een korte wollen rok en een wollen trui. Toen gingen zijn ogen weer omhoog en vingen mijn verbaasde blik op. Hij bloosde toen ik hem aan bleef staren en keerde toen voor de tweede keer die dag zijn gezicht af. Ik was dicht genoeg bij hem om zijn hart sneller, steeds sneller te horen kloppen, en plotseling nam mijn eigen hart zijn tempo over, het enige tempo dat een hart kan hebben – bombedie-bom, bombedie-bom. Onze ogen ontmoetten elkaar en waren niet meer te scheiden. Hij lachte nerveus en probeerde te doen of het niet ernstig gemeend was.

'Je had gelijk, Cathy, het was een stom, mal verhaal. Belachelijk! Alleen krankzinnige mensen sterven uit liefde. Ik durf te wedden dat een vrouw die romantische rommel heeft geschreven!'

Nog geen minuut geleden had ik de auteur veracht om dat ongelukkige einde, maar nu haastte ik me het boek te verdedigen. 'T.M. Ellis kan gemakkelijk een man zijn geweest! Hoewel ik betwijfel of een schrijfster in de negentiende eeuw veel kans had om een boek te publiceren, tenzij ze alleen haar initialen gebruikte of de naam van een man. En waarom vinden mannen altijd alles wat een vrouw schrijft onbeduidend prulwerk – of gewoon lariekoek? Zijn mannen soms niet romantisch? Dromen mannen niet van de volmaakte liefde? En ik vind Raymond heel wat sentimenteler dan Lily!'

'Je moet mij niet vragen hoe mannen zijn!' viel hij plotseling zo verbitterd uit dat ik verbaasd opkeek. Hij raasde verder: 'Hoe kan ik hier, zoals wij leven, ooit te weten komen hoe het is om een man te zijn? Hier mag ik niet romantisch zijn. Hier is het: doet dit niet en doe dat niet, en hou je ogen afgewend, en zie niet wat er heen en weer loopt te dansen en te pronken, doe maar net of ik een broer ben, zonder gevoelens, met uitsluitend kinderlijke emoties. Sommige meiden schijnen te denken dat een toekomstige arts boven seksuele verlangens staat!'

Ik sperde mijn ogen open. Zo'n heftige uitbarsting van iemand die zelden van de kook raakte overrompelde me. In ons hele leven had hij nog nooit zo heftig en zo kwaad tegen me gesproken. Nee, *ik* was de zure citroen, de rotte appel in de mand. Ik had hem aangestoken. Hij gedroeg zich nu precies zoals in de tijd toen mamma zo lang was weggebleven. Het was slecht van me hem net zo kribbig en ontevreden te maken als *ik* was. Hij moest altijd blijven zoals hij van nature was, de zorgeloze, vrolijke optimist. Had ik hem zijn voornaamste goede eigenschap ontnomen, op zijn knappe uiterlijk en charme na?

Ik raakte zijn arm aan. 'Chris,' fluisterde ik, aan de rand van tranen, 'ik geloof dat ik precies weet wat je nodig hebt om je mannelijk te voelen.'

'O, ja?' snauwde hij. 'Wat kun *jij* daaraan doen?'

Hij keek me zelfs niet meer aan, maar staarde strak naar de zoldering. Mijn hart kromp ineen. Ik wist waarom hij zo terneergeslagen was; hij liet zijn droom varen, terwille van mij, zodat hij kon zijn zoals ik en het niet belangrijk vinden of we al dan niet een fortuin zouden erven. En om net zo te zijn als ik, moest hij zuur en verbitterd zijn, iedereen haten en hun beweegredenen wantrouwen.

Aarzelend raakte ik zijn haar aan. 'Je haar moet geknipt worden. Het is veel te lang en mooi. Om je een man te kunnen voelen moet je korter haar hebben. Nu lijkt je haar op dat van mij.'

'Wie zegt dat jouw haar mooi is?' zei hij gesmoord. 'Vroeger had je misschien mooi haar, voordat het geteerd werd.'

O, ja? Ik kon me heel wat keren herinneren dat zijn ogen me hadden verteld dat mijn haar meer dan alleen maar mooi was. En ik kon me ook herinneren hoe hij had gekeken toen hij de schaar opnam om een stuk van mijn haar af te knippen. Hij had het met zoveel tegenzin gedaan dat het leek of hij zijn vingers afknipte en niet alleen maar haar dat geen pijn voelde. En ik had hem een keer betrapt toen hij in de zon op zolder zat en het lange afgeknipte haar in zijn handen hield. Hij rook eraan, legde het tegen zijn wang en tegen zijn lippen en verborg het toen in een doosje om het onder zijn kussen te bewaren.

Het was niet gemakkelijk een lach te forceren en hem te misleiden, niet te laten merken dat ik het wist. 'Christopher Doll, je hebt prachtige, expressieve blauwe ogen. Als we eindelijk hier uit zijn en weer vrij in de wereld kunnen rondlopen heb ik medelijden met alle meisjes die verliefd op je worden. En vooral met je vrouw, omdat ze zo'n knappe man heeft dat al zijn vrouwelijke patiënten een verhouding met hem zullen willen hebben. Als ik je vrouw was zou ik je vermoorden als je ook maar één avontuurtje had! Ik zou van je houden, maar ik zou razend jaloers zijn... ik zou je dwingen je praktijk op je vijfendertigste op te geven.'

'Ik heb nooit gezegd dat je haar mooi was,' zei hij scherp, alles negerend wat ik had gezegd.

Ik streelde hem luchtig over zijn wang, voelde de bakkebaarden die afgeschoren moesten worden.

'Wacht even. Ik ga de schaar halen. Weet je dat ik je haar al heel lang niet meer geknipt heb?' Waarom nam ik de moeite zijn haar en dat van Cory te knippen, terwijl het toch zo onbelangrijk was hoe we er hier bij liepen? Het haar van Carrie en van mij was niet meer geknipt sinds we hier gekomen waren. Alleen van voren was mijn haar afgeknipt om onze onderwerping te tonen aan een meedogenloze oude vrouw.

Toen ik wegholde om de schaar te gaan halen bedacht ik hoe vreemd het was dat geen van onze groene planten hier wilde groeien, maar ons haar juist heel snel. En in alle sprookjes die ik had gelezen hadden de lieftallige vrouwen in nood altijd heel lang blond haar. Was er ooit een brunette in een toren opgesloten – als je een zolder als een toren kon beschouwen?

Chris zat op de grond. Ik knielde achter hem, en hoewel zijn haar over zijn schouders hing, wilde hij er niet veel af hebben. 'Voorzichtig met die schaar,' waarschuwde hij zenuwachtig. 'Knip er niet te veel ineens af. Het kan gevaarlijk zijn als je je al te plotseling mannelijk gaat voelen op een regenachtige middag op zolder,' plaagde hij grinnikend. Toen lachte hij luid, met wit blikkerende tanden. Hij was weer zoals hij hoorde te zijn.

Ik hield van hem, terwijl ik om hem heen kroop, ernstig knippend en trimmend. Ik ging voortdurend een eindje achteruit om te controleren of zijn haar recht zat, want ik wilde niet dat hij met een scheef hoofd rondliep.

Ik trok zijn haar met een kam omhoog, zoals ik de kapper had zien doen, en knipte het onder de kam zorgvuldig bij. Ik durfde er niet meer dan een halve centimeter tegelijk af te knippen. Ik zag in gedachten voor me hoe hij er uit moest zien – als iemand die ik erg bewonderde.

Toen ik klaar was borstelde ik de blonde plukjes haar van zijn schouders en leunde achterover. Ik had het er helemaal niet zo slecht afgebracht.

'Zo!' zei ik triomfantelijk, tevreden over mijn onverwachte bedrevenheid in wat een moeilijke kunst leek. 'Je ziet er niet alleen bijzonder knap, maar ook erg mannelijk uit. Hoewel je natuurlijk al die tijd al een echte man bent geweest. Jammer dat je dat niet wist.'

Ik gaf hem de zilveren spiegel met mijn initialen. De spiegel vertegenwoordigde een derde van het zilveren toiletstel dat mamma me op mijn laatste verjaardag had gegeven. Borstel, kam, spiegel: en alle drie moest ik verstoppen omdat grootmoeder niet mocht weten dat ik dure dingen bezat die alleen voor de ijdelheid dienden.

Chris staarde eindeloos lang in de spiegel. Ik schrok toen hij even weifelend en ontevreden keek. Toen verscheen er langzaam een brede grijns op zijn gezicht.

'Je hebt een blonde Prins Valiant van me gemaakt! Ik vond het eerst niet leuk, maar nu zie ik dat je de stijl iets veranderd hebt, je hebt het niet recht afgeknipt, maar rond en in laagjes. Het staat heel goed. Dank je, Catherine Doll. Ik wist niet dat je zo goed kon knippen.'

'Ik heb veel talenten die je niet kent.'

'Ik begin het te geloven.'

'Prins Valiant mocht willen dat hij zo knap was als mijn mannelijke, blonde broer,' plaagde ik. Ik kon niet nalaten mijn kunstprodukt te bewonderen. Hemel, wat zou die jongen op een goeie dag een hartenbreker worden.

Hij had nog steeds de spiegel in zijn hand en legde die achteloos neer, en voor ik wist wat er gebeurde sprong hij als een kat op me af! Hij worstelde met me, gooide me op de grond en greep tegelijk naar de schaar! Hij rukte hem uit mijn hand en pakte een pluk van mijn haar!

'En nu, liefje, zullen we eens zien of ik voor jou hetzelfde kan doen!'

Ik gaf een harde gil!

Ik duwde hem van me af zodat hij achterover viel en sprong overeind. Niemand zou ook maar een kwart centimeter van mijn haar knippen! Misschien was het nu te fijn en te dun geworden, misschien was het niet zo mooi als het geweest was, maar het was alles wat ik had en zelfs nu nog mooier dan van de meeste meisjes. Ik holde het leslokaal uit. Ik holde over de immense zolder, dook weg achter palen, liep om oude hutkoffers heen, sprong over lage tafeltjes en rolde over omhoesde sofa's en stoelen. De papieren bloemen zwaaiden wild heen en weer als ik voorbij rende, met Chris op mijn hielen. De vlammetjes van de lage dikke kaarsen, die we overdag lieten branden om de trieste, uitgestrekte, koude zolder wat op te vrolijken en te verwarmen, flakkerden laag en sputterden bijna uit.

Maar hoe hard ik ook holde, hoe listig ik hem ook ontweek, ik kon mijn achtervolger niet van me afschudden! Ik keek over mijn schouder en kon niet eens zijn gezicht herkennen – en dat maakte me nog banger. Hij dook naar voren, greep mijn lange haar beet dat achter me aan wapperde, en leek vast van plan het af te knippen!

Haatte hij me nu? Waarom had hij een dag lang zo wanhopig geprobeerd mijn haar te redden om het er nu voor de grap af te knippen?

Ik vluchtte terug naar het leslokaal, met de bedoeling er eerder te zijn dan hij. Dan zou ik de deur voor zijn neus dichtgooien en op slot doen, en hij zou weer tot zichzelf komen en inzien hoe idioot hij deed.

Misschien vermoedde hij wat ik van plan was. Hij liep nog wat harder met zijn lange benen – sprong naar voren en pakte mijn lange, wapperende haren beet. Ik gaf een gil, struikelde en viel voorover!

Niet alleen ik viel, maar Chris viel ook – boven op me! Ik voelde een scherpe pijn in mij. Ik schreeuwde weer – niet van angst deze keer, maar van schrik.

Hij lag over me heen, zijn handen steunend op de grond en staarde me aan met een doodsbleek en bang gezicht. 'Heb je je pijn gedaan? O, God, Cathy, er is toch niets?'

Was er niets? Ik hief mijn hoofd op en staarde naar de stroom bloed die mijn vest rood kleurde. Chris zag het ook. Hij verstarde en in zijn blauwe ogen kwam een grimmige, verwilderde uitdrukking. Met trillende vingers begon hij mijn vestje los te knopen om de wond te bekijken.

'O, God...' zuchtte hij en liet fluitend en langzaam zijn adem ontsnappen. 'Wauw! God zij dank. Ik was als de dood dat het een gat was, want dat had heel ernstig kunnen zijn, maar gelukkig is het maar een lange snee, Cathy. Wel een gemene wond, en je verliest veel bloed. Beweeg je niet! Blijf zo liggen, dan ga ik even naar de badkamer om medicijnen en verband te halen.'

Hij gaf me een zoen op mijn wang, sprong toen overeind en holde naar de trap. Ik dacht dat ik beter mee had kunnen gaan om tijd te winnen. Maar de tweeling was beneden en zou het bloed zien, en als ze bloed zagen, zouden ze onmiddellijk over hun toeren raken en gaan gillen.

Een paar minuten later was Chris terug met de eerste-hulpdoos. Hij knielde naast me neer; zijn handen die hij haastig had gewassen waren nog vochtig. Hij had zich niet de tijd gegund ze behoorlijk af te drogen.

Het fascineerde me dat hij zo precies wist wat hij moest doen. Eerst vouwde hij een zware handdoek op en drukte daarmee stevig op de wond. Hij keek heel ernstig en aandachtig, terwijl hij op de handdoek drukte en om de paar seconden controleerde of het bloeden al was gestopt. Toen behandelde hij de wond met een desinfecterend middel, dat verschrikkelijk pijn deed, meer dan de wond zelf.

'Ik weet dat het steekt, Cathy... ik kan het niet helpen... ik moet het doen om infectie te voorkomen. Ik wou dat ik iets had om de wond te hechten, maar misschien wordt het geen litteken; ik zal een schietgebedje doen dat de wond goed heelt. Wat zou het mooi zijn als de mensen nooit dat volmaakte omhulsel zouden beschadigen waarin ze worden geboren. En nu ben ik degene die bij jou het eerste echte litteken veroorzaak. Als je door mijn schuld was gestorven – en dat had gekund als de schaar anders terecht was gekomen – dan had ik er ook een eind aan gemaakt.'

Hij was klaar met doktertje spelen en rolde het overgebleven verbandgaas zorgvuldig op, wikkelde het in het blauwe papier en borg het toen weer in de doos. Hij stopte de pleisters ook weg en deed de doos weer dicht.

Hij boog zich over me heen, zijn gezicht was vlak boven het mijne, zijn ernstige ogen keken me doordringend, bezorgd en gespannen aan. Zijn blauwe ogen vingen de kleuren op van de papieren bloemen en werden doorschijnende donkere poelen. Er schoot een brok in mijn keel toen ik me afvroeg waar de jongen was gebleven die ik vroeger gekend had. Waar was die broer – en wie was deze jongeman met de blonde bakkebaarden die me zo lang en strak aanstaarde? Die blik van hem hield me in zijn ban. En groter dan elke pijn of verdriet dat ik ooit had gehad, was het verdriet dat ik voelde door het lijden dat ik zag in de wisselende kaleidoscopische kleuren van zijn ogen.

'Chris,' mompelde ik. Ik voelde me vreemd duizelig. 'Kijk niet zo. Het was jouw schuld niet.' Ik nam zijn hoofd tussen mijn handen en trok zijn gezicht op mijn borst zoals ik mamma vroeger had zien doen. 'Het is maar een kras, het doet helemaal geen pijn (het deed vreselijke pijn!), en ik weet dat je het niet met opzet deed.'

Hees vroeg hij: 'Waarom liep je weg? Daarom kwam ik je achterna. Ik plaagde immers maar. Ik zou toch geen haar van je hoofd knippen: het was gewoon maar plagerij, een grapje. En je vergiste je toen je zei dat ik je haar mooi vond. Het is meer dan alleen maar mooi. Jij krijgt het prachtigste, schitterendste haar ter wereld.'

Hij hief zijn hoofd even op en spreidde mijn haar als een waaier uit over mijn blote borst. We lagen kalm te luisteren naar de regen die op het dak boven ons hoofd kletterde. Rondom ons heerste een diepe stilte. Altijd stilte. De stemmen van de natuur waren de enigen die ons op zolder bereikten, en de natuur sprak zo zelden op vriendelijke, zachte toon.

De regen op het dak verminderde tot een staag gedrup en de zon kwam achter de wolken te voorschijn. Hij scheen op onze haren en deed ze glanzen als lange glinsterende snoeren diamanten. 'Kijk,' zei ik tegen Chris, 'er is een lat gevallen uit een jaloezie voor een van de ramen aan de westkant.'

'Mooi,' zei hij slaperig en tevreden. 'Dan hebben we zon waar vroeger geen zon was.' En toen ging hij slaperig fluisterend verder: 'Ik denk aan Raymond en Lily en hun speurtocht naar het paarse gras waar alle dromen uitkomen.'

'O ja? Ik dacht aan hetzelfde,' antwoordde ik, eveneens fluisterend. Steeds opnieuw draaide ik een lok van zijn haar rond mijn duim, en deed net of ik niet merkte dat een van zijn handen voorzichtig mijn borst streelde, de borst die niet door zijn gezicht werd bedekt. Omdat ik niet protesteerde, durfde hij de tepel te kussen. Ik schrok op en vroeg me verrast af waarom dat zo'n vreemd en opwindend gevoel was. Wat was een tepel anders dan een bruin-roze topje? 'Ik kan me voorstellen dat Raymond Lily kuste, toen jij me kuste,' zei ik ademloos; ik wilde dat hij ophield en ik wilde dat hij verder ging, 'maar ik kan me niet voorstellen dat ze doen wat daarop volgt.'

Hij hief met een ruk zijn hoofd op en keek me doordringend aan. Er speelde een vreemd licht in zijn ogen, die steeds van kleur bleven wisselen. 'Cathy, weet je wat daarop volgt?'

Een blos trok over mijn gezicht. 'Ja, min of meer. Weet *jij* het?'

Hij lachte, het droge gegrinnik waarover je leest in romans. 'Natuurlijk, weet ik het. De allereerste dag op school werd het me al verteld, het is het enige waar oudere jongens over praten. Ze hadden woorden op de muur geschreven die ik niet begreep. Ze werden me in alle bijzonderheden uitgelegd. Meisjes, base-ball, meisjes, voetbal, meisjes, meisjes, meisjes waren alles waarover ze konden praten, in welk opzicht de meisjes anders waren dan wij. Het is een fascinerend onderwerp voor de meeste jongens en, naar ik aanneem, ook voor de meeste mannen.'

'Maar niet voor jou?'

'Voor mij? Ik denk niet aan meisjes of sex, al wou ik bij God dat je niet zo verdomd knap was! En het zou beter zijn als je niet altijd zo dicht in de buurt was en zo beschikbaar.'

'Dus je denkt aan me? Je vindt me knap?'

Een gesmoorde kreun ontsnapte hem – het klonk meer als een gesteun. Hij ging met een ruk rechtop zitten en staarde naar hetgeen mijn open vest onthulde, want de waaier van haar was eraf gegleden. Als ik het bovenste deel van mijn maillot er niet had afgeknipt, zou hij niet zoveel hebben gezien. Maar het was te smal en ik had het er af moeten knippen.

Met trillende, onhandige vingers maakte hij de knoopjes van mijn vest dicht, met afgewende blik. 'Prent dat goed in je hoofd, Cathy. Natuurlijk ben je knap, maar broers beschouwen hun zusjes niet als meisjes – ze koesteren alleen maar tolerantie en broederlijke genegenheid voor ze – en soms haat.'

'Ik mag doodvallen als jij me haat, Christopher!'

Hij sloeg zijn handen voor zijn gezicht en toen hij ze weghaalde lachte hij vrolijk en schraapte zijn keel. 'Kom, het wordt tijd dat we de tweeling gaan opzoeken voordat hun ogen in zwarte gaten veranderen door het staren naar de TV.'

Hij hielp me op te staan, het deed pijn. Hij drukte me even tegen zich aan, mijn wang lag tegen zijn hart. Toen hij me snel weg wilde duwen, klampte ik me steviger aan hem vast. 'Chris – wat we nu net deden – was dat zondig?'

Weer schraapte hij zijn keel. 'Als jij dat vindt, dan was het dat.'

Wat was dat nu voor een antwoord? Zonder de gedachte aan zonde waren die momenten, dat hij me zo teder had aangeraakt met magisch tintelende vingers en lippen, de mooiste die ik in dit afschuwelijke huis had beleefd. Ik keek op om te zien wat hij dacht en zag die vreemde blik in zijn ogen. Hij leek tegelijkertijd gelukkiger, triester, ouder, jonger, wijzer... of kwam dat omdat hij zich nu een man voelde? Ik hoopte het, of het zondig was of niet.

Hand in hand liepen we de trap af. Cory speelde een liedje op de banjo, zijn blik strak gericht op de TV. Daarna pakte hij de gitaar en speelde een eigen compositie, terwijl Carrie de eenvoudige tekst zong die hijzelf had geschreven. De banjo was bestemd voor vrolijke deuntjes waarbij je je voeten niet stil kunt houden. Deze melodie klonk als regen op het dak, lang, somber, monotoon.

Gonna see the sun,
Gonna find my home
Gonna feel the wind
See the sun ag'in.

Ik zal de zon zien,
Ik zal mijn huis vinden.
Ik zal de wind voelen,
De zon weer zien.

Ik ging naast Cory op de grond zitten en nam de gitaar van hem over, want ik kon ook een beetje spelen. Hij had het me geleerd – hij had het ons allemaal geleerd. Ik zong het weemoedige liedje uit de film *De Tovenaar van Oz* – een film die Carrie en Cory prachtig vonden. Toen ik uitgezongen was over vogels die over de regenboog vlogen vroeg Cory: 'Vind je mijn liedje niet mooi, Cathy?'

'Ik vind het erg mooi, maar het is zo droevig. Waarom schrijf je niet eens een paar hoopvolle, vrolijke liedjes?'

Het muisje zat in zijn zak, zijn staartje stak naar buiten terwijl het naar broodkruimels zocht. Mickey maakte een draaiende beweging en floepte zijn kopje over de rand; in zijn voorpootjes hield hij een stukje brood waaraan hij begon te knabbelen. De uitdrukking waarmee Cory naar zijn diertje staarde ontroerde me zo hevig dat ik mijn gezicht moest afwenden om niet te huilen.

'Cathy, weet je dat mamma nooit iets heeft gezegd over mijn muis?'

'Ze heeft hem niet gezien, Cory.'

'Waarom niet?'

Ik zuchtte, ik wist niet meer wie en wat mijn moeder was. Ze was een vreemde van wie we vroeger gehouden hadden. De dood was niet de enige die iemand wegnam van wie je hield en die je nodig had; dat wist ik nu.

'Mamma heeft weer een man,' zei Chris opgewekt, 'en als je verliefd bent zie je alleen je eigen geluk. Ze zal gauw genoeg merken dat je een vriendje hebt.'

Carrie staarde naar mijn vest. 'Cathy, wat is dat op je vest?'

'Verf,' antwoordde ik zonder enige aarzeling. 'Chris heeft me geleerd om te schilderen, en hij werd boos omdat mijn schilderij mooier was dan de schilderijen die hij heeft gemaakt, en toen gooide hij het potje rode verf naar me toe.'

Mijn oudste broer zat me verdwaasd aan te kijken.

'Chris, kan Cathy beter schilderen dan jij?'

'Als zij het zegt, zal het wel zo zijn.'

'Waar is haar schilderij?'

'Op zolder.'

'Ik wil het zien.'

'Dan zul je het zelf moeten halen. Ik ben moe. Ik wil TV kijken, terwijl Cathy het eten klaarmaakt.' Hij keek even naar mij. 'Lieve zus van me, zou je fatsoenshalve een schone trui willen aantrekken voor we aan tafel gaan? Die rode verf maakt dat ik me schuldig voel.'

'Het is net bloed,' zei Cory. 'Het is zo hard als bloed wordt als je het er niet meteen uitwast.'

'Posterverf,' zei Chris, terwijl ik naar de badkamer ging om een trui aan te trekken die me vele maten te groot was. 'Posterverf wordt hard.'

Voldaan zei Cory tegen Chris dat hij de dinosaurussen had gemist. 'Chris, ze waren groter dan dit huis! Ze kwamen uit het water en slokten een boot met twee mannen op! Ik dacht dat je het wel jammer zou vinden dat je dat miste.'

'Ja,' zei Chris dromerig, 'ik had het graag gezien.'

Die nacht voelde ik me niet op mijn gemak. Ik was rusteloos en bleef denken aan de manier waarop Chris me op zolder had aangekeken.

Ik wist nu wat het geheim was waarnaar ik zo lang had gezocht – de geheime knop die de liefde inschakelt... het lichamelijke, seksuele verlangen. Het was niet alleen maar het zien van een naakt lichaam, want ik had Cory vaak gebaad en Chris naakt gezien, en ik had me er nooit erg over opgewonden dat hij en Cory anders waren geschapen dan Carrie en ik. Het was niet het feit dat je naakt was.

Het geheim lag in de ogen, de manier waarop de een naar de ander keek, waarop de ogen contact zochten en spraken, terwijl de lippen niet bewogen. Chris' ogen hadden meer gezegd dan tienduizend woorden.

En het was niet alleen de manier waarop hij me aanraakte, me teder liefkoosde; het was de manier waarop hij me aanraakte als hij keek zoals hij keek, en daarom had grootmoeder bevolen dat we niet naar het andere geslacht mochten kijken. Te bedenken dat die ouwe heks het geheim van de liefde kende. Zij kon nooit hebben liefgehad, nee, zij niet, met haar stenen hart en ijzeren ruggegraat... haar ogen konden nooit zacht en vriendelijk zijn geweest.

Maar toen ik er wat dieper over nadacht was het toch meer dan alleen de ogen – het was wat achter die ogen lag, in het brein, dat een ander wilde behagen, gelukkig maken, vreugde bereiden en de eenzaamheid opheffen van het niemand hebben die je begreep.

Zonde had niets te maken met liefde, echte liefde. Ik draaide mijn hoofd om en zag dat Chris ook wakker was. Hij lag op zijn zij naar mij te staren. Hij glimlachte zo lief dat ik had kunnen huilen, om hem, om mij.

Moeder bezocht ons die dag niet, evenmin als ze ons de dag tevoren had bezocht, maar we hadden een manier gevonden om ons op te vrolijken, namelijk door op Cory's muziekinstrumenten te spelen en te zingen. Ondanks de afwezigheid van een moeder die steeds onverschilliger begon te worden, gingen we die avond hoopvoller naar bed. Na een paar uur lang vrolijke liedjes te hebben gezongen, waren we ervan overtuigd dat de zon, de liefde, het huis en het geluk vlak om de hoek lagen, en dat onze lange dagen van dwalen door een diep, donker bos bijna voorbij waren.

In mijn opgewekte dromen sloop iets duisters en afschrikwekkends binnen. De dagelijkse vormen namen monsterachtige proporties aan. Met gesloten ogen zag ik grootmoeder op haar tenen de slaapkamer binnenkomen en toen ze dacht dat ik sliep schoor ze al mijn haar af! Ik schreeuwde, maar ze hoorde me niet – niemand hoorde me. Ze pakte een lang, glimmend mes en sneed mijn borsten af en stopte die in Chris' mond. En er was meer. Ik lag te woelen en te draaien en maakte zachte kermende geluidjes die Chris wekten. De tweeling sliep door of ze dood en begraven waren. Chris kwam struikelend naar me toe en ging op de rand van het bed zitten. Hij tastte náar mijn hand en vroeg: 'Weer een nachtmerrie?'

Nee! Dit was geen gewone nachtmerrie! Dit was vóórkennis, iets mediamieks. Ik voelde het in mijn botten, er ging iets verschrikkelijks gebeuren. Zwak en bevend vertelde ik Chris wat grootmoeder had gedaan. 'En dat was niet alles. Mamma kwam binnen en sneed mijn hart uit mijn lichaam, en ze was bezaaid met diamanten!'

'Cathy, dromen zijn niet belangrijk.'

'Dat zijn ze wel!'

Ik had andere dromen en nachtmerries aan mijn broer verteld, en hij had glimlachend gefluisterd en gezegd dat het hem erg leuk leek, net of je in een bioscoop zat, maar zo was het helemaal niet. In een bioscoop kijk je naar een groot doek, en je weet dat je alleen maar een verhaal ziet dat door een ander is geschreven. Maar aan mijn dromen nam ik actief deel. Ik leefde in die dromen, ik had gevoel, verdriet, pijn, en helaas vond ik ze zelden prettig.

Waarom zat Chris, die zo gewend was aan mij en mijn rare dromen, er nu zo roerloos als een marmeren beeld bij, alsof deze droom hem meer deed dan alle andere? Had hij ook gedroomd?

'Cathy, ik zweer je, we zullen uit dit huis vluchten! We lopen weg, alle vier! Je hebt me overtuigd. Je dromen moeten iets te betekenen hebben, anders zouden ze niet steeds weer terugkomen. Vrouwen zijn intuïtiever dan mannen; dat is een bewezen feit. En 's nachts werkt je onderbewustzijn. We wachten niet langer tot mamma heeft geërfd van een grootvader, die maar blijft leven en nooit doodgaat. Samen, jij en ik, zullen we een manier vinden. Vanaf deze seconde, ik zweer het je bij mijn leven, zullen we alleen nog op onszelf vertrouwen... en op jouw dromen.'

Uit de intense manier waarop hij dat zei begreep ik dat hij geen gekheid maakte – hij meende wat hij zei! Ik had het wel uit kunnen schreeuwen, zo opgelucht voelde ik me. We gingen weg! Dit huis zou uiteindelijk toch niet tot onze ondergang leiden!

In het duister en de kou van die grote, sombere, volgepropte kamer keek hij me diep in de ogen. Langzaam boog hij zijn hoofd naar me toe en kuste me op de mond alsof hij zijn belofte op zinvolle wijze wilde bezegelen. Het was zo'n merkwaardige lange kus, dat ik het gevoel had dat ik in de diepte tuimelde, steeds dieper en dieper, terwijl ik toch al in bed lag.

Wat we het dringendst nodig hadden was een sleutel van onze slaapkamerdeur. We wisten dat die sleutel op alle kamers in dit huis paste. Ons lakentouw konden we niet gebruiken vanwege de tweeling. Noch Chris, noch ik verwachtte dat grootmoeder zo slordig zou zijn om die sleutel achteloos ergens neer te leggen. Zij niet. Zij deed de deur open en stak de sleutel onmiddellijk in haar zak. Haar akelige grijze jurken hadden altijd zakken.

Maar moeder was nonchalant, vergeetachtig, onverschillig. En ze had nooit zakken in haar kleren, want die zouden uitpuilende bobbels vormen op haar slanke lichaam. We rekenden op haar.

En wat had ze nog van ons te vrezen – haar passieve, gedweeë, rustige kinderen? Haar gevangen kleine 'lieverds', die nooit zouden opgroeien om een bedreiging voor haar te vormen? Ze was gelukkig, ze was verliefd; haar ogen glansden en ze lachte vaak. Ze was zo verdomd onachtzaam, dat ik het wel had willen uitschreeuwen, zodat ze gedwongen zou zijn om te zien hoe rustig en ziekelijk de tweeling was! Ze had het nooit over de muis – waarom zag zij die muis niet? Hij zat op Cory's schouder, knabbelde aan Cory's oor, en ze zei geen woord, zelfs niet als de tranen over Cory's wangen rolden omdat ze hem niet gelukwenste met de manier waarop hij de liefde en aanhankelijkheid had weten te winnen van een klein koppig muisje dat zijn eigen weg zou zijn gegaan, als hij had gekund.

Ze was zo edelmoedig om twee of drie keer per maand te komen, en elke keer had ze cadeaus bij zich, die *haar* troost schenen te bieden, al gaven ze ons dat niet. Ze kwam elegant gekleed binnen en ging zitten in haar mooie, dure, met bont afgezette kleren, en al haar juwelen.

Ze zat als een koningin op haar troon en deelde uit – verf aan Chris, balletschoentjes aan mij, en voor ieder van ons bracht ze de fraaiste kleren mee, uitstekend geschikt voor de zolder, want daar deed het er niet toe of ze pasten, wat ze bijna nooit deden; ze waren te groot of te klein, en onze schoenen zaten soms gemakkelijk en soms niet, en ik wachtte nog steeds op de beha die ze steeds weer beloofde maar altijd vergat.

'Ik zal er een stuk of tien voor je meebrengen,' zei ze met een welwillende, opgewekte glimlach, 'in alle maten en kleuren. Dan kun je ze passen om te zien welke je het liefste hebt en welke het best passen. Degene die je niet wilt hebben geef ik wel aan de dienstmeisjes.' En zo babbelde ze vrolijk verder, altijd vasthoudend aan haar valse façade, altijd onder het mom dat we nog steeds een rol speelden in haar leven.

Ik bleef zitten, met mijn blik strak op haar gericht en wachtte tot ze me zou vragen hoe het met de tweeling ging. Was ze vergeten dat Cory hooikoorts had en voortdurend neusverkouden was, en dat zijn neus soms zo verstopt zat dat hij niet kon ademen, alleen door zijn mond? Ze wist dat hij eens per maand een injectie moest hebben tegen zijn allergie, en er waren nu al jaren voorbijgegaan sinds hij zijn laatste injectie had gehad. Deed het haar niets dat Cory en Carrie zich aan mij vastklampten, alsof *ik* degene was die hen op de wereld had gebracht? Drong er ook maar iets tot haar door? Besefte ze niet dat er iets mis was?

In ieder geval liet ze op geen enkele manier blijken dat ze de situatie niet volkomen normaal zou vinden, hoewel ik de moeite nam al onze ziektesymptomen op te noemen, dat we tegenwoordig zo vaak overgaven, dat we vaak hoofdpijn hadden en maagkramp en soms zo weinig energie hadden.

'Bewaar je eten op zolder, daar is het koud,' zei ze zonder een spier te vertrekken.

Ze durfde ons te vertellen over parties, concerten, theater, films, bals en reizen met haar 'Bart'. 'Bart en ik gaan winkelen in New York,' zei ze. 'Zeg maar wat ik voor je mee moet brengen. Maak maar een lijstje.'

'Mamma, als je kerstinkopen hebt gedaan in New York, waar ga je dan naar toe?' vroeg ik, zorgvuldig vermijdend naar de sleutel te kijken die ze achteloos op de toilettafel had neergelegd. Ze lachte, mijn vraag beviel haar. Ze sloeg haar slanke handen ineen en begon haar plannen op te sommen voor de lange saaie dagen na de vakantie. 'Een reisje naar het zuiden, misschien een cruise, of een maand of zo naar Florida. En je grootmoeder blijft hier om voor jullie te zorgen.'

Terwijl ze zat te babbelen kwam Chris voorzichtig dichterbij en liet de sleutel in zijn broekzak glijden. Toen excuseerde hij zich en ging naar de badkamer. Hij had zich niet ongerust hoeven te maken; ze merkte niet eens dat hij weg was. Ze deed haar plicht, ging op bezoek bij haar kinderen – en God zij dank had ze de juiste stoel gekozen om op te gaan zitten. Ik wist dat Chris de sleutel in de badkamer in een stuk zeep drukte dat we hadden bewaard om een duidelijke afdruk te maken. Een van de vele dingen die het eindeloze televisiekijken ons had geleerd.

Toen moeder weg was haalde Chris een stukje hout te voorschijn en begon onmiddellijk een ruwe houten sleutel te snijden. We hadden wel metaal, van de oude sloten van de hutkoffers, maar niets dat sterk genoeg was om het metaal te snijden en bij te schaven. Uren en uren zwoegde Chris op die sleutel, paste hem telkens opnieuw in de zeepimpressie. Hij had met opzet heel hard hout genomen, uit angst dat zacht hout in het slot zou kunnen afbreken en ons ontsnappingsplan verraden. Het duurde drie dagen voor hij een sleutel had die paste.

We jubelden van blijdschap! We omhelsden elkaar en dansten door de kamer, lachend, kussend, bijna huilend. De tweeling keek verbaasd naar ons omdat we zo blij waren met een kleine sleutel.

Nu hadden we een sleutel. We konden de deur van onze gevangenis openmaken. Maar vreemd genoeg hadden we buiten dat openen van die deur geen verdere plannen.

'Geld. We hebben geld nodig,' zei Chris plotseling en bleef midden in zijn wilde triomfdans staan. 'Met geld gaan alle deuren voor ons open.'

'Maar hoe komen we aan geld?' vroeg ik bezorgd. Hij had weer een reden gevonden om het uit te stellen.

'We moeten het stelen van mamma, haar man of van grootmoeder.'

Hij zei het zo beslist, of stelen een oud en gerespecteerd vak was. En misschien was het dat ook wel, en is het dat nog steeds, als de nood aan de man komt.

'Als we betrapt worden, krijgen we allemaal met de zweep, ook de tweeling,' zei ik, terwijl ik naar hun angstige gezichtjes keek. 'En als mamma op reis gaat met haar man, zou *zij* ons weer kunnen uithongeren, en God mag weten wat *zij* ons nog meer zou aandoen.'

Chris plofte neer op de kleine stoel voor de toilettafel. Hij leunde met zijn kin in zijn hand en dacht een paar minuten ernstig na. 'Eén ding staat vast: ik wil niet dat jij of de tweeling wordt gestraft. Dus ga *ik* er op uit om te stelen; en ik zal alleen schuld bekennen als ik betrapt word. Maar ik laat me niet betrappen; het *is* te gevaarlijk om van die ouwe vrouw te stelen – zij let veel te goed op. Ze weet vast tot op de cent nauwkeurig hoeveel geld ze in haar portemonnaie heeft. Mamma telt haar geld nooit. Herinner je je nog hoe pappa daar altijd over klaagde?'

Hij grinnikte geruststellend naar me. 'Het is net Robin Hood, stelen van de rijken om aan de armen te geven – aan ons! En alleen op de avonden als mamma ons vertelt dat ze met haar man uitgaat.'

'We kunnen altijd uit het raam kijken,' zei ik. 'Op die dagen komt ze nooit.' Als we het waagden om te kijken, hadden we een uitstekend uitzicht op de kromme oprijlaan, waar we al het komen en gaan konden controleren.

Het duurde niet lang of mamma vertelde ons dat ze naar een party ging. 'Bart houdt er niet van: hij blijft liever thuis. Maar ik haat dit huis. Maar als hij vraagt waarom we niet in een eigen huis gaan wonen, wat kan ik dan zeggen?'

Wat ze kon zeggen? *Lieveling, ik moet je een geheim verklappen: boven in de noordelijke vleugel, heb ik vier kinderen verborgen?*

Het was niet moeilijk voor Chris om geld te vinden in de grote, mooie slaapkamer van zijn moeder. Ze was zorgeloos met geld. Zelfs hij was geschokt door de manier waarop ze biljetten van tien en twintig dollar op de toilettafel verspreid liet liggen. Het maakte hem achterdochtig. Ze zou immers sparen voor de dag dat ze ons uit onze gevangenis zou halen... ook al had ze nu een man? In haar talloze portefeuilles vond hij nog meer biljetten. En hij vond klein geld in de broekzakken van haar man. Nee, hij was minder nonchalant met zijn geld. Maar toen Chris onder de kussens van de stoelen zocht vond hij daar nog een stuk of tien muntstukjes. Hij voelde zich een dief, een ongewenste indringer in de kamer van zijn moeder. Hij zag haar mooie kleren, haar satijnen muiltjes, haar met bont of maraboe-veren afgezette négligés, en zijn vertrouwen slonk steeds meer.

Die winter ging hij keer op keer terug naar de slaapkamer, en hij werd steeds achtelozer, omdat het allemaal zo gemakkelijk te stelen was. Hij kwam terug, met een triomfantelijk of bedroefd gezicht. Elke dag werd onze verborgen schat groter – waarom keek hij dan zo bedroefd? 'Ga de volgende keer maar met me mee,' was zijn antwoord. 'Dan kun je het zelf zien.'

Ik kon nu met een rustig geweten gaan. De tweeling zou niet wakker worden en merken dat we weg waren. Ze sliepen zo diep en zo vast dat ze zelfs 's morgens nog nauwelijks hun ogen open konden krijgen, en met grote tegenzin terugkwamen in de werkelijkheid. Soms, als ik naar ze keek terwijl ze lagen te slapen, sloeg de schrik me om het hart. Twee kleine poppen, die niet groeiden en zo diep in de vergetelheid waren verzonken, dat het meer op een halve dood leek dan op een normale nachtrust.

Ga weg, vlucht, de lente nadert, jullie moeten weg vóór het te laat is! Een intuïtieve stem in mijn hoofd bleef datzelfde deuntje hameren. Chris lachte toen ik het hem vertelde. 'Cathy, jij en je voorgevoelens. We hebben geld nodig. Minstens vijfhonderd dollar. Waarom zo'n haast? We hebben te eten en we krijgen geen slaag; zelfs al betrapt *zij* ons terwijl we nog maar half aangekleed zijn, dan nog zegt ze niets.'

Waarom strafte grootmoeder ons niet? We hadden mamma niet verteld wat ze met ons gedaan had, hoe ze tegen ons had gezondigd, want voor mij was het een zonde, die op geen enkele manier goed te praten was. En toch bleef die oude vrouw terughoudend. Dagelijks bracht ze ons de picknickmand, tot aan de rand gevuld met boterhammen, lauwe soep in thermosflessen, melk en altijd vier donuts met poedersuiker. Waarom kon ze ons menu niet eens variëren en wat koekjes of een stuk taart of cake brengen?

'Kom,' drong Chris aan, me meesleurend door de donkere, sombere gangen. 'Op één plaats blijven is gevaarlijk. We kijken even in de trofeeënkamer en gaan dan meteen door naar mamma's slaapkamer.'

Eén blik in de trofeeënkamer was voldoende. Ik haatte – verafschuwde het portret boven de open haard – dat zo op onze vader leek – en toch zo anders was. Een man die zo wreed en harteloos was als Malcolm Foxworth had niet het recht zo knap te zijn, zelfs niet toen hij jong was. Met zulke kille blauwe ogen had de rest van zijn lichaam overdekt moeten zijn met bulten en zweren. Ik zag al die koppen van dode dieren en de tijger- en berehuiden op de grond, en ik dacht: net iets voor hem om zo'n kamer te willen.

Als Chris me mijn gang had laten gaan, had ik in alle kamers gekeken. Maar hij liep alle gesloten deuren voorbij, alleen bij een enkele mocht ik even naar binnen kijken. 'Nieuwsgierig aagje!' fluisterde hij. 'Er is niets interessants in die kamers.' Hij had gelijk. Hij had zo vaak gelijk. Die avond begreep ik wat Chris bedoelde toen hij zei dat dit huis alleen maar groot en mooi was, niet leuk of gezellig. Ons huis in Gladstone verschrompelde bij de vergelijking.

Na een hele hoop lange, schemerig verlichte gangen te zijn doorgelopen kwamen we eindelijk bij de kamer van mijn moeder. Chris had me wel in alle details verteld over het zwanebed en het kleine bed aan het voeteneind – maar horen was iets heel anders dan zien! Ik kon mijn ogen niet geloven! Dit was geen kamer, maar een vertrek dat geschikt was voor een koningin of prinses! Al die kostbare pracht en praal, de weelde! Diep onder de indruk liep ik heen en weer, raakte vol ontzag de muren aan die behangen waren met rozerood zijden damast, een warmere kleur dan het bleke lila van het vijf centimeter dikke tapijt op de grond. Ik betastte de zachte, donzige sprei, ging erop liggen en liet me heen en weer rollen. Ik raakte de wazige bedgordijnen aan en de zwaardere overgordijnen van paars fluweel. Ik sprong op van het bed en ging aan het voeteneind staan en staarde vol bewondering naar die fantastische zwaan die zijn oplettende, maar slaperige rode ogen op mij gevestigd hield.

Toen draaide ik me om. Ik hield niet van een bed waar mamma met een man sliep die niet mijn vader was. Ik liep naar de garderobekamer, ronddolend in een droom van rijkdom die nooit de mijne zou kunnen zijn behalve in een droom. Er hingen meer kleren dan in een warenhuis. Plus schoenen, hoeden, tassen. Vier lange bontjassen, drie bontstola's, een cape van witte nerts en een cape van sabelbont, en bonthoeden in tien verschillende modellen, van verschillende dierenhuiden, plus een luipaardjas met groene wol tussen het bont verwerkt. Er hingen négligés, nachthemden, bij elkaar passende nachthemden en peignoirs, met stroken, linten, ruches, veren, bont, van fluweel, satijn, chiffon – ze zou duizend jaar moeten worden om al haar kleren één keer te kunnen dragen!

Ik haalde een paar dingen uit de garderobe en nam die mee naar de vergulde kleedkamer die Chris me liet zien. Ik keek in haar badkamer met spiegels aan alle wanden, levende groene planten, echte bloemen, twee toiletten – één zonder deksel (ik weet nu dat het een bidet was). En een aparte douche. 'Dit is allemaal nieuw,' legde Chris uit. 'Toen ik hier de eerste keer kwam, je weet wel de avond van het kerstfeest, was het niet zo... nou ja, zo weelderig als nu.'

Ik draaide me met een ruk om en keek hem woedend aan. Ik vermoedde dat die kamer altijd al zo was geweest, maar dat hij het me niet had willen vertellen. Hij had haar met opzet beschermd, hij wilde niet dat ik wist van al die kleren, dat bont en die ontzaglijke hoeveelheid juwelen die ze verborgen hield in een geheime la van haar grote toilettafel. Nee, hij had niet gelogen – alleen maar dingen weggelaten. Het was te zien in zijn ogen, die hem verrieden, die mijn blik ontweken, aan zijn rode gezicht en de manier waarop hij mijn pijnlijke vragen ontweek – geen wonder dat ze niet in *onze* kamer wilde slapen!

Ik stond in de kleedkamer en paste mamma's kleren aan. Voor het eerst in mijn leven trok ik nylon kousen aan – wat zagen mijn benen er fantastisch in uit, geweldig! Geen wonder dat vrouwen die graag droegen! Vervolgens trok ik voor het eerst een beha aan, die tot mijn teleurstelling veel te groot was. Ik stopte de cups vol kleenex, tot ze trots naar voren staken. Toen kwamen de zilveren schoentjes, ook al te groot. En tenslotte zette ik de kroon op mijn werk met een zwarte jurk die van voren heel laag was uitgesneden om te laten zien wat ik in maar heel bescheiden mate bezat.

Nu kwam het leukste deel – wat ik vroeger altijd deed als ik even de kans kreeg. Ik ging voor mamma's toilettafel zitten en begon met royale hand haar make-up aan te brengen. Ze had karrevrachten van dat spul. Ik smeerde alles op mijn gezicht wat ik maar vond: foundation, rouge, poeder, mascara, ogenschaduw, lippenstift. Toen stak ik mijn haar op, wat ik sexy en modern vond, stak er een paar haarspelden in en behing me vervolgens met allerlei juwelen. Tot slot parfum – grote hoeveelheden parfum.

Wankelend op mijn hoge hakken liep ik naar Chris. 'Hoe zie ik eruit?' vroeg ik flirtend en glimlachend en knipperend met mijn zwarte wimpers. Ik was voorbereid op een complimentje. De spiegels hadden me immers al verteld dat ik er geweldig uitzag?

Hij was bezig in een la te zoeken, en legde alles precies zo weer terug als hij het gevonden had. Hij draaide zich om en keek me aan. Hij sperde zijn ogen open van verbazing en fronste toen zijn wenkbrauwen, terwijl ik naar achteren en naar voren en opzij zwaaide om mijn evenwicht te bewaren op de tien centimeter hoge hakken en met mijn wimpers bleef knipperen – misschien wist ik niet precies hoe ik valse wimpers moest aanbrengen. Het was net of ik door spinnepoten keek.

'Hoe je eruit ziet?' zei hij sarcastisch. 'Dat zal ik je precies vertellen. Je ziet eruit als een hoer!' Hij draaide zich vol afkeer om, alsof hij het niet langer kon aanzien. 'Een onvolwassen hoer! En ga nou je gezicht wassen en leg al die rommel terug waar je het gevonden hebt en maak de toilettafel schoon!'

Ik wankelde naar de dichtstbijzijnde lange spiegel. Het was een driedelige spiegel, met een draaibare linker- en rechterhelft, waardoor je jezelf van alle kanten kon bekijken. In die zeer onthullende spiegels bekeek ik mezelf uit een nieuwe gezichtshoek – het was een fascinerende spiegel, die sloot als een driebladig boek, met een prachtig Frans landschap aan de achterkant.

Draaiend en kerend bewonderde ik mijn uiterlijk. Maar het was toch niet zoals moeder er uitzag in diezelfde jurk – wat had ik verkeerd gedaan? Het was waar dat zij niet zoveel armbanden aan haar armen droeg. En ook niet drie kettingen tegelijk, met lange diamanten oorhangers tot op haar schouders, én nog een tiara; en ook droeg ze nooit twee of drie ringen aan elke vinger – inclusief haar duimen.

Maar ik zag er wel verblindend uit. En mijn vooruitstekende boezem was het aanzien waard! Maar als ik eerlijk was, moest ik toegeven dat ik had overdreven.

Ik deed zeventien armbanden af, zesentwintig ringen, de kettingen, de tiara, en ik trok de zwarte chiffon avondjurk uit die mij niet zo elegant stond als mamma als zij hem droeg naar een diner met alleen een parelketting om haar hals. O, maar al die bontmantels en capes – je móest je wel mooi voelen in bont!

'Schiet op, Cathy. Laat die rommel met rust en kom helpen zoeken.'

'Chris, ik zou zo graag een bad nemen in dat zwart marmeren bad.'

'Godallemachtig! Daar hebben we nu geen tijd voor!'

Ik trok haar kleren uit, haar zwarte kanten beha, de nylon kousen en de zilveren schoentjes, en trok mijn eigen spullen weer aan. Maar bij nader inzien gapte ik een simpele witte beha uit haar la, waarin een enorme hoop bustehouders lagen en verstopte die in mijn bloese. Chris had mijn hulp niet nodig. Hij was hier al zo vaak geweest, hij kon dat geld ook wel vinden zonder mijn assistentie. Ik wilde alle laden nakijken, maar ik moest opschieten. Ik trok een kleine la van haar nachtkastje open, waar ik verwachtte nachtcrème, kleenex en zo te vinden, maar niets van waarde dat de kamermeisjes konden stelen. Er lag inderdaad nachtcrème in de la en kleenex, en twee pocketboekjes om te lezen als ze niet in slaap kon komen. (Waren er nachten waarin ze lag te woelen en te draaien, en onrustig aan ons lag te denken?) Onder die pocketboekjes lag een groot, dik boek met een kleurige omslag. NAAIWERK – EIGEN ONTWERPEN. Dat was een titel die me intrigeerde. Mamma had me op mijn eerste verjaardag wat naaien en borduren geleerd. En je eigen ontwerpen maken zou best leuk kunnen zijn.

Achteloos haalde ik het boek te voorschijn en sloeg willekeurig een paar pagina's open. Achter me hoorde ik Chris zachtjes laden open en dicht schuiven en op zijn gymschoenen door de kamer sluipen. Ik had verwacht bloempatronen te zien – alles, maar niet wat ik in werkelijkheid zag. Zwijgend, met wijd opengesperde ogen, verbluft en gefascineerd, staarde ik naar de kleurenfoto's. Ongelooflijke foto's van naakte mannen en vrouwen die... deden mensen dat werkelijk? Was dat wat ze deden als ze met elkaar naar bed gingen?

Chris was niet de enige die gefluisterde verhalen had gehoord die gniffelend werden verteld door de oudere kinderen op school. Ik had altijd gedacht dat het iets gewijds en eerbiedigs was, iets dat je in volledige afzondering deed, achter gesloten deuren. Maar in dit boek waren een heleboel paren bij elkaar in één kamer, allemaal naakt, en allemaal op een of ander manier in elkaar. Tegen mijn wil, dat wilde ik tenminste graag denken, sloeg mijn hand langzaam elke pagina om. Mijn blik werd steeds ongeloviger! Zoveel manieren om het te doen! Zoveel houdingen! Mijn God, was *dit* wat de verliefde Raymond en Lily vanaf de eerste pagina van die Victoriaanse roman in gedachten hadden? Ik hief mijn hoofd op en staarde nietsziend voor me uit. Waren we vanaf het begin van ons leven op weg hier naartoe?

Chris riep me, vertelde me dat hij genoeg geld had gevonden. Hij kon niet te veel ineens stelen, anders zou ze het merken. Hij nam alleen een paar vijf-dollarbiljetten en een hoop van één dollar, en al het kleine geld dat onder de kussens van de stoelen lag. 'Cathy, wat is er? Ben je doof? Kom mee.'

Ik kon me niet bewegen, ik kon niet weg, ik kon dat boek niet dichtklappen voordat ik het van voren naar achteren had bekeken. Omdat ik zo geboeid bleef kijken, niet in staat om te reageren, kwam hij achter me staan en keek over mijn schouder om te zien waardoor ik zo gehypnotiseerd was. Ik hoorde dat hij scherp zijn adem inhield. Na een eindeloze tijd liet hij zijn adem fluitend ontsnappen. Hij zei geen woord tot ik aan het eind was en het boek dichtsloeg. Toen nam hij het uit mijn hand en begon bij het begin, keek naar elke pagina die hij had gemist, terwijl ik naast hem stond en ook weer meekeek. Er stond een klein gedrukte tekst naast de grote foto's die een hele pagina besloegen. Maar de foto's hadden geen uitleg nodig – volgens mij tenminste niet.

Chris sloeg het boek dicht. Ik keek even naar zijn gezicht. Hij keek verbijsterd voor zich uit. Ik legde het boek terug in de la, de pocketboekjes er bovenop, precies zoals ik het had gevonden. Hij pakte me bij de hand en trok me mee naar de deur. Zwijgend liepen we over de lange donkere gangen terug naar de noordelijke vleugel. Nu wist ik maar al te goed waarom de heks-grootmoeder Chris en mij in aparte bedden wilde hebben, als de drang van het lichamelijk verlangen zo groot was, zo veeleisend en zo opwindend dat de mensen meer op duivels dan op heiligen leken. Ik boog me over Carrie heen, staarde naar haar slapende gezichtje, dat in haar slaap weer de onschuld en kinderlijkheid kreeg die het overdag begon te missen. Ze leek een klein engeltje zoals ze daar op haar zij lag opgerold, met roze, blozende wangen, vochtige haren die krulden in haar nek en op haar voorhoofd. Ik kuste haar. Haar wang was warm. Toen ging ik naar Cory en raakte zijn zachte krullen aan en kuste zijn rode wangetje. Kinderen als de tweeling waren het gevolg van de dingen die ik zojuist had gezien in dat erotische plaatjesboek, dus kon het niet helemaal slecht zijn, anders zou God de mannen en vrouwen niet zo hebben geschapen. Ik voelde me bekommerd en onzeker, en diep in mijn hart verbijsterd en geschokt, en toch...

Ik sloot mijn ogen en bad in stilte: *God, laat de tweeling veilig en gezond blijven tot we hier weg zijn... laat ze leven tot we een heldere, zonnige plaats hebben gevonden waar de deuren nooit gesloten zijn... alstublieft.*

'Jij mag het eerst in bad,' zei Chris, die op de rand van zijn bed ging zitten met zijn rug naar me toe. Hij zat met gebogen hoofd en dit was nog wel *zijn* avond om het eerst in bad te gaan.

Als gehypnotiseerd ging ik in bad, deed alles wat ik doen moest, kwam er toen weer uit en trok het dikste, warmste, oma-nachthemd aan dat ik bezat. Mijn gezicht was schoongeboend van alle make-up. Ik had mijn haar gewassen en het was nog een beetje vochtig toen ik op bed ging zitten en het langzaam begon te borstelen.

Chris stond zwijgend op en liep naar de badkamer zonder naar me te kijken, en toen hij veel later te voorschijn kwam en ik nog steeds mijn haar zat te borstelen, vermeed hij mijn blik. Ik wilde ook liever niet dat hij naar me keek.

Een van grootmoeders regels was dat we elke avond naast ons bed moesten knielen en ons gebed opzeggen. Maar die nacht knielden we geen van beiden en baden niet. Vaak lag ik op mijn knieën naast het bed, mijn handpalmen tegen elkaar onder mijn kin, zonder te weten wat ik moest bidden. Ik had immers al zoveel gebeden, en het hielp toch allemaal niets. Ik knielde alleen maar, ik dacht aan niets en was somber gestemd, maar mijn lichaam voelde alles en schreeuwde uit wat ik niet durfde te denken, laat staan hardop te zeggen.

Ik ging op mijn rug naast Carrie liggen. Ik voelde me bezoedeld, veranderd door dat grote boek, dat ik toch weer zou willen zien, en ook de tekst lezen. Misschien had ik het boek weer moeten terugleggen zodra ik ontdekte waar het over ging – en ik had het zeker dicht moeten slaan toen Chris achter me kwam staan en over mijn schouder meekeek. Ik wist al dat ik geen heilige en geen engel was, en ook geen puriteinse jongejuffrouw, en ik voelde in mijn botten dat ik in de naaste toekomst alles zou moeten weten wat er met een lichaam in bed gebeurde en hoe het gebruikt werd.

Langzaam, heel langzaam draaide ik mijn hoofd om en tuurde door de roze schemer om te zien wat Chris deed.

Hij lag op zijn zij onder de dekens en staarde naar mij. Zijn ogen glansden in het vage licht dat door de zware gordijnen naar binnen viel.

'Alles goed?' vroeg hij.

'Ja, ik overleef het wel.' En toen zei ik welterusten met een stem die totaal niet op de mijne leek.

'Welterusten, Cathy,' zei hij, ook met de stem van een ander.

MIJN STIEFVADER

In dat voorjaar werd Chris ziek. Hij zag groen rond zijn mond en gaf om de paar minuten over, kwam wankelend terug uit de badkamer en liet zich zwak op bed neervallen. Hij wilde *Gray's Anatomie* bestuderen, maar gooide het geërgerd opzij. 'Het moet iets zijn dat ik gegeten heb,' mopperde hij.

'Chris, ik vind het naar om je nu alleen te laten,' zei ik, terwijl ik de houten sleutel in het slot stak.

'Hoor eens, Cathy!' zei hij. 'Het wordt tijd dat je op eigen benen leert staan! Je hebt mij heus niet elk ogenblik van de dag nodig. Dat was de moeilijkheid met mamma. Ze dacht dat ze altijd een man zou hebben om op te leunen. Vertrouw alleen op jezelf, Cathy, altijd.'

Angst maakte zich van me meester, was in mijn ogen te zien. Hij zag het en sprak wat vriendelijker. 'Er gebeurt me niets, heus niet. Ik kan echt wel op mezelf passen. We hebben het geld nodig, Cathy, dus ga nu maar. Misschien is dit wel onze laatste kans.'

Ik holde naar hem terug, liet me op mijn knieën vallen naast zijn bed en legde mijn gezicht op zijn borst. Teder liefkoosde hij mijn haar. 'Heus Cathy, ik overleef het wel. Het is niet zo erg dat je hoeft te huilen. Maar je moet begrijpen, dat, wat er ook met een van ons gebeurt, degene die overblijft de tweeling hier vandaan moet halen.'

'Je mag zoiets niet zeggen!' riep ik uit. Als ik alleen maar dacht aan de mogelijkheid dat hij zou kunnen sterven, voelde ik me al ziek. En terwijl ik naast hem geknield lag en hem aankeek, ging het plotseling door me heen dat we de laatste tijd zo vaak ziek waren.

'Cathy, ik wil dat je gaat. Sta op. Dwing jezelf. En pak alleen biljetten van één en vijf dollar. Geen hogere bedragen. Maar pak wel munten die onze stiefvader uit zijn zakken laat vallen. En achterin zijn kast staat een groot blik met kleingeld. Neem een handvol daaruit.'

Hij was bleek en zwak en mager. Snel gaf ik hem een zoen op zijn wang. Ik ging niet graag weg nu hij zich zo ziek voelde. Ik keek naar de slapende tweeling en liep achteruit naar de deur, de houten sleutel in mijn hand geklemd. 'Ik hou van je, Christopher Doll,' zei ik schertsend voordat ik de deur opendeed.

'Ik hou ook van jou, Catherine Doll,' zei hij. 'Goeie jacht.'

Ik wierp hem een kushand toe en deed de deur weer achter me op slot. Het was veilig om in mamma's kamer te gaan stelen, want vanmiddag had ze ons verteld dat zij en haar man naar een feestje gingen bij vrienden die iets verderop woonden. En terwijl ik over de gangen sloop, in de schaduw vlak langs de muren, dacht ik dat ik *wel* minstens één biljet van twintig en één van tien zou wegpakken. Ik zou het risico nemen dat iemand het zou merken. Misschien zou ik zelfs wat van mamma's juwelen stelen. Juwelen kon je verpanden, dat was net zo goed als geld, misschien nog beter.

Ik was een en al zakelijkheid en vastberadenheid en verspilde geen tijd in de trofeeënkamer. Ik sloop regelrecht naar mamma's slaapkamer. Ik verwachtte niet grootmoeder te zullen tegenkomen, die vroeg naar bed ging, om negen uur. En het was nu tien uur.

Met al mijn dappere vastberadenheid en mijn zelfvertrouwen ging ik haar kamer binnen en deed de deur zachtjes achter me dicht. Er brandde nog licht. Ze liet vaak licht branden in haar kamer – soms zelfs alle lampen, volgens Chris. Want wat betekende geld nog voor mijn moeder?

Aarzelend en onzeker bleef ik bij de deur staan en keek om me heen. Toen verstarde ik van schrik.

In een stoel, met zijn lange benen voor zich uitgestrekt, en zijn enkels over elkaar geslagen, zat mamma's nieuwe echtgenoot! Ik stond vlak voor hem, in een doorzichtig blauw nachthemd, dat heel kort was, al droeg ik er een bijpassend broekje onder. Mijn hart bonsde wild, terwijl ik stond te wachten tot hij zou gaan bulderen en zou willen weten wie ik was, en wat ik in mijn hoofd haalde om onuitgenodigd in zijn slaapkamer binnen te komen.

Maar hij zei niets.

Hij droeg een zwarte smoking en een roze smokinghemd met ruches. Hij bulderde niet, hij vroeg niets, omdat hij sliep. Ik had me bijna omgedraaid en was weer weggegaan, zo bang was ik dat hij wakker zou worden en me zou zien.

Maar mijn nieuwsgierigheid won het van mijn schroom. Op mijn tenen sloop ik naderbij om hem te bekijken. Ik durfde heel dicht bij hem te gaan staan, vlak bij zijn stoel, zodat ik mijn hand kon uitsteken en hem aanraken als ik wilde. Dicht genoeg bij hem om mijn hand in zijn zak te steken en hem te beroven als ik wilde, wat ik niet deed.

Diefstal was het laatste waar ik aan dacht toen ik naar dat knappe, slapende gezicht keek. Ik verbaasde me nu ik mijn moeders geliefde Bart van zo dichtbij zag. Ik had hem een paar keer van een afstand gezien: eerst op de avond van het kerstfeest, en nog een keer toen hij beneden stond bij de trap en een jas ophield voor mamma. Hij had haar in haar hals en achter haar oor gezoend en iets gefluisterd dat haar deed glimlachen, en hij had haar teder tegen zich aangetrokken voor ze samen de deur uitgingen.

Ja, ja, ik had hem gezien en veel over hem gehoord, en ik wist waar zijn zusters woonden en waar hij was geboren en waar hij op school was gegaan, maar ik was niet voorbereid op wat ik zag.

Mamma – hoe kon je? Je moest je schamen! Deze man is jonger dan jij – jaren jonger! Dat had ze ons niet verteld.

Een geheim. Wat kon ze zo'n belangrijk geheim goed bewaren! Geen wonder dat ze zo dol op hem was – hij was het soort man waar elke vrouw op zou vallen. Toen ik hem daar zo achteloos languit in die stoel zag liggen, had ik het idee dat hij tegelijk teder en hartstochtelijk zou zijn als hij haar beminde.

Ik wilde die man haten die daar in de stoel lag te slapen, maar ik kon het niet. Zelfs nu hij sliep voelde ik me tot hem aangetrokken en deed hij mijn hart sneller kloppen.

Bartholomew Winslow glimlachte in zijn slaap, onschuldig, onbewust reagerend op mijn bewondering. Een advocaat, een van die mensen die alles wisten – net als artsen – net als Chris. Hij moest vast iets zien en meemaken dat erg plezierig was. Wat ging er in zijn hoofd om achter die gesloten oogleden? Ik was ook benieuwd of zijn ogen blauw of bruin waren. Zijn hoofd was lang en mager, en zijn lichaam slank en hard en gespierd. Naast zijn lippen waren diepe kloven, net langgerekte kuiltjes, die kwamen en gingen met zijn vage slaperige glimlach.

Hij droeg een brede gouden trouwring, die ik herkende als de tweeling van de dunnere ring die mijn moeder droeg. Aan de wijsvinger van zijn rechterhand droeg hij een grote vierkante diamanten ring, die zelfs in het schemerdonker fonkelde. Zijn lange vingers hadden recht afgeknipte nagels die waren gepolijst, zodat ze glommen, net als de mijne. Ik herinnerde me dat mamma vroeger pappa's nagels polijstte, terwijl ze een plagend spel speelden met hun ogen.

Hij was lang... dat wist ik al. Maar zijn volle, sensuele lippen onder zijn snor trokken me het meest aan. Die mooi gevormde mond – de sensuele lippen die mijn moeder kusten... overal. Dat boek van die seksuele genoegens had me goed geleerd hoe volwassenen zich gedroegen als ze naakt in bed lagen.

Het kwam plotseling over me – de impuls hem te kussen – alleen maar om te zien of zijn donkere snor kriebelde. En ook om te weten hoe een kus was van een vreemde man, die geen familie was.

Dit was niet verboden. Het was niet zondig als ik aarzelend mijn hand uitstak en zachtjes over zijn glad geschoren wang aaide, hem zachtjes uitdaagde om wakker te worden.

Maar hij sliep door.

Ik boog me over hem heen en drukte mijn lippen zachtjes op de zijne, trok me toen snel terug, mijn hart bonzend van angst. Bijna wilde ik dat hij wakker zou worden, maar ik was toch bang. Ik was nog te jong en te onzeker van mijn aantrekkelijkheden, om te geloven dat hij mij te hulp zou komen, terwijl een vrouw als mijn moeder dol verliefd op hem was. Zou hij, als ik hem wakker schudde, kalm blijven luisteren naar mijn verhaal over vier kinderen die jaar na jaar opgesloten zaten in een eenzame, afgezonderde kamer, ongeduldig wachtend tot hun grootvader zou sterven? Zou hij het begrijpen en met ons sympathiseren, en zou hij mamma dwingen ons vrij te laten en dat immense fortuin te laten schieten?

Mijn handen vlogen nerveus naar mijn keel, zoals mamma altijd deed als ze voor een dilemma stond en niet wist wat ze moest doen. Mijn instinct schreeuwde: *Maak hem wakker!* Mijn achterdocht fluisterde sluw: hou je kalm, hij mag niets weten; hij wil immers geen vier kinderen van wie hij de vader niet is. Hij zal jullie haten omdat je zijn vrouw belet al die rijkdom te erven en alles wat voor geld te koop is. Kijk eens naar hem, zo jong, zo knap. En al was moeder erg mooi en zou ze een van de rijkste vrouwen ter wereld worden, toch had hij ook met een jongere vrouw kunnen trouwen. Een maagd die nog nooit van iemand anders had gehouden en met niemand had geslapen.

En toen was mijn besluiteloosheid voorbij. Het antwoord was zo simpel. Wat waren vier ongewenste kinderen vergeleken met die ongelooflijke rijkdom?

Niets. Dat had mamma ons al geleerd. En een maagd zou hem alleen maar vervelen.

Het was niet eerlijk! Het was gemeen! Moeder had alles! De vrijheid om te komen en te gaan wanneer ze wilde; de vrijheid om zoveel geld uit te geven als ze wilde en alles te kopen in de beste winkels ter wereld. Ze had zelfs het geld om een veel jongere man te kopen die ze kon liefhebben en met wie ze kon slapen – en wat hadden Chris en ik behalve een paar vervlogen dromen, onvervulde beloften en eindeloze frustraties?

En wat had de tweeling behalve een poppenhuis en een muis en een steeds slechter wordende gezondheid?

Ik ging terug naar de sombere, afgesloten kamer met tranen in mijn ogen en een hulpeloos, hopeloos gevoel als een zware kei in mijn maag. Ik vond Chris slapend met *Gray's Anatomie* omgekeerd opengeslagen op zijn borst. Zorgvuldig legde ik een papiertje bij de bladzij waar hij gebleven was, deed het boek dicht en legde het opzij.

Toen ging ik naast hem liggen en klampte me aan hem vast. Zwijgend rolden de tranen over mijn wangen en maakten zijn pyjamajasje vochtig.

'Cathy,' zei hij, wakker wordend en slaperig opkijkend, 'wat is er? Waarom huil je? Heeft iemand je gezien?'

Ik kon hem niet recht in zijn bezorgde ogen kijken en om een onverklaarbare reden kon ik hem ook niet vertellen wat er gebeurd was. Ik kon niet hardop zeggen dat ik mamma's nieuwe echtgenoot slapend in haar kamer had gevonden. En nog veel minder dat ik zo kinderachtig romantisch was geweest om hem te kussen terwijl hij sliep.

'En je hebt niets gevonden?' vroeg hij ongelovig.

'Geen cent,' fluisterde ik en probeerde mijn gezicht te verbergen. Maar hij legde zijn handen om mijn kin en dwong me mijn hoofd om te draaien zodat hij me diep in mijn ogen kon kijken. O, waarom kenden we elkaar toch zo goed? Hij staarde me aan en ik probeerde geen enkele uitdrukking te leggen in mijn ogen, maar het had geen zin. Het enige wat ik kon doen was mijn ogen sluiten en me dichter in zijn armen nestelen. Hij verborg zijn gezicht in mijn haar terwijl zijn handen mijn rug streelden. 'Het geeft niet. Huil maar niet. Jij weet niet waar je moet zoeken zoals ik.'

Ik moest hier vandaan, ik moest vluchten, en als ik vluchtte zou ik dit alles met me meenemen, waar ik ook heen ging of bij wie ik ook terechtkwam.

'Ik zou nu maar in mijn eigen bed gaan liggen,' zei Chris hees. 'Grootmoeder zou binnen kunnen komen en ons betrappen.'

'Chris, je hebt toch niet weer overgegeven nadat ik weg ben gegaan, hè?'

'Nee, ik ben beter. Ga nu maar, Cathy. Ga weg.'

'Voel je je echt beter? Zeg je dat niet alleen maar voor mij?'

'Ik zei toch dat ik beter ben?'

'Welterusten, Christopher Doll,' zei ik en gaf hem een zoen op zijn wang, voordat ik uit bed stapte en in mijn eigen bed kroop naast Carrie.

'Welterusten, Catherine. Je bent een redelijk goede zuster en een goede moeder voor de tweeling... maar je bent een verdomd slechte leugenaarster en een waardeloze dievegge!'

Elke strooptocht die Chris naar mamma's kamer ondernam verrijkte onze verborgen schatkist. Het duurde zo lang voor we ons doel van vijfhonderd dollar zouden hebben bereikt. En nu was het alweer zomer. Ik was vijftien, de tweeling was net acht geworden. Weldra zou het augustus zijn, het derde jaar van onze gevangenschap. Voor het weer winter werd moesten we ontsnappen. Ik keek naar Cory, die lusteloos in zijn erwten zat te prikken, omdat het 'geluks'erwten waren. De eerste keer op nieuwjaarsdag had hij ze niet willen eten; hij wilde geen kleine groene oogjes die van binnen bij hem rondkeken. Nu at hij ze omdat elke erwt een hele dag geluk gaf – dat vertelden we hem tenminste. Chris en ik moesten wel zoiets zeggen, anders at hij alleen nog maar donuts. Onmiddellijk na het eten hurkte hij op de grond, pakte zijn banjo en keek naar een of andere malle tekenfilm. Carrie kwam naast hem zitten, zo dicht mogelijk bij hem. Ze keek naar het gezicht van haar broertje en niet naar de TV. 'Cathy,' zei ze tegen me met haar sjirpende vogelstemmetje. 'Cory voelt zich niet goed.'

'Hoe weet je dat?'

'Dat weet ik.'

'Heeft hij tegen je gezegd dat hij zich ziek voelt?'

'Dat hoeft-ie niet.'

'En hoe voel *jij* je?'

'Zoals altijd.'

'En hoe is dat?'

'Dat weet ik niet.'

O ja! We moesten weg, en gauw!

Later stopte ik de tweeling in één bed. Als ze allebei sliepen tilde ik Carrie in ons bed, maar het was prettiger voor Cory als hij met zijn zusje naast zich kon inslapen. 'Ik hou niet van dat roze laken,' zei Carrie met een boze blik in mijn richting. 'We houen alleen van witte lakens. Waar zijn onze witte lakens?'

We berouwden de dag waarop Chris en ik wit tot de veiligste kleur hadden uitgeroepen! Madeliefjes die met wit krijt op de vloer waren getekend hielden kwade demonen en monsters op een afstand. Andere dingen waarvoor de tweeling bang was zouden hen kunnen pakken als er geen wit in de buurt was om je in of onder of achter te verbergen. Lavendelkleurige, blauwe of roze lakens en slopen of met bloemetjes werden niet geaccepteerd... de gekleurde plekjes vormden gaten, waardoor kleine duiveltjes een gevorkte staart konden steken of met een gemeen oog konden loeren of met een venijnige kleine speer prikken. Rituelen, fetisjen, gewoontes, regels – God – we hadden ze bij miljoenen! Alleen maar om veilig te zijn.

'Cathy, waarom houdt mamma zoveel van zwarte jurken?' vroeg Carrie terwijl ze wachtte tot ik de roze lakens had vervangen door witte.

'Mamma is blond en heeft een blanke huid, en zwart maakt dat ze nog blanker lijkt en heel erg mooi.'

'Is ze niet bang voor zwart?'

'Nee.'

'Hoe oud moet je worden voordat zwart je niet meer bijt met scherpe tanden?'

'Oud genoeg om te weten dat dat een belachelijke vraag is.'

'Maar alle zwarte schaduwen op zolder hebben glimmende, scherpe tanden,' zei Cory, die achteruit schoot zodat de roze lakens zijn huid niet zouden beroeren.

'Hoor eens,' zei ik en zag Chris' lachende ogen terwijl hij afwachtte tot ik weer met een mooi verhaal voor den dag zou komen, 'zwarte schaduwen hebben geen glimmende zwarte tanden. Alleen als je huid smaragdgroen is en je ogen paars zijn en je haar rood en je drie oren hebt in plaats van twee. Alleen dan is zwart een bedreiging.'

Getroost kroop de tweeling onder het witte laken en de witte dekens en was even later vast in slaap. Toen had ik tijd om te baden en mijn haar te wassen en een korte babydoll aan te trekken. Ik holde naar de zolder en gooide de ramen wijd open, in de hoop een koel briesje op te vangen dat de zolder wat zou afkoelen, zodat ik niet zou wegsmelten als ik zin had om te dansen. Hoe kwam het dat de wind alleen maar naar binnen kwam als het 's winters stormde? Waarom nu niet, nu we het zo hard nodig hadden?

Chris en ik deelden al onze gedachten, onze aspiraties, twijfels en angsten. Als ik problemen had, was hij mijn dokter. Gelukkig waren mijn problemen nooit zo belangrijk, alleen die maandelijkse krampen, die nooit op tijd kwamen, wat volgens mijn amateurdokter alleen maar te verwachten was. Ik had zelf een kwikzilverachtige natuur en het was niet meer dan logisch dat mijn lichaam me daarin volgde.

Dus kan ik nu schrijven over Chris en wat er gebeurde op een septemberavond, toen ik op zolder was en hij uit stelen was gegaan, of ik er zelf bij ben geweest, want later, toen de eerste schok voorbij was, vertelde hij me in alle bijzonderheden over deze speciale tocht naar mamma's kamer.

Hij vertelde dat het boek in de la van het nachtkastje hem altijd onweerstaanbaar aantrok; het lokte hem, wenkte hem, zou hem later vernietigen en mij ook. Zodra hij zijn rantsoen geld had gevonden – voldoende, maar niet teveel – liep hij als door een magneet getrokken naar het bed en het nachtkastje.

Ik dacht bij mezelf: Waarom moet hij daar steeds weer naar kijken, terwijl al die foto's één voor één in mijn geest waren gebrand?

'Ik stond de tekst te lezen,' zei hij, 'en dacht erover na wat goed en verkeerd was, hoe het nu eigenlijk zat met die vreemde opwindende roep van de natuur, en ik peinsde over onze levensomstandigheden. Ik dacht aan jou en aan mij, dat dit zulke mooie jaren voor ons hoorden te zijn, en dat ik me schuldig voelde en me schaamde omdat ik opgroeide en verlangde naar iets dat andere jongens van mijn leeftijd zó konden krijgen van de meisjes die bereid waren het te geven.

En terwijl ik in dat boek stond te bladeren, vechtend met mijn frustraties, en ik eigenlijk wilde dat jij dat verdomde boek maar nooit had gevonden, want die saaie titel zou mij nooit zijn opgevallen, hoorde ik stemmen op de gang. Je begrijpt wel wie het waren – moeder en haar man, die thuiskwamen. Haastig legde ik het boek terug in de la en smeet de twee pocketboekjes erop, die niemand ooit las, want de boekenleggers lagen altijd op dezelfde plaats. Het volgende ogenblik dook ik mamma's garderobekamer in en verborg me achteraan bij de schoenenplanken, waar ik op de grond hurkte tussen haar lange avondjurken. Ik dacht dat ze me niet zou zien als ze binnenkwam en waarschijnlijk zou ze me ook niet gezien hebben. Maar juist toen ik me veilig begon te voelen besefte ik dat ik vergeten had de deur te sluiten.

Ik hoorde moeders stem. "Werkelijk, Bart," zei ze terwijl ze de kamer binnenkwam en een lamp aanstak, "het is gewoon slordigheid van je dat je zo vaak je portefeuille vergeet."

Hij antwoordde: "Ik kan het niet helpen dat ik hem vergeet als hij nooit op dezelfde plaats ligt waar ik hem neerleg." Ik hoorde hem dingen verplaatsen, laden open en dicht doen, enzovoort. Toen ging hij verder: "Ik weet zeker dat ik hem in deze broekzak had gestopt... en ik verdom het om ergens heen te gaan zonder mijn rijbewijs."

"Zoals jij rijdt, kan ik je dat niet kwalijk nemen," zei moeder, "maar hierdoor komen we wèl weer te laat. Hoe hard je ook rijdt, we missen toch de eerste akte."

"Hé!" riep haar man uit, en ik hoorde verbazing in zijn stem, en inwendig kreunde ik, want ik herinnerde me wat ik had gedaan. "Hier ligt mijn portefeuille, op de toilettafel. Ik mag een boon zijn als ik me kan herinneren dat ik hem daar heb neergelegd. Ik zou er een eed op kunnen doen dat ik hem in mijn broekzak had gestopt."

'Hij had hem eigenlijk in zijn kast verborgen,' legde Chris uit, 'onder zijn hemden. En toen ík hem vond heb ik er een paar één dollar-biljetten en één biljet van vijf uitgehaald, en daarna heb ik hem neergelegd en ben ik naar dat boek gaan kijken. En mamma zei: "Alsjeblieft, Bart," of ze ongeduldig was.

En toen zei hij: "Corrine, laten we hier weggaan. Ik geloof dat de dienstmeisjes ons bestelen. Jij mist steeds geld en ik ook. Ik weet bijvoorbeeld dat ik vier bankbiljetten van vijf dollar had en nu heb ik er nog maar drie."

Ik dacht dat ik door de grond ging. Hij had altijd zoveel geld dat ik had aangenomen dat hij het nooit telde. En het feit dat mamma wist hoeveel geld ze in haar tas had, was een hele schok voor me.

"Wat maakt vijf dollar nou uit?" vroeg moeder, en dat was echt iets voor haar, om zo onverschillig te doen als het om geld ging; dat deed ze vroeger ook vaak toen vader nog leefde. En toen zei ze dat de dienstmeisjes onderbetaald werden en zij het ze niet kwalijk kon nemen dat ze wegnamen wat zo openlijk werd achtergelaten. "Ze worden bijna uitgenodigd om te stelen."

En hij antwoordde: "M'n lieve vrouwtje, jij komt misschien gemakkelijk aan geld, maar ik heb altijd hard moeten werken voor een dollar, en ik wil niet dat ze ook maar tien cent van me stelen. Bovendien kan ik niet zeggen dat het een erg goed begin van mijn dag is als ik het grimmige gezicht van je moeder elke ochtend aan tafel tegenover me zie." Weet je, ik had er nooit aan gedacht hoe hij die ouwe heks zou vinden.

Hij denkt er blijkbaar net zo over als wij, en mamma werd een beetje boos en zei: "Begin daar nou niet weer over." En haar stem klonk hard, heel anders dan we gewend zijn, Cathy. Het is nooit bij me opgekomen dat ze tegen ons anders praat dan tegen anderen. En toen zei ze: "Je weet dat ik hier nog niet weg kan, nu nog niet, dus áls we gaan, schiet dan op, want we zijn al te laat."

En toen zei onze stiefvader dat hij geen zin had om te gaan als ze de eerste akte toch gemist hadden, want dan was voor hem het stuk bedorven en bovendien wist hij wel een plezieriger manier om de avond door te komen dan in een donkere zaal te zitten. Natuurlijk dacht ik dat hij bedoelde dat hij met haar naar bed wilde om met haar te vrijen. En reken maar dat ik kotsmisselijk werd bij die gedachte – ik verdomde het om erbij te zijn als ze dat deden.

Maar moeder blijkt een sterke wil te kunnen hebben, en dat verbaasde me. Ze is veranderd, Cathy. Ze is heel anders dan toen pappa nog leefde. Zij is nu de baas, en ze laat zich door geen man voorschrijven wat ze moet doen en laten. Ze zei: "Zeker zoals de laatste keer. Dat was erg pijnlijk, Bart! Je ging terug om je portefeuille te halen en je had me bezworen dat je maar een paar minuten weg zou blijven, en toen viel je verdikkeme in slaap – en ik zat in m'n eentje op dat feest!"

Onze stiefvader leek geïrriteerd, door haar woorden en door de toon waarop ze het zei, als ik het tenminste goed heb, en je kunt heel wat afleiden uit stemmen, ook al zie je de gezichten niet. "Wat zul jij geleden hebben!" antwoordde hij sarcastisch. Maar dat duurde niet lang, want hij lijkt me in wezen een joviale kerel. "Ik had zo'n mooie droom, en ik zou *blijven* terugkomen als ik dacht dat het echt gebeurd was. Een schat van een jong meisje met lang goudblond haar kwam de kamer binnen en kuste me terwijl ik sliep. O, ze was zo lief, en ze keek me zo verlangend aan, maar toen ik mijn ogen open deed was ze verdwenen, en ik wist dat ik gedroomd moest hebben."

Ik schrok ervan, Cathy – dat was jij, hè? Hoe kon je zo brutaal, zo indiscreet zijn? Ik was zo verdomd kwaad op je, dat ik voelde dat ik uit elkaar zou springen als er ook nog maar iets gebeurde. Jij denkt dat je de enige bent die opgewonden en gespannen is, hè? Jij denkt dat je de enige bent met frustraties, met twijfels, achterdocht en angst. Nou, troost je maar, ik heb ze ook – daar heb jij wel voor gezorgd. God, wat was ik kwaad op je, ik ben nog nooit in mijn leven zo kwaad geweest.

En toen zei mamma scherp tegen haar man: "God, ik ben doodziek van dat geklets van je over dat meisje en haar kus – als ik jou hoor lijkt het wel of je nog nooit eerder een zoen hebt gehad!" Ik dacht dat ze ruzie zouden krijgen. Maar mamma veranderde plotseling van toon en was een en al liefheid en aanhaligheid, zoals ze vroeger met pappa was. Maar ze bleek vastbesloten om weg te gaan en niet thuis te blijven met een man die met haar in het zwanebed wilde gaan liggen, want ze zei: "Kom mee, Bart, we blijven vannacht in een hotel, dan hoef je morgenochtend het gezicht van mijn moeder niet te zien." En dat loste mijn probleem op hoe ik kon ontsnappen vóór ze met elkaar naar bed gingen

– want ik verdomde het om te blijven luisteren of spioneren.'

En dat gebeurde allemaal terwijl ik op zolder in het raam zat te wachten tot Chris terugkwam, denkend aan de zilveren muziekdoos die pappa me had gegeven, en wensend dat ik hem terughad. Ik vermoedde toen nog niet welke gevolgen die scène in mamma's kamer zou hebben.

Er kraakte iets achter me. Een zachte stap op rottend hout! Ik sprong verschrikt en bang op, en draaide me om in de verwachting – ja, God mag weten wát ik verwachtte! Toen slaakte ik een diepe zucht, want het was Chris maar, die me in de schemering zwijgend aanstaarde. Waarom? Zag ik er mooier uit dan anders? Kwam het door het maanlicht dat door mijn dunne kleren scheen? Met hese, lage stem zei hij: 'Je bent mooi zoals je daar zit.' Hij schraapte zijn keel. 'Het maanlicht omgeeft je met een zilverblauwe glans en ik kan je lichaam door je kleren heen zien.'

Toen, tot mijn verbijstering, pakte hij me bij mijn schouders en groef zijn vingers diep in mijn vlees! Het deed pijn. 'Verdomme, Cathy! Je hebt die man gezoend! Als hij wakker was geworden zou hij je hebben gezien en hebben gevraagd wie je was! Dan zou hij niet hebben gedacht dat je in zijn droom thuishoorde!'

Zijn gedrag beangstigde me, ik schrok zonder reden. 'Hoe weet jij wat ik heb gedaan? Jij was er niet bij; jij was ziek die avond.'

Hij schudde me heen en weer en keek me woedend aan en weer dacht ik dat hij een vreemde leek. 'Hij heeft je gezien, Cathy – hij sliep niet zo vast.'

'Hij heeft me gezien?' riep ik ongelovig uit. Dat was niet mogelijk... dat kon niet!

'Ja!' schreeuwde hij. En dit was Chris, die zijn emoties meestal zo goed in bedwang had. 'Hij dacht dat je bij zijn droom hoorde! Maar mamma kan wél raden wie het was, door de stukjes aan elkaar te passen – zoals ik heb gedaan. Verdomme! Jij en je romantische ideeën! Nu hebben ze ons door! Ze zullen het geld niet meer zo achteloos laten slingeren als eerst. Ze tellen allebei hun geld, en wij hebben nog lang niet genoeg – nog lang niet!'

Hij sleurde me van de vensterbank! Hij leek zo razend dat hij me in mijn gezicht had kunnen slaan – hij had me nog nooit in mijn leven geslagen, hoewel ik hem er reden genoeg toe had gegeven toen ik nog jonger was. Maar hij bleef me heen en weer schudden tot mijn ogen bijna uit mijn hoofd rolden, tot ik duizelig werd en uitriep: 'Hou op! Mamma weet immers dat de deur op slot is!'

Dit was Chris niet... dit was iemand die ik niet kende... primitief, woest.

Hij gilde iets van: 'Je bent van mij, Cathy! Van mij! Je zult altijd van mij zijn! Wie er in de toekomst ook in je leven mag komen, je zult altijd van mij zijn! Ik zal je de mijne maken... vannacht...'

Ik geloofde het niet, niet Chris!

Ik begreep niet goed wat hij precies bedoelde, en om eerlijk te zijn geloof ik ook niet dat hij meende wat hij zei, maar de hartstocht maakte een bezeten mens van hem.

We vielen op de grond. Ik probeerde hem van me af te houden. We worstelden, draaiend, kronkelend, zwijgend, een wanhopige strijd van zijn kracht tegen de mijne.

Het was niet zo'n heftige strijd.

Ik had de sterke benen van een danseres; hij had de biceps, hij was groter en zwaarder... en veel fanatieker dan ik, vastbesloten dat hete, gezwollen en opdringerige geval van hem te gebruiken, zo erg dat hij alle gezonde verstand en beheersing daardoor verloor.

Ik hield van hem. Ik wilde hetzelfde wat hij wilde – als hij dat werkelijk *zo* graag wilde, of het goed was of verkeerd.

We eindigden op de oude matras – die smerige, stinkende, besmeurde matras, die al vele minnaars vóór ons gekend moest hebben. Daar nam hij me, en dwong dat gezwollen stijve mannelijke deel diep in me. Het drong in mijn gespannen en weerstrevende vlees dat scheurde en bloedde.

Nu hadden we gedaan wat we allebei gezworen hadden dat we nooit zouden doen.

Nu waren we in alle eeuwigheid verdoemd, gedoemd om eeuwig te roosteren in de hel, ondersteboven, naakt, boven de eeuwige helse vuren te hangen. Zondaren, zoals grootmoeder lang geleden voorspeld had.

Nu wist ik alles.

Er zou een baby kunnen komen. Een baby om ons in dit leven al te laten boeten en niet pas in de hel, boven de eeuwige vuren die bestaan voor mensen van ons soort.

We trokken ons terug en staarden elkaar aan, verdoofd en bleek van de schok trokken we onze kleren aan.

Hij hoefde niet te zeggen dat het hem speet... het stond op zijn gezicht, op zijn hele lichaam te lezen... het was duidelijk aan de manier waarop hij rilde, zijn handen beefden en hij onhandig zijn knopen dichtmaakte.

Later gingen we het dak op.

Lange reeksen wolken joegen langs de volle maan, die zich verschool en weer om een hoekje kwam kijken. En op het dak, op een avond die geschapen was voor minnaars, huilden we in elkaars armen. Het was niet zijn bedoeling geweest. En ik was niet van plan geweest het ooit toe te laten. De angst voor een baby, die het gevolg zou kunnen zijn van één enkele kus op een besnorde mond, kneep mijn keel dicht. Het was mijn ergste angst. Meer dan de hel of de wraak van God vreesde ik het leven te schenken aan een monsterachtige baby, mismaakt, idioot. Maar hoe kon ik daarover praten? Hij leed al genoeg. Maar hij was weer slimmer dan ik dacht.

'Je hoeft niet bang te zijn voor een baby,' zei hij fel. 'Het is maar één keer gebeurd – er is geen conceptie. En ik zweer je dat het nooit meer voor zal komen – wat er ook gebeurt! Ik castreer me liever dan dat!' Toen trok hij mij dicht tegen zich aan, zo hard dat mijn ribben pijn deden. 'Haat me niet, Cathy, alsjeblieft, haat me niet. Het was niet mijn bedoeling je te verkrachten, ik zweer het bij God. Ik ben vaak genoeg in de verleiding gebracht, maar ik heb het altijd weten te weerstaan. Ik ging de kamer uit, naar het toilet of naar zolder. Ik verdiepte me in een boek tot ik me weer normaal voelde.' Ik sloeg mijn armen stevig om hem heen. 'Ik haat je niet, Chris,' fluisterde ik, terwijl ik zijn hoofd dicht tegen mijn borst drukte. 'Je hebt me niet verkracht. Ik had het je kunnen beletten als ik werkelijk gewild had. Ik had alleen maar met mijn knie hoeven te stoten op de plaats waar jij het me hebt geleerd. Het was mijn schuld ook.'

O, ja, het was ook mijn schuld. Ik had beter moeten weten dan mamma's knappe jonge echtgenoot te kussen. Ik had geen korte doorschijnende kleren moeten dragen bij een broer die alle sterke fysieke behoeften had van een man, en die al zo door alles en iedereen gefrustreerd was. Ik had met zijn noden gespeeld, mijn vrouwelijkheid getoetst... en ik had mijn eigen brandende verlangens.

Het was een merkwaardige nacht, alsof het noodlot deze nacht lang tevoren gepland had, of deze nacht onze bestemming was, goed of kwaad. Het duister werd verlicht door de volle, heldere maan, en de sterren leken elkaar morsetekens toe te seinen... Noodlot Vervuld...

De wind ritselde in de bladeren en maakte een griezelige, melancholieke muziek, zonder melodie, maar toch muziek. Hoe kon iets zo menselijks en liefdevols lelijk zijn in zo'n mooie nacht als deze?

Misschien bleven we te lang op het dak.

De leistenen waren koud, hard en ruw. Het was begin september. De bladeren begonnen al te vallen, straks zouden ze worden beroerd door de ijzige hand van de vorst. Op zolder was het heet. Maar op het dak begon het koud te worden, heel, heel koud.

Chris en ik kropen dicht tegen elkaar aan, veiligheid en warmte zoekend. Jeugdige, zondige geliefden van de ergste soort. We waren mijlen gedaald in onze eigen achting, ten val gebracht door verlangens die te intens waren geworden door het voortdurende contact. Eén keer teveel hadden we het noodlot en onze eigen sensuele aard getart... en ik wist toen nog niet eens dat *ik* sensueel was, laat staan dat *hij* het was. Ik had gedacht dat het alleen maar de mooie muziek was die mijn hart deed hunkeren en een vreemd gevoel veroorzaakte in mijn lendenen; ik wist niet dat het iets veel tastbaarders was.

Onze harten klopten in één ritme, een verschrikkelijke melodie van zelfkastijding voor hetgeen we hadden gedaan.

Een koude windvlaag deed een dood blad omhoog dwarrelen, dat vrolijk wervelend op mijn haar viel. Het kraakte droog en broos toen Chris het eruit haalde. Hij staarde naar het dode blad in zijn hand alsof zijn leven afhing van de oplossing van het raadsel hoe je in de wind kon zweven, zonder armen, zonder benen, zonder vleugels... hoe iets kon vliegen als het dood was.

'Cathy,' begon hij met een schrapend, droog stemgeluid, 'we hebben nu precies driehonderdzesennegentig dollar en vierenveertig cent. Het zal niet lang meer duren of het gaat sneeuwen. En we hebben geen behoorlijke winterjassen of laarzen, en de tweeling is zo verzwakt dat ze gemakkelijk kou kunnen vatten, en als ze kou vatten kan dat longontsteking worden. Als ik 's nachts wakker word, maak ik me ongerust over ze, en ik heb jou vaak genoeg naar Carrie zien staren, dus jij maakt je ook bezorgd. Ik vrees dat we in mamma's kamer geen geld meer zullen vinden. Ze denken dat een van de dienstmeisjes steelt – dat dachten ze tenminste. Misschien vermoedt mamma nu dat jij het kunt zijn... ik weet het niet... ik hoop van niet.

Maar wat ze ook denken, de volgende keer dat ik ga stelen, zal ik al haar juwelen moeten wegnemen. Ik zal één grote slag slaan – en dan gaan we er vandoor. We gaan met de tweeling naar een dokter, zo gauw we ver genoeg weg zijn en we genoeg geld hebben om de rekening te betalen.'

Haar juwelen stelen – dat had ik hem al die tijd al gevraagd! Eindelijk zou hij het doen, zou hij de duur betaalde kostbaarheden stelen waarvoor mamma zoveel over had gehad. En daarbij zou ze ons verliezen. Maar zou het haar iets kunnen schelen?

Een uil, misschien wel dezelfde die ons begroet had in de nacht van onze aankomst, krijste in de verte, met een spookachtig geluid. Terwijl we keken rees een ijle, grauwe mist langzaam omhoog van de vochtige grond, verkild door de plotseling ingevallen kou van de nacht. De dikke golvende mist zwol aan en steeg naar het dak... en rolde als een mistige zee over ons heen.

En alles wat we zagen in die dichte grijze mist en de koude, vochtige wolken was dat ene grote oog van God – fonkelend in de maan.

Ik werd vóór de ochtend wakker. Ik staarde naar het bed waar Cory en Chris sliepen. Ik opende mijn slaperige ogen, draaide mijn hoofd om en merkte dat Chris ook al wakker was, kennelijk al een tijdje. Hij keek naar me en er glinsterden tranen in zijn blauwe ogen. De tranen die op zijn kussen rolden gaf ik een naam: schaamte, schuld, blaam.

'Ik hou van je, Christopher Doll. Je hoeft niet te huilen. Want ik kan vergeten als jij kunt vergeten, en er valt niets te vergeven.'

Hij knikte en zei niets. Maar ik kende hem goed, door en door. Ik kende zijn gedachten, zijn gevoelens en alle manieren waarop zijn ego gekwetst kon worden. Ik wist dat hij via mij wraak had genomen op de enige vrouw die zijn vertrouwen en liefde had verraden. Ik hoefde maar in mijn handspiegel te kijken met de grote C.L.F. achterop, en ik zag het gezicht van mijn eigen moeder toen zij zo oud was als ik.

En zo was het dus gebeurd, precies zoals grootmoeder had voorspeld. Duivelsgebroed. Ontsproten uit slecht zaad dat in de verkeerde grond gezaaid was, nieuwe planten voortbrengend om de zonden van de vaders te herhalen.

En van de moeders.

KLEUR ALLE DAGEN BLAUW, MAAR BEWAAR ER EEN VOOR *ZWART*

We gingen weg. Zo gauw mogelijk. Zodra mamma ons zou vertellen dat ze 's avonds uitging, zou ze al haar kostbare juwelen kwijt zijn. We zouden niet teruggaan naar Gladstone. Daar duurde de winter tot mei. We zouden naar Sarasota gaan, waar de circusmensen woonden. Die stonden erom bekend dat ze vriendelijk waren tegen mensen met een vreemde achtergrond. Daar Chris en ik gewend waren geraakt aan hoge plaatsen, het dak, alle touwen die aan de zolderbalken waren vastgemaakt, zei ik vrolijk tegen Chris: 'We worden trapezewerkers.' Hij grinnikte, vond het een belachelijk idee – eerst – en noemde het toen een vondst.

'Cathy, je zult er geweldig uitzien in een strakke roze maillot met lovertjes.' Hij begon te zingen: *'She flies through the air, with the greatest of ease, the daring young beauty on the flying trapeze...'*

Cory hief met een ruk zijn hoofd op en keek ons met grote angstige ogen aan. *'Nee!'*

En Carrie, die zich gearticuleerder wist uit te drukken, zei: 'We vinden jullie plan niet leuk. We willen niet dat jullie vallen.'

'We vallen niet,' zei Chris, 'want Cathy en ik zijn samen niet te verslaan.' Ik staarde naar hem, dacht aan de nacht in het leslokaal en daarna op het dak, toen hij had gefluisterd: 'Ik zal nooit van iemand anders houden dan van jou, Cathy. Ik weet het... ik voel het... alleen wij samen, voor eeuwig en altijd.'

Ik had achteloos gelachen. 'Doe niet zo mal, je weet best dat je niet op die manier van me houdt. En je hoeft je niet schuldig te voelen of je te schamen. Het was mijn schuld ook. We kunnen doen of het nooit gebeurd is en ervoor zorgen dat het nooit meer zal gebeuren.'

'Maar Cathy...'

'Als we andere mensen om ons heen hadden, zouden we nooit en nooit zo voor elkaar voelen.'

'Maar ik *wil* zo voor je voelen, en het is nu te laat, ik zal nooit meer een ander kunnen liefhebben of vertrouwen.'

Ik voelde me zo oud als ik naar Chris keek en naar de tweeling, terwijl ik plannen maakte voor de toekomst, vol vertrouwen dat we het zouden redden. Een symbolische troost voor de tweeling, om ze rust te geven, hoewel ik wist dat we alles zouden moeten aanpakken om te kunnen leven.

September was overgegaan in oktober. Straks zou het gaan sneeuwen.

'Vanavond,' zei Chris, nadat mamma was weggegaan, haastig afscheid nemend, zonder zelfs nog maar even om te kijken bij de deur. Ze vermeed zoveel mogelijk onze blik tegenwoordig. We stopten twee kussenslopen in elkaar om een sterke zak te maken. Daarin zou Chris al mamma's kostbare juwelen doen. Ik had onze twee tassen al gepakt en op zolder verborgen, waar mamma nu nooit meer kwam.

Tegen de avond begon Cory over te geven, aan één stuk door. In het medicijnkastje hadden we wat onschuldige middeltjes tegen maagkwalen.

Maar niets hielp tegen het verschrikkelijke braken. Hij zag doodsbleek, rilde en huilde. Hij sloeg zijn armpjes om mijn hals en fluisterde: 'Mamma, ik voel me niet goed.'

'Wat kan ik doen om je beter te laten voelen, Cory?' vroeg ik. Ik voelde me zo jong en onervaren.

'Mickey,' fluisterde hij zwakjes. 'Ik wil dat Mickey bij me slaapt.'

'Maar misschien ga je per ongeluk boven op hem liggen en dan zou hij dood zijn. Je wilt toch niet dat hij dood gaat, wel?'

'Nee,' zei hij ontsteld, en toen begon dat afschuwelijke kokhalzen weer. Hij voelde ijskoud aan, maar zijn haar zat op zijn bezwete voorhoofd geplakt. Zijn blauwe ogen staarden zonder iets te zien naar mijn gezicht en telkens weer riep hij om zijn moeder. 'Mamma, mamma, alles doet zo'n pijn.'

'Stil maar,' suste ik. Ik pakte hem op en legde hem op bed, waar ik zijn vuile pyjama kon uittrekken. Hoe kon hij overgeven als hij niets meer in zijn maag had? 'Chris zal je wel helpen, wees maar niet bang.' Ik ging naast hem liggen en hield zijn bevende lichaam in mijn armen.

Chris zat achter zijn lessenaar met zijn neus in een paar medische naslagwerken, en noemde aan de hand van Cory's symptomen alle geheimzinnige ziekten op waar we van tijd tot tijd mee te kampen hadden. Hij was nu bijna achttien, maar nog lang geen dokter.

'Je mag niet weggaan en Carrie en mij achterlaten,' smeekte Cory. Hij riep steeds luider: 'Chris, ga niet weg! Blijf hier!'

Wat bedoelde hij? Wilde hij niet dat we weg zouden gaan? Of bedoelde hij dat we niet meer naar mamma's kamer mochten gaan om te stelen? Waarom dachten Chris en ik eigenlijk altijd dat de tweeling geen aandacht besteedde aan wat wij deden? Ze wisten toch zeker maar al te goed dat we hen nooit alleen zouden achterlaten – we zouden liever doodgaan.

Een kleine witte schaduw zweefde naar het bed en staarde met grote ogen naar haar tweelingbroertje. Ze was nog geen negentig centimeter lang. Ze was oud en ze was jong, ze was een teer plantje dat in een donkere kas was groot geworden, onvolgroeid, verschrompeld.

'Mag ik' – begon ze keurig (we hadden geprobeerd haar de grammatica te leren, en hoewel ze consequent geweigerd had die te gebruiken, deed ze vanavond haar uiterste best) – 'bij Cory slapen? We zullen niets slechts of kwaads of verkeerds doen. Ik wil alleen maar dicht bij hem liggen.'

Laat grootmoeder maar komen! We legden Carrie in bed bij Cory, en Chris en ik gingen allebei aan een kant van het grote bed zitten en keken angstig toe terwijl Cory rusteloos lag te woelen. Hij snakte naar adem en lag te gillen in zijn ijlkoortsen. Hij wilde zijn muis, hij wilde zijn moeder, zijn vader, hij wilde Chris en hij wilde mij. De tranen rolden op de kraag van mijn nachthemd. Ik keek op en zag dat Chris' wangen ook nat waren van de tranen. 'Carrie, Carrie... waar is Carrie?' vroeg hij steeds opnieuw, lang nadat ze in slaap was gevallen. Hun magere gezichtjes waren maar een paar centimeter van elkaar verwijderd, en hij keek haar recht in het gezicht, maar toch zag hij haar niet.

Straf, dacht ik. God strafte Chris en mij. Grootmoeder had ons gewaarschuwd... ze had ons elke dag gewaarschuwd, tot ze ons had afgeranseld.

De hele nacht las Chris het ene medische boek na het andere, terwijl ik door de kamer ijsbeerde.

Tenslotte keek Chris naar me met roodomrande en met bloed doorlopen ogen. 'Voedselvergiftiging – de melk. Hij moet zuur zijn geweest.'

'Hij smaakte niet zuur en hij rook niet zuur,' mompelde ik. Ik rook altijd aan alles en proefde alles voor ik het aan de tweeling of aan Chris gaf. Ik had nu eenmaal het idee dat mijn smaakpapillen beter ontwikkeld waren dan die van Chris, die alles lekker vond en alles at, zelfs ranzige boter.

'De hamburger dan. Ik vond al dat die zo'n rare smaak had.'

'Ik proefde er niets bijzonders aan.' En het moest hem ook goed hebben gesmaakt, want hij had de helft van Carrie's hamburger op en die van Cory helemaal. Cory had de hele dag niets willen eten.

'Cathy, jij hebt zelf ook nauwelijks iets gegeten vandaag. Je bent bijna net zo mager als de tweeling. Ze brengt ons eten genoeg, al is het niet zo lekker. Je hoeft echt niet zuinig te zijn.'

Altijd als ik zenuwachtig of gefrustreerd of ongerust was – en ik was nu alle drie – deed ik mijn balletoefeningen. Ik hield me losjes vast aan de toilettafel die als barre dienst deed en begon mijn spieren los te maken met een paar plié's.

'Moet dat nou echt, Cathy? Je bent nu al vel over been. En waarom heb je niet gegeten vandaag – ben jij ook ziek?'

'Cory is dol op de donuts, en dat is het enige wat ik ook wil eten. En hij heeft ze harder nodig dan ik.'

De nacht sleepte zich voort. Chris verdiepte zich weer in zijn medische boeken. Ik gaf Cory wat water te drinken – dat hij er meteen weer uitgooide. Ik waste zijn gezicht een stuk of tien keer met koud water, en trok hem drie keer een schone pyjama aan, en Carrie bleef maar slapen.

Ochtendgloren.

De zon kwam op en we probeerden nog steeds te ontdekken hoe het kwam dat Cory zo ziek was geworden, toen grootmoeder de picknickmand met eten bracht. Zonder een woord te zeggen deed ze de deur op slot, stak de sleutel in haar zak en liep naar de speeltafel. Uit de mand haalde ze de grote thermosfles met melk, de kleinere met soep en vervolgens de in folie verpakte boterhammen, gebraden kip, kommetjes aardappelsla of koolsla – en tenslotte de vier besuikerde donuts. Ze draaide zich om en wilde weggaan.

'Grootmoeder,' zei ik aarzelend. Ze had niet naar Cory gekeken. Ze had niets gezien.

'Ik heb niets tegen je gezegd,' zei ze kil. 'Wacht tot ik tegen je spreek.'

'Ik *kán* niet wachten,' zei ik kwaad. Ik stond op van Cory's bed en liep naar haar toe. 'Cory is ziek! Hij heeft de hele nacht overgegeven en gisteren de hele dag. Hij moet een dokter hebben en zijn moeder.'

Ze keek niet naar mij en niet naar Cory. Met grote passen liep ze de deur uit, deed de deur achter zich op slot. Geen woord van troost. Geen woord dat ze het aan moeder zou vertellen.

'Ik maak de deur open en ga mamma zoeken,' zei Chris, die nog dezelfde kleren aanhad als gisteren; hij had zich niet uitgekleed om naar bed te gaan.

'Dan weten ze dat we een sleutel hebben.'

'Dan weten ze het maar.'

Op dat moment ging de deur open en kwam mamma binnen, met grootmoeder achter haar aan. Samen bogen ze zich over Cory, betastten zijn klamme, koude gezichtje. Toen keken ze elkaar aan. Ze liepen naar een hoek van de kamer, waar ze heimelijk met elkaar stonden te fluisteren, terwijl ze nu en dan een blik wierpen op Cory, die heel stil bleef liggen, alsof hij elk moment dood kon gaan. Alleen zijn borst ging krampachtig op en neer. Uit zijn keel kwamen hijgende, verstikte geluiden. Ik veegde de zweetdruppels van zijn voorhoofd. Gek dat hij zo koud aanvoelde en toch zo transpireerde.

Cory's adem ging schrapend in en uit, in en uit.

En mamma deed niets. Ze was niet in staat een besluit te nemen! Ze was nog steeds bang dat iemand te weten zou komen dat er een kind was waar geen kind hoorde te zijn!

'Waarom staan jullie daar zo te fluisteren?' schreeuwde ik. 'Je moet Cory naar een ziekenhuis brengen en de beste dokter voor hem laten komen.'

Ze keken me woedend aan – allebei. Bleek, bevend en grimmig keek mamma naar mij en toen ongerust naar Cory. Haar lippen begonnen te trillen, haar handen beefden en de spieren naast haar mond maakten een trekkende beweging. Ze knipperde herhaaldelijk met haar ogen, of ze haar tranen moest bedwingen.

Met saamgeknepen ogen keek ik naar elk teken dat haar berekenende gedachten zou kunnen verraden. Ze overwoog het risico dat Cory werd ontdekt en zij haar erfenis mis zou lopen... want die ouwe man beneden moest toch eens sterven, nietwaar? Hij kon niet eeuwig blijven leven!

Ik schreeuwde het uit. 'Wat mankeert je, mamma? Hoe kun je daar zo rustig blijven staan en alleen maar aan jezelf en aan geld denken, terwijl je jongste zoon ligt dood te gaan? Je *moet* hem helpen! Kan het je dan helemaal niets schelen wat er met hem gebeurt? Ben je vergeten dat jij zijn moeder bent? Als je dat nog weet, gedraag je dan verdomme als zijn moeder! Sta daar niet zo te treuzelen! Hij moet behandeld worden, *nu*, en niet morgen!'

Haar gezicht werd vuurrood. Ze richtte haar blik weer op mij. 'Jij!' snauwde ze. 'Altijd jij weer!' En met die woorden hief ze haar zwaar beringde hand op en gaf me een harde klap in mijn gezicht! En toen sloeg ze nog een keer.

Voor het eerst in mijn leven had ze me geslagen – en om zo'n reden! Woedend, zonder na te denken, sloeg ik terug – net zo hard!

Grootmoeder stond toe te kijken. Een grijns van voldoening vertrok haar mond tot een lelijke, dunne, kromme streep.

Chris kwam haastig naderbij en hield mijn armen vast toen ik mamma opnieuw wilde slaan. 'Cathy, daarmee help je Cory niet. Kalm nu. Mamma zal doen wat juist is.'

Het was maar goed dat hij mijn armen vasthield, want ik zou haar opnieuw geslagen hebben, haar gedwongen hebben te zien wat ze deed!

Het gezicht van mijn vader flitste voor mijn ogen. Hij fronste zijn wenkbrauwen, liet me zwijgend weten dat ik altijd respect moest hebben voor de vrouw die me het leven geschonken had. Ik wist dat hij niet zou willen dat ik haar sloeg.

'Je zult eeuwig verdoemd zijn, Corrine Foxworth,' schreeuwde ik zo hard ik kon, 'als je je zoon niet onmiddellijk naar een ziekenhuis brengt. Je denkt dat je alles met ons kunt doen en dat niemand het ooit zal weten! Nou, dat kun je rustig vergeten, want ik verzeker je dat ik een manier zal vinden om wraak te nemen, al kost het me de rest van mijn leven. Ik zal zorgen dat je ervoor zult boeten en zwaar zult boeten als je niet iets doet om Cory's leven te redden. Toe maar, kijk maar woedend, huil maar, smeek maar, praat maar over geld en wat voor geld te koop is. Maar je kunt er geen kind mee terugkopen dat dood is! En reken maar dat ik dan een manier zal vinden om je man te vertellen dat je vier kinderen hebt verborgen in een afgesloten kamer met als enig speelterrein een zolder... en dat je ze daar jaren en jaren gevangen hebt gehouden! En zeg dan maar of hij dan nog steeds van je houdt! Kijk dan maar naar zijn gezicht, dan zul je zien hoeveel respect en bewondering hij voor je heeft!' Ze kromp ineen, maar als blikken konden doden, had ik niet lang meer geleefd. 'En wat nog meer is, ik zal het ook aan grootvader vertellen!' gilde ik nog harder. 'En dan erf je geen rooie rotcent van hem – en ik zal blij zijn, blij, blij!'

Mamma had me wel kunnen vermoorden, maar vreemd genoeg was het die verachtelijke ouwe vrouw die kalm zei: 'Het kind heeft gelijk, Corrine. De jongen moet naar een ziekenhuis.'

Die avond kwamen ze terug. Met z'n tweeën. Zodra de bedienden zich hadden teruggetrokken in hun verblijf boven de enorme garage. Ze droegen dikke jassen, want het was plotseling ijzig koud geworden. Er hing sneeuw in de grauwe lucht. Ze namen Cory uit mijn armen en wikkelden hem in een groene deken. Mamma tilde hem op. Carrie gaf een gil van angst. 'Je mag Cory niet meenemen!' brulde ze. 'Je mag niet, je *mag* niet...' (Ze klampte zich aan me vast en jammerde dat ik hun moest beletten haar tweelingbroertje mee te nemen, waarvan ze nog nooit gescheiden was geweest.

Ik staarde naar haar bleke, betraande gezichtje. 'Het is niet erg dat ze Cory meenemen,' zei ik, mijn moeder recht in de ogen kijkend, 'want ik ga ook mee. Ik blijf bij Cory in het ziekenhuis. Dan zal hij niet bang zijn. Als de verpleegsters het te druk hebben om voor hem te zorgen, zal ik het doen. Dan zal hij eerder gezond worden, en voor Carrie is het beter als ze weet dat ik bij hem ben.' Het was waar. Ik wist dat Cory sneller beter zou worden als ik bij hem was. *Ik* was nu zijn moeder – niet zij. Hij hield niet meer van haar, hij had mij nodig en hij verlangde naar mij. Kinderen hebben een intuïtieve wijsheid; ze weten wie het meest van ze houdt en wie alleen maar doet alsof.

'Cathy heeft gelijk, mamma,' zei Chris en keek haar recht in het gezicht, zonder enige warmte, 'Cory is afhankelijk van Cathy. Laat haar alsjeblieft meegaan, als zij erbij is zal hij eerder beter worden, en zij kan de arts beter op de hoogte brengen van de symptomen dan jij.'

Mamma's glazige nietsziende blik gleed naar Chris, alsof ze haar best deed hem te begrijpen. Ik moet toegeven dat ze een wanhopige indruk maakte. Haar blik ging van mij naar Chris en naar haar moeder en toen naar Carrie en weer terug naar Cory.

'Mamma,' zei Chris ferm, 'laat Cathy met je meegaan. Ik kan wel voor Carrie zorgen als je daar soms over in zit.'

Natuurlijk lieten ze me niet gaan.

Moeder droeg Cory de gang op. Zijn hoofdje hing naar achteren, de haarlok op zijn voorhoofd danste op en neer toen ze wegliep met haar kind in zijn groene deken, de kleur van lentegras.

Grootmoeder keek naar me met een wrede, spottende en triomfantelijke glimlach en deed de deur op slot.

Ze lieten Carrie gillend achter. De tranen stroomden langs haar wangen. Haar kleine zwakke vuistjes sloegen naar me, of het mijn schuld was. 'Cathy, ik wil mee! Zorg dat ik mee mag! Cory wil nergens heen zonder mij... en hij heeft zijn gitaar vergeten.'

Toen was haar woede plotseling verdwenen en ze viel snikkend in mijn armen. 'Waarom, Cathy, waarom?'

Waarom?

Dat was de grote vraag die we ons allemaal stelden.

Het was de langste, afschuwelijkste dag van ons leven. We hadden gezondigd, en hoe snel had God gestraft. Hij *hield* Zijn oog scherp op ons gericht, alsof *Hij* al die tijd had geweten dat we vroeg of laat zouden zondigen, zoals ook grootmoeder het had geweten.

Het was net als in het begin van onze gevangenschap, voordat de televisie een groot deel van onze dag vulde. De hele dag zaten we stilletjes bij elkaar, zonder het toestel aan te zetten, wachtend om te horen hoe het met Cory ging.

Chris zat in de schommelstoel en strekte zijn armen uit naar Carrie en mij. We zaten allebei op zijn schoot terwijl hij langzaam heen en weer schommelde, heen en weer, op de krakende vloerplanken.

Ik begrijp niet dat Chris' benen niet gingen slapen, zo lang zaten we op zijn schoot. Eindelijk stond ik op om Mickey's kooi schoon te maken en hem eten en water te geven. Ik aaide hem en hield hem dicht tegen me aan en vertelde hem dat zijn baasje gauw zou terugkomen. Ik geloof dat het muisje wist dat er iets mis was. Hij speelde niet vrolijk in zijn kooi, en toen ik de deur van zijn kooi openliet, kwam hij niet naar buiten om in de kamer rond te scharrelen en in Carrie's poppenhuis te klimmen.

Ik maakte het eten klaar, dat we nauwelijks aanroerden. Toen de laatste maaltijd van die dag voorbij was en we hadden afgewassen en opgeruimd, en ons gereed hadden gemaakt om naar bed te gaan, knielden we gedrieën naast elkaar bij Cory's bed en baden tot God: 'Laat Cory alstublieft beter worden en weer bij ons terug komen.' Iets anders wisten we niet te bidden.

We sliepen alle drie in hetzelfde bed, probeerden het althans, met Carrie tussen mij en Chris in. Er zou nooit meer iets tussen ons gebeuren... nooit, nooit meer.

God, alstublieft, straf Cory niet als een manier om Chris èn mij te laten boeten en ons verdriet te doen, want we hebben al zoveel verdriet, en het was echt niet onze bedoeling het te doen, we wilden het niet. Het ging vanzelf, en maar één keer... en het was niet plezierig, God, niet echt.

Een nieuwe dag brak aan, grimmig, grauw, onaanlokkelijk. Achter de dichte gordijnen begon het leven in de buitenwereld, onzichtbaar voor ons. We kwamen met moeite terug in de werkelijkheid en probeerden de tijd door te komen, te eten en Mickey op te vrolijken, die leek te treuren om het kleine jongetje dat altijd een spoor van broodkruimels voor hem strooide.

Ik verschoonde de matrasovertrekken, met behulp van Chris, want het viel niet mee om die grote matras uit het zware doorgestikte overtrek te halen en er een schoon omheen te doen. En toch moest dat vaak gebeuren, omdat Cory nog niet voldoende controle over zijn blaas had. Chris en ik maakten de bedden op met schone lakens, streken de spreien glad en ruimden de kamer op, terwijl Carrie in haar eentje in de schommelstoel zat en voor zich uit staarde.

Om tien uur konden we niets anders meer doen dan op het bed bij de gang zitten, strak naar de deurknop kijkend, wachtend tot hij zou bewegen en mamma zou binnenkomen met nieuws over Cory. Na een tijdje kwam mamma binnen; haar ogen zagen rood van het huilen. Achter haar kwam grootmoeder met haar harde ogen, lang, streng, zonder tranen.

Moeder struikelde bij de deur, het leek of haar benen haar niet meer konden dragen en ze zou vallen. Chris en ik sprongen overeind, maar Carrie staarde alleen maar met nietsziende ogen naar mamma.

'Ik heb Cory naar een ziekenhuis gebracht, op kilometers afstand van hier, maar wel het dichtstbijzijnde,' verklaarde moeder met een hese, stokkende stem. 'Ik heb hem ingeschreven onder een valse naam en gezegd dat hij mijn neefje was.'

Leugens! Altijd weer leugens! 'Mamma – hoe gaat het met hem?' vroeg ik ongeduldig.

Haar blik dwaalde af naar mij; lege ogen, die nietsziend voor zich uitstaarden; zielloze ogen die iets zochten dat voorgoed verdwenen was – waarschijnlijk haar menselijkheid.

'Cory had longontsteking,' zei ze met een monotone klank in haar stem. 'De dokters hebben alles gedaan wat ze konden... maar het was... te... te laat.'

Longontsteking?

Alles wat ze konden?

Te laat?

Allemaal verleden tijd!

Cory was dood! We zouden hem nooit meer terugzien!

Chris zei later dat het nieuws hem getroffen had als een harde trap in zijn kruis. Hij wankelde, draaide zich toen met een ruk om. Zijn schouders schokten en hij snikte het uit.

Eerst geloofde ik haar niet. Ik staarde haar weifelend aan, maar de uitdrukking op haar gezicht overtuigde me. In mijn borst zwol iets op dat me dreigde te verstikken. Ik liet me op het bed zakken, verdoofd, verlamd, en ik besefte pas dat ik huilde toen mijn kleren nat waren.

En zelfs terwijl ik daar zat weigerde ik te geloven dat Cory werkelijk uit ons leven verdwenen was. Carrie, die arme Carrie, hief haar hoofd op, gooide het achterover, opende haar mond en schreeuwde.

Ze schreeuwde en schreeuwde tot ze geen stem meer had en niet meer kón schreeuwen. Ze liep naar de kamer waar Cory zijn gitaar en zijn banjo bewaarde en zette al zijn versleten tennisschoentjes keurig op een rij. En daar bleef ze zitten, bij de schoentjes, bij de gitaar en de banjo, in de buurt van Mickey's kooi. En vanaf dat moment kwam er geen woord meer over haar lippen.

'Gaan we naar zijn begrafenis?' vroeg Chris met gesmoorde stem en met afgewend hoofd.

'Hij is al begraven,' zei mamma. 'Ik heb een valse naam op de grafsteen laten beitelen.'

En toen ontvluchtte ze snel de kamer en onze vragen, en grootmoeder volgde haar, haar lippen een grimmige dunne streep.

Tot ons afgrijzen leek Carrie elke dag meer in elkaar te schrompelen. Soms had ik het gevoel dat God Carrie ook maar beter tot zich had kunnen nemen, zodat ze naast Cory had gelegen in dat verre graf met de valse naam, ver van de plaats waar zijn vader begraven was.

We konden geen hap door onze keel krijgen. We werden lusteloos en moe, altijd even moe. Niets kon onze belangstelling wekken. Tranen – Chris en ik huilden vijf zeeën van tranen. Wij namen alle schuld op ons. We hadden al heel lang geleden moeten ontsnappen. We hadden met behulp van die houten sleutel hulp moeten gaan halen. We hadden Cory *laten* doodgaan! Hij was onze verantwoordelijkheid geweest, ons lieve kleine jongetje met de vele talenten, en we hadden hem dood laten gaan. Nu hadden we een klein zusje dat in een hoek gedoken zat en elke dag zwakker werd.

Chris zei zachtjes, opdat Carrie het niet zou horen, als ze mocht luisteren, wat ik niet geloofde (ze was blind, doof, stom... onze kabbelende beek was afgedamd), 'We moeten weg, Cathy, en gauw ook. Anders gaan we allemaal dood, net als Cory. Er is iets aan de hand met ons, waarschijnlijk zijn we te lang opgesloten geweest. We hebben een abnormaal leven geleid, in een vacuüm zonder bacillen, zonder de infecties waarmee kinderen gewoonlijk in contact komen. We hebben geen weerstand tegen infecties.'

'Ik begrijp het niet,' zei ik.

'Ik bedoel,' fluisterde hij, terwijl we in dezelfde stoel naast elkaar zaten, 'dat we net als die wezens van Mars in het boek *The War of the Worlds* aan een simpele verkoudheidsbacil dood kunnen gaan.'

Ontsteld staarde ik hem aan. Hij wist zoveel meer dan ik. Ik richtte mijn blik op Carrie die in de hoek zat. De ogen die te groot waren voor haar lieve babygezichtje, staarden nietsziend voor zich uit. Ik wist dat haar blik gericht was op de eeuwigheid, waar Cory was. Alle liefde die ik Cory had gegeven, gaf ik nu aan Carrie... ik maakte me zo ongerust over haar. Ze had zo'n klein skeletachtig lichaampje, en haar halsje was zo zwak, veel te klein voor haar hoofd. Zouden alle porseleinen poppetjes op deze manier eindigen?

'Chris, als we moeten sterven, dan niet als muizen in de val. Als bacillen ons kunnen doden, dan sterven we maar aan die bacillen – dus als je vannacht naar mamma's kamer gaat, neem dan alles mee van waarde dat je vinden kunt en dat we kunnen dragen! Ik zal een lunch inpakken om mee te nemen. Als we Cory's kleren uit de koffers halen hebben we meer ruimte. Vóór het ochtend wordt, gaan we weg.'

'Nee,' zei hij kalm. 'Alleen als we weten dat mamma en haar man uit zijn – dan zal ik al het geld en alle juwelen meenemen. Pak alleen in wat we absoluut nodig hebben – geen speelgoed, geen spelletjes. En, Cathy, misschien gaat mamma vandaag niet uit. Ze kan in de rouwperiode toch niet naar een feest gaan?'

Hoe kon ze rouwen als haar man van niets wist? En er kwam niemand, behalve grootmoeder, zodat we niet wisten wat er gebeurde. Ze weigerde tegen ons te spreken of ons aan te kijken. In gedachten was ik hier al weg, en ik keek naar haar of ze al in het verleden thuishoorde. Nu ons vertrek zo nabij was, begon ik plotseling bang te worden. De wereld was zo groot daarbuiten. We zouden op eigen benen moeten staan. Wat zou de wereld van ons denken?

We waren niet meer zo mooi als vroeger, we waren bleke, ziekelijke zoldermuizen met lang lichtblond haar, die dure maar slecht passende kleren droegen en op gymschoenen liepen.

Chris en ik hadden onszelf opgevoed door veel boeken te lezen, en de televisie had ons veel geleerd over geweld en inhaligheid, maar vrijwel geen praktische nuttige dingen om ons voor te bereiden op de werkelijkheid.

Overleven. Dat zou de televisie onschuldige kinderen moeten leren. Hoe te leven in een wereld waarin de mensen alleen om zichzelf geven.

Geld. Als er één ding was dat we in de jaren van onze gevangenschap hadden geleerd, dan was het wel dat geld op de eerste plaats kwam en al het andere pas daarna. Mamma had het lang geleden heel juist uitgedrukt: 'Het is geen liefde die de wereld draaiende houdt – maar geld.'

Ik haalde Cory's kleertjes uit de koffer, zijn op één na beste gymschoentjes, twee pyjama's en al die tijd rolden de tranen langs mijn wangen. In een van de zijzakken van de koffer vond ik een paar muziekbladen die hij zelf moest hebben ingepakt. Mijn hart kromp ineen toen ik die bladen oppakte en de lijntjes zag die hij met een lineaal had getrokken, en de kleine zwarte noten en halve noten, die hij had getekend. En onder de compositie (hij had zelf geleerd muziek te schrijven uit een encyclopedie die Chris voor hem had gevonden) had Cory de woorden geschreven bij een half afgemaakt liedje:

I wish the night would end,
I wish the day'd begin,
I wish it would rain or snow,
Or the wind would blow,
Or the grass would grow,
I wish I had yesterday.
I wish there were games to play...

Ik wilde dat de nacht zou eindigen
Ik wilde dat de dag zou beginnen,
Ik wilde dat het ging regenen of sneeuwen
Of de wind zou waaien,
Of het gras zou groeien,
Ik wilde dat ik gisteren had
Ik wilde dat ik spelletjes had...

O, God. Had je ooit zo'n triest, melancholiek liedje gehoord? Dus dit waren de woorden bij het melodietje dat ik hem telkens weer had horen spelen. Verlangend naar iets dat hem niet was gegund. Iets dat alle andere kleine jongens als een normaal, onopvallend deel van hun leven beschouwden.

Ik had het kunnen uitschreeuwen van verdriet.

Ik ging slapen met de gedachte aan Cory. En zoals altijd als ik erg van streek was, droomde ik. Maar deze keer was ik alleen. Ik liep op een pad dat tussen grote, vlakke weiden liep, waarin links rode en roze bloemen groeiden en rechts gele en witte bloemen zachtjes wiegden in het zachte, warme briesje van een eeuwige lente. Een klein kind liep aan mijn hand. Ik keek omlaag in de verwachting dat het Carrie was – maar het was Cory.

Hij lachte blij en gelukkig en liep huppelend naast me; zijn korte beentjes probeerden me bij te houden en in zijn hand hield hij een bos bloemen. Hij lachte naar me en wilde juist iets zeggen toen we het luide gesjilp hoorden van bontgekleurde vogels in de bomen boven ons.

Een lange slanke man in witte tenniskleren, met goudblond haar en een diep gebruinde huid, kwam uit een schitterende tuin vol bomen en bloemen, waaronder allerlei kleuren rozen. Op tien meter afstand bleef hij staan en strekte zijn armen naar Cory uit.

Zelfs in mijn droom sprong mijn hart op van opwinding en vreugde. Het was pappa! Pappa was Cory tegemoetgekomen zodat hij de rest van de weg niet alleen hoefde af te leggen. En hoewel ik wist dat ik Cory's kleine warme handje moest loslaten, wilde ik hem eigenlijk bij me houden.

Pappa keek naar me, niet medelijdend, niet berispend, maar vol trots en bewondering. En ik liet Cory's hand los en zag hoe hij vrolijk naar pappa toe rende. Hij werd omhoog getild door een paar sterke armen, dezelfde armen die vroeger mij hadden vastgehouden en me de overtuiging schonken dat de wereld een mooi en prettig oord was. Ook ik zou eens dat pad aflopen en die sterke armen weer om me heen voelen, en me door pappa laten meenemen.

'Cathy, word wakker!' zei Chris, die op mijn bed zat en me heen en weer schudde. 'Je praat in je slaap en je lacht en je huilt en je zegt Hallo en dan Dag! Waarom droom je toch zo vaak?'

Mijn droom viel zo snel van me af dat ik geen woorden kon vinden. Chris zat naast me en staarde me aan, net als Carrie, die ook wakker was geworden. Het was zo lang geleden dat ik mijn vader voor het laatst had gezien, de herinnering aan zijn gezicht was vervaagd, maar toen ik naar Chris keek, raakte ik verward. Hij leek zoveel op pappa, alleen jonger.

De droom zou me nog dagenlang achtervolgen, maar op een heel prettige manier. Hij schonk me rust en vrede. Hij schonk me een wetenschap die ik nooit gehad had. De mensen stierven niet echt. Ze gingen naar een betere plaats, waar ze wachtten tot degenen van wie ze hielden zich bij hen voegden. En dan gingen ze terug naar de wereld, op dezelfde manier als ze de eerste keer gekomen waren.

DE ONTSNAPPING

Tien november. Dit zou onze laatste dag in de gevangenis zijn. Als God ons niet bevrijdde, zouden we onszelf bevrijden.

Na tien uur vanavond zou Chris zijn laatste diefstal plegen. Moeder had ons opgezocht en was maar een paar minuten gebleven, ze voelde zich nu kennelijk niet op haar gemak bij ons. 'Bart en ik gaan vanavond uit. Ik heb geen zin, maar hij staat erop. Hij begrijpt niet waarom ik zo bedroefd ben, zie je.'

Daar kon je donder op zeggen dat hij dat niet begreep. Chris sloeg het dubbele kussensloop over zijn schouder, waarin hij de vracht juwelen zou bergen. Hij stond in de open deur en keek Carrie en mij heel lang aan voor hij de deur dicht deed en ons met zijn houten sleutel insloot. Hij kon de deur niet open laten staan, want dat zou grootmoeder alarmeren, als ze kwam controleren. We konden Chris niet over de lange donkere gang horen sluipen, want de muren waren te dik, en het kleed in de gang te dik en geluiddempend.

Carrie en ik lagen naast elkaar, mijn armen beschermend om haar heen.

Zonder die droom, die me de wetenschap had gegeven dat er goed voor Cory gezorgd werd, zou ik hebben gehuild omdat ik hem niet naast me voelde. Ik kon niet anders dan verdriet hebben om een klein jongetje dat me mamma had genoemd zodra hij wist dat zijn oudste broer het niet kon horen. Hij was altijd bang geweest dat Chris hem een moederskindje zou vinden als hij zou weten hoe erg Cory zijn moeder miste en hoe hard hij haar nodig had, zo erg dat hij mij in haar plaats had gesteld. En hoewel ik hem verzekerde dat Chris hem nooit zou uitlachen, omdat hij vroeger zelf zijn moeder nodig had gehad, bleef het een geheim tussen Cory en mij – en Carrie. Hij moest net doen of hij al een man was, of het er niet toe deed dat hij geen moeder had en geen vader, terwijl het er juist wel toe deed, heel veel.

Ik drukte Carrie dicht tegen me aan en zwoer dat als ik ooit een of meer kinderen had, ik het altijd zou weten als ze me nodig hadden. Ik zou de beste moeder zijn die er op de wereld bestond.

De uren leken jaren, en Chris kwam maar niet terug van zijn laatste strooptocht naar mamma's kamer. Waarom duurde het deze keer zo lang? Ik was klaarwakker en dodelijk ongerust; ik dacht aan alle rampen die hem hadden kunnen overkomen.

Bart Winslow... de argwanende echtgenoot... hij had Chris betrapt! De politie gewaarschuwd! Chris laten arresteren! En mamma zou er rustig bij staan, met een geschokt en verbaasd gezicht, dat iemand het waagde van haar te stelen. O nee, natuurlijk had ze geen zoon. Iedereen wist immers dat ze geen kinderen had. Hadden ze haar ooit met een kind gezien? Ze kende die blonde jongen niet met zijn blauwe ogen die zoveel op de hare leken. Ze had een hoop neefjes her en der verspreid – en een dief was een dief, ook al was hij een verre bloedverwant.

En grootmoeder! Als die hem betrapte – erger kon het niet!

De dageraad brak aan, en een haan kraaide.

De zon draalde met tegenzin aan de horizon. Straks zou het te laat zijn om te gaan. De ochtendtrein zou voorbijrijden. En we moesten een voorsprong hebben van een paar uur voordat grootmoeder de deur van de slaapkamer zou openen en zou merken dat we verdwenen waren. Zou ze ons laten zoeken? De politie waarschuwen? Of zou ze, wat waarschijnlijker was, ons laten gaan, blij dat ze ons eindelijk kwijt was?

Wanhopig liep ik de trap op naar de zolder en staarde naar buiten. Het was een mistige, koude dag. De sneeuw van de vorige week lag hier en daar nog in vuile plekken op de grond. Een sombere, geheimzinnige dag, die ons geen vreugde of vrijheid leek te kunnen brengen. Ik hoorde de haan weer kraaien; het klonk gesmoord en ver weg, en ik bad in stilte dat Chris, waar hij ook was, en wat hij ook deed, het ook zou horen en dat hij een beetje op zou schieten.

Ik herinner me, o, hoe goed herinner ik me die koude vroege ochtend, toen Chris onze kamer weer binnensloop. Ik lag naast Carrie, nu en dan wegdommelend, rusteloos, en ik was in één klap klaarwakker toen de deur openging. Ik lag volledig gekleed op bed, gereed om te vertrekken, wachtend tot Chris terug zou komen en we gered zouden worden.

Op de drempel bleef Chris aarzelend staan. Zijn glazige ogen staarden naar mij. Toen kwam hij naar me toe, zonder veel haast, zoals eigenlijk gehoord had. En al die tijd zag ik alleen maar dat kussensloop – zo plat! leeg! 'Waar zijn de juwelen?' riep ik. 'Waar ben je zo lang gebleven? Kijk eens uit het raam, de zon komt al op! We halen het nooit! We zijn nooit op tijd op het station!' Mijn stem klonk hard, beschuldigend, kwaad. 'Je bent zeker weer ridderlijk geweest, hè? Daarom kom je terug zonder mamma's juwelen!'

Hij stond naast het bed met het lege kussensloop in zijn hand.

'Weg,' zei hij toonloos. 'Alle juwelen waren weg.'

'Weg?' vroeg ik scherp. Ik wist dat hij loog, dat het een smoesje was, dat hij de juwelen niet had willen stelen waar moeder zo op gesteld was. Ik keek hem aan. 'Weg? Chris, die juwelen liggen er immers altijd? En wat is er in Godsnaam met je aan de hand – waarom kijk je zo vreemd?'

Hij liet zich op zijn knieën naast het bed vallen en verborg zijn gezicht tegen mijn borst. Toen begon hij te huilen! Lieve God! Wat was er aan de hand? Waarom huilde hij? Het is vreselijk een man te horen huilen, en ik beschouwde hem nu als een man, niet langer als een jongen.

Mijn armen omstrengelden hem, mijn handen liefkoosden hem en streelden zijn haar, zijn wang, zijn armen, zijn rug, en toen kuste ik hem in een poging hem te kalmeren en te troosten. Ik deed wat ik moeder had zien doen als hij verdriet had, en intuïtief was ik niet bang dat zijn hartstocht zou worden opgewekt en hij meer zou verlangen dan ik bereid was te geven.

Ik moest hem dwingen te praten, uit te leggen.

Hij bedwong zijn snikken en slikte ze in. Hij veegde zijn tranen af en droogde zijn gezicht met een punt van het laken. Toen keek hij naar de afschuwelijke schilderijen waarop de hel en zijn verschrikkingen stonden afgebeeld. Zijn zinnen kwamen gebroken, onsamenhangend, onderbroken door een droog gesnik.

En zo vertelde hij het, op zijn knieën naast mijn bed, terwijl ik zijn bevende handen vasthield. Zijn lichaam trilde, zijn blauwe ogen stonden donker en somber, en ze waarschuwden me dat me een grote schok te wachten stond. Maar zelfs al was ik gewaarschuwd, ik was niet voorbereid op hetgeen er volgde.

'Wel,' zei hij, diep ademhalend, 'ik zag onmiddellijk dat er iets veranderd was toen ik haar kamer binnenkwam. Ik scheen met mijn lantaarn om me heen, zonder een lamp aan te steken, en ik kon mijn ogen niet geloven. De ironie... de afschuwelijke, bittere ironie – we waren te laat! Weg, Cathy – mamma en haar man waren weg! Niet alleen naar het feest van een buurman, maar helemaal weg! Ze hadden alle persoonlijke dingen uit de kamer meegenomen: de prulletjes van de toilettafel, de crèmes, lotions, poeder, parfum – alles! Er stond niets meer.

Ik werd zo razend dat ik als een gek heen en weer rende, laden opentrok en doorzocht, in de hoop iets van waarde te vinden dat we zouden kunnen belenen... en ik vond niets! Ze hadden het grondig gedaan – zelfs geen klein porseleinen pillendoosje was er over – of een van die zware presse-papiers van Venetiaans glas die een vermogen kosten. Ik holde naar de garderobe en trok alle laden open. O ja, ze had wel *iets* achtergelaten – rommel zonder waarde: lippenstift, crème en zulk soort dingen. Toen maakte ik die speciale onderste la open – je weet wel waarover ze ons lang geleden verteld heeft, toen ze niet kon dromen dat wij degenen zouden zijn die haar zouden bestelen. Ik trok de la er helemaal uit, en zette hem op de grond. Toen zocht ik achterin naar het kleine knopje dat je rond moet draaien in een bepaalde cijfercombinatie – de getallen van haar geboortedatum, omdat ik anders zelf de combinatie zou vergeten. Herinner je je nog hoe ze lachte toen ze ons dat vertelde? De geheime la sprong open, en daar lagen de met fluweel beklede laden waar tientallen ringen in de gleuven pasten, en er was niet één ring – niet één! De armbanden, kettingen, oorringen, alles was verdwenen, alles was weg, Cathy, zelfs de tiara die jij nog hebt opgepast. Je hebt geen idee hoe ik me voelde! Je hebt me zo vaak gesmeekt althans één klein ringetje mee te nemen, en ik wilde het niet omdat ik in haar geloofde.'

'Niet huilen, Chris,' smeekte ik toen hij een snik bedwong, en hij legde zijn gezicht weer op mijn borst. 'Je kon immers niet weten dat ze weg zou gaan, niet zo vlak na Cory's dood.'

'Ja, ze treurt wel erg om hem, hè?' vroeg hij bitter. Mijn vingers woelden in zijn haar.

'Cathy,' ging hij verder, 'ik verloor mijn zelfbeheersing. Ik holde van de ene kast naar de andere en gooide alle winterkleren eruit; ik zag dat alle zomerkleren verdwenen waren, en een paar grote koffers. Ik maakte schoenendozen leeg, doorzocht alle laden, zocht naar het blikje met kleingeld dat hij in zijn kast bewaarde, maar zelfs dat had hij meegenomen of weggeborgen op een veiliger plaats. Ik heb overal gezocht, ik was de wanhoop nabij. Ik dacht er zelfs over een van die grote lampen mee te nemen, maar toen ik er een optilde woog die ongeveer een ton. Ze had haar nertsjassen achtergelaten en ik had er één willen stelen, maar jij had ze aangepast en ze waren allemaal veel te groot – en in de buitenwereld zouden ze achterdochtig kunnen worden als een tienermeisje met een te grote nertsjas aankwam. De bontstola's waren verdwenen. En als ik een van de lange bontjassen meenam, zou die een hele koffer in beslag nemen en zouden we geen ruimte hebben voor onze eigen spulletjes en de schilderijen die ik misschien kan verkopen – en we hebben al onze kleren nodig. Ik rukte mijn haren bijna uit mijn hoofd. Ik was wanhopig, en *moest* iets van waarde vinden, want hoe moesten we het redden zonder geld? Weet je, op dat moment, toen ik midden in die kamer stond en over de situatie nadacht, en over Carrie's slechte gezondheid, toen kon het me geen steek meer schelen of ik al dan niet arts zou worden. Het enige wat ik wilde was dit huis zo gauw mogelijk achter me laten!

En toen, net toen ik dacht dat ik niets zou kunnen vinden, keek ik in de onderste la van het nachtkastje. Ik had nog nooit in die la gekeken. En, Cathy, daarin lag een foto in zilveren lijst van pappa, en hun trouwboekje, en een klein groen fluwelen doosje. En in dat doosje, Cathy, lagen mamma's trouwring en haar diamanten verlovingsring – die pappa haar had gegeven. Het deed me verdriet dat ze alles had meegenomen, en zijn foto en de twee ringen die hij haar had gegeven als waardeloos had achtergelaten. En toen kreeg ik ineens een vreemde gedachte. Misschien wist ze wie het geld uit haar kamer stal en had ze die met opzet achtergelaten.'

'O, nee!' zei ik spottend. 'Ze geeft niet meer om hem – ze heeft haar *Bart*.'

'In ieder geval was ik dankbaar dat ik iets had gevonden. De zak is dus niet zo leeg als hij lijkt. We hebben pappa's foto en haar ringen, maar er zal wel iets heel ergs moeten gebeuren voor ik die ringen ooit zal belenen.'

Ik hoorde de waarschuwing in zijn stem, zijn stem klonk niet oprecht, er lag een valse klank in. Het leek of hij speelde dat hij nog steeds dezelfde Christopher Doll was die in iedereen iets goeds zag. 'Ga door. Wat gebeurde er toen?' Want hij was zo lang weggebleven – wat hij me zojuist had verteld zou niet de hele nacht in beslag hebben genomen.

'Ik dacht dat als ik moeder niet kon bestelen ik naar de kamer van grootmoeder zou gaan, om haar te beroven.'

O, mijn God, dacht ik. Dat kon toch niet... En toch, wat een perfecte wraak!

'Je weet dat ze juwelen heeft, al die ringen aan haar vingers, en die verdomde diamanten broche die ze elke dag draagt op haar uniform, en de diamanten en robijnen die we haar hebben zien dragen op dat kerstfeest. En natuurlijk dacht ik dat ze nog wel meer zou hebben dat de moeite van het stelen waard was. Dus liep ik op mijn tenen door al die lange donkere gangen naar de deur van grootmoeders kamer!'

Wat een lef! Ik zou het nooit hebben gedurfd...

'Er scheen een smal streepje geel licht onder de deur door, dus ze was nog wakker. Dat ergerde me, want ze had moeten slapen. Onder andere omstandigheden zou dat licht me hebben weerhouden en zou ik minder doldriest te werk zijn gegaan – of misschien zou jij het "stoutmoedig" willen noemen.'

'Chris! Dwaal niet van het onderwerp af! Ga door! Vertel me wat voor krankzinnigs je hebt gedaan! Ik zou in jouw plaats rechtsomkeert hebben gemaakt en regelrecht zijn teruggekomen!'

'Nou ja, ik ben jou niet, Catherine Doll, ik ben *mijzelf*... ik deed heel voorzichtig de deur op een kiertje open, al was ik doodsbang dat hij zou kraken en piepen en me verraden. Maar de scharnieren waren goed geolied en ik keek door de spleet naar binnen.'

'En toen zag je haar naakt!' viel ik hem in de rede.

'Nee!' antwoordde hij ongeduldig, geërgerd. 'Ik heb haar niet naakt gezien, gelukkig niet. Ze zat recht overeind in bed, onder de dekens, en ze droeg een nachthemd van dikke stof met lange mouwen, en een kraagje, dat van boven tot haar middel was dichtgeknoopt. Maar toch zag ik haar op zekere manier naakt. Je weet toch dat staalblauwe haar waar we zo'n hekel aan hebben? Dat was niet op haar hoofd! Het zat scheef op een kop op haar nachtkastje, alsof ze de zekerheid wilde hebben dat ze het in geval van nood vlak bij de hand had.'

'Draagt ze een pruik?' vroeg ik in opperste verbazing, al had ik het moeten weten. Iemand die haar haar voortdurend zo strak naar achteren trok zou vroeg of laat kaal worden.

'Ja, ze draagt een pruik, en dat haar dat ze met kerstmis had moet ook een pruik zijn geweest. Van zichzelf heeft ze alleen nog maar wat schaars en geelwit haar, en ze heeft grote roze plekken op haar hoofd, waar helemaal geen haar groeit, maar een soort dons. Ze had een randloze bril op het puntje van haar neus. Je weet dat we haar nooit met een bril hebben gezien. Ze had die dunne lippen van haar afkeurend opgetrokken terwijl ze haar ogen langzaam langs de regels van een groot zwart boek liet glijden dat ze in haar hand hield – de Bijbel natuurlijk. Ze las natuurlijk over hoeren en andere slechte dingen, die haar ergernis opwekten. En terwijl ik toekeek, wetend dat ik nu niet van haar kon stelen, legde ze de Bijbel opzij en markeerde met een briefkaart, waar ze gebleven was. Toen legde ze de Bijbel op het nachtkastje, stapte haar bed uit en knielde ernaast. Ze boog haar hoofd, vouwde haar handen onder haar kin, net als wij doen, en zei zwijgend een gebed dat een eeuwigheid leek te duren. Toen zei ze hardop: "Vergeef mij mijn zonden, Heer. Ik heb altijd gedaan wat mij het beste leek, en als ik fouten heb gemaakt, gelooft U dan alstublieft dat ik meende goed te doen. Mag ik eeuwig genade vinden in Uw ogen. Amen." Ze kroop weer terug in bed en deed de lamp uit. Ik stond in de gang en vroeg me af wat ik moest doen. Ik kon niet met lege handen bij je terugkomen, want ik hoop dat we de ringen die onze vader aan moeder heeft gegeven nooit hoeven te verpanden.'

Hij ging verder. Zijn handen strengelden zich door mijn haar, en sloten zich om mijn hoofd. 'Ik ging naar de rotonde, waar die kist staat, bij de trap en vond de kamer van onze grootvader. Ik wist niet of ik de moed zou hebben *zijn* deur te openen en de man onder ogen te komen die daar jaar na jaar lag dood te gaan.

Maar dit was mijn enige kans en die wilde ik benutten. Ik holde geluidloos de trap af met mijn kussensloop, als een echte dief. Ik zag al die grote mooie kamers en vroeg me, net als jij, af hoe het zou zijn om in zo'n huis op te groeien. Ik vroeg me af hoe het zou zijn om een hoop personeel om je heen te hebben en op je wenken te worden bediend. O, Cathy, het is een schitterend huis, en de meubels moeten uit paleizen zijn gekomen. Ze zien er te teer uit om op te kunnen zitten en te mooi om je erin op je gemak te voelen. En er hingen originele oude schilderijen, en overal stonden beeldhouwwerken en borstbeelden, meestal op voetstukken, en op de grond lagen kostbare Perzische en Oosterse tapijten. En ik kende de weg naar de bibliotheek, omdat jij mamma altijd zo verdraaid veel vroeg. En zal ik je eens wat zeggen, Cathy? Ik was verdomd blij dat je zoveel had gevraagd, anders had ik gemakkelijk kunnen verdwalen; er zijn zoveel gangen die allemaal op elkaar lijken.

Maar nu was het niet moeilijk om bij de bibliotheek te komen: een ontzettend groot donker vertrek, zo stil als een kerkhof. Het plafond moet wel twintig meter hoog zijn geweest. Langs de muren waren van onder tot boven planken, en er was een kleine ijzeren trap naar een vide, waar ook boeken stonden. En beneden stonden twee houten ladders die langs rails liepen die speciaal daarvoor waren aangebracht. Ik heb nog nooit zoveel boeken gezien in een particulier huis. Geen wonder dat de boeken die mamma ons bracht nooit gemist werden – hoewel, als ik heel goed keek, kon ik de open plekken zien in de lange rijen boeken. Er stond een groot en massief bureau, dat zeker wel een ton woog, en daarachter stond een grote leren draaistoel. Ik kon me grootvader heel goed voorstellen achter zijn bureau, links en rechts bevelen uitdelend, terwijl de telefoons rinkelden – er stonden zes telefoons, Cathy – zes! Maar toen ik ze controleerde waren ze allemaal afgesloten. Links van het bureau was een rij smalle hoge ramen die uitkeken op een privé tuin – een fantastisch uitzicht, zelfs 's avonds. Er stond een donkere mahoniehouten archiefkast, die er uitzag als een kostbaar meubelstuk. Twee heel lange, zachte, lichtbruine banken stonden op ongeveer een meter afstand van de muur, zodat je genoeg ruimte had om er achterlangs te gaan. Er stonden stoelen bij de open haard en natuurlijk een heel stel tafels en stoelen en dingen waarover je je nek kon breken en een hoop snuisterijen.'

Ik zuchtte. Hij vertelde me alles wat ik graag wilde weten, maar ik bleef wachten op dat verschrikkelijke dat komen moest.

'Ik dacht dat ik misschien geld zou vinden in dat bureau. Ik knipte mijn lantaarn aan en trok alle laden open. Geen enkele la was op slot. En geen wonder, want ze waren allemaal leeg – helemaal leeg. Ik snapte er niets van – wat heb je aan een bureau als je er niet al je rommel in bewaart? Belangrijke papieren sluit je weg in een bankkluis of je eigen safe; die bewaar je niet in een bureaula die door een dief kan worden opengemaakt. Al die lege laden zonder elastiekjes, paperclips, potloden, pennen, notitieboekjes en andere prulletjes – waarvoor heb je dan een bureau? Er kwamen allerlei achterdochtige gedachten bij me op. En toen nam ik een besluit. Aan de andere kant van de bibliotheek zag ik de deur naar grootvaders kamer. Langzaam liep ik die kant op. Eindelijk zou ik hem te zien krijgen... ik zou oog in oog staan met die verfoeide grootvader, die tevens onze halfoom was.

Ik stelde me onze ontmoeting voor. Hij zou op bed liggen, ziek, maar hard en gemeen en zo koud als ijs. Ik zou de deur opentrappen, het licht aanknippen, en hij zou me zien. Hij zou een kreet van verbazing slaken! Hij zou me herkennen... hij moest weten wie ik was, één blik en hij zou het weten. En ik zou zeggen: "Daar ben ik dan, grootvader – de kleinzoon die nooit geboren had mogen worden. Boven, in een afgesloten slaapkamer in de noordelijke vleugel van dit huis, zijn nog twee zusjes van me. En ik heb ook een jongere broer gehad, maar die is gestorven – en u hebt meegeholpen aan zijn dood!" Dat alles dacht ik, al betwijfel ik of ik dat werkelijk allemaal gezegd zou hebben. Jij zou het ongetwijfeld er hebben uitgeflapt – net als Carrie als zij over dezelfde woordenschat beschikte als jij. Maar misschien zou ik het ook wel hebben gezegd, om te kunnen zien hoe hij ineen zou krimpen. Of misschien zou hij verdriet of medelijden hebben getoond... of hij zou, wat waarschijnlijker is, verontwaardigd zijn dat we de brutaliteit hadden om in leven te zijn! Ik weet het niet, ik weet alleen maar dat ik het geen moment langer kon verdragen gevangen te zijn en Carrie te zien sterven zoals Cory is gestorven.'

Ik hield mijn adem in. Wat dapper van hem om die verschrikkelijke grootvader onder ogen te durven komen, zelfs al lag hij nog steeds op zijn sterfbed en stond de stevige koperen doodkist op hem te wachten. Ademloos wachtte ik op het vervolg.

'Ik draaide de knop heel voorzichtig om, ik was van plan hem te overrompelen, en toen schaamde ik me dat ik zo verlegen was en besloot ik brutaal op te treden – ik tilde mijn voet op en schopte de deur open! Het was zo donker in de kamer dat ik geen hand voor ogen kon zien. En ik wilde mijn lantaarn niet gebruiken. Ik tastte naast de deur naar een lichtknopje, maar kon het niet vinden. Toen scheen ik met mijn lantaarn recht voor me uit en zag een wit ziekenhuisbed. Ik bleef als aan de grond genageld staan, want ik zag iets dat ik niet verwacht had – een dubbelgeslagen blauw-met-wit gestreepte matras. Een leeg bed en een lege kamer. Geen stervende grootvader, die de laatste adem uitblies, en met allerlei apparaten was verbonden die hem in leven moesten houden – het leek of ik een stomp in mijn maag kreeg, Cathy, toen ik hem niet zag liggen, terwijl ik erop voorbereid was hem te ontmoeten.

In een hoek, niet ver van het bed, stond een wandelstok, en niet ver van de wandelstok stond die glimmende rolstoel waarin we hem hebben gezien. Hij zag er nog nieuw uit – hij moet hem niet vaak gebruikt hebben. Er was maar één meubelstuk, op twee stoelen na, een ladenkast... en er lag niets op. Geen borstel, geen kam, niets. De kamer was even keurig opgeruimd als de kamer van mamma, alleen was dit een eenvoudige kamer met houten panelen langs de muren. En deze kamer leek heel lang ongebruikt. De atmosfeer was muf, onfris. Er lag stof op de ladenkast. Ik liep heen en weer, zocht naar iets van waarde dat we misschien konden verpanden. Niets – weer niets! Ik was zo boos en gefrustreerd dat ik de bibliotheek binnenholde en het schilderij zocht van het landschap waarvan mamma had verteld dat er een safe achter verborgen was.

Je weet hoe vaak we dieven op de televisie een muursafe hebben zien openen, en het leek me doodeenvoudig, als je maar wist hoe je het moest doen. Je hoefde alleen maar je oor tegen het slot te leggen en dat heel langzaam rond te draaien... en te luisteren naar de verraderlijke klikken... en die tellen... dacht ik. Dan zou je de cijfers weten en kon je het slot opendraaien.'

Ik viel hem in de rede: 'Maar grootvader – waarom lag hij niet in bed?'

Hij ging verder, mijn woorden negerend: 'Ik stond dus te luisteren naar de klikken. Ik dacht: als ik geen geluk heb en de safe gaat open – dan zal hij ook wel leeg zijn. En weet je wat er gebeurde, Cathy? Ik hoorde de klikken wel die de combinatie verraadden – haha! Maar ik kon niet snel genoeg tellen! Ik draaide op goed geluk aan de bovenste schijf van het slot, hopend dat ik per toeval de juiste combinatie zou kiezen. Maar de safe bleef dicht. Ik hoorde de klikken, en ik begreep er niets van. In encyclopedieën staan geen goede lessen hoe je een dief moet worden – zoiets moet je aangeboren zijn. Ik zocht naar iets dat dun en sterk genoeg zou zijn om in het slot te steken, in de hoop dat ik een veer zou raken waardoor de deur zou openspringen. En toen, Cathy, hoorde ik voetstappen!'

'O, verdomme!' vloekte ik, met hem meevoelend.

'Zeg dat wel! Ik dook snel weg achter een van de banken en liet me plat op mijn buik vallen – en toen herinnerde ik me dat ik mijn lantaarn in grootvaders kamer had laten liggen!'

'O, lieve God!'

'Precies! Ik dacht dat ik erbij was, maar ik bleef doodstil liggen, zonder een vin te verroeren. Er kwamen een man en een vrouw de bibliotheek binnen. Zij sprak het eerst, ze had een lieve meisjesachtige stem.

"John," zei ze, "ik heb me echt niets verbeeld. Ik heb geluiden gehoord in deze kamer."

"Jij hoort altijd geluiden," klaagde een zware stem. Het was John, die butler met het kale hoofd.

Ze zochten even oppervlakkig in de bibliotheek en toen in de kleine kamer daarachter, en ik hield mijn adem in. Ik was bang dat ze mijn lantaarn zouden vinden, maar gelukkig zagen ze hem over het hoofd. Ik denk omdat John alleen maar aandacht had voor dat meisje. Juist toen ik wilde opstaan en stiekem wegsluipen, kwamen ze terug, en, bij God, ze gingen op dezelfde bank zitten waarachter ik me had verscholen! Ik liet mijn hoofd op mijn gevouwen armen rusten en wilde maar een hazeslaapje gaan doen. Ik wist dat jij je zou afvragen waarom ik niet terugkwam. Maar omdat je opgesloten zat, was ik niet bang dat je me zou gaan zoeken. Maar het is maar goed dat ik niet in slaap ben gevallen.'

'Waarom?'

'Laat me het op mijn eigen manier vertellen, Cathy, alsjeblieft. "Zie je wel," zei John, toen ze terugkwamen uit de bibliotheek en op de bank gingen zitten, "ik zei je toch dat er niemand is?" Zijn stem klonk voldaan, hij was tevreden over zichzelf. "Heus, Livvy," ging hij verder, "je bent zo verdomd nerveus, er is helemaal geen lol meer aan op die manier."

"Maar, John," zei ze, "ik heb *echt* iets gehoord."

"Zoals ik al zei," antwoordde John, "je hoort veel te veel dingen die er niet zijn. Verdraaid, vanmorgen nog had je het weer over muizen op zolder, en dat ze zoveel lawaai maken." John grinnikte, heel laag en zacht, en hij moet iets met dat knappe meisje hebben gedaan dat haar deed giechelen, en als ze protesteerde, dan was dat maar erg halfslachtig.

Toen mompelde John: "Die ouwe heks maakt alle muizen op zolder dood. Ze brengt ze eten in een picknickmand... genoeg eten om een heel Duits leger muizen te doden."'

Ik hoorde het Chris vertellen, zonder er verder iets bij te denken, zo dom was ik, zo onschuldig en naïef.

Chris schraapte zijn keel voor hij verder ging: 'Ik kreeg een raar gevoel in mijn maag en mijn hart begon zo hard te bonzen dat ik bang was dat ze het zouden horen.

"Ja"," zei Livvy, "ze is een gemeen, hard oud wijf. Om eerlijk te zijn, vond ik de ouwe heer altijd aardiger – hij glimlachte tenminste nog wel eens vriendelijk. Maar zij – zij kan dat niet eens. Als ik hier kom schoonmaken vind ik haar vaak in zijn kamer... dan staart ze naar dat lege bed, met een heel vreemde, strakke glimlach. Ze verkneukelt zich omdat hij dood is, en zij hem overleefd heeft, en nu is ze vrij, en kan hij haar niet meer op haar kop zitten en zeggen dat ze dit niet mag doen en dat moet laten, en haar naar zijn pijpen laten dansen. God, soms vraag ik me af hoe ze het met hem heeft uitgehouden, en hij met haar. Maar nu hij dood is heeft zij zijn geld."

"Ze heeft wel wat, ja," zei John. "En ze heeft haar eigen geld, dat haar familie haar heeft nagelaten. Maar haar dochter heeft alle miljoenen geërfd van de oude Malcolm Neal Foxworth."

"Nou," zei Livvy, "die ouwe heks heeft niet meer nodig. Ik kan het die ouwe man niet kwalijk nemen dat hij alles aan zijn dochter heeft nagelaten. Ze heeft genoeg van hem moeten verdragen. Ze moest hem op zijn wenken bedienen, terwijl hij genoeg verpleegsters had om voor hem te zorgen. Hij behandelde haar als een slavin. Maar zij is nu ook vrij, en getrouwd met die knappe jonge man, en ze is nog jong en mooi en ze is schatrijk. Ik vraag me wel eens af hoe ik me zou voelen in haar plaats. Sommige mensen boffen toch maar. Ik bof nooit eens."

"En ik dan, m'n lieve Livvy? Je hebt mij toch – in ieder geval tot het volgende knappe gezichtje verschijnt."

En ik lag daar maar achter die bank, en hoorde alles; ik was verdoofd door de schok. Ik had wel kunnen kotsen, zo misselijk voelde ik me, maar ik bleef doodstil liggen en luisterde naar dat stel op de bank dat maar door bleef praten. Ik wilde opstaan en naar jou en Carrie toe hollen en je hier vandaan halen voor het te laat was.

Maar ik was gevangen. Als ik me bewoog zouden ze me zien. En die John, die is familie van grootmoeder... een achterneef of zo, zei mamma... niet dat ik geloof dat een achterneef erg belangrijk is, maar blijkbaar geniet John wel haar vertrouwen, anders zou hij niet haar auto's mogen gebruiken. Je hebt hem wel eens gezien, Cathy, die kale man in een livrei.'

Natuurlijk wist ik wie hij bedoelde, maar ik bleef doodstil liggen en kon geen woord uitbrengen.

'Dus,' ging Chris verder met die doodse monotone stem waaruit niet bleek of hij bezorgd, bang of verbaasd was, 'terwijl ik achter die bank lag, met mijn hoofd op mijn arm en met gesloten ogen en trachtte te verhinderen dat mijn hart zo verdomd luid bonsde, gingen John en dat dienstmeisje serieus met elkaar aan de gang. Ik hoorde hun bewegingen terwijl hij haar kleren uittrok en zij de zijne losmaakte.'

'Kleedden ze elkaar uit,' vroeg ik. 'Hielp ze hem echt met het uittrekken van zijn kleren?'

'Zo klonk het,' zei hij effen.

'En ze gilde niet en protesteerde niet?'

'Welnee, ze wilde het zelf! En ze deden er zo verrekte lang over! O, die geluiden die ze maakten, Cathy – je zou je oren niet geloven. Ze kreunde en schreeuwde en hijgde, en hij knorde als een varken. Maar hij scheen er vrij goed in te zijn, want aan het eind schreeuwde ze als een gek. En toen het voorbij was, bleven ze liggen en rookten een sigaret en praatten over alles wat er in dit huis gebeurt – en geloof me, er is niet veel dat aan hun aandacht ontsnapt. En toen gingen ze weer met elkaar vrijen.'

'Twee keer in dezelfde nacht?'

'Dat kan.'

'Chris, waarom klinkt je stem zo vreemd?'

Hij aarzelde, trok zich een eindje terug en nam me aandachtig op. 'Cathy, heb je niet geluisterd? Ik heb mijn best gedaan je alles precies zo te vertellen als het gebeurd is. Heb je het dan niet gehoord?'

Gehoord? Natuurlijk had ik het gehoord, alles.

Hij had te lang gewacht met het roven van mamma's zuur verdiende juwelen. Hij had telkens iets moeten nemen, zoals ik hem zo vaak gezegd had.

Dus mamma en haar man waren weer op reis. Dat was toch niets nieuws? Ze gingen zo vaak op reis. Ze deden al het mogelijke om dit huis te ontvluchten, en ik kan niet zeggen dat ik het ze kwalijk kon nemen. Wij wilden immers hetzelfde?

Ik trok mijn wenkbrauwen op en keek vragend naar Chris. Blijkbaar wist hij iets dat hij me niet verteld had. Hij beschermde haar nog steeds; hij hield nog steeds van haar.

'Cathy,' zei hij met gebroken stem.

'Het is niet erg, Chris. Ik neem het je niet kwalijk. Onze lieve, zorgzame moeder en haar knappe man zijn weer eens met vakantie, en ze heeft al haar juwelen meegenomen. We redden het tóch wel!' Het betekende dat we de zekerheid in de buitenwereld vaarwel moesten zeggen. Maar we gingen toch! We zouden werken, voor onszelf zorgen, genoeg verdienen om de dokters voor Carrie te betalen. Vergeet die juwelen maar en de onverschilligheid van moeder, die ons in de steek liet zonder te zeggen waar ze naartoe ging en wanneer ze terugkwam. We waren langzamerhand wel gewend aan wreedheid, hardheid en onverschilligheid. *Waarom al die tranen, Chris – waarom?*

'Cathy!' zei hij wanhopig, en wendde zijn betraande gezicht naar me toe. Hij keek me diep in de ogen. 'Waarom luister je niet, waarom begrijp je niets? Waar zijn je oren? Heb je niet gehoord wat ik zei? Grootvader is dood! Hij is al bijna een jaar dood!'

Misschien had ik niet goed geluisterd, niet goed genoeg. Misschien had zijn wanhoop me belet alles te horen. Het drong nu pas voor het eerst tot me door. Als grootvader werkelijk dood was – maar dat was geweldig nieuws! Nu zou mamma alles erven! We zouden rijk zijn! Ze zou de deur opengooien, ons vrijlaten. Nu hoefden we niet meer te vluchten.

Andere gedachten verdrongen mijn vreugde, een storm van vernietigende vragen – mamma had ons niet verteld dat haar vader was gestorven. Als ze besefte hoe lang die jaren voor ons geduurd hadden, waarom liet ze ons dan in onwetendheid, waarom liet ze ons nog wachten? Waarom? Verbijsterd, verward, wist ik niet wat ik moest denken en hoe ik me moest voelen: blij, gelukkig, spijtig... Een vreemde verlammende angst maakte zich van me meester.

'Cathy,' fluisterde Chris, hoewel ik niet weet waarom hij de moeite nam om te fluisteren. Carrie zou het niet horen. Haar wereld was gescheiden van de onze. Carrie zweefde tussen leven en dood, ging steeds meer de kant van Cory op, omdat ze zich stelselmatig uithongerde. Ze had de wil opgegeven om verder te leven zonder Cory. 'Moeder heeft ons met opzet bedrogen, Cathy. Haar vader is gestorven, en een paar maanden later is zijn testament voorgelezen, en al die tijd heeft ze haar mond gehouden en heeft ze ons hier laten wegrotten. Negen maanden geleden zouden we allemaal negen maanden gezonder zijn geweest! Cory zou nog leven als mamma ons vrij had gelaten op de dag dat haar vader was gestorven, of zelfs de dag nadat het testament was voorgelezen.'

Verpletterd viel ik in de diepe put die mamma's verraad had gegraven. Ik begon te huilen.

'Bewaar je tranen maar voor later,' zei Chris, die zelf ook had gehuild. 'Je weet nog niet alles. Er is nog meer... veel meer, en veel erger.'

'Nog meer?' Wat viel er nog meer te vertellen? Onze moeder was een leugenaarster en een bedriegster, een dievegge die onze jeugd had gestolen en Cory had gedood, om een vermogen in handen te krijgen dat ze niet wilde delen met kinderen die ze niet langer duldde of liefhad. O, ze had ons wel goed uitgelegd wat ons te wachten stond die avond toen ze ons die kleine litanie had gegeven voor de momenten dat we ons ongelukkig zouden voelen. Wist ze, vermoedde ze toen al dat ze het *ding* zou worden dat grootvader van haar wilde maken? Ik viel in Chris' armen en leunde tegen zijn borst. 'Je hoeft niet meer te vertellen! Ik heb genoeg gehoord... ik wil haar niet nog meer haten!'

'Haten... je hebt nog geen flauw idee wat haat is. Maar voor ik de rest vertel, moet je je goed voor ogen houden dat we hier weggaan, wat er ook gebeurt. We gaan naar Florida, zoals we van plan waren. We gaan in de zonneschijn leven en we zullen ons leven zo goed mogelijk inrichten. We zullen ons nooit schamen voor wat we zijn of wat we hebben gedaan, want wat wij samen hebben ervaren is niets vergeleken bij wat moeder heeft gedaan. Ook als jij eerder sterft dan ik zal ik nooit ons leven hier en op zolder vergeten. Ik zal ons zien dansen onder de papieren bloemen, jij zo sierlijk en ik zo klunzig. Ik zal het stof en het rottende hout ruiken en ik zal het me herinneren als het parfum van zoet geurende rozen, omdat het zonder jou zo somber en leeg zou zijn geweest. Jij bent de eerste die me heeft geleerd wat liefde kan zijn.

We zullen veranderen. We zullen van ons afgooien wat slecht in ons is, en het beste bewaren. Maar onder alle omstandigheden, wat er ook gebeurt, zullen wij drieën elkaar trouw blijven, één voor allen, allen voor één. We zullen opgroeien, Cathy, fysiek, geestelijk en emotioneel. Niet alleen dat, we zullen ook het doel bereiken dat we onszelf hebben gesteld. Ik zal de beste arts worden die de wereld ooit gekend heeft, en Pavlova zal bij jou vergeleken een stuntelig plattelandsmeisje lijken.'

Ik kreeg genoeg van dat gepraat over liefde en wat de toekomst ons zou brengen, terwijl we nog steeds achter een gesloten deur zaten en de dood naast me lag, opgerold als een foetus, met handjes die zelfs in de slaap tot een gebed waren gevouwen.

'Goed, Chris, dat was dus de adempauze. Ik ben op alles voorbereid. Het is lief van je dat je dat gezegd hebt, dat je van me houdt, want jijzelf bent ook niet zonder liefde of bewondering gebleven.' Ik kuste hem snel op de lippen en zei dat hij zijn verhaal af moest maken, me de genadeslag geven.

'Chris, ik geloof dat je me iets heel ergs te vertellen hebt – dus voor den dag ermee. Hou me vast terwijl je het vertelt, dan kan ik alles verdragen wat je te zeggen hebt.'

Wat was ik nog jong. Wat een gebrek aan fantasie – en wat een naïef vertrouwen.

HET EINDE, HET BEGIN

'Raad eens wat zij hun verteld heeft,' ging Chris verder. 'Raad eens wat voor reden ze heeft gegeven dat ze deze kamer niet schoongemaakt wilde hebben op de laatste vrijdag van de maand.'

Hoe kon ik dat nu raden? Dan zou ik een brein als het hare moeten hebben. Ik schudde het hoofd. Het was al zo lang geleden dat de meisjes voor het laatst deze kamer hadden gedaan, dat ik die eerste afschuwelijke weken alweer vergeten was.

'Muizen, Cathy,' zei Chris, met kille, harde ogen. '*Muizen!* Honderden muizen op zolder, die onze grootmoeder heeft bedacht... slimme muizen die via de trap naar de tweede verdieping kwamen. Duivelse muizen die haar dwongen deze deur op slot te doen, en in deze kamer eten achter te laten – met arsenicum.'

Ik luisterde en vond het slim bedacht. De zolder *was* vol muizen. En ze kwamen langs de trap naar beneden.

'Arsenicum is wit, Cathy, *wit*. Als het vermengd wordt met poedersuiker proef je de bittere smaak niet.'

Ik dacht dat ik tegen de grond sloeg! Poedersuiker op de dagelijkse vier donuts! Eén voor elk van ons. Nu zaten er nog maar drie in de mand!

'Maar, Chris, dat slaat toch nergens op. Waarom zou grootmoeder ons langzamerhand willen vergiftigen? Waarom niet één keer een grote hoeveelheid, genoeg om ons in één klap af te maken, zodat het achter de rug is?'

Zijn vingers streelden door mijn haar en hij hield mijn hoofd tussen zijn handen. Heel zachtjes zei hij: 'Denk eens aan die oude film die we op de TV hebben gezien. Aan die knappe vrouw die zich als huishoudster verhuurde bij oudere mannen – alleen maar rijke mannen natuurlijk – en als ze hun vertrouwen en genegenheid had gewonnen en ze haar in hun testament hadden opgenomen, voerde ze hun elke dag een beetje arsenicum. Als je regelmatig een minieme hoeveelheid arsenicum krijgt toegediend, wordt dat door je lichaam geabsorbeerd. Het slachtoffer voelt zich elke dag wat slechter, maar niet al te erg. De hoofdpijnen, de maagklachten zijn zo gemakkelijk te verklaren. Als het slachtoffer sterft, laten we zeggen in een ziekenhuis, is hij broodmager en lijdt hij aan bloedarmoede, en heeft hij al een lange voorgeschiedenis van ziekten, hooikoorts, verkoudheden, enzovoort. En een dokter verwacht geen vergiftiging – niet als het slachtoffer alle uiterlijke symptomen heeft van longontsteking, of ouderdom, zoals het geval was in die film.'

'Cory!' riep ik uit. 'Is Cory gestorven aan arsenicum? Mamma zei dat het longontsteking was!'

'Ze kan toch zeggen wat ze wil? Hoe weten wij of ze de waarheid zegt of niet? Misschien heeft ze hem niet eens naar een ziekenhuis gebracht. En als ze het wel deed hebben de dokters blijkbaar geen enkele onnatuurlijke oorzaak vermoed, anders zou ze nu wel in de gevangenis zitten.'

'Maar Chris,' protesteerde ik, 'mamma zou toch niet goedvinden dat grootmoeder ons vergiftigt! Ik weet dat ze dat geld wil hebben, en ik weet dat ze niet meer zoveel van ons houdt als vroeger – maar ze zou ons toch nooit laten vermoorden!'

Chris wendde zijn hoofd af. 'Oké. We moeten een proef nemen. We zullen Cory's muis een stukje donut voeren met poedersuiker.'

Nee! Niet Mickey, die ons vertrouwde en van ons hield – dat mochten we niet doen. Cory had zoveel van dat grijze muisje gehouden. 'Chris, laten we een andere muis vangen – een wilde, die ons niet vertrouwt.'

'Kom nou, Cathy, Mickey is een oude muis, en kreupel. Het is moeilijk om een muis levend te vangen, dat weet je. Hoeveel hebben het overleefd als ze eenmaal aan die kaas hadden geknabbeld? En als wij weggaan en we laten Mickey vrij dan overleeft hij het niet – hij is nu een huisdier geworden, en van ons afhankelijk.'

Maar ik was van plan hem met ons mee te nemen.

'Bekijk het eens op deze manier, Cathy – Cory is dood, en hij was niet eens begonnen te leven. Als die donuts niet giftig zijn, blijft Mickey leven en kunnen we hem meenemen, als je dat graag wilt. Eén ding staat vast – we móeten het weten. Terwille van Carrie. Kijk haar eens goed aan. Zie je dan niet dat zij ook bezig is dood te gaan? Elke dag wordt ze zwakker – en jij ook.'

Op drie gezonde pootjes, slepend met zijn manke pootje, kwam ons lieve grijze muisje naar ons toe, dat vol vertrouwen aan Chris' vinger knabbelde voor het in de donut beet. Hij nam een klein stukje en at het op, vol vertrouwen, in ons gelovend, zijn godheden, zijn ouders, zijn vrienden. Het sneed door mijn hart als ik ernaar keek.

Mickey stierf niet, niet meteen. Hij werd loom, lusteloos, apathisch. Later kreeg hij pijnaanvallen die hem zachtjes deden steunen. Na een paar uur lag hij op zijn ruggetje, stijf, koud. De roze teentjes tot klauwen gekromd. Kleine zwarte kraaloogjes, ingezonken, dof... Dus nu wisten we het... heel zeker. God had Cory niet tot zich genomen.

'We zouden de muis in een papieren zak mee kunnen nemen met twee van de donuts en die naar de politie brengen,' zei Chris aarzelend, met afgewende blik...

'Ze zouden grootmoeder in de gevangenis gooien.'

'Ja,' zei hij, en draaide zich om.

'Chris, je verzwijgt iets – wat is het?'

'Later... als we weg zijn. Op het ogenblik heb ik alles gezegd wat ik kan zeggen zonder misselijk te worden. We gaan morgenochtend vroeg weg,' zei hij, toen ik geen antwoord gaf. Hij nam mijn beide handen in de zijne en drukte ze stevig. 'We zullen zo gauw mogelijk naar een dokter gaan met Carrie – en wij zelf ook.'

Zo'n lange dag om door te komen. Alles stond gereed en we hadden niets anders te doen dan voor het laatst naar de TV te staren. Met Carrie in de hoek en Chris en ik ieder op een bed keken we naar onze geliefde soap opera. Toen het uit was, zei ik: 'Chris, die mensen zijn net als wij – ze gaan bijna nooit naar buiten. En als ze het doen, horen we het alleen maar, we zien het nooit. Ze hangen rond in zitkamers, slaapkamers, zitten in keukens en drinken koffie, of staan in de kamer en drinken martini's – maar nooit zien we ze naar buiten gaan. En telkens als er iets goeds gebeurt, telkens als ze denken dat ze eindelijk gelukkig zullen worden, gebeurt er weer iets dat hun hoop de bodem inslaat.'

Ik voelde plotseling dat er iemand in de kamer was. Ik hield mijn adem in. Daar stond grootmoeder. Iets in haar houding, haar wrede, harde, grijze ogen, haar spottende, minachtende blik vertelde me dat ze er al een tijdlang had gestaan.

Ze zei met kille stem: 'Wat zijn jullie wereldwijs geworden sinds jullie van de wereld zijn afgesloten. Je denkt dat je schertsend een overdreven beeld hebt gegeven van het leven – maar je overdreef helemaal niet. Je hebt het heel juist gezien. Iets wordt nooit zoals je denkt dat het zal worden. Aan het eind ben je altijd teleurgesteld.'

Chris en ik staarden haar verstard aan. De achter de gordijnen verborgen zon dook weg in de nacht. Ze had gezegd wat ze te zeggen had, dus ging ze weg en deed de deur achter zich op slot. Wij bleven op bed zitten en Carrie zat onderuit gezakt in de hoek.

'Cathy, kijk niet zo verslagen. Ze probeerde ons alleen maar weer te vernederen. Misschien dat het voor haar allemaal niet goed is afgelopen, maar dat wil niet zeggen dat ons hetzelfde lot te wachten staat. We gaan morgen weg zonder al te hoge verwachtingen, we rekenen er niet op dat we de volmaaktheid vinden. Als we maar weinig geluk verwachten, zullen we niet teleurgesteld worden.'

Chris mocht dan tevreden zijn met een klein heuveltje geluk, maar ik niet! Na al die jaren van strijd, hoop, dromen, verlangen – wilde ik een reusachtige berg! Een heuveltje was voor mij niet voldoende. Vanaf deze dag, zwoer ik bij mezelf, zou ik mijn leven in eigen hand houden. Ik zou me niet door het noodlot, niet door God, zelfs niet door Chris ooit nog laten vertellen wat ik wel en niet moest doen, en ik zou me in geen enkel opzicht ooit nog laten overheersen. Vanaf deze dag zou ik mezelf zijn, nemen *wat* ik wilde *wanneer* ik wilde, en ik was de enige aan wie ik rekenschap zou hebben af te leggen. Ik was gevangen gehouden, gevangen door hebzucht en inhaligheid. Ik was verraden, bedrogen, misbruikt, vergiftigd... maar dat was nu allemaal voorbij.

Ik was net twaalf toen mamma ons in de nacht door het dichte pijnbos had geleid... op het punt een vrouw te worden, en in deze drie jaar en bijna vijf maanden was ik volwassen geworden. Ik was ouder dan de bergen daarbuiten. De wijsheid van de zolder zat in mijn botten, was in mijn brein gebrand, was een deel van mijn lichaam en geest.

Zoals Chris op een gedenkwaardige dag uit de Bijbel had geciteerd, is er een tijd voor alles. Ik vond dat mijn tijd voor geluk gekomen was.

Waar was dat tere porseleinen poppetje dat ik vroeger was? Verdwenen. Verdwenen als porselein dat in staal is veranderd – veranderd in iemand die altijd zou krijgen wat ze wilde, wie of wat haar ook in de weg stond. Ik keek met vastberaden blik naar Carrie, die nog steeds in haar hoekje zat, haar hoofd zo diep gebogen dat haar lange haar over haar gezichtje viel. Pas achteneenhalf jaar, maar zo zwak dat ze schuifelde als een oude vrouw. Ze at niet en ze sprak niet. Ze speelde niet met de lieve kleine baby die in het poppenhuis woonde. Toen ik vroeg of ze een paar van die poppetjes mee wilde nemen, bleef haar hoofdje hangen.

Zelfs Carrie niet, met haar koppige, uitdagende manieren, zou me langer kunnen dwarsbomen. Er was niemand, nergens, zeker geen achtjarige, die mijn wil zou kunnen weerstaan.

Ik liep naar haar toe en pakte haar op, en hoewel ze zwakjes tegenstribbelde, waren haar pogingen zich los te maken nutteloos. Ik ging aan tafel zitten en dwong haar te eten, en dwong haar het in te slikken als ze het uit wilde spuwen. Ik hield een glas melk tegen haar mond. Ze klemde haar lippen op elkaar, maar ik wrikte ze open en dwong haar de melk te drinken. Ze riep verontwaardigd dat ik gemeen was. Ik droeg haar naar de badkamer en gebruikte het toiletpapier, toen ze zelfs dat weigerde.

Daarna waste ik haar haar en trok haar een paar lagen warme kleren aan. Zelf kleedde ik me ook warm aan. Toen Carrie's haar droog was, borstelde ik het tot het glansde en het er weer wat meer uitzag als vroeger, alleen veel dunner en minder mooi.

Al die lange uren dat we zaten te wachten hield ik Carrie in mijn armen, fluisterde haar de plannen toe die Chris en ik hadden voor de toekomst – het gelukkige leven dat we zouden leiden in de gouden zonneschijn van Florida.

Chris zat in de schommelstoel, helemaal aangekleed, en tokkelde op Cory's gitaar, *'Dance, ballerina, dance,'* zong hij zachtjes, en zijn stem klonk helemaal niet slecht. Misschien konden we een trio vormen – als Carrie ooit zoveel beter zou worden dat ze weer zou willen zingen.

Om mijn pols droeg ik een veertien karaats gouden Zwitsers horloge, dat mamma een paar honderd dollar gekost moest hebben, en Chris had ook een duur horloge. We waren niet helemaal berooid. We hadden de gitaar, de banjo, Chris' Polaroid camera en zijn vele aquarellen die we konden verkopen – en de ringen die vader aan moeder had gegeven.

Morgenochtend zouden we ontsnappen – maar waarom bleef ik nu maar denken dat we iets heel belangrijks over het hoofd hadden gezien?

Toen drong er plotseling iets tot me door! Iets dat zowel Chris als ik hadden gemist. Als grootmoeder onze gesloten deur kon openmaken en zo lang stil blijven staan voor we haar opmerkten... had ze dat dan misschien bij andere gelegenheden ook gedaan? In dat geval wist ze misschien van onze ontsnappingsplannen!

Ik keek naar Chris en vroeg me af of ik het zou zeggen. Hij kon nu niet meer aarzelen en weer een reden vinden om ons vertrek uit te stellen... dus bracht ik mijn argwaan onder woorden. Hij bleef op de gitaar tokkelen, blijkbaar niet in het minst verontrust. 'Daar heb ik aan gedacht zodra ik haar zag staan,' zei hij. 'Ik weet dat ze die butler John erg vertrouwt, en het is best mogelijk dat ze hem onderaan de trap laat wachten om ons te beletten weg te gaan. Hij mag het proberen – niets en niemand zal ons beletten morgenochtend vroeg weg te gaan!'

Maar de gedachte dat grootmoeder en haar butler onderaan de trap zouden wachten liet me niet met rust. Ik legde Carrie op bed, liet Chris in zijn schommelstoel zitten met de gitaar en ging naar de zolder om afscheid te nemen.

Recht onder de bungelende gloeilamp bleef ik staan en keek om me heen. Mijn gedachten gingen terug naar de dag dat we hier voor het eerst waren gekomen... Ik zag ons alle vier staan, hand in hand, om ons heen starend, overweldigd door die reusachtige zolder en de spookachtige meubels en die stoffige rommel. Ik zag Chris in de hoogte op de balken zijn leven wagend om twee schommels op te hangen voor Cory en Carrie. Ik slenterde naar het leslokaal, keek naar de oude lessenaars, waar de tweeling had leren lezen en schrijven. Ik keek niet naar de gevlekte, stinkende matras, waar we hadden liggen zonnen. Die matras wekte andere herinneringen bij me op. Ik staarde naar de bloemen met de fonkelende hartjes – en de scheve slak, de vervaarlijke paarse worm, de bordjes die Chris en ik hadden gemaakt, en door dat doolhof van tuinen en rimboe zag ik mezelf dansen, altijd alleen, behalve als Chris in de schaduw stond en naar me keek. En toen ik walste met Chris had ik een ander van hem gemaakt.

Hij riep bij de trap: 'Het is tijd om te gaan, Cathy.'

Snel holde ik terug naar het leslokaal. Op het bord schreef ik met wit krijt in grote letters:

We woonden op zolder
Christopher en Cory en Carry en ik
En nu zijn er nog maar drie.

Ik schreef mijn naam eronder en de datum. In mijn hart wist ik dat de geest van ons vieren sterker zou zijn dan alle andere geesten van kinderen die waren opgesloten in het leslokaal op zolder. Ik liet een raadsel achter dat iemand later ooit zou trachten op te lossen.

Met Mickey en twee vergiftigde donuts in een papieren zak, die Chris in zijn jaszak had geborgen maakte hij met de houten sleutel voor het laatst de deur van onze gevangenis open. We zouden ons tot de dood verzetten als grootmoeder en de butler ons beneden stonden op te wachten. Chris droeg de twee koffers met onze kleren en andere bezittingen, en Cory's geliefde gitaar en banjo waren over zijn schouder geslagen. Hij ging ons voor door alle donkere gangen naar de achtertrap. Ik droeg Carrie in mijn armen. Ze was half in slaap. Ze woog maar iets meer dan toen we haar meer dan drie jaar geleden diezelfde trap hadden opgedragen. De twee koffers die mijn broer droeg waren dezelfde die mamma in die verschrikkelijke nacht had gedragen, zo lang geleden, toen we nog jong waren en vol liefde en vertrouwen.

Aan de binnenkant van onze kleren hadden we twee kleine zakjes vastgespeld met de biljetten die we uit mamma's kamer hadden gestolen, eerlijk verdeeld voor het geval een onvoorziene gebeurtenis Chris en mij zou scheiden – zodat we dan allebei wat geld zouden hebben. En Carrie zou in ieder geval bij één van ons zijn en dus verzorgd. In de twee koffers zaten de zware muntstukken, ook in twee zakjes, zodat het gewicht verdeeld was.

Chris en ik waren ons maar al te goed bewust van hetgeen ons buiten te wachten stond. We hadden niet voor niets zoveel televisie gezien. We wisten dat slimme, harteloze mensen op de loer lagen om naïeve, onschuldige mensen in de val te lokken. We waren jong en kwetsbaar, zwak, halfziek, maar niet langer naïef of onschuldig.

Mijn hart stond stil toen Chris de achterdeur openmaakte, bang dat iemand ons zou tegenhouden. Hij stapte naar buiten, glimlachte naar me.

Het was koud buiten. Hier en daar lagen plekken sneeuw. Het kon elk ogenblik weer gaan sneeuwen. Dat voorspelde de loodkleurige lucht. Maar het was hier niet kouder dan op zolder. De aarde veerde onder onze voeten. Een vreemd gevoel na zoveel jaren op de harde rechte houten vloeren te hebben gelopen. Ik voelde me nog steeds niet veilig, want John kon ons volgen... ons terughalen, het althans proberen.

Ik hief mijn hoofd op en snoof de frisse, prikkelende berglucht op. Het was als een mousserende wijn die je dronken maakte. Ik droeg Carrie een klein eindje. Toen zette ik haar op de grond. Ze wankelde, aarzelde, staarde verdwaasd om zich heen. Ze snufte, veegde haar kleine, goed gevormde rode neusje af. Ooooh... zou ze zo gauw al kou vatten?

'Cathy,' riep Chris achterom, 'je moet opschieten. We hebben niet veel tijd, en het is ver. Draag Carrie als ze moe wordt.'

Ik pakte haar kleine handje beet en trok haar voort. 'Haal heel diep adem, Carrie. Voor je het weet ben je weer sterk door de frisse lucht, het goede eten en de zon.'

Ze hief haar smalle bleke gezichtje naar mij op – lag er eindelijk een sprankje hoop in haar ogen? 'Gaan we naar Cory?'

De eerste vraag die ze had gesteld sinds die tragische dag toen we hoorden dat Cory was gestorven. Ik keek naar haar, ik kende haar innige verlangen naar Cory. Ik kon geen nee zeggen. Ik kon dat sprankje hoop niet doven. 'Cory is hier heel ver vandaan. Heb je niet geluisterd toen ik zei dat ik pappa heb gezien in een mooie tuin? Heb je het niet gehoord dat pappa Cory in zijn armen nam en dat pappa nu voor Cory zorgt? Ze wachten op ons, en op een goede dag zien we ze weer terug, maar dat kan nog heel lang duren.'

'Maar Cathy,' klaagde ze, met gefronste wenkbrauwen, 'Cory zal die tuin niet fijn vinden als ik er niet ben en als hij ons komt zoeken weet hij niet waar we zijn.'

Haar ernst deed de tranen in mijn ogen springen. Ik pakte haar op en probeerde haar vast te houden, maar ze worstelde zich los en sjokte voort, me belemmerend in mijn tempo terwijl ze zich herhaaldelijk omdraaide en achterom keek naar het grote huis dat we achter ons lieten.

'Kom, Carrie, loop eens wat vlugger! Cory kijkt naar ons – hij wil dat we ontsnappen! Hij ligt op zijn knieën te bidden dat we weg zijn voordat grootmoeder iemand stuurt om ons terug te halen en weer op te sluiten!'

Over alle kronkelende paden liepen we achter Chris aan, die er flink de pas inzette. En precies zoals ik verwacht had leidde hij ons onfeilbaar naar datzelfde kleine stationnetje, dat bestond uit een tinnen dak dat werd geschraagd door vier houten palen, en een wankele groene bank.

De opgaande zon tuurde over het topje van een berg en verjoeg de ochtendnevel. De lucht was roze gekleurd toen we het stationnetje naderden.

'Schiet op, Cathy,' riep Chris. 'Als we de trein missen, moeten we tot vier uur wachten!'

O, God, we mochten die trein niet missen! Dan zou grootmoeder alle tijd hebben om ons weer gevangen te nemen!

We zagen een postauto, en een lange, broodmagere man, die naast drie postzakken stond. Hij nam zijn pet af, waardoor een glanzende rode haardos te zien kwam. Hij glimlachte vriendelijk naar ons. 'Jullie zijn ook vroeg op,' riep hij vrolijk. 'Gaan jullie naar Charlottesville?'

'Ja, we zijn op weg naar Charlottesville,' antwoordde Chris opgelucht en zette de twee koffers neer.

'Lief klein meisje heb je daar,' zei de lange postbeambte, met een medelijdende blik op Carrie, die zich angstig aan mijn rok vastklemde. 'Maar je moet het me niet kwalijk nemen als ik zeg dat ze er nogal bleekjes uitziet.'

'Ze is ziek geweest,' beaamde Chris. 'Maar ze zal gauw genoeg weer helemaal beter zijn.'

De postbode knikte. Hij scheen vertrouwen te hebben in die prognose. 'Heb je kaartjes?'

'Ik heb geld.' Toen ging Chris heel slim verder, als een voorbereiding op minder betrouwbare vreemdelingen: 'Net genoeg voor de kaartjes.'

'Nou, haal het dan maar gauw te voorschijn, jongen, want daar komt de vijf uur vijfenveertig.'

Toen we in die trein zaten en in de richting van Charlottesville reden, zagen we Foxworth hoog op de helling liggen. Chris en ik konden onze blik er niet van afwenden, we staarden strak naar onze gevangenis. Onze blik was vooral gericht op de zolderramen met de gesloten zwarte luiken.

Mijn aandacht werd getrokken door de laatste kamer op de tweede verdieping in de noordelijke vleugel. Ik gaf Chris een por toen de zware gordijnen opzij werden geschoven en de schaduwachtige omtrek van een grote oude vrouw daar verscheen. Ze staarde naar buiten op zoek naar ons... en verdween toen.

Natuurlijk kon ze de trein zien, maar we wisten dat ze ons niet kon zien, zoals wij nooit de passagiers hadden kunnen zien. Toch zakten Chris en ik wat meer onderuit op de bank. 'Wat zou ze zo vroeg boven doen?' fluisterde ik tegen Chris. 'Meestal brengt ze ons eten pas om half zeven.'

Hij lachte bitter. 'O, dat is weer een van haar pogingen om ons op iets zondigs en verbodens te betrappen.'

Misschien wel, maar ik wilde weten wat ze dacht, wat ze voelde, toen ze die kamer binnenkwam en hem leeg vond en de kleren verdwenen uit de kast en de laden. En geen stemmen of voetstappen boven haar hoofd, geen kinderen die kwamen aangerend – als ze riep.

In Charlottesville kochten we buskaartjes naar Sarasota, en hoorden dat we twee uur moesten wachten op de Greyhound-bus naar het zuiden. Twee uur waarin John in een zwarte limousine kon springen en ons inhalen!

'Niet aan denken!' zei Chris. 'Je weet niet eens of hij van ons bestaan op de hoogte is. Ze zou wel gek zijn om het hem te vertellen, al is hij waarschijnlijk nieuwsgierig genoeg om er zelf achter te komen.'

We dachten dat de beste manier om hem te beletten ons te vinden was om in beweging te blijven. We borgen onze twee koffers en de gitaar en banjo in een bagagekluis. Hand in hand, Carrie in het midden, slenterden we door de hoofdstraten van de stad, waar het personeel van Foxworth Hall op zijn vrije dag op bezoek ging bij familie, of ging winkelen, of naar de bioscoop of zich op een andere manier amuseerde. En op een donderdag zouden we bang zijn geweest. Maar nu was het zondag.

We moeten op bezoekers van een andere planeet hebben geleken met onze slecht passende, omvangrijke kleren, onze gymschoenen, ons slecht geknipte haar en onze bleke gezichten. Maar niemand staarde echt naar ons, zoals ik bang was geweest dat ze zouden doen. We werden geaccepteerd als een deel van het menselijk ras, en niet vreemder dan de meesten. Het was goed om terug te zijn onder de mensen en andere gezichten om je heen te zien.

'Ik vraag me af waar iedereen zo haastig naar toe gaat?' vroeg Chris, op hetzelfde moment dat ik het me afvroeg.

We bleven besluiteloos op een hoek staan. Cory werd geacht niet ver van hier begraven te zijn. O, ik zou zo graag op zoek zijn gegaan naar zijn graf om daar bloemen neer te leggen. Op een andere dag zouden we terugkomen met gele rozen, en we zouden knielen en bidden, of het ergens toe diende of niet. Maar nu moesten we eerst heel, heel ver weg gaan, om Carrie buiten gevaar te brengen... we moesten Virginia verlaten hebben voor we met haar naar een dokter konden.

Toen haalde Chris de papieren zak met de dode muis en de donuts met poedersuiker uit zijn jaszak. Zijn plechtige ogen keken in de mijne. Losjes hield hij de zak voor mijn neus en vroeg met zijn ogen: Oog om oog?

Die papieren zak was een symbool voor zoveel. Al onze verloren jaren, die we hadden gemist, de speelkameraadjes en vrienden, en alle dagen dat we hadden moeten lachen in plaats van huilen. In die zak zaten al onze frustraties, vernederingen, eenzaamheid, straffen en teleurstellingen – en hij symboliseerde vooral het verlies van Cory.

'We kunnen naar de politie gaan en ons verhaal vertellen,' zei Chris, zonder me aan te kijken. 'Het stadsbestuur zal voor jou en Carrie zorgen, zodat jullie niet hoeven te vluchten. Jullie kunnen in pleeghuizen worden opgenomen, of een weeshuis. En ik, tja, ik weet het niet...'

Chris praatte nooit tegen me zonder me aan te kijken, tenzij hij iets voor me verborgen hield, dat geheim dat had moeten wachten tot we buiten Foxworth Hall waren. 'Oké, Chris, we zijn nu ontsnapt, dus voor de draad ermee. Wat heb je voor me verzwegen?'

Hij boog zijn hoofd en Carrie kwam dichterbij en klemde zich vast aan mijn rok. Haar ogen keken gefascineerd naar de drukke verkeersstroom en de talloze mensen die zich voorbij haastten, van wie sommigen naar haar glimlachten.

'Het is mamma,' zei Chris zachtjes. 'Herinner je je nog dat ze zei dat ze alles zou doen om de genegenheid van haar vader terug te winnen zodat ze van hem zou erven? Ik weet niet wat ze hem heeft moeten beloven, maar ik heb de bedienden horen praten. Cathy, een paar dagen voordat grootvader stierf, heeft hij een codicil aan zijn testament toegevoegd. Daarin staat dat als ooit bewezen wordt dat ze kinderen heeft gekregen van haar eerste man de hele nalatenschap verbeurd wordt verklaard – dan moet ze alles teruggeven, ook wat ze met het geld heeft gekocht, kleren, juwelen, beleggingen – alles. En daar blijft het niet bij: hij heeft ook erbij laten schrijven dat ze ook alles kwijtraakt als ze kinderen krijgt uit haar *tweede* huwelijk. En mamma dacht dat hij haar had vergeven! Hij heeft het niet vergeven of vergeten. Hij wilde haar blijven straffen, ook nog vanuit zijn graf.'

Mijn ogen sperden zich wijd open van schrik toen ik de stukjes aan elkaar paste. 'Bedoel je dat mamma... Was het mamma en niet grootmoeder?'

Hij haalde zijn schouders op, deed onverschillig, maar ik wist dat dat onmogelijk was. 'Ik heb die ouwe vrouw naast haar bed horen bidden. Ze is slecht, maar ik geloof niet dat ze zelf gif zou strooien op die donuts. Ze bracht ze ons en ze wist dat we ze aten, maar ze waarschuwde ons altijd om ze niet te eten.'

Zijn glimlach was bitter en wrang. 'Ja. Maar negen maanden geleden werd het testament voorgelezen; negen maanden geleden was mamma terug. Alleen mamma profiteert van grootvaders testament – niet grootmoeder. Zij bracht alleen maar elke dag die mand boven.'

Er waren zoveel vragen – maar ik dacht aan Carrie, die zich aan me vastklampte en met grote ogen naar me opkeek. Ik wilde niet dat ze wist dat Cory een onnatuurlijke dood was gestorven. Met een energiek gebaar stopte Chris de zak met de bewijsstukken in mijn handen. 'Jij moet beslissen. Jij hebt steeds gelijk gehad met je intuïtie – als ik naar jou geluisterd had zou Cory nog leven.'

Er is geen haat zo groot als de haat die voortspruit uit liefde die verraden is – en alles in me schreeuwde om wraak. Ja, ik wilde mamma en grootmoeder opgesloten zien in de gevangenis, achter de tralies, veroordeeld wegens moord met voorbedachten rade – viermaal, als de poging tot moord meetelde. Dan waren zij alleen nog maar grijze muizen in kooien, opgesloten zoals wij opgesloten waren, alleen zouden zij het voordeel hebben dat ze in gezelschap waren van drugsverslaafden, prostituées en andere moordenaars, net als zijzelf. Hun kleren zouden gemaakt zijn van grijs gevangeniskatoen. Geen bezoekjes tweemaal per week aan de schoonheidssalon, geen make-up, geen manicure... en slechts eenmaal per week een douche. Zelfs de privacy van haar meest intieme lichaamsdelen zou haar worden ontnomen. Ze zou lijden zonder haar bontjassen, zonder juwelen en warme cruises in het zuiden als het winter was. Er zou geen knappe, jonge echtgenoot meer zijn, die haar bewonderde en met wie ze kon stoeien in het grote zwanebed.

Ik staarde naar de lucht waar God verondersteld werd te wonen – zou ik het aan Hem overlaten om op Zijn eigen manier het evenwicht te herstellen en de last van de rechtspraak van me af te nemen?

Ik vond het niet eerlijk, dat Chris de beslissing aan mij had overgelaten. Waarom?

Was het omdat *hij* alles zou vergeven – zelfs de dood van Cory en haar pogingen ons allemaal te vermoorden? Zou hij redeneren dat zulke ouders als zij had haar tot alles konden dwingen – zelfs tot moord? Was er voldoende geld in de hele wereld dat *mij* ertoe zou kunnen brengen mijn vier kinderen te vermoorden?

Beelden flitsten voor mijn ogen, voerden me terug naar de dagen voordat mijn vader was gestorven. Ik zag ons in de achtertuin, lachend en gelukkig. Ik zag ons aan het strand, zeilen, zwemmen, ik zag ons skieën in de bergen. En ik zag mamma in de keuken staan, waar ze haar best deed een maaltijd te koken die wij lekker zouden vinden.

Ja, haar ouders zouden wel de manieren weten te vinden om haar liefde voor ons te doden – als iemand dat kon dan waren zij het wel. Of dacht Chris, net als ik, dat als we naar de politie gingen en ons verhaal vertelden, onze foto's in alle kranten zouden verschijnen? Zou de felle schijn van de publiciteit goedmaken wat we zouden verliezen? Onze privacy – onze behoefte om bij elkaar te blijven? Moesten we elkaar kwijtraken alleen om wraak te nemen?

Ik keek weer omhoog.

God schreef geen scenario's voor de kleine spelertjes hier beneden. Die schreven wij zelf – met elke dag die we leefden, elk woord dat we spraken, elke gedachte die we in onze hersens brandden. Mamma had ook haar eigen scenario geschreven. Een heel armzalig, droevig script.

Eens had ze vier kinderen gehad die ze in alle opzichten volmaakt vond. Nu had ze geen enkel kind meer over. Eens had ze vier kinderen gehad die van haar hielden, en *haar* in ieder opzicht volmaakt vonden – nu had ze niemand meer die haar volmaakt vond. En ze zou ook nooit meer andere kinderen willen hebben. Liefde voor alles wat met geld te koop was zou haar eeuwig laten gehoorzamen aan dat wrede codicil in haar vaders testament.

Mamma zou oud worden; haar man was jaren jonger. Ze zou zich eenzaam gaan voelen en wensen dat ze het anders had gedaan. Als ze nooit meer ernaar zou verlangen haar armen om mij heen te slaan, zou ze wel verlangen naar Chris, en misschien naar Carrie... en ze zou zeker naar de babies verlangen die op een dag van ons zouden zijn.

Vanuit deze stad zouden we met een bus naar het zuiden vluchten om iets van onszelf te maken. Als we mamma terugzagen – en daar zou het noodlot zeker voor zorgen – dan zouden we haar recht in de ogen kijken en haar de rug toekeren.

Ik gooide de zak in de eerste de beste vuilnisbak die ik tegenkwam, zei vaarwel tegen Mickey en vroeg hem ons alsjeblieft te vergeven wat we hadden gedaan.

'Kom, Cathy,' riep Chris, zijn hand uitstekend. 'Wat gebeurd is, is gebeurd. Zeg het verleden vaarwel en hallo tegen de toekomst. We verspillen onze tijd, en we hebben al genoeg tijd verspild. Het leven ligt voor ons, wacht op ons.'

Precies de juiste woorden om me het gevoel te geven dat ik leefde, vrij was! Vrij genoeg om de gedachte aan wraak te vergeten. Ik lachte, keerde me om en rende terug. Ik legde mijn hand in de zijne. Met zijn vrije arm tilde Chris Carrie op, drukte haar dicht tegen zich aan en kuste haar bleke wangetje. 'Heb je dat gehoord, Carrie? We zijn op weg naar een plaats waar de bloemen de hele winter doorbloeien – het hele jaar bloeien de bloemen. Is dat geen reden om te lachen?'

Een vaag glimlachje verscheen om de bleke lippen die vergeten leken te zijn hoe ze moesten lachen. Maar het was voldoende – voorlopig.

EPILOOG

Met opluchting beëindig ik het verhaal over die jaren, waarop de rest van ons leven gebaseerd zou zijn.

Na onze ontsnapping uit Foxworth Hall vonden we onze weg en slaagden erin ons doel te bereiken.

Ons leven zou altijd stormachtig blijven, maar het leerde Chris en mij dat we wisten te overleven. Voor Carrie was het wat anders. We konden haar met moeite overhalen een leven te willen zonder Cory; ook al was ze omringd door rozen.

Maar hoe we erin slaagden te overleven – dat is een ander verhaal.

Lees ook van A.W. Bruna Uitgevers B.V.

Virginia Andrews

M'n lieve Audrina

M'n lieve Audrina is Audrina Adare, mooi, verstandig en gevoelig, en zeer verliefd op Arden. Deze jongeman is volgens haar vader Damien beneden haar stand en hij werkt de romance dan ook zoveel mogelijk tegen.
Ook nadat Audrina met haar geliefde Arden is getrouwd, wordt ze achtervolgd door haar verleden en herinneringen, en door een vader die vastbesloten is haar in zijn macht te houden. Want negen jaar voor Audrina werd geboren, is er een andere Audrina geweest, een kind met helderziende gaven, dat op negenjarige leeftijd overleed.
Damien Adare is er zeker van dat zijn tweede Audrina over dezelfde krachten beschikt en dat zij hem kan en zal helpen om het verloren gegane familiefortuin terug te winnen.

ISBN 90 449 2543 1

Lees ook van A.W. Bruna Uitgevers B.V.

Virginia Andrews

Het zaad van gisteren

Het succesverhaal van Virginia Andrews is eenvoudig: al haar boeken werden ongelooflijke bestsellers! Alleen al in Amerika werden van haar romans meer dan zestien miljoen exemplaren verkocht en ook in Nederland en België was en is het succes enorm.
Het zaad van gisteren is het grandioze besluit van de *Dollanganger*-serie. Het is het verhaal van een macabere familiereünie, waarvoor de leden van de familie Dollanganger zijn teruggekeerd naar Foxworth Hall. Allen zijn nu volwassen en schijnbaar vrij van hun sinistere verleden. Maar dan neemt de duivelse geest van Malcolm Foxworth verraderlijk langzaam nogmaals bezit van hen. De tijd is gekomen dat de familie geconfronteerd wordt met haar uiteindelijke noodlot.

Het laatste deel van de macabere *Dollanganger*-serie

ISBN 90 449 2543 1

Lees ook van A.W. Bruna Uitgevers B.V.

Virginia Andrews

De duistere engel

In het deftige huis van haar grootmoeder in Boston droomt Heaven Leigh Casteel van een heerlijk nieuw leven - met nieuwe vrienden, de beste school, prachtige kleren, en het belangrijkst: liefde.
Maar ook in de wereld van de welgestelden zijn duistere geheimen. En als Heaven zoekt naar liefde raakt zij langzaam verstrikt in een web van wreed bedrog en verborgen hartstochten.

Dit is het tweede deel van de aangrijpende *Casteel*-serie.

ISBN 90 449 2598 9

Lees ook van A.W. Bruna Uitgevers B.V.

Virginia Andrews

Hemel zonder engelen

Van alle mensen die in de armzalige hutten op de bergketen 'The Willies' in West-Virginia woonden, waren de Casteels de minsten - het uitschot van de heuvels.
Maar Heaven Leigh Casteel was het mooiste meisje van de buurt, ondanks haar gescheurde kleren en haar vuile gezichtje... ondanks een vader die gemener was dan tien slangen samen... ondanks een slonzige stiefmoeder die haar als een Assepoester liet werken...
En Heaven had een droom - een droom die door een wreed plan van haar vader vernietigd dreigde te worden...

Dit is het eerste deel van de aangrijpende vijfdelige *Casteel*-serie.

ISBN 90 449 2593 8